Brückner, Alexa

CW00664064

Kulturgeschichte Rus
Jahrhundert

Brückner, Alexander

Kulturgeschichte Russlands im 17. Jahrhundert

Inktank publishing, 2018

www.inktank-publishing.com

ISBN/EAN: 9783747753477

All rights reserved

This is a reprint of a historical out of copyright text that has been re-manufactured for better reading and printing by our unique software. Inktank publishing retains all rights of this specific copy which is marked with an invisible watermark.

BEITRÄGE

ZUR

KULTURGESCHICHTE RUSSLANDS

IM XVII. JAHRHUNDERT.

VON

ALEXANDER BRÜCKNER.

LEIPZIG,

VERLAG VON B. ELISCHER.

1887.

12 - 23 - 60

Vorbemerkung.

Recht gern entspreche ich der Aufforderung des Herrn Verlegers dieses Buches, eine Anzahl von Abhandlungen, welche die Geschichte Rufslands im 17. Jahrhundert zum Gegenstande haben und vor kürzerer oder längerer Zeit in verschiedenen Zeitschriften erschienen sind, gesammelt herauszugeben. Sind diese Monographien auch auf recht heterogene Stoffe gerichtet, so mögen sie doch in ihrer Gesamtheit dazu beitragen, dafs ein Einblick in die Kulturentwickelung Rufslands in der Epoche, welche den Reformen Peters des Grofsen vorausging, gewonnen werde. Alle diese Abhandlungen sind mehr oder minder geeignet den Prozefs der Europäisierung Rufslands zu veranschaulichen. Einige derselben, wie etwa die Skizze über die Prätendenten, die Darstellung der Pest 1654 oder die Schilderung der Gesandtschaftsreisen Tschemodanows und Potemkins zeigen, wie Rufsland noch im 17. Jahrhundert ein durchaus orientalischer Staat war und mit Westeuropa wenig gemein hatte; andere Aufsätze, wie etwa die Darlegung der Ansichten Krishanitschs über das Kleiderwesen oder die Biographien Rinhubers, W. W. Golizyns, Gordons illustrieren die Annäherung Rufslands an den höher kultivierten Westen. Bei solchen Studien gelangt man mehr und mehr zur Überzeugung, dafs Rufslands Metamorphose, der Fortschritt. welcher darin lag, dafs dieses Reich sich entschlofs in die Schule Europas zu gehen, sich ganz unabhängig von dem Willen Einzelner vollziehen mufste, dafs Rufsland auch ohne Peter europäisiert worden wäre. Ohne eine eingehendere Erforschung einzelner Erscheinungen, welche der Genesis der Verwandlung Rufslands in eine europäische Grofsmacht entsprechen, ist das Wesen der Entwickelung Rufslands in den letzten zwei Jahrhunderten nicht verständlich.

So mögen denn die in dem vorliegenden Bande zusammengefafsten Proben meiner Studien auf diesem Gebiete der Aufmerksamkeit der Fachgenossen und eines weitern Leserkreises nicht unwert erscheinen. Es sind Exemplifikationen der Art und Weise, wie sich auf dem Gebiete der Geschichte Rufslands umfassende Quellenwerke, edierte Geschäftspapiere, ungedruckte Archivalien und die recht weitschichtige historische Litteratur für Einzeldarstellungen verwerten lassen, deren Ergebnisse nur zu einem geringen Teil bei der Redaktion meines Buches über Peter den Grofsen Verwendung finden konnten.

Der Stoff der ersten Abhandlung „Zur Naturgeschichte der Prätendenten" entspricht nicht ganz dem Titel dieses Buches, insofern über die Grenzen Rufslands und über das 17. Jahrhundert hinausgegriffen wird. Gleichwohl glaubte ich mit dieser sozial-pathologisch-historischen Skizze — es waren Vorträge, welche ich in der Aula der Universität Dorpat zu einem wohlthätigen Zwecke gehalten hatte — die folgenden speziell der Geschichte Rufslands entsprechenden Abhandlungen einleiten zu dürfen.

Dorpat, im Oktober 1886.

A. Brückner.

Digitized by Google

Inhalt.

Google

I.

Zur Naturgeschichte der Prätendenten.

Schopenhauer hat der Geschichtsforschung den Vorwurf gemacht, sie sei keine Wissenschaft, weil ihr der Grundcharakter jeder Wissenschaft fehle: die Subordination des Gewußten, statt deren sie nur die Koordination aufzuweisen habe. Daher gebe es kein System der Geschichte: sie sei nur ein Wissen, keine Wissenschaft. Sie erkenne, sagt Schopenhauer weiter, nicht das Einzelne mittelst des Allgemeinen, sondern müsse das Einzelne unmittelbar fassen und so gleichsam auf dem Boden der Erfahrung fortkriechen. Die Wissenschaften, heißt es ferner bei Schopenhauer, da sie Systeme von Begriffen sind, reden stets von Gattungen; die Geschichte redet nur von Individuen; sie wäre demnach eine Wissenschaft von Individuen, was einen Widerspruch besagt; die Wissenschaften reden von dem, was immer ist; die Geschichte dagegen redet nur von dem, was einmal ist und nicht wieder u. s. w.

Dagegen wäre zunächst daran zu erinnern, daß die Wissenschaften selbst ein Produkt der Geschichte, daß sie geworden sind. Die Wissenschaft der Wissenschaften, die Geschichte des menschlichen Geistes und seiner Entwickelung zeigt, daß nichts ist, sondern, daß alles wird, daß etwa die Naturbeschreibung zur Physiologie, die Alchymie zur Chemie, die Astrologie zur Astronomie geworden ist. Alle Wissenschaft geht aus vom Beobachten der Thatsachen und dieses führt erst zum Erkennen allgemeiner Prinzipien: es kommt darauf an, daß eine Summe gezogen werde.

1*

Wer wird leugnen, daſs die Geschichtsforschung nur ausnahmsweise den Versuch gemacht hat von dem Einzelnen fort-
zuschreiten zur Betrachtung des Ganzen, den Sinn der unzähligen
Thatsachen „nicht herauszubuchstabieren im Einzelnen, sondern
herauszulesen im Ganzen" (Gervinus).

Aber es ist ein Streben in dieser Richtung wahrzunehmen.
Dahin gehören die Versuche Vicos, das scheinbar Zufällige als
Nothwendiges "zu erkennen, durch Vergleichung analoger Erscheinungen eine historische Physiologie herzustellen; dahin gehörte das Umhertasten Montesquieus, Humes u. a. nach allgemeinen historischen Gesetzen, nach allgemeinen Gesichtspunkten
für die Beurteilung und das Verständnis historischer Erscheinungen; dahin gehört der geistreiche, aber im wesentlichen
verfehlte Versuch Buckles, das Wesen des Fortschritts als eines
solchen darzustellen, welcher sich nur auf dem Gebiete der
materiellen und intellektuellen, nicht aber auch auf demjenigen der
ethischen Entwickelung vollzieht.

Sind alle Wissenschaften geworden, so kann auch die Geschichtsforschung, selbst wenn sie es jetzt noch nicht wäre, eine
Wissenschaft werden.

Ob aber eine Naturwissenschaft?

Die Naturwissenschaften sind der Inbegriff des Ganzen der
Erfahrungserkenntnis aller uns zugänglichen Wahrnehmungen der
Natur. Soll aber, wenn der Mensch und deren Natur zum Gegenstande wissenschaftlicher Forschung gemacht wird, der Mensch
nur als Individuum oder auch nur als Exemplar der Gattung,
nicht etwa auch die Menschheit beobachtet werden können? Soll
die Geschichte bei den Individuen stehen bleiben?

Man hat eine Staaten- und Völkergeschichte, eine Geschichte
der Zivilisation, eine Geschichte der Ideen. Wo bleiben da die
Individuen? Sie erscheinen als ein Produkt der Zeit, als Exemplare der Gattung; die einzelne Thatsache wird zur Exem-
plifikation einer Idee, zum Ausdruck eines Prinzips, zum Symptom
eines innern Vorgangs im Organismus der Menschheit.

Eine solche Betrachtungsweise ist zulässig, ohne daſs man

darum den freien Willen des Individuums oder einer Welt-
regierung zu leugnen braucht. Die Gröfse einzelner Heroen in
der Welt wird dadurch nicht beeinträchtigt. Aber man kann,
indem man auf dem Wege der Analogie zu Verallgemeinerungen
gelangt, homogene Erscheinungen miteinander vergleicht, zur Erkenntnis verschiedener Gattungen historischer Individuen gelangen.
Man kann in der Weise der Naturforscher historische Individuen,
welche unter ähnlichen Verhältnissen auftreten, in ähnlicher Weise
wirken, zusammenfassend betrachten und ist gewifs, dafs dadurch
in die Behandlung solcher Stoffe Klarheit gebracht werde.

In dem Folgenden nun soll der Versuch gemacht werden,
eine Gattung historischer Individuen zu betrachten, welche uns
zu allen Zeiten in gröfserer oder geringerer Zahl begegnen: es
sind die Prätendenten. Die Aufgabe besteht darin, das Wesen
dieser Gattung historischer Individuen dadurch zu erläutern, dafs
man sie klassifiziert.

Durch die Klassifikation haben die Naturwissenschaften un-
geheure Vorteile erzielt. Es gilt nun, mit einer derartigen
Systematik auf historischem Gebiete ein Experiment zu machen.
Der Botaniker gewinnt viel, wenn er Monokotyledonen von
Dikotyledonen, Gramineen von Lykopodiaceen unterscheidet; der
Ornitholog bringt Klarheit in die Sache, wenn er von Stand-,
Strich- und Zugvögeln oder wenn er von Nesthockern und Nest-
flüchtern spricht u. s. w. Vielleicht gelingt etwas Ähnliches für
einen historischen Stoff. Versuchen wir es mit den Prätendenten,
d. h. mit denjenigen Individuen, welche in der politischen Geschichte mit einem Anspruch auf einen Thron, auf eine Regierung
auftreten, welche ihnen vorenthalten werden.

Die Naturwissenschaften haben es zu einer Tier- und Pflanzen-
geographie gebracht. Sie fragen u. a. nach der räumlichen Verbreitung von Pflanzen und Tieren. Es ist von grofsem Interesse
den Rayon zu kennen, innerhalb dessen ein Schmetterling oder
ein Käfer oder eine Grasart oder eine Molluskenfamilie vorkommt.
Man erforscht die natürlichen Bedingungen für das Gedeihen
solcher Naturprodukte; man kennt ihre Abhängigkeit von Klima,

Bodenbeschaffenheit u. s. w. Man hat ferner nach Erforschung
der Geschichte der Pflanzen und Tiere gezeigt, dafs die räumliche
Verbreitung sich zeitlich ändert, dafs Kulturpflanzen und Haus-
tiere kolonisiert werden, dafs die klimatischen Bedingungen für
das Dasein von Pflanzen und Tieren an bestimmten Lokalen sich
ändern u. dgl. mehr.

Die Naturforscher haben mit solchen Beobachtungen einen
Streifzug gemacht in das Gebiet der Geschichtswissenschaft und
Beide haben gewonnen.

Ein ähnliches Verfahren können die Historiker einschlagen.
In dem vorliegenden Falle fragen wir nach der räumlichen und
zeitlichen Verbreitung der Prätendenten. Diese Verbreitung stellt
sich als eine aufserordentlich ungleichmäfsige heraus. Es wäre
eine exakte Statistik der Prätendenten für verschiedene Epochen
und Länder denkbar. Man könnte etwa durch graphische Darstellung sehr anschaulich machen, dafs es an Prätendenten reiche
Länder gibt und andere, wo gar keine oder fast gar keine vor-
kommen, oder Zeiten, wo sehr viele, und Zeiten, wo gar keine
auftreten. Wie die Pflanzen und Tiere für ihre Entwickelung,
ihr Gedeihen, ihre Ernährung auf gewisse Bedingungen der
Atmosphäre, der Bodenbeschaffenheit u. s. w. angewiesen sind,
so auch die Prätendenten. Sie gedeihen nicht gleichmäfsig unter
jedem Himmelsstriche, nicht in jeder Periode der Geschichte. In
einzelnen Lokalen schiefsen sie wie Pilze aus der Erde massen-
haft auf; in andern erscheinen sie nur ganz vereinzelt; inbezug
auf Prätendenten lassen sich die räumlichen und zeitlichen Teile
der Geschichte mit den Jahreszeiten in deren Verhältnis zu
Pflanzen und Tieren vergleichen. In manchen Jahrhunderten
kommen so wenig Prätendenten vor, wie Kaulquappen im Winter;
zu andern Zeiten wimmelt es von ihnen wie von Fliegen und
Mücken im Juli: hier sind sie so rar, wie die Wölfe in England,
dort so gewöhnlich wie Unkraut.

Die Frage von der Häufigkeit des Vorkommens der Prätendenten ist leichter zu beantworten, wenn man die ganze Klasse
genauer betrachtet, ihr Wesen kennen lernt. Dieses geschieht

am besten, indem man sie klassifiziert. Eine solche Anordnung
nach Merkmalen ist sehr lehrreich. Man kann von Ordnungen,
Familien, Geschlechtern der Prätendenten reden.
Zunächst kann man sie in zwei Ordnungen einteilen, in die
echten und die falschen.

I. Die Echten.

Die echten Prätendenten sind das, wofür sie sich ausgeben;
ihre Ansprüche haben eine gewisse Berechtigung; als Vertreter
der Legitimität begründen sie ihre Ansprüche juristisch; über
ihre Persönlichkeit, ihre Identität besteht kein Zweifel. Sie
machen Anspruch auf einen Thron, welcher ihnen vorenthalten
wird. Sie leben meist auf Kriegsfuſs mit der Wirklichkeit, welche
geneigt zu sein pflegt, über ihre Rechtsansprüche zur Tagesordnung überzugehen; sie sind Theoretiker, welche die Praxis
verachten, Doktrinärs, welche, oft mit gewaltigem Fanatismus,
abstrakte Prinzipien vertreten; ihre Ideale werden nur selten erreicht; fast immer verfolgen sie unerreichbare Ziele. Sie sind
meist unglücklich, oft verbittert, mit dem herrschenden Zeitgeist
zerfallen, in der Minorität, von wenigen anerkannt, von vielen
mit Geringschätzung behandelt, bisweilen gar verfolgt, bestraft,
gemartert, hingerichtet. Hier und da erscheinen sie als Helden,
welche groſse Ideen vertreten; dazwischen als Märtyrer, welche
für ihre Rechte ihr Leben hinzugeben bereit sind. Sehr oft ist
von einem derartigen Heroen- und Märtyrertum nur ein kleiner
Schritt zu thun zu einem umhervagabundierenden Abenteurertum.

Die Prätendenten, Menschen, die gern etwas hätten, was sie
nicht haben, was ihnen aber ihrer Ansicht nach gehört, empfinden
es übel, daſs es ihnen nicht so gut geht, als es ihnen ihrer
Meinung nach gehen sollte. Sie fühlen sich als die Zurück-
gesetzten, Benachteiligten; sie grollen über die Verhältnisse, sie
wünschen die Welt anders als sie ist. Ihr Ideal widerspricht
der Wirklichkeit; sie leben in einer andern Zeit; ihr Dasein
ist ein Protest gegen die Gegenwart; sie wurzeln in der Ver-

gangenheit; sie suchen das Rad der Weltgeschichte nicht blofs aufzuhalten, sondern rückwärts zu bewegen, kommen aber damit nicht zu stande; ihre Laufbahn ist ein fortwährendes Mifslingen; ein Fiasko reiht sich an das andere. Die Prätendenten sind Anachronismen. Wer den Schaden hat, darf für den Spott nicht sorgen.

Wir werden in der Ordnung der echten Prätendenten leicht einzelne Familien d. h. Unterabteilungen entdecken, wenn wir einen Blick werfen auf die verschiedenen Epochen und Lokale der Geschichte.

In Monarchien und insbesondere in Erbmonarchien wird es eher Prätendenten geben, als in Republiken oder Wahlmonarchien. Indessen sind die letzteren doch nicht frei von Prätendenten. Im Altertum und Mittelalter gab es weniger Erbmonarchien als in der Neuzeit und doch begegnen uns dort viele Prätendenten. Dahin gehören u. a. in Griechenland eine Menge vertriebener Tyrannen, z. B. Theognis von Megara, die Aleuaden und Skopaden aus Thessalien, die Pisistratiden aus Athen u. s. w. Es sind Emigranten, welche mancherlei Familienähnlichkeit haben mit den französischen Emigranten der Revolutionszeit: sie gehören eben (naturgeschichtlich gesprochen) zu einer Familie. Da sehen wir in der ältesten Periode der römischen Geschichte den Tarquinius Superbus nach seinem Sturze sich zurückziehen nach Cumae und Clusium, auf fremde Hilfe zur Wiedereinsetzung in die verlorenen Rechte hoffen, die Intervention der ausländischen Herrscher beanspruchen, ganz so etwa, wie sich die Stuarts an den Höfen von Madrid und Paris herumbettelten. Niebuhr hat die Anhänger der Tarquinier in Rom mit den Kavalieren unter Cromwell verglichen. Wie Tarquinius von den Vejentern unterstützt wurde, so die französischen Emigranten etwa von Österreich und Preufsen; mit Friedrich Wilhelm II. ist Porsena verglichen worden.

Dieses Anflehen der ausländischen Intervention ist fast allen echten Prätendenten eigen. Der König von Hannover hat mit Frankreich gegen Deutschland gehen wollen, wie die Pisistratiden dem Erbfeinde von Hellas, dem persischen Könige, den

Hof machten. Solche Emigranten, von denen es im Altertum bei den Parteikämpfen der Tyrannenfamilien in Griechenland wimmelt, stellen die persönlichen Interessen stets höher als diejenigen des Vaterlandes. Es handelt sich bei ihnen nicht um hohe und weite Gesichtspunkte, sondern um Besitzfragen; es ist ein Vorherrschen eines zivilrechtlichen Standpunktes, welcher mit einer gewissen Kleinlichkeit, mit Rachsucht und Verbitterung vertreten wird. Prätendent zu sein verdirbt den Charakter.

Bei Mommsens Schilderung von Pompejus und dessen Partei vor der Schlacht bei Pharsalus wird man unwillkürlich an das Treiben der Artois und Provence, der Condé und Calonne, der Junker und Priester in Koblenz in den Jahren 1792 und 1793 erinnert. Von den letzteren gilt, was von den ersteren gesagt wird, Pompejus und der Emigrantensenat hätten hohe Ansprüche mit sehr dürftigen Leistungen verbunden, unzeitige Reminiscenzen und noch unzeitigere Rekriminationen, politische Verkehrtheiten und finanzielle Verlegenheiten in kläglicher Weise zur Schau getragen.

Die Prätendenten der alten Geschichte, welche einer höheren Kulturstufe entsprechen und die westliche Zivilisation repräsentieren, wie etwa Pompejus, lassen sich mit den europäischen Prätendenten der neueren Zeit vergleichen. Diejenigen Prätendenten des Altertums dagegen, welche im Orient auftreten, unter andern alle die in dem Zeitalter des Hellenismus nach dem Verfall der Monarchie Alexanders des Grofsen in Asien auftretenden, haben Ähnlichkeit mit den orientalischen Prätendenten von heute. Die ersteren vertreten neben ihren persönlichen noch Parteiinteressen; sie haben ein politisches Programm; mit ihnen steht und fällt ein Anhang. Die orientalischen Despoten, welche selbst oder deren Ahnen gestürzt wurden, vertreten aufser dem eigenen persönlichen Interesse etwa nur noch dasjenige einiger Verwandten und Günstlinge. Es gibt da keine Parteibildung, kein politisches Programm. Es herrscht bei ihrem Treiben die rohe Gewalt, die grausamste Rachsucht, die raffinierteste Tücke. Sie thun, als sei die Welt ganz allein für sie geschaffen, diese Erscheinungen sind dieselben in Persien und Assyrien, wie in Siam oder China.

Blicken wir in das Mittelalter, so sehen wir die Erbmonarchie nur in einzelnen relativ kleinen Lokalen. Die höchsten Stellen — Papsttum und Kaisertum — werden durch Wahl besetzt. Dabei gibt es furchtbare Prätendentenkämpfe: es begegnen uns Gegenpäpste und Gegenkaiser; es entsteht oft eine von dem Parteiinteresse geschaffene Konkurrenz der Thronbesteigung: so werden nicht selten Bürgerkriege herbeigeführt. Man erinnere sich der gleichzeitigen Herrschaft Philipps von Schwaben und Ottos von Braunschweig; Ottos IV. und Friedrichs II., Friedrichs II. und Konrads IV. einerseits und Heinrich Raspes, Wilhelms von Holland, Alfons X. von Castilien, Richards von Cornwales andererseits, Ludwigs des Baiern und Friedrichs des Schönen, Karls IV. und Günthers von Schwarzburg. — Es ist kein Zufall, dafs in der späteren Zeit, als das Reich nichts mehr galt, keine Gegenkaiser mehr auftraten. Man konnte sagen: le jeu ne vaut pas la chandelle. Die Zeit der Kämpfe der Gegenkaiser war vorüber: die Zeit der Kämpfe um die Erbfolge brach an. Die Erscheinungen der auf ihr Thronrecht pochenden, miteinander konkurrierenden Wahlfürsten hören in Deutschland auf; sie kommen in der späteren Zeit etwa noch in Polen vor, jenem Lande, wo das Mittelalter sich in manchen Stücken permanent erklärt hatte. Stanislaus Lesczynski ist ein solcher Prätendent mittelalterlichen Charakters.

Ähnlich ging es mit dem Papsttum. Nicht selten fand die Wahl mehrerer Päpste zu gleicher Zeit statt. Sie thaten einander gegenseitig in den Bann. Noch um die Zeit des Konzils von Konstanz gab es drei Päpste auf einmal; alle diese Prätendenten wurden abgesetzt; es wurde ein vierter gewählt. Später, bei dem Verfalle des Papsttums, trat nicht so leicht eine so starke Konkurrenz ein. Auch hier konnte man sagen: le jeu ne vaut pas la chandelle.

In gewissem Sinne sind diese mittelalterlichen Autoritäten — Papst und Kaiser — die Prätendenten par excellence. Die oben angedeuteten Merkmale von Prätendenten finden sich alle bei einem Pius IX. und Leo XIII.; da sehen wir die üble Laune im Vatikan, eine retrospektive Art die Welt zu betrachten, etwas

Überlebtes, Abgethanes, das sich spreizt, sich in das Bewufstsein der eigenen Gröfse und Würde hüllt, allen Mafsstab für die Beurteilung der neueren Zustände und Verhältnisse verloren hat; es ist ein naiv-anachronistisches Wesen, eine Romantik, welche von Reminiscenzen lebt. Das Adagio und Largo des Mittelalters kann sich nicht in das Allegro vivace der letzten Jahrhunderte hineinfinden; daher mufs es Verstimmung, Disharmonie geben. Wer so viel Anspruch macht, die erste Violine zu spielen und dabei das Tempo so wenig versteht, wird von dem Kapellmeister einfach zur Seite gestellt und mag sich begnügen, in verbissener Grämlichkeit die gute alte Zeit zu preisen, wo noch Bannfluch und Dinge, wie Encyklika und Syllabus etwas bedeuteten und nicht wie neuerdings, nach Macaulays Ausdruck, von Petersburg bis Lissabon ein unauslöschliches Gelächter erregen, um den Vatikan darüber zu belehren, dafs die Zeit der Kreuzzüge vorüber ist.

Auch die Kaiser des Heiligen Römischen Reichs waren solche Prätendenten, denen das Schicksal nicht ersparte, dafs sie Anachronismen wurden. Auch sie erhoben rein theoretische, den Zeitverhältnissen widersprechende Prätensionen, wenn auch die letzteren nicht so arg in der Luft standen, wie diejenigen der Päpste, welche u. a. einmal ausrechneten, dafs sie 144mal höher ständen, als die Kaiser. Aber auch die Ansprüche der Kaiser waren oft chimärisch genug: sie wollten als an der Spitze der Christenheit stehend gelten; sie mafsten sich eine gewisse Oberhoheit über alle andern Fürsten an. Man lachte darüber. In England hat zur Zeit des Königs Heinrichs VIII. das Parlament den Beweis zu führen gesucht, der König von England sei um nichts geringer, ja wohl noch mehr als der Kaiser und doch hatte man ebendort, als ein Jahrhundert zuvor Kaiser Sigismund nach England kam, an ihn ganz formell die Frage gerichtet, ob er komme, um seine oberlehnsherrlichen Kaiserrechte geltend zu machen.

Päpste und Kaiser sind auch noch in anderem Sinne Prätendenten gewesen, nämlich in ihrem Verhältnis zu einander. Jeder will höher stehen, als der andere, jeder will herrschen, jeder will die Wahl des andern beeinflussen, von der Bestätigung dieser

Wahl alle Rechte des andern abhängig machen. Es ist ein un-
erquicklicher Streit, welcher, mit dem Prätendenten eigenen Dok-
trinarismus geführt, bis auf die neueste Zeit fortdauert.

So viel von den Prätendenten des Altertums und Mittelalters.
Aus dem Angeführten ergeben sich verschiedene Gattungen von
Prätendenten und zwar etwa folgende:

1) Wahlherrscher mit einer Partei;

2) Herrscher, deren Rechte auf göttlicher Autorität beruhen,
   etwas ganz Abstraktes sind, wie Päpste und Kaiser;

3) Erbfürsten.

Diese letztere Familie der Prätendenten ist näher zu betrachten. Solche Prätendenten treten in der neueren Zeit in
dem Mafse zahlreich auf, als erstlich das Prinzip der Erbmonarchie
sehr energisch sich durchsetzt, als zweitens grofse politische Erschütterungen Thronwechsel und Verluste von Thronen bewirken.

Die Erbmonarchie siegt prinzipiell. Deutschland und Polen
mit ihren Wahlfürsten sind Ausnahmen. Ein Prätendent wie
Stanislaus Lesczynski ist, wie schon oben erwähnt wurde, eine
Art Anomalie in der neuen Geschichte, eben weil sein Recht
auf Wahl basiert, sonst treten nicht einzelne als solche, sondern
vielmehr Vertreter einer Dynastie als Prätendenten auf: sie sind
die Repräsentanten der Legitimität. Dahin gehören die vielen
depossedierten Fürsten der neueren und neuesten Zeit. An ihnen
ist kein Mangel. Sie entstehen auf dreierlei Weise:

1) durch grofse politische Reformen, welche den Zweck
   haben, grofse und rein weltliche Staaten zu bilden im
   Gegensatze zu den kleinen und theokratischen Staaten,
   von denen es im Mittelalter wimmelt: die Prozesse der
   Säkularisation und der Mediatisation schaffen eine sehr
   grofse Anzahl solcher Prätendenten;

2) durch Revolutionen;

3) durch Kriege.

Indem die Zahl der Staaten abnimmt, mufs auch die Zahl
der regierenden Fürsten abnehmen. In Deutschland gab es früher
über tausend Staaten, dann nur Hunderte, später nur einige

19

Dutzend, und auch deren Zahl nahm stets ab, bis dann zuletzt in gewissem Sinne nur e i n Staat übrig blieb, das deutsche Reich. Es ergibt sich daraus eine Menge von depossedierten, mediatisierten Fürsten. Die geistlichen Territorien verschwinden. Was in unsern Tagen der Papst mit seinem Kirchenstaate erlebte, hat eine grofse Anzahl von Kirchenfürsten durch die Säkularisation im geringeren Mafsstabe erfahren. Die Kleineren werden von den Gröfseren verschlungen. Manche werden mit Geld abgefunden und geben sich zufrieden; andere protestieren und werden Prätendenten.

Oft werden Throne und Kronen durch Revolutionen verloren. Man erinnere sich der Stuarts und der Bourbons, dieser Prätendentenfamilien par excellence. — Maria Stuart war schon vor 1558 Prätendentin inbezug auf England, dann wird sie Prätendentin inbezug auf Schottland; bis an ihren Tod strebt sie nach der englischen Krone. Von 1649—1660 ist dann Karl II. Prätendent, Jakob II. von 1688 an, später Jakob III. und endlich der „Prätendent" Karl Eduard. Die Stuarts haben weniger lange regiert als prätendiert. Auf dem Thron waren sie 70 Jahre, Prätendenten sind sie doppelt so lange. Solchen gestürzten Dynastien wie den Stuarts, den Bourbons oder den Welfen ist der Staat ein Kammergut; sie nehmen einen privatrechtlichen Standpunkt ein; sie reden von einem angestammten Erbe.

Die französische Revolution stürzt eine Menge von Thronen um: es entstehen sehr viele Prätendenten; die Bourbons in Frankreich, hinterdrein in Spanien, in Neapel; ebenso erging es einer grofsen Anzahl anderer deutscher und italienischer Fürsten, so oft Napoleon erklärte: „La dynastie telle et telle a cessé de régner" oder so oft er die Annexion irgend eines fremden Staatsgliedes als „commandé par les circonstances" vollzog.

Ähnlich wirkte die Revolution des Jahres 1830, welche u. a. einen recht beachtenswerten Prätendenten entstehen läfst: Karl von Braunschweig, den berüchtigten Diamantenherzog, dessen Denkmal auf schweizerischer Erde an die Schmach deutschen Duodezdespotentums erinnert. — Opfer des Jahres 1830 sind

Karl X., Heinrich V.; 1867 werden die Bourbons in Spanien gestürzt; schon früher wurden sie in Italien vertrieben. Wie die Bourbons als Prätendenten einer chronischen Pest gleichen, zeigen die, Jahrzehnte währenden, Karlistenkriege in Spanien.

Braucht man noch an die Wirkung des Jahres 1848 zu erinnern, an den Sturz Louis Philipps; an die mehr oder minder unfreiwillige Abdankung einer Reihe anderer Fürsten; an die Katastrophen Ottos von Griechenland, der Fürsten von Modena, Toskana u. s. w. in Italien?

Grofse Unglücksfälle in Kriegszeiten haben das Zusammenbrechen von Thronen, den Wechsel von Dynastien zur Folge. So stürzt Gustav IV. in Schweden 1809, so Napoleon I. nach der Schlacht bei Waterloo, so Napoleon III. nach Sedan. Es wirkten hier Kriege mit revolutionären Regungen zusammen. Das Jahr 1866 ist in Deutschland ein Krieg und eine politische Reform zugleich: es entstanden dadurch die Prätendenten von Hannover, Hessen und Nassau.

So kann man denn, wie aus den vorstehenden Andeutungen hervorgeht, die Prätendenten der Familien von Erbfürsten klassifizieren je nach der Ursache ihres Sturzes. Man kann sie aber je nach andern Merkmalen klassifizieren, indem man sie etwa einteilt in solche, welche selbst regierten und ihren Thron verloren, und in solche, deren Ahnen oder sonstige Verwandten regierten. Zu der ersteren Art sind zu rechnen Napoleon I., Iturbide in Mexiko, Murat in Neapel, zu der zweiten die Epigonen: Napoleon IV., Heinrich V., die Orleans u. dgl.

Eine sehr energisch wirkende Ursache des Entstehens gefährlicher Prätendenten ist endlich noch eine gewisse Unklarheit im Erbfolgerecht. Das Auftauchen solcher Prätendenten ist besonders häufig im 18. Jahrhundert in Rufsland. Nach Peters des Grofsen Tode waren Katharina I., deren Töchter Anna und Elisabeth, der Enkel Peters, Peter II., die Töchter des Zaren Iwan, Katharina und Anna Prätendenten. Sie machen einander Konkurrenz. Sie können einander jeden Augenblick gefährlich werden. Soweit es dem einen oder dem andern von ihnen geliegt eine Partei zu bilden, ehrgeizige Männer zur Vertretung ihrer Interessen zu gewinnen, können Staatsumwälzungen eintreten; Palastintriguen, Verschwörungen sind an der Tagesordnung. So steht sechzehn Jahre hindurch Elisabeth, die Tochter Peters, als Prätendentin neben dem Throne ihrer Verwandten: im geeigneten Augenblicke bemächtigt sie sich des Thrones; so hat Biron der Herzogin Anna Leopoldowna gedroht, ihr in Peter (III.) von Holstein einen gefährlichen Konkurrenten gegenüberzustellen; so ist der Gefangene von Cholmogory und Schlüsselburg, Iwan Antonowitsch, zwei Jahrzehnte hindurch ein bedenklicher Prätendent, dessen Name unter Umständen auf die Fahne der Revolution geschrieben werden konnte.

Ich schliefse diese Übersicht der echten Prätendenten mit einer kurzen Andeutung der Frage von den Restaurationen, von den Versuchen das verlorene Recht wiederzuerlangen, den beanspruchten Thron zu erwerben. Es wäre von Interesse, das Verhältnis der mifslungenen Restaurationsversuche zu den gelungenen in einem Prozentverhältnis ausdrücken zu können. Es gibt wenige Beispiele gelungener Restaurationen, und auch von diesen sind die meisten nur zeitweilig gelungen. Die vertriebene Dynastie kehrt bisweilen nur zurück, um ihre Unfähigkeit und Unmöglichkeit, das Anachronistische ihres Daseins noch deutlicher an den Tag zu bringen. So kehren die Stuarts 1660 zurück, um 1688 wieder endgiltig gestürzt zu werden, so die Bourbons 1814 und 1815, um 1830 wieder zu verschwinden, so die Bourbons in Spanien und Neapel und so auch Napoleon I. in den hundert Tagen. Diejenigen Prätendenten, welche ihre Restaurationsversuche mit dem Leben bezahlen mufsten, liefsen sich in eine Gruppe zusammenfassen; wir weisen auf Konradin und Monmouth hin, auf Iturbide und Murat.

Es ist eine Art Ideal, das Recht einer Dynastie zu vertreten, und es geschieht bisweilen nicht ohne Ritterlichkeit. Aber die Grenze, wo der Held und Ritter aufhört und der Abenteurer anfängt, ist schwer zu bestimmen. Napoleon III. hat sich durch seine Restaurationsversuche in Boulogne und Strafsburg lächerlich

gemacht. Sympathie und Verachtung, Bewunderung und Spott
haben fast immer zusammen die Prätendenten begleitet. Dafs
die Wechselfälle, denen Prätendenten und deren Anhänger ausgesetzt sind, Gefahren, Leiden aller Art, die hierbei nicht zu vermeiden sind, ästhetisch wirken können, zeigt der Umstand, dafs
in der Belletristik auf dem Gebiete des historischen Romans kaum
noch ein Stoff so beliebt ist, wie z. B. die Schicksale der Stuarts.
Das ist aber zugleich das Charakteristische bei den Prätendenten,
dafs sie sehr oft nur in den Roman gehören und dafs die Wirklichkeit über ihre oft phantastischen Ansprüche zur Tagesordnung
überzugehen pflegt.

II. Die Falschen.

Das Auftreten falscher Prätendenten ist, wie bekannt, eine
der Geschichte Rufslands im 17. und 18. Jahrhundert eigentümliche, sehr häufig vorkommende Erscheinung. In diesen Zeiten
sind solche Betrüger gradezu ein chronisches Übel, während sie
in andern Partien der Weltgeschichte zu den seltensten Vorkommnissen zählen.

Es mag von Interesse sein, einen Augenblick bei der Statistik
dieser historischen Vorgänge zu verweilen.

Aus dem Altertum sind nur sehr wenige derartige Beispiele
bekannt. Die gröfste Berühmtheit geniefst bekanntlich Pseudo-
smerdes, dessen Geschichte noch vor kurzem von Ebers in der
„Ägyptischen Königstochter" sehr geschickt verwertet worden ist.
In der späteren makedonischen Geschichte gab sich (149) ein gewisser Andriscus für Philipp IV. von Makedonien, Sohn des
Perseus, aus. Niebuhr bemerkt in seinen Vorlesungen, es sei
gar nicht sicher, ob dieser Prätendent nicht echt gewesen sei.
Er wurde in Thessalien anerkannt, sodann von den Römern geschlagen und gefangen genommen. Indessen hatte denn doch
seine Herrschaft nahezu ein Jahr gewährt. Wenige Jahre später
trat ein anderer Prätendent, ebenfalls ein angeblicher Sohn des
Perseus, Alexander, auf (142).

Aus der Geschichte des Mittelalters wäre etwa das Beispiel jenes Pseudoheinrich zu erwähnen, welcher nach dem im Jahre 1125 erfolgten Tode Heinrichs V. auftrat, des Betrugs überführt wurde und in einem Kloster starb. — Von unvergleichlich gröfserem Interesse ist der falsche Waldemar (1347—55), welcher als Gegner des Kurfürsten Ludwig von Brandenburg aus Wittelsbachischem Stamme auftrat, sich für den in Palästina verstorbenen Markgrafen Waldemar aus askanischem Stamme ausgab, bei Fürsten und Volk viele Anhänger fand und seine angeblichen Rechte in einem mehrjährigen Bürgerkrieg verfocht, hierauf abdankte, die Bewohner der Marken ihrer Pflichten gegen ihn entband, sich nach Dessau zurückzog und dort bis an seinen Tod fürstlichen Rang behauptete. Die einen glauben, es sei dieser Mann ein Müller, Namens Jakob Rehbock gewesen: die andern hielten ihn für einen Bäcker, Namens Möhnicke.

Ferner wäre auf Warbeck hinzuweisen, einen Betrüger, welcher an dem Hofe der Herzogin Margarete von Burgund, einer Schwester Eduards IV. von England, auftrat und sich für den auf Befehl Richards III. ermordeten Sohn Eduards IV. ausgab. Er erregte zuerst in Nordengland mit schottischer Hilfe, sodann in Irland einen Aufstand gegen Heinrich VII., wurde jedoch 1499 gefangen und hingerichtet. Man weifs, dafs Schiller die Geschichte dieses angeblichen Herzogs Richard von York, ebenso wie diejenige des Pseudodemetrius dramatisch behandeln wollte.

Unter Gustav Wasa erschien ein Bauer, welcher sich für den verstorbenen Sture ausgab. Seine Ansprüche unterstützte, allerdings ohne Erfolg, der Bischof von Drontheim.

Viel bekanntere Beispiele des Pseudoprätendententums sind die falschen Sebastiane in Portugal, welche nach der Schlacht bei Alcassar (1578) auftraten. Der Umstand, dafs die Leiche des Königs Sebastian, welcher, ein Enkel Karls V., mit seinem ganzen Heere im Kampfe mit den Orientalen zu Grunde ging, nicht aufgefunden wurde, veranlafste das Erscheinen mehrerer Abenteurer, welche sich für den aus der Schlacht geretteten König ausgaben.

In neuester Zeit hat man mehrere Personen auftreten sehen,

welche sich für den unglücklichen Sohn des hingerichteten Königs Ludwigs XVI., den König Ludwig XVII. ausgaben. Dahin gehört der bekannte Uhrmacher Naundorf, dessen Tochter „Prinzessin Amélie de Bourbon" noch vor wenigen Jahren (1874) am 21. Januar, dem Todestage Ludwigs XVI., in der Kapelle Expiatoire dem Trauergottesdienste beiwohnte und eine Klage gegen den Grafen Chambord anhängig machte.

So einige wenige vereinzelte Beispiele aus der Geschichte Westeuropas. Vielleicht liefse sich noch das eine oder das andere derartige Vorkommnis namhaft machen. Aber im wesentlichen gehören solche Erscheinungen zu sehr seltenen Ausnahmen.

Ganz anders in Rufsland, wo die Zahl der falschen Prätendenten zu Zeiten so stark ist, dafs man von einer Prätendentensucht, einer Epidemie am krankhaft affizierten Staats- und Gesellschaftskörper, reden kann.

Und zwar beginnen diese Erscheinungen unmittelbar nach dem Erlöschen der Dynastie Ruriks, in der Zeit des Interregnums. Es geschieht wohl, dafs die Zügel der Regierung am Boden schleifen; glücklich, wer sie erhascht; Bauernkriege, Räuberunwesen, Verheerung durch auswärtige Feinde, der Mangel einer kräftigen Regierung im Zentrum; so ist der Boden beschaffen, auf welchem das Unkraut des falschen Prätendententums gedeiht.

In weiteren Kreisen ist von solchen Prätendenten vor allen der erste Pseudodemetrius bekannt, ein genialer Mensch, welchen Schiller nicht ohne Grund zum Helden eines Trauerspiels hat machen wollen; ein Abenteurer, aber vielleicht kein Betrüger, insofern in allerneuester Zeit darauf hingewiesen worden ist, dafs Demetrius aller Wahrscheinlichkeit nach sich selbst für echt gehalten habe. Noch während seiner Regierung verbreitete sich das Gerücht, dafs sein Vorgänger, der Zar Boris Godunow, nicht gestorben, sondern ins Ausland geflüchtet sei: eine metallene Puppe sei statt seiner begraben worden. Auch von dem unglücklichen, vom Pöbel in Moskau ermordeten Sohne Boris Godunows, Feodor, welcher sich einige Wochen hindurch Zar genannt hatte, erzählte man damals, er habe sich gerettet und werde demnächst erscheinen.

Den von verschiedenen Seiten auftauchenden Gerüchten, Demetrius habe sich aus der Katastrophe im Mai 1606, als Wassilij Schuiskij ihn stürzte und er massakriert wurde, durch die Flucht zu retten vermocht, entsprach das Auftreten jenes „Betrügers von Tuschino", des zweiten Pseudodemetrius, an dessen Echtheit wohl die wenigsten seiner Anhänger werden geglaubt haben, welcher aber, indem er die Bauern gegen ihre Herren aufwiegelte, eine soziale Revolution entflammte, einen starken Anhang hatte und längere Zeit hindurch die Rolle eines Zaren spielte. Sodann. erschien ein angeblicher Sohn des letzten Zaren aus dem Hause Rurik, Feodor, ein Pseudopeter, ferner ein angeblicher Neffe des Zaren Feodor und endlich eine ganze Reihe von angeblichen Söhnen und Enkeln des Zaren Iwans des Grausamen; Söhne des Zaren Wassilij Schuiskij, eine ganze Anzahl angeblicher Söhne des Zaren Feodor Iwanowitsch. Da gab es einen Zarewitsch August, einen Zarewitsch Lawrentij, einen Zarewitsch Feodor, einen Zarewitsch Klementij, einen Zarewitsch Ssawelij, einen Zarewitsch Ssemjon, einen Zarewitsch Wassilij, einen Zarewitsch Uroschka, einen Zarewitsch Gawrilka, einen Zarewitsch Martynka u. s. w. (Kostomarow).

Und diese Erscheinungen setzen sich auch in der Zeit der Regierung der ersten Romanows fort. Es treten auch im Auslande derartige Prätendenten auf, so etwa in Polen ein angeblicher Sohn der Marina Mnischek, Gemahlin des ersten Pseudodemetrius, so ein gewisser Luba, welcher sich für einen Sohn des ehemaligen Zaren Wassilij Schuiskij ausgab; dieselbe Rolle übernahm etwas später ein gewisser Ankudinow. Bei Gelegenheit diplomatischer Verhandlungen zwischen polnischen und russischen Gesandten drohten die Polen wohl mit dem Auftreten russischer Thronprätendenten, deren man einige in Bereitschaft habe. Drei Jahrzehnte nach der Thronbesteigung Michael Romanows tauchten in Konstantinopel zwei russische Thronprätendenten auf, ein angeblicher Sohn Schuiskijs, welcher der Pforte als Gegengeschenk der Anerkennung die Abtretung von Kasan und Astrachan verhiefs, und ein angeblicher Enkel des ersten Demetrius.

Auch die Kosakenrebellion Stenka Rasins weist Spuren eines

2*

eigentümlichen Prätendententums auf. Die Kosaken führten auf
der Wolga ein Schiff mit sich, von welchem das Gerücht besagte,
es berge den geächteten Patriarchen Nikon, welcher damals in
einem Kloster im Norden des Reiches als Gefangener lebte. Des
Zaren Alexei ältester Sohn Alexei war vor kurzem gestorben.
Jetzt hiefs es, er sei nicht tot, sondern wegen grausamer Behandlung durch den Vater, und um der Bosheit der Bojaren zu
entfliehen, zu den Kosaken gegangen: auf einem der Schiffe Rasins
sollte er sich befinden. Maxim Ossipowitsch hiefs ein Kosak,
der sich für den Zarewitsch ausgab.

Im Jahre 1698 oder 1699 erschien in der Gegend von Pskow
ein Mann, welcher sich für den Kapitän des Regiments von Preo-
brashenck, Peter Alexejew — so nannte sich der Zar Peter — ausgab und Steuern erhob, d. h. die Leichtgläubigen plünderte. Umgekehrt wurde der echte Zar Peter nach seiner Rückkehr aus
dem Auslande 1698 für einen falschen Prätendenten gehalten;
es ging das Gerücht, der Zar sei im Auslande umgebracht worden
und nun sei statt seiner ein Betrüger, ein Deutscher, erschienen.

Im Jahre 1696 war der Bruder Peters, der Zar Iwan gestorben. Zehn Jahre später tauchte das Gerücht auf, er lebe
noch, halte sich in Jerusalem auf und werde bald in Rufsland
erscheinen, um das Volk vor der Härte und Grausamkeit des
Zaren zu erretten. Im Jahre 1723 erschien in Pskow ein Pseudo-
Iwan, welcher sich für den angeblich nur totgeglaubten Bruder
des Zaren Peter ausgab.

Gegen Ende der Regierung Peters II. lief bei den flüchtigen
Bauern am Don das Gerücht um, die von dem Zaren Peter ver-
stofsene Zarin Jewdokia habe einen Sohn, welchen man zum Zaren
erheben müsse; er lebe, wurde hinzugefügt, am Don.

Aus der Ehe Peters mit Jewdokia waren zwei Söhne ent-
sprossen, Alexei, dessen tragisches Ende (1718) bekannt ist und
ein zweiter Zarewitsch Alexander, welcher, am 3. Oktober 1691
geboren, schon am 14. Mai 1694 starb. Die gegen 1730 am
Don zirkulierenden Gerüchte mochten sich auf diesen Zarewitsch
Alexander beziehen.

Der unglückliche Zarewitsch Alexei genofs schon bei Lebzeiten ein grofses Ansehen beim Volke. In den Zeiten der Drangsal während der Regierung Peters hoffte man auf ihn. Nach der Katastrophe des Zarewitsch erfreute sich sein Andenken einer grofsen Popularität. Sein Name ist als derjenige eines Prätendenten aufgetaucht.

Im Jahre 1723 gab sich in der Gegend von Wologda ein Bettler, namens Alexei Rodionow, für den Zarewitsch Alexei aus. In den letzten Monaten der Regierung Peters des Grofsen oder zu Anfang der Regierung Katharinas I. trat in einem Städtchen Kleinrufslands, Potschep, ein ehemaliger Soldat Alexander Ssemikow als Prätendent auf, indem er sich für den Zarewitsch Alexei ausgab. Der Betrüger wurde Ende 1725 enthauptet. Um dieselbe Zeit soll sich ein sibirischer Bauer ebenfalls für den Zarewitsch Alexei ausgegeben haben und ebenfalls enthauptet worden sein.

Bald nach der Thronbesteigung der Kaiserin Anna, im Sommer 1732, trat in einer Kosakenstaniza am Busuluk (Nebenflufs des Don) ein Bettler, Timofei Trushenik auf, der sich für den Zarewitsch Alexei ausgab und wunderlicherweise einen Kosaken, Storodubzew, beredete, sich für den 1719 verstorbenen Zarewitsch Peter Petrowitsch auszugeben. Beide fielen, der erstere früher, der zweite etwas später, in die Hände der Regierungsgewalt, wurden nach Moskau gebracht und zusammen mit einer nicht unbeträchtlichen Anzahl von Anhängern hingerichtet.

Im Januar 1738 gab sich in einem Dorfe Jaroslavez bei Kijew ein Arbeiter, welcher mit andern Bauern im Walde Holz fällte, plötzlich für den Zarewitsch Alexei aus. Es gelang ihm insbesondere einen Geistlichen zu überreden, ihn mit Ehrenbezeugungen in der Kirche als den Zarewitsch zu empfangen: auch einige Soldaten erkannten ihn an und waren entschlossen, für ihn einzustehen: er versprach ihnen u. a. den damals im Volke verhafsten Türkenkrieg rasch zu beenden, dagegen Polen zu erobern. Als der Betrüger verhaftet werden sollte, leisteten die Soldaten und jener Geistliche Widerstand, in der Kirche wurde er als der rechtmäfsige Zar gefeiert, dagegen wurde die Kaiserin Anna im Ge-

bete nur als Prinzessin erwähnt; das ganze Volk der Umgegend
glaubte dem Prätendenten, kam, fiel vor ihm nieder, küfste ihm
die Hand, leistete ihm den Eid. Aber während einer solchen
Feierlichkeit erschien eine stärkere Abteilung Kosaken und der
angebliche Zarewitsch Alexei wurde verhaftet. Er bekannte, dafs
er ein polnischer Schlachtitz, Iwan Minizky, sei, seit zwanzig
Jahren in Rufsland ein Wanderleben führe und ein Traumgesicht
gehabt habe, worin das Gebot an ihn ergangen sei, sich für den
Zarewitsch Alexei auszugeben. Die Sache erschien von gröfserer
Wichtigkeit wegen der Zahl und des Eifers der Anhänger des
Betrügers. Daher fielen die dekretierten Strafen dieses Mal besonders streng aus. Minizky und der Dorfgeistliche wurden ge-
pfählt, mehrere Personen gevierteilt, andere enthauptet u. s. w.

Weniger beachtenswert, aber doch nicht ohne Interesse ist
es, dafs einige Jahrzehnte nach dem Tode des Zaren Iwan (1696)
noch ein Betrüger auftauchte, welcher sich für einen Sohn desselben
ausgab.

Dafs Pugatschew sich Kaiser Peter III. nannte, ist seit langem
allgemein bekannt; dafs aber dieser Fall von falschem Präten-
dententum in der Zeit Katharinas ebensowenig vereinzelt dasteht
wie jenes Auftreten des Pseudo-Demetrius im 17. Jahrhundert,
ist erst in neuerer Zeit auf Grund eines reichen Aktenmaterials
erforscht worden. Pugatschew hatte seine Vorläufer und seine
Nachfolger.

Ein Jahr vor dem Aufstande Pugatschews war in eben denselben Gegenden, wo dieser auftrat, ein entlaufener Kosak ebenfalls als Peter III. aufgetreten. Ein anderer Kosak spielte die
Rolle des Staatssekretärs. Sie hatten den Plan einigen Kosaken
mitgeteilt; alle zusammen hatten den Entschlufs gefafst, nach
dem Städtchen Dubowka zu gehen, dort den angeblichen Peter III.
zum Kaiser auszurufen und ihre Offiziere zu verhaften. Die Entschlossenheit eines der Offiziere vereitelte den Plan und erstickte
den Aufstand im Keime. Er ging in das Bauernhaus, in welchem
der Abenteurer safs, gab ihm eine Ohrfeige und rief den Um-
stehenden zu, den Pseudokaiser zu verhaften. Die Kosaken ge-

horchten. Die Verhaftung des angeblichen Kaisers und seines
Staatssekretärs erfolgte augenblicklich. Ihr Prozeß zog sich
monatelang hin. Es stellte sich heraus, daß die Zahl der Mit-
schuldigen bedeutend war; in Zarizyn, wo die Verbrecher gefangen
gehalten wurden, glaubten manche daran, daß der wirkliche
Peter III. als Verbrecher behandelt werde. Mit großer Vorsicht
und mit einer beträchtlichen Anzahl von Bewaffneten wurden die
Gefangenen in der Nacht heimlich fortgebracht. Diese selbst
schienen darauf zu bauen, daß das Volk sie befreien werde.

Ein Jahr später kam Pugatschew, welcher den Organen der
Regierung unvergleichlich mehr zu schaffen machte, als sein Vorgänger. Daß er sich für den ehemaligen Kaiser Peter III. ausgab, kann als eine Art Zufall gelten. Er kam auf folgende Art
zu seiner Heldenrolle. Schon als er im Kosakenheer diente,
peinigte ihn die Ruhmsucht; er trachtete darnach, sich durch
irgend etwas hervorzuthun. Nachdem er zweimal desertiert war,
sich in Polen aufgehalten hatte, und von den Sektierern, welche
dort lebten, unterstützt worden war, ward ihm von einem Kaufmann
Koshewnikow folgender Rat gegeben: „Du willst hinter den Kuban
flüchten? Allein kannst du es nicht. Willst du etwas Besseres
anfangen? Manche wollen eine Ähnlichkeit zwischen dir und dem
Kaiser Peter III. wahrnehmen; gib dich für ihn aus und gehe
an den Ural. Ich weiß, daß die Kosaken dort sehr hart be-
drängt sind; sie werden bereit sein, dir als Kaiser zum Kuban
zu folgen. Hier ist ein Soldat, der gern bezeugen wird, daß er
dich als Kaiser gekannt habe; das Volk wird ihm glauben. Ver-
sprich den Kosaken Geld, zwölf Rubel einem jeden. Brauchst
du Geld, so gebe ich dir welches und andere Roskolniks werden
auch Geld geben; wir werden hier unaufhörlich bedrückt:
nehmt uns an den Kuban." So begann der Aufstand, welcher
dem ganzen Reiche gefahrdrohend werden sollte und welcher nach
langem Kampfe erst mit der größten Anstrengung niedergeworfen
wurde.

Und mit Pugatschews Hinrichtung war die Gefahr noch
nicht beseitigt. Einige Jahre nach derselben erschien ein Abenteurer,

Namens Chanin, welcher vorgab, dafs die Nachricht von Pugatschews Hinrichtung erlogen sei: er sei der gerettete Pugatschew,
in welchem das Volk seinen legitimen Kaiser Peter III. erkannt
habe. Das Gerücht fand Beifall. Man glaubte ihm. Es hatte
sich in der That einmal während des Pugatschewschen Aufstandes
ereignet, dafs die Behörden das falsche Gerücht verbreiten liefsen,
Pugatschew sei mit seinen Banden geschlagen worden. Es war
eine Lüge. Die Nachricht von Pugatschews Hinrichtung konnte
auch erlogen sein. Der Anhang Chanins war zahlreich; Geistliche
und Bauern, namentlich Kleinrussen, gehörten dazu. Es war im
März 1780, als der Abenteurer seine Rolle begann und bald
beendete. Er wurde verhaftet. Die Verhöre zogen sich lange
hin. Der Schlufs der Prozefsakten ist verloren gegangen. Wahrscheinlich hat dieser Pseudo-Peter sein Leben unter der Knute
oder in den Bergwerken Sibiriens ausgehaucht.

Der vor einigen Jahren verstorbene Graf Bludow hat einige
Angaben über Prätendenten gesammelt, welche in der von Kowa-
lewskij veröffentlichten Biographie Bludows abgedruckt wurden.

Aus ungedruckten Urkunden, welche von der Gouvernements-
verwaltung von Woronesch nach St. Petersburg geschickt wurden,
ergaben sich folgende Thatsachen. Schon im Jahre 1765, also
einige Zeit vor dem Auftreten Pugatschews, erschien im Gouvernement Woronesch ein verabschiedeter Soldat, Kremnew, der
sich für den Kaiser Peter III. ausgab. Ein Priester machte für
ihn Propaganda, indem er dem leichtgläubigen Volk erzählte, er
habe, als er noch den Dienst eines Hofsängers versah, den Prätendenten als Grofsfürsten gekannt, ihn als kleinen Knaben häufig
gesehen, ja sogar ihn auf den Armen getragen. Das Volk glaubte
dieses Märchen und viele Personen verschiedener Stände, darunter
auch Geistliche, verbreiteten das Gerücht weiter. Aber der oben-
erwähnte Priester und Kremnew und viele andere wurden verhaftet. Die Kaiserin Katharina prüfte die Prozefsakten sehr
genau und teilte die Angeklagten je nach dem Mafse ihrer Schuld
in zweiundzwanzig Kategorien, indem sie die Strafe aller mil-

derte. Die hierüber erlassene Verordnung vom Jahre 1766 wird im Archiv zu Woronesch aufbewahrt.

Aus andern Aktenstücken ist zu ersehen, dafs im Jahre 1774 ein anderer Pseudo-Peter, welcher ursprünglich Foma Mofsjakin hiefs, verurteilt, und dafs dessen Strafe durch den Ausspruch der Kaiserin gemildert worden war.

Endlich sind noch die Akten eines Prozesses zu erwähnen, aus denen hervorgeht, dafs sich ein Bauer, Ssergejew, im Jahre 1776 ebenfalls für Peter III. ausgegeben habe. Er sammelte ein Heer von Abenteurern um sich, welche seinem Märchen Glauben schenkten, und plünderte die Gutsherren aus. Der Gouverneur von Woronesch, Potapow, liefs alle Teilnehmer der Bande, 96 Personen, verhaften. Die Prozefsakten sind nicht vollständig und namentlich das Ende des Prozesses ist unbekannt.

So viel von dem Gouvernement Woronesch. Durch einen Zufall sind wir davon unterrichtet, dafs in dem Gouvernement Ufa ebenfalls zwei Pseudo-Peter auftraten.

Als im Herbst des Jahres 1790 die Nachricht von der Hinrichtung eines der Hauptschuldigen bei der Konföderation von Anjala, Hästeskos, in Stockholm nach St. Petersburg kam, war die Kaiserin sehr unwillig und trug dem Baron Igelström auf, dem schwedischen Gesandten, Feldmarschall Grafen Stedingk, ihre Unzufriedenheit zu bezeigen. Stedingk schrieb an Gustaf III., Igelström sei zu ihm gekommen und habe sein Erstaunen über diese Strenge ausgedrückt: Katharina begnüge sich in solchen Fällen mit milderen Strafen. Bei dieser Gelegenheit teilte Igelström dem Grafen mit, er habe in dem ihm zur Verwaltung anvertrauten Gouvernement Ufa drei Fälle erlebt, in denen Abenteurer sich für den verstorbenen Kaiser Peter III. ausgegeben hätten, und sie seien nicht hingerichtet, sondern auf andere Weise bestraft worden.

Zur Vervollständigung des Verzeichnisses der unter dem Namen Peter III. auftretenden Prätendenten sei noch des Stepan Malyj erwähnt, welcher in Montenegro auftrat, sich dort für den Kaiser Peter III. ausgab und eine Zeit lang herrschte, bei einer

Explosion sein Augenlicht verlor und schliefslich ermordet wurde. Er gehört kaum in die Geschichte Rufslands, unterscheidet sich durch Geist und Bildung sehr wesentlich von Pugatschew und andern Abenteurern dieses Schlages, und war der Kaiserin bei weitem nicht so gefährlich, wie jene Kosaken und Räuber, welche die soziale Revolution predigten. Gleichwohl sandte die Kaiserin einen Kundschafter in die „Schwarzen Berge" und liefs mit dem Usurpator Verhandlungen führen.

Endlich ist noch zu erwähnen, dafs sich im Jahre 1773, wie aus einem Schreiben des Grafen Mocenigo aus Zenta hervorgeht, bei der Stadt Arta im türkischen Albanien ein Pseudo-Peter gezeigt habe, doch ist uns über diese Episode nichts weiter bekannt geworden.

Im Jahre 1764 war der ehemalige Kaiser Iwan Antonowitsch in der Schlüsselburger Festung von seinen Wächtern ermordet worden, als der kleinrussische Abenteurer Mirowitsch den Versuch gemacht hatte, den Gefangenen zu befreien und ihn auf den Thron zu erheben. Ein Vierteljahrhundert später tauchte ein Iwan Redivivus auf.

Im März des Jahres 1788 meldete sich bei dem Herzoge Peter Biron von Kurland ein Mann, der sich für einen russischen Kaufmann ausgab und um eine Privataudienz beim Herzoge unter vier Augen bat. Der Herzog lehnte die Gewährung einer solchen Audienz ab, liefs den Verdächtigen verhaften und dem General-Gouverneur von Riga und Reval ausliefern. In einem Verhöre, welches der Gefangene am 24. März in der Rigaer Gouvernements-kanzlei zu bestehen hatte, erklärte der Gefangene, er sei der ehe-malige Kaiser Iwan, welcher vormals in Schlüsselburg gefangen gehalten worden sei; der Kommandant der Festung habe ihm die Flucht ermöglicht, ihn mit Geld versehen und statt seiner einen Diener, welcher ihm ähnlich sah, in die Zelle gesperrt. Als Kaufmann verkleidet sei er zu den kleinrussischen Kosaken gereist, habe sich dort in die Reihen der letzteren aufnehmen lassen, einigen Unterricht genossen, an dem türkischen Kriege teilgenommen, nach Astrachan und der Krim, ja auch nach

Petersburg und Archangel Reisen unternommen; hierauf sei er dann nach Cherson und endlich nach Kurland gereist, wo er von dem Herzoge selbst, dessen Vater in Rufsland während seiner, Iwans, Regierung Regent gewesen war, Auskunft über die Schicksale seiner Angehörigen zu erlangen hoffte. Mit diesem Prätendenten wurde sehr summarisch verfahren. An Händen und Füfsen gefesselt, wurde er nach Petersburg gebracht. Von dort aus schrieb der Fürst Besborodko an den General-Gouverneur von Riga und Reval, es habe sich herausgestellt, dafs der Gefangene ein Kaufmann aus Krementschug sei, Timotheus Kurdilow heifse und als Betrüger entlarvt worden sei; die Kaiserin habe bereits seinetwegen eine Entscheidung getroffen.

So ist denn das Verzeichnis der falschen Prätendenten ein sehr langes.

Es liefse sich noch auf eine Anzahl solcher Fälle hinweisen; dahin gehört u. a. das Auftreten eines Zarewitsch Ssemjon Alexejewitsch in Kleinrufsland im Jahre 1674, der Plan einer Oberstenwitwe in Kleinrufsland im Jahre 1788, einen Soldaten, Bunin, in der Rolle des ehemaligen Kaisers Peters III. auftreten zu lassen, die unter dem Namen der vorgeblichen Tochter der Kaiserin Elisabeth in den Jahren der Regierung Katharinas auftretende Fürstin Tarakanow, das Auftreten eines Pseudo-Konstantin und einer Pseudo-Gräfin-Lowitsch im neunzehnten Jahrhundert u. s. w.

Es ist klar, dafs bei so häufigem Auftreten falscher Prätendenten eine solche Erscheinung nicht sowohl durch die verbrecherische Neigung einzelner weniger Individuen, als vielmehr durch eine Krankheitsdisposition am russischen Gesellschaftskörper erklärt werden mufs. Allerdings ist das Mafs unserer Kenntnis der Einzelheiten bei den verschiedenen Kriminalfällen dieser Art ein sehr ungleiches. Aber es reicht in den meisten dieser Fälle hin, um uns die Überzeugung zu verleihen, dafs man es hier mit einem sozial-pathologischen Phänomen zu thun habe. Die Masse des Volkes produziert solche Abenteurer, denen die Prätendentenrolle nicht selten aufgenötigt wird. In den seltensten Fällen mag der Gedanke, sich für einen verstorbenen Fürsten auszugeben, im Kopfe des Prätendenten selbst entsprungen sein: wenigstens ist aus manchen solcher Prozesse mit Evidenz bekannt geworden, dafs andere Personen solchen Abenteurern den Gedanken eingegeben hatten. So erscheinen die unzufriedenen Elemente unter den Sektierern als Mitschuldige Pugatschews als diejenigen, welche ihm die Prätendentenrolle soufflierten. So erzeugen die permanenten Unruhen der kleinrussischen Kosaken eine ganze Reihe falscher Prätendenten. Dafs die in vielen Fällen recht zahlreichen Anhänger solcher angeblicher Zarewitschs, Zaren und Kaiser durchweg an die Echtheit derselben geglaubt hätten, ist nicht anzunehmen. Man ist solidarisch mit solchen Verbrechern, weil unter deren Fahne allerlei Vorteile errungen werden können. Wo es Unzufriedene, Bedrückte gibt, da finden solche Prätendenten-Ideen Eingang. Jedes Gerücht von dem Auftreten eines angeblichen Herrschers oder eines angeblichen Verwandten eines solchen wird von den Massen mit Genugthuung begrüfst, weil sich daran die Hoffnung knüpft, dafs die Lage des Volkes sich bessern werde. Viele derartige Gerüchte entbehren jeder thatsächlichen Grundlage. Wo sich niemand fand, die Prätendentenrolle zu spielen, erfand man das Phantom eines solchen und übte auch damit schon die gewünschte Wirkung. So war unter den Scharen des berühmten Räubers Stenka Rasin niemand, welcher die Rolle des ehemaligen Patriarchen Nikon thatsächlich übernommen hätte, aber es genügte, dafs man auf ein Schiff hinwies, in welchem sich der Patriarch befinden sollte, um die Einbildungskraft des Volkes, welches mit dem hochstehenden Staatsverbrecher sympathisierte, zu entflammen, dasselbe zum Kampfe gegen die bestehende Ordnung zu reizen. Wenn die Polen im 17. Jahrhundert den Moskowitern drohten, es würden Prätendenten auftreten, so mochten sie der gerechten Zuversicht leben, dafs es möglich sein werde, im geeigneten Augenblicke die Persönlichkeiten aufzutreiben, welche die Prätendentenrolle zu übernehmen geneigt sein würden.

Dafs nicht so sehr die eigentliche Prätendentenrolle, als vielmehr die Lust an der Anarchie, die Hoffnung auf allerlei Vorteile durch Auflehnung und Rebellion bei manchen dieser Episoden

die Hauptsache ist, ersieht man aus vielen Zügen der Haltung
solcher Abenteurer und deren zahlreicher Anhänger. Die Wage-
hälse, welche sich den Namen Peter III. aneignen, um unter demselben mit um so gröfserem Erfolge zu rauben und zu morden,
sind nicht wesentlich verschieden von den zahlreichen Landstreichern,
welche in jenen Zeiten, ohne sich zu der Rolle von Thronprätenden-
denten zu versteigen, die Gegenden an der Wolga unsicher machten.
Ihre Zahl ist sehr grofs. Die Ungunst der Verhältnisse, in
denen sich die niedersten Schichten der Gesellschaft befanden,
trieb viele in die Räuberlaufbahn, welche meist unglücklich endete.
Dabei erscheint sehr oft der Name eines Iwan oder Alexei oder
Peter als etwas Accessorisches. Bei manchen dieser Abenteurer
erscheint die Frage, ob sie sich für einen Fürsten ausgeben oder
nicht, als verhältnismäfsig geringfügig. Als ein gewaltiger Räuber-
hauptmann, Sametajew, mit einer grofsen Bande auftrat und in
der selben Weise hauste, wie Pugatschew mit seinem Schwarm
gehaust hatte, schrieb Suworow, welchem die Ergreifung von
Mafsregeln zur Unterdrückung solcher Unruhen aufgetragen worden
war, man solle doch gelegentlich herauszubringen suchen, ob dieser
Räuber Sametajew sich für Peter III. ausgebe oder nicht. Ebenso
ist zwischen der Art des Auftretens Pugatschews, welcher eine
Prätendentenrolle spielte, und derjenigen berühmter Flufspiraten
jener Zeit, wie Kulagas, Bragins u. a., welche nicht als Prätendenten auftreten, kein wesentlicher Unterschied. Episoden, wie
diejenige mit der Fürstin Tarakanow oder mit jenem im Jahre 1788
in Mitau erscheinenden Pseudo-Iwan, mögen als vereinzelte Fälle,
als individuelle Verbrechen erscheinen. Die meisten andern Fälle,
deren oben erwähnt wurde, sind als kollektive Vergehen der Masse
des Volkes zu bezeichnen, als Symptome der inneren Gährung in dem
ganzen sozialen Organismus, als Pestgeschwüre, welche auf die verdorbenen Säfte eines grofsen Teils der Gesellschaft schliefsen lassen.
Da half denn die noch so strenge Bestrafung einzelner Verbrecher
oder ganzer Dutzende von Anhängern solcher Prätendenten ebensowenig, wie die blofse Behandlung der Symptome einem Schwer-
kranken Genesung zu bringen vermag. Vergegenwärtigen wir

uns, dafs jene von uns zusammengestellte Übersicht falscher Prätendenten in Rufsland im 17. und 18. Jahrhundert mehrere
Dutzende beträgt, dafs die Anzahl ihrer Anhänger auf viele
Tausende zu veranschlagen ist, dafs es einigen von ihnen gelang,
einen beträchtlichen Teil des Reiches zu offener Empörung gegen
die Staatsgewalt oder gegen die soziale Ordnung oder gegen beide
zu entfachen, dafs solche Ereignisse bisweilen Jahre hindurch
den Regierungen und deren Behörden die schwersten Sorgen bereiten, so wird man anerkennen müssen, dafs es sich hier um
die untrüglichen Anzeichen eines chronischen Siechtums am Staats-
und Volkskörper handelt.

Solche Vorgänge zeugen beredt von dem Elend und der Roh-
heit, von den Leiden und Kämpfen des Volkes. Sie gewähren
einen Einblick in die Schwierigkeiten, mit denen ein Übergangs-
zustand, wie die Verwandlung Rufslands aus einem asiatischen
Staate in einen europäischen, verbunden sein mufste. Sie reden
laut von der Bedrückung der Masse durch gewissenlose, bestechliche
und habsüchtige Beamte; sie statten Bericht ab von dem Verhängnis der erst in allerneuester Zeit gelösten Bauernfrage; sie
schildern die nomadische, kosakische Art der wandersüchtigen,
arbeitsscheuen Masse des Volkes, die Wildheit der fremden Völker,
die Beschränktheit der Sektierer, die Verzweiflung der deser-
tierenden Soldaten, der bei Verbrechertransporten entlaufenen
Räuber und Mörder; sie liefern einen Kommentar zu der geschicht-
lichen Bedeutung des Mangels an einem regelmäfsigen, staats-
rechtlich normierten Thronwechsel.

Jahrhunderte lang hat Rufsland an dem Übel falschen Prätendententums gekrankt. Diese Form einer allgemeinen Auflehnung gegen die bestehende Ordnung in Staat und Gesellschaft
scheint nun endgültig überwunden zu sein. Eine eingehende Untersuchung und Würdigung des Auftretens, des Wütens und Ver-
schwindens dieses Siechtums in der Geschichte des russischen
Staates und Volkes wäre wünschenswert.

II.

Die Pest in Rufsland 1654.

I.

Nur gelegentlich und ausnahmsweise ist bisher die Geschichte der Mortalität und Morbilität behandelt worden. Dafs mit einer Steigerung der Kultur die durchschnittliche Lebensdauer zunehme, die Widerstandsfähigkeit gegen Krankheiten wachse, sind Wahrheiten, welche, man darf sagen, noch nicht Gemeingut des öffentlichen Bewufstseins geworden sind. Auch hat die Wissenschaft bisher für diese Ergebnisse nicht sowohl exakte Beweise geliefert, als vielmehr dieselben nur mehr für wahrscheinlich gehalten. Die Statistiker haben es fast ausnahmslos mit der Bevölkerung irgend einer gegebenen Gegenwart zu thun gehabt, ohne sich mit dem Gange der betreffenden Erscheinungen im Laufe der Jahrhunderte und Jahrtausende zu befassen. Die Historiker, meist an den Äufserlichkeiten der Begebenheiten der politischen Geschichte haftend, sind derartigen allgemeinen eminent historischen Fragen fern geblieben. Medizinisch-historische Werke haben für die im Laufe der Zeiten stattgefunden habenden Veränderungen auf dem Gebiete der Mortalität und Morbilität einiges Material geliefert, ohne dafs daraus die Summe gezogen worden wäre. Eine Sozialphysiologie und Sozialpathologie ist erst im Werden begriffen.

Gleichwohl ist die Erkenntnis, dafs es auf dem Gebiete des Erkrankens, Krankseins und Sterbens einen gewissen Fortschritt gebe, vorhanden. Neben dieser Erkenntnis findet sich indessen häufig die Annahme, dafs die Menschheit physisch verkomme.

39

Schon bei den Alten bestand ein solcher Zwiespalt der Meinungen.
Hesiod sagt in seinen „Werken und Tagen":

> Denn es lebten vordem auf Erden die Stämme der Menschen
> Frei von Übeln und frei von harter Mühsal und jeder
> Argen Krankheit, die schnell den Menschen das Alter herbeiführt.

Dagegen läfst Äschylus den Prometheus von den Menschen sagen:

> Das Gröfste war's, dafs, wenn sie Krankheit niederwarf,
> Kein Mittel da war, keine Salbe, kein Getränk,
> Kein Brot der Heilung, sondern aller Kräftigung
> Ermangelnd sie verkamen, bis sie dann von mir
> Gelernt die Mischung segensreicher Arzenei. [1]

Auch heute noch besteht dieser Gegensatz nicht blofs der
Meinungen, sondern der Thatsachen weiter fort. In stumpfem
Fatalismus lassen orientalische Völker sich von Epidemien dezi-
mieren, während die Kulturnationen den Kampf aufnehmen mit
Cholera und Pest, Blattern und Diphtherie und aus diesem
Kampfe wesentlich als Sieger hervorgehen. Wiederholt ist die
Ansicht ausgesprochen worden, dafs von der zunehmenden Zivilisation eine Abnahme der ansteckenden Krankheiten zu erwarten
sei; [2] man hat darauf hingewiesen, dafs die ärgsten Epidemien
unsrer Tage mit denen früherer Zeitalter und roherer Völker
kaum verglichen werden können. [3]

Insofern derartige Behauptungen noch nicht exakt und ziffer-
mäfsig begründet zu werden pflegen, mag es von Interesse sein,
einzelne Erscheinungen aus dem Gebiete der Volkskrankheiten
genauer ins Auge zu fassen, eine Parallele zu ziehen zwischen der
Wirkung der Epidemien früherer Zeiten und den entsprechenden
Erscheinungen der Gegenwart.

In der folgenden Abhandlung haben wir es mit einer Episode

---

[1] Diese Aussprüche einander entgegengesetzt in der Abhandlung
von Karl Friedrich Heinrich Marx „Über die Abnahme der Krankheiten durch die Zunahme der Civilisation" in den Abhandl. der Gött.
Ges. der Wissensch. II. (1842—44) S. 47.

[2] Gosse bei Marx a. a. O. S. 88.

[3] Roscher, System der Volkswirtschaft I, S. 491.

der Geschichte Rufslands zu thun, welche sowohl an den Zeitgenossen in Westeuropa als auch an der Geschichtsforschung unsrer Tage so gut wie völlig unbemerkt vorübergegangen ist und doch, wie uns scheinen will, mehr Beachtung verdient als manche von den Historikern umständlich erforschte und in der Darstellung weit ausgesponnene Begebenheit der politischen Geschichte.

II.

Ausländische Reisende, welche im siebzehnten Jahrhundert Rufsland besuchten, waren voll Lobes über das der Gesundheit zuträgliche Klima dieses Landes. Indem Olearius leichthin der Seuche vom Jahre 1654 erwähnt, bemerkt er, sonst sei in Rufsland nicht viel von „pestilenzischen Krankheiten oder grofsem Sterben" zu hören.[1] Ebenso lobte der venezianische Diplomat Alberto Vimina, welcher 1655 in Rufsland war, das gesunde Klima; die Leute in Rufsland seien stark, erreichten ein hohes Alter; man höre nichts von Pestkrankheiten.[2]

Eine solche Auffassung entsprach den Thatsachen keineswegs. Dieselbe liefert wieder einmal einen Beweis dafür, dafs Ausländer bei flüchtigem Aufenthalte in einem fremden Lande nicht immer richtige, zusammenfassende Urteile zu fällen vermögen und dafs ihre Berichte der Kontrole durch andere Geschichtsquellen bedürfen.

Ganz anders nimmt sich die Volkshygieine in Rufsland aus, wenn man, an der Hand verschiedener, vorwiegend russischer Quellen die Geschichte der wichtigen Sanitätskrisen bis zur Mitte des siebzehnten Jahrhunderts verfolgt. Wir entnehmen einer derartigen Zusammenstellung folgende Angaben.

Im Jahre 1090 herrschte in Kijew eine ansteckende Krankheit. Innerhalb vierzig Tagen wurden 7000 Menschen von derselben hingerafft.

---

[1] Olearius, Muskowitische und Persianische Reisebeschreibung, Ausgabe von 1663.

[2] Istoria delle guerre civili di Polonia. Venezia 1671. S. 290.

3*

Im Jahre 1187 wütete in Nowgorod und Westrufsland eine Epidemie, welche so verheerend wirkte, dafs kein Haus von der Krankheit frei war und keine Gesunden übrig blieben, welche die Kranken hätten pflegen können. Im Jahre 1230 ff. herrschte in Smolensk die Pest; in zwei Jahren wurden dort 32 000 Einwohner Opfer derselben. Der schwarze Tod wütete im Lande in den Jahren 1350 und 1351. Der Verlust an Menschenleben war unübersehbar. Ganze Städte, wie Gluchow und Bjelosero, starben aus. Dieselbe Krankheit kehrte in den Jahren 1360, 1363 und 1386 wieder und entvölkerte Nowgorod, Perejaslawl, Kasan, Kolomna, Twer, Wladimir, Susdal, Wologda u. s. w. In Smolensk blieben i. J. 1386 nur 10 Menschen übrig. Im Jahre 1417 entvölkerte die Pest Pleskau, Nowgorod, Ladoga, Porchow, Torshok u. s. w. Ganze Dörfer verödeten. In vielen grofsen Häusern blieb, nachdem alle Erwachsenen gestorben waren, kaum ein einziges Kind am Leben.

In den Jahren 1420 - 24 verheerte eine austeckende Krankheit die Gegenden Mittelrufslands so arg, dafs wegen Mangel an Arbeitern das Getreide auf den Feldern uneingeerntet liegen blieb.

Im Jahre 1543 starben in Pleskau in einem Monat 2700 Menschen an einer pestartigen Krankheit. In den Jahren 1561 und 1562 betrug in Nowgorod und Pleskau der Verlust an Menschenleben infolge einer Epidemie 500 000 Personen.

Ähnlicher Ereignisse iu verschiedenen Gegenden Rufslands oder im ganzen Reiche erwähnen die Chroniken von den Jahren 1128, 1215, 1229, 1237, 1251, 1278, 1409, 1410, 1414, 1417, 1426—27, 1442—43, 1462, 1465—67, 1478, 1487, 1499, 1506, 1521, 1523, 1543, 1552, 1561—62, 1566, 1584—1598, 1601—1603, 1605, 1606. — In vielen dieser Fälle wird zweifelsohne der Hungertyphus, als eine unmittelbare Folge von Mifsernten, in der Bevölkerung Rufslands aufgeräumt haben. [1]

---

[1] S. die fleifsig zusammengestellte Tabelle in dem grundlegenden

Anderswo gab es ähnliche Erscheinungen. In London rechnete man während der zweiten Hälfte des 17. Jahrhunderts, dafs alle 20 Jahre eine Pest vorkäme, von welcher im Durchschnitt immer ein Fünftel der Bevölkerung hingerafft würde.[1]

III.

Das Jahr 1654 ist in der Geschichte des moskowitischen Staates denkwürdig durch grofse Erfolge, welche der Zar Alexei Michailowitsch, unternehmender und thatkräftiger als manche seiner Vorgänger, über den Erzfeind Rufslands, den gefährlichen Nachbar, Polen, errang. Persönlich leitete der Herrscher die militärischen Operationen im Westen. Eine ganze Reihe fester Plätze, bedeutender Städte in Polen fiel den Russen in die Hände. Die Besetzung von Smolensk, welches Jahrzehnte hindurch im Kampfe Moskaus mit Polen das wichtigste Streitobjekt abgegeben hatte, war ein epochemachendes Ereignis.

Während aber der Zar im Sommer 1654 fern von der Hauptstadt als Kriegsherr thätig war, wurde Moskau von einer furchtbaren Seuche heimgesucht.

In dieser Zeit besorgte der Patriarch Nikon, welcher das besondere Vertrauen Alexeis genofs, die Regierungsgeschäfte. Als das Sterben in der Hauptstadt begann, verfügte der Kirchenfürst die Entfernung der Zarin, Marja Iljnischna, mit deren Kindern aus Moskau. Dieses geschah im Juli. Bald darauf verliefs auch der Patriarch selbst die Hauptstadt. Er that dieses auf ausdrücklichen Wunsch des Zaren. Alexei wollte das Leben seines Freundes, mit welchem er später zerfiel, von der Gefahr der Epidemie verschont sehen.

Offenbar war die Hauptstadt der bedeutendste Pestherd geworden. Um den Zaren und sein Heer vor der Ansteckungsgefahr zu schützen, wurden auf dem Wege von Moskau nach

---

Werke Richters, Geschichte der Medizin in Rufsland, Moskwa 1818. Bd. I. S. 140—153.
[1] Petty bei Roscher a. a. O. S. 491.

Smolensk Schlagbäume errichtet; dasselbe geschah auf den Strafsen, welche von der Hauptstadt nach dem berühmten Kloster Troiza, nach Wladimir und andern Städten führten. Denjenigen Personen, welche nach Smolensk oder überhaupt in die Gegend reisten, wo der Zar mit seinem Heere weilte, wurde auf das strengste verboten, auf dem Wege dorthin Moskau zu berühren; sie mufsten einen weiten Umweg machen.

In Moskau selbst wurden einige Mafsregeln getroffen, um den Palast des Zaren nebst allen dazu gehörigen Vorratsräumen, Werkstätten und sonstigen Nebengebäuden vor der Ansteckungsgefahr zu schützen. Die Fenster und Thüren dieser Häuser — ausdrücklich wird der Schatzkammer und der Garderobe des Zaren erwähnt — wurden vermauert, damit der Gifthauch der verpesteten Luft nicht hineinstreichen könne.

Auch andere sanitätspolizeiliche Mafsregeln wurden getroffen. Man sperrte die Häuser ab, in denen Erkrankungen stattgefunden hatten; niemand wurde herausgelassen. Überall sah man Wachen stehen. Auch um die Dörfer in der Umgegend, welche infiziert waren, wurde ein Kordon gezogen. Die Wachen ringsumher mufsten grofse Feuer unterhalten, um die Luft von Miasmen zu reinigen. Bei Todesstrafe wurde jeder Verkehr der Gesunden mit den Kranken verboten.

Die Zarin, welche zuerst am Flusse Nerli eine Art Lagerlebens geführt hatte, begab sich in das Kloster Koljasin. Als es sich nun ereignete, dafs die Leiche einer an der Pest verstorbenen Beamtenfrau über den Weg gebracht worden war, welcher nach dem Kloster Koljasin führte, wurden zum Schutze der Gemahlin Alexeis besondere Mafsregeln ergriffen. Die betreffende Stelle der Strafse, sowie der Raum zu beiden Seiten derselben wurde auf eine Strecke von gegen hundert Fufs mit Holz belegt, dieses wurde angezündet; hierauf wurden Kohlen und Asche mit der Erde vermischt und alles fortgebracht; es wurde neue Erde aufgeschüttet, wobei ausdrücklich befohlen wurde, diese neue Erde aus grofser Entfernung herbeizubringen. [1]

---

[1] Ssolowjew, Geschichte Rufslands. Bd. X. S. 367 und 368.

So dachte man denn in erster Linie an den Schutz des Lebens und der Gesundheit der zarischen Familie. Von irgend welchen Ärzten, deren Thätigkeit zum Schutze des Volkes aufgeboten worden wäre, findet sich in den Quellen keine Spur. Man liefs die Erkrankten verkommen. Aufser der Absperrung der Gesunden von den Kranken gab es kaum irgendwelche andere sanitätspolizeiliche Mafsregel, von welcher wir Kunde hätten.

Dagegen findet sich ein Schreiben der Zarin an den Wojewoden Fürsten Pronskij, welcher die Hauptstadt in dieser Zeit verwaltete, vom 27. August 1654. Es heifst darin, die Zarin habe die Verfügung getroffen, dafs das wunderthätige Bild der heiligen Mutter von Kasan aus dem Troizkischen Kloster nach Moskau gebracht werde. Man solle nun dem Heiligenbilde einen feierlichen Empfang bereiten, dasselbe in die Kathedrale bringen, „damit der gerechte Zorn Gottes gestillt werde“.

Natürlich war es der Patriarch Nikon, welcher diese Mafsregel verfügt hatte. Offenbar hatte er wie die Zarin von dem Fürsten Pronskij Nachrichten von der Verschlimmerung der Lage der Hauptstadt erhalten. Am 3. September 1654 schrieben die Zarin und deren Sohn Alexei Alexejewitsch an den Fürsten Pronskij: da die Pest zunehme und nur ein geringer Teil der rechtgläubigen Christen übrig geblieben sei, da der Fürst Pronskij gemeldet habe, dafs er selbst für sich unfehlbar den Tod erwarte, da er ferner mitteile, dafs an der Hauptkathedrale nur drei Geistliche am Leben geblieben seien, so solle er, der Fürst Pronskij, zum Schutze seiner Gesundheit und seines Lebens die gröfste Vorsicht anwenden und im Kreml abgesondert wohnen; alle Geschäfte müfsten ruhen; wer irgend mit einem Anliegen an die Regierung komme, müsse abgewiesen werden; auch solle Pronskij keine Schreiben mehr an die Zarin richten; dagegen könne er vorkommendenfalls an den Zaren nach Smolensk schreiben. [1]

Das Abbrechen der Korrespondenz zwischen dem Fürsten Pronskij und der Zarin war demnach eine prophylaktische Mafs-

---

[1] Richter a. a. O. II. Beilagen S. 76 und 77.

regel zum Schutze der Gemahlin Alexeis. Ohnehin erfahren wir, dafs die aus Moskau gesandten Schreiben der Bojaren „durch das Feuer" gebracht, d. h. geräuchert, desinfiziert wurden. [1]) Noch ein anderes angeblich von dem Zarewitsch Alexei (welcher nur wenige Jahre zählte) herrührendes Aktenstück gewährt einen Einblick in die Art der Präventivmafsregeln, welche damals getroffen wurden. Der Zarewitsch schreibt am 3. September 1654 an den Wojewoden der Stadt Kolomna, Fürsten Wassilij Mortkin, als Antwort auf seine Mitteilung, dafs eine grofse Menge von Einwohnern Moskaus in den Kreis von Kolomna gekommen sei, er habe sehr unrecht gethan, dergleichen zu gestatten, da ihm doch der Befehl zugekommen sei, niemanden durchzulassen. Es folgt sodann die verschärfte Wiederholung des Befehls, alle in den Kreis von Kolomna oder nach dieser Stadt kommenden Personen verschiedener Stände an den Schlagbäumen aufzuhalten und zurückzuweisen. [2]) Offenbar befand sich der Aufenthaltsort der Zarin und ihres Sohnes in der Nähe der Gegend, in welcher die aus Moskau flüchtenden „Personen aller Stände" in hellen Haufen erschienen.

IV.

Wie es inzwischen in Moskau herging, erfahren wir aus einem Schreiben, welches der Fürst Pronskij Anfang September 1654 an den Zaren richtete. Hier wird zuerst darauf hingewiesen, dafs schon im Juli und August zu verschiedenen Malen an den Zaren von dem furchtbaren Sterben in Moskau und dessen Vorstädten berichtet worden sei. Dann heifst es weiter: „In unsern Häusern steht es damit nicht besser und wir haben deshalb dieselben verlassen und wohnen im freien Felde. Nun ist seit dem Tage des heiligen Simeon (1. Sept.) die Seuche von Tage zu Tage schlimmer geworden. Sowohl in Moskau selbst als in den Vorstädten ist nur ein kleiner Teil der rechtgläubigen Christen übrig geblieben. In sechs Regimentern ist kein Soldat mehr

---

[1]) Ssolowjew X. S. 370.
[2]) Richter a. a. O. II. Beilagen S. 77.

vorhanden. In den andern liegen viele krank darnieder; manche
sind davon gelaufen. Es ist niemand da, der die Wache beziehen
könnte. Der Chef der Strelzyregimenter ist gestorben, ebenso
sind viele Hundertmänner gestorben. Fast alle Kathedralen und
Kirchen haben den Gottesdienst eingestellt; nur in der grofsen
Kathedrale findet noch alltäglich der Gottesdienst statt, wenn
auch mit grofser Schwierigkeit, da nur drei Geistliche übrig geblieben sind. In den Gemeindekirchen ist nur noch ein ganz
kleiner Teil der Geistlichen am Leben, und auch von diesen sind
viele schon krank, und andere sind fortgegangen. So sterben denn
die rechtgläubigen Christen ohne geistlichen Beistand und werden
ohne die Hilfe der Geistlichen bestattet. Sowohl in der Stadt
als in der Umgebung derselben liegen viele Leichen, welche von
den Hunden hin- und hergezerrt werden. Es ist niemand da, der
den Toten eine Grube machen könnte; die Fuhrleute der Armen-
häuser, welche die Leichen früher hinausfuhren und bei den
Armenhäusern Gräber gruben, sind selbst gestorben; alle übrigen
Menschen, da sie solches sahen, haben sich entsetzt und fürchten
sich in die Nähe der Toten zu kommen. Alle Ämter sind geschlossen, die Beamten und Schreiber sind alle gestorben. Unsere
Häuser stehen leer, fast alle Menschen sind gestorben, und
auch wir, deine Sklaven, erwarten stündlich, dafs der Tod uns
heimsuche. Ohne deinen Befehl, o Herr, dürfen wir nicht in die
bei Moskau gelegenen Dörfer übersiedeln, wie wir der schweren
Luft hier wegen gern thäten, um nicht insgesamt hier wegzu-
sterben. Darum bitten wir dich, uns, deinen Sklaven, einen
solchen Befehl ausfertigen zu lassen." [1])

Pronskijs Bemerkung, dafs er stündlich den Tod erwarte,

---

[1]) Richter a. a. O. II. Beilagen, teilt dieses Aktenstück nach einer
Abschrift mit; auf das eigentliche Schreiben Pronskijs folgen noch
weitere Angaben über den späteren Verlauf der Krankheit. S. 159
datiert Richter das Schreiben fälschlich 1655; der Sept. 163 (d. h. 7163
nach Erschaffung der Welt) entspricht dem September 1654; da das
Jahr bei den Russen damals den 1. September begann, so konnte Pronskij
163 im Sept. schreiben, er habe „im vorigen Jahre im Juli und
August" dem Zaren gemeldet u. s. w.

fand ihre Bestätigung. Wenige Tage, nachdem er an den Zaren
geschrieben, war er eine Leiche (11. September). Einen Tag
später starb sein Genosse, der Fürst Chilkow. Alle „Gosti"
oder Handelsagenten des Zaren (ein Ausländer bezeichnet sie als
die „Kommerzienräte des Zaren") waren gestorben. Aller Handel
und Verkehr hörte auf. Kein Laden stand offen. Am furcht-
barsten wütete die Seuche in dem zahlreichen Gesinde der Magnaten, deren jeder Hunderte von Haussklaven besafs. In manchen
Bojarenhäusern blieben nur 2 oder 3 Sklaven übrig. Wir werden
später Zahlen über diese Verhältnisse mitteilen. Alle Ordnung
hörte auf. Es wurden mehrere Häuser ausgeplündert, ohne dafs
irgend eine Polizei vorhanden gewesen wäre, um dem Unwesen
Einhalt zu thun. Die Sträflinge des Stadtgefängnisses befreiten
sich aus der Haft, entliefen aus der Stadt. Es gelang nur die
Hälfte derselben wieder einzufangen. Der Kreml war öde und
verlassen. Es war der Befehl gekommen, alle Zugänge zu demselben zu schliefsen, alle Gitterthore herabzulassen; nur ein einziges
Pförtchen sollte tagsüber zugänglich bleiben. Die Staatsdruckerei
stellte ihre Arbeiten ein. [1]

Leider haben sich über das Wesen der Krankheit, welche
so entsetzlich wütete, keine Nachrichten erhalten. Es fehlte an
Ärzten zum Beobachten der Symptome. In den oben angeführten
offiziellen Korrespondenzen findet sich keine Andeutung darüber.
Wir wissen nicht, ob es die Beulenpest war, welche allerdings
in jenen Jahren in Westeuropa wütete, oder eine andere Seuche.
Nur bei Olearius, welcher, nachdem er ein paar Jahrzehnte früher
in Rufsland gewesen war und von dort mancherlei Nachrichten
erhielt, findet sich folgende Bemerkung, welche Fachmännern vielleicht einen gewissen Einblick in das Wesen der Epidemie geben
mag: „Es entstand eine so giftige Luft und grofse Pest in Moskau,
dafs die Leute, welche ihrer Meinung nach gesund aus dem Hause
gehen, auf der Gasse niederfallen und sterben." [2]

[1] Ssolowjew X. S. 370—371.
[2] Olearius S. 142. Es ist sehr zu bedauern, dafs in den Kreisen
der in Moskau, vornehmlich in der sogenannten „deutschen Vorstadt",

V.

Im September 1654 hatte die Seuche ihren Höhepunkt erreicht. Vom 10. Oktober an nahm man eine Abnahme der Sterblichkeit wahr; die Gefahr, in welcher die Erkrankten geschwebt hatten, wurde geringer; die Fälle, in denen die letzteren genasen, wurden häufiger.

Inzwischen hatte der Zar einen grofsen Erfolg auf dem Gebiete der auswärtigen Politik errungen. Die Stadt Smolensk war in seine Hände gefallen (September). Alexei gedachte nun für einige Zeit in seine Hauptstadt zurückzukehren und die militärischen Operationen im Kampfe mit Polen im Frühling 1655 wieder aufzunehmen.

Als der Zar indessen am 21. Oktober auf dem Wege von Smolensk nach Moskau in der Stadt Wjasma anlangte, stellte sich heraus, dafs er wegen der noch immer vorhandenen Ansteckungsgefahr nicht weiterreisen durfte. So blieb er denn mehrere Monate in Wjasma. Hierher kam die Zarin mit den Kindern, nachdem sie einige Wochen in dem Kloster Koljasin verlebt hatte. Von hier aus verfügte Alexei, dafs an allen Orten, wo die Krankheit gewütet hatte, über die während derselben stattgefunden habende Sterblichkeit statistische Erhebungen gemacht würden. Die Ergebnisse dieser Zählungen werden wir sogleich mitteilen und erläutern.

In Moskau hatte inzwischen der Bojar Iwan Wassiljewitsch Morosow den Oberbefehl übernommen. An diesen schrieb der Zar aus Wjasma am 15. Januar 1655, er habe vernommen, dafs viele Männer und Frauen, welche während der Epidemie ins Kloster gegangen seien, wieder in das weltliche Leben zurückgekehrt seien, sich Handelsgeschäften widmeten u. dgl. m. Ferner habe die Trunksucht, Raub und Mord infolge der Krankheit zugenommen. Der Zar verlangte eingehende Berichterstattung über

---

lebenden Ausländer keinerlei Nachrichten über die Pest sich erhalten haben. So fehlen denn z. B. in Fechners sonst so instruktiver „Chronik der evangelischen Gemeinden in Moskau" alle Angaben über die Epidemie.

die sittlichen Zustände in der Hauptstadt. In einem Schreiben an den Fürsten Tscherkafskij vom 19. Januar 1655 stellte Alexei sein baldiges Erscheinen in Moskau in Aussicht. Er werde auf kurze Zeit kommen, das Hauptgepäck in Wjasma zurücklassen; er werde in der Hauptstadt eintreffen, um vor dem Bilde der heiligen Mutter Gottes zu beten, die Reliquien der Heiligen zu verehren und das Volk nach soviel Kummer zu erfreuen; er werde seine Familie nach Moskau bringen und dann abermals ins Feld ziehen. [1])

Zuerst scheint die Zarin in der Hauptstadt erschienen zu sein, als noch, wie es in der Handschrift aus jenen Tagen heifst, wenige dahin zurückgekehrt waren. Allmählich erschienen auch andere; so der Patriarch Nikon, welcher sogleich bei seiner Rückkehr den Befehl gab, alle Hunde zu erschlagen, weil sie sich von den Leichen der während der Epidemie hingerafften Menschen genährt hätten.

Sodann erschien der Zar in der unmittelbaren Nähe der Hauptstadt. Eine Zeitlang blieb er bei den „Sperlingsbergen", einer gelinden Anhöhe, von welcher aus man einen Blick auf die Hauptstadt hat, bis die letztere ganz gesäubert war. Dann hielt Alexei seinen Einzug, wobei es umfassende geistliche Feierlichkeiten gab (Ende Februar 1655). Der Patriarch Nikon begrüfste den Herrscher. Es war ein doppeltes Fest. Man freute sich des Aufhörens der Pest und der im Kampfe gegen Polen errungenen Erfolge. Nur wenige Wochen blieb Alexei in Moskau, sodann kehrte er zu seiner Armee zurück.

Die Epidemie aber hatte noch kein Ende erreicht. Hatte sie im Sommer und Herbst des Jahres 1654 in den zentralen Gegenden des Reiches gewütet, so wurde jetzt der Osten und Südosten des Reiches heimgesucht. Viele Ortschaften an der Wolga, bis nach Astrachan hinab, verödeten. Schon im Jahre 1654 waren in diesen Gebieten viele Menschen umgekommen; zu Weihnachten war dann eine Besserung eingetreten. Im Jahre

---

[1]) Ssolowjew X. S. 383.

1655 brach die Krankheit in noch höherem Grade aus. „Es blieb nur ein kleiner Teil der Menschen übrig," heifst es in einer Handschrift.[1] Wir erfahren, dafs der Zar im Sommer 1655, am 17. Juni, von Schklow in Weifsrufsland aus inbetreff der in Astrachan zu verfügenden Mafsregeln Befehle erteilte.[2] Astrachan und Umgegend blieben lange Zeit ein klassischer Boden für pestartige Erscheinungen. Sowohl im 17. als im 18. Jahrhundert traten dort verheerende Seuchen auf. In unsren Tagen (1879) setzte die in Wetljanka, in der Nähe von Astrachan, auftretende Pest die ganze zivilisierte Welt in Schrecken.[3]

In den Jahren 1655—57 hörte auch im Zentrum des Reiches die Gefahr der Krankheit und des Sterbens nicht auf. Wenn man auch annehmen darf, dafs die Verluste weit hinter denjenigen des Jahres 1654 zurückblieben, so deutet doch eine Reihe von Regierungsmafsregeln darauf hin, dafs der allgemeine Gesundheitszustand noch lange kein normaler war.

Ein Aktenstück vom 2. Dezember 1655 diktiert zwei Brüdern Miloslawskij eine Strafe dafür, dafs ihre Mutter einen Erkrankungsfall in ihrem Hause geheim gehalten hatte, statt sofort gehörigen Orts eine Meldung zu machen.[4] Am 30. Juli 1656 wurde die Verfügung getroffen, dafs auf den nach den „unteren" Städten, d. h. in die Gegenden des unteren Laufes der Wolga führenden Strafsen Schlagbäume errichtet werden sollten. Von dorther kommende Reisende sollten unter keinen Umständen in die Hauptstadt eingelassen werden. Bei Lebensstrafe war es verboten, mit solchen Reisenden irgend welchen Verkehr zu pflegen. Alle Reisenden wurden angehalten, verhört, beobachtet; bei der Ankunft durften sie nicht anders als in einer gewissen Entfernung mit den Einwohnern sprechen. Jedermann hatte, wenn er ein-

---

[1] Richter a. a. O. II. Beilagen S. 75.
[2] Richter II. S. 167.
[3] S. einige Angaben über Astrachan in den Jahren 1692—93, 1727—28 u. s. w. bei Richter II. S. 163—169.
[4] Vollständige Gesetzsammlung, Nr. 168.

traf, an einer bestimmten Stelle aufserhalb der Stadt sich einer
Art Quarantäne zu unterwerfen.

In Moskau müssen jedenfalls im Jahre 1656 sehr bedenk-
liche Erkrankungsfälle vorgekommen sein, da am 5.

August eine
sehr strenge Verordnung erlassen wurde, man solle von allen Er-
krankungen schleunigst Anzeige machen, damit die erforderliche
Bewachung der Kranken verfügt werden könne. Die Kleider der
Kranken liefs man verbrennen, die übrigen Kleider durchräuchern.
In den Dörfern mufsten Kleidungsstücke und Wohnungen zwei
Wochen hindurch der Kälte ausgesetzt werden, worauf dann drei
Tage hindurch mit Wermut geräuchert wurde.

Ja fast scheint es, als hätten sich in den Jahren 1655 und
1656 die Erscheinungen des Jahres 1654 wiederholt. Der Zar
verfügte in einem Erlafs an den Fürsten Kurakin allerlei Mafsregeln, um die Einschleppung der Seuche nach Wjasma und
Smolensk zu verhüten (am 26. Oktober 1655). Am 31. August
1656 wurde die Absendung von Kurieren aus Moskau an den
die Kriegsoperationen leitenden Zaren verboten, „um die Gesundheit unseres Vaters zu schützen", wie es in dem betreffenden
Aktenstück heifst. Besonders ausdrucksvoll lautet ein geistliches
Manifest des Patriarchen Nikon vom 6. August 1656, in welchem
er das Volk ermahnt, durch religiöse Übungen, Beten und Fasten
Gottes Zorn zu besänftigen. In diesem Hirtenbriefe findet sich
die Bemerkung, dafs es bei der Allgemeinheit einer so fürchter-
lichen Seuche keine Sünde sei, sich nach einem andern Orte zu
begeben, bis die Gefahr der Ansteckung vorübergegangen sein
werde. Gott selbst habe auf die Flucht als ein Mittel der Rettung
hingewiesen.[1]

Die westlicher gelegenen Gegenden waren einige Zeit hindurch verschont geblieben. Nowgorod wurde überhaupt nicht
heimgesucht.[2] Dagegen blieb Smolensk nicht frei. Im Jahre
1657 wurde dem Fürsten Dolgorukij vorgeschrieben, die von

---

[1] Richter a. a. O. II. S. 162—166. Vollständige Gesetzsammlung,
Nr. 184, 187, 188.

[2] Richter a. a. O. II. Beilagen S. 75.

dorther kommenden, für den Zaren bestimmten Papiere in der
Drogomilowschen Sloboda abschreiben und die Originale verbrennen
zu lassen.[1])

Folgende Schilderung über die verheerende Wirkung der
Pest in Rufsland findet sich in dem „Theatrum europaeum":
„Zu der Zeit grassierte die abscheuliche Seuche der Pestilentz
in Moskowien dermafsen heftig, dafs auch die Menschen auf den
Gassen unbegraben lagen und von den Hunden gefressen wurden;
wovon sie (die Hunde) dann ganz rasend und toll die lebendigen
Menschen angefallen, also dafs die Leute wegen dieser Bestien
weder auf dem Felde, noch in den Häusern sicher sein können.
Dieses war die Ursache, warum der Grofsfürst, welcher mit dem
Gros seines Heeres zehn Meil hinter Wjasma stunde, nach der
Moskau zu gehen Scheu getragen." Sodann ist von der Uneinigkeit
zwischen dem Zaren und Patriarchen die Rede, und dann heifst
es weiter: „Darüber nun sein ganzes Reich zu Strafe von Gott
mit der grausamen Pest besucht wurde, als zuvor niemalen in
selbigem Lande gehört worden. Darinnen waren etliche 100000
Menschen, ja in der Stadt Moskau allein über 200000 Seelen an
solcher Seuche verstorben, so gar, dafs auch keine Leute mehr
gewesen, die des Grofszaren Schlofs bewachen wollten. Dannenhero
die Thore zu Moskau Tag und Nacht offen und ohne Wacht
gewesen. Dieweil auch auf dem Lande viel Dörfer ausgestorben,
als lief das Vieh haufenweise auf dem Felde herum, sturbe teils
Hungers, ward auch teils von den wilden Tieren zerrissen und
verzehrt."[2])

VI.

Die vorstehenden Mitteilungen gestatten im allgemeinen einen
Schlufs auf das Mafs der verheerenden Wirkung der Epidemie,
welche Rufsland um die Mitte des 17. Jahrhunderts heimsuchte.
Glücklicherweise aber besitzen wir inbetreff der Sterblichkeit

---

[1]) Richter a. a. O. II. S. 166.
[2]) Theatrum europaeum VII. S. 620, 622.

in Mittelrufsland in den Monaten Juli, August, September und Oktober 1654 genauere Daten, welche erst recht geeignet sind, eine Vorstellung von dem Unheil zu geben, das über das schutzlose Volk hereingebrochen war.

Der Zar liefs, wie bereits oben bemerkt wurde, während er im Winter 1654—55 in Wjasma weilte, im Dezember Erhebungen über die Sterblichkeit in Moskau und andern Städten zusammenstellen. Auszüge aus diesen Akten sind von dem Geschichtsforscher Ssolowjew in dem zehnten Bande seiner „Geschichte Rufslands" mitgeteilt worden. Die Angaben sind besonders in denjenigen Fällen von Wert, wo nicht blofs die Zahl der Verstorbenen, sondern auch diejenige der Übriggebliebenen vermerkt ist. Solche Doppelziffern sind am besten geeignet, die Gröfse des Unglücks zu ermessen. Wir können den Prozentsatz ermitteln.

Viel geringeren Wert haben die Angaben über die Zahl der Verstorbenen allein, ohne dafs wir über den Rest unterrichtet würden, oder die Angaben über die geringe Zahl der Überlebenden. Indessen auch diese Zahlen sind beredt.

So z. B. wird berichtet, dafs von dem Personal der Uspenskij-Kathedrale nur ein Priester und ein Djakon übrig geblieben seien. In der Verkündigungskirche bestand der Rest aus einem einzigen Priester.[1]) In drei Palästen waren nur 15 Leibeigene übrig geblieben.

Es waren gestorben:

	Personen.
in der Stadt Kostrowa	3247
„ „ „ Nischnij Nowgorod	1836
im Kreise der Stadt Nischnij Nowgorod	3666
in der Stadt Wereja und im Kreise derselben . .	1524
in dem Kloster Troiza und dessen Vorstädten . .	1278

---

[1]) In einer andern ebenfalls auf der Akropolis Moskaus, dem Kreml, befindlichen Kirche hörte aller Gottesdienst auf, weil der einzige übriggebliebene Hilfsgeistliche davongelaufen war. In dem Bericht findet sich ferner die Angabe, dafs im Kreml vor lauter Schneemassen, welche nicht fortgeräumt worden waren, kein Durchkommen sei. Ssolowjew X. S. 871.

Hier kann also kein Prozentverhältnis ermittelt werden. Dagegen erfahren wir viel Genaueres über diese Vorgänge aus folgenden Angaben, welche wir in verschiedene Gruppen zerlegen. Aus dem oben mitgeteilten Schreiben des Zaren an Morosow vom 5. Januar 1655 erfahren wir, dafs viele Leute Rettung gesucht hätten, indem sie in die Klöster flüchteten. Aus den Angaben über die Sterblichkeit in einigen in der Nähe der Hauptstadt befindlichen Klöstern erfahren wir, dafs hier die Verheerung eine furchtbare war.

	starben	blieben übrig	Sterblichkeits-ziffer
Im Himmelfahrtskloster .	90 Nonnen	38	70%
„ Iwanowschen Kloster .	100 Mönche	30	77%
„ Tschudowkloster . . .	182 „	26	$87\frac{1}{2}\%$,

so dafs in dem letzteren nahezu $^{9}/_{10}$ der Bewohner zu Grunde ging und nur etwas mehr als $^{1}/_{10}$ übrig blieb.

Wir hörten oben, dafs in Moskau alle Geschäfte ruhten, alle Ämter geschlossen wurden. Leider besitzen wir nur eine Angabe über die Sterblichkeit in Beamtenkreisen. Die Zahl der in der „Gesandtschaftsbehörde", also im auswärtigen Amt beschäftigten Translateurs betrug 60 Personen. Von diesen starben 30, 30 blieben übrig. Sterblichkeitsziffer 50%.

Bereits oben wurde bemerkt, dafs die Seuche besonders arg unter den Sklavenherden der Grofsen aufgeräumt hatte, so dafs in manchen Häusern nur 2 oder 3 Sklaven übrig blieben. Wir besitzen folgende Angaben über diese Verhältnisse in den „Höfen" einiger Bojaren:

	starben	blieben übrig	Sterblichkeits-ziffer
bei Nik. Iw. Romanow .	352	134	73%
„ Jak. Rud. Tscherkafskij	423	110	80%
„ Boris Morosow .	343	19	95%
„ Odojewskij . . .	295	15	95%
„ A. N. Trubezkoj .	270	8	97%
„ Strjeschnew . . .	alle bis auf 1 Knaben		100%.

Brückner, Rufsland.					4

Es entsprach dem Elend der schlecht genährten, kümmerlich gekleideten, zum Teil, wie wir aus mancherlei Quellen wissen, in Lumpen gehüllten Haussklaven, dafs sie leichter als andere Gesellschaftsklassen der Seuche zum Opfer fielen. Die Verluste, welche die Herren erlitten, waren schmerzlich, aber zum Teil eine wohlverdiente Folge der Verwahrlosung, welche sie an ihren Leibeigenen verschuldet hatten. Keine der Sterblichkeitsgruppen, von denen wir Kunde haben, weist so hohe Ziffern auf. Indessen ist der Unterschied nicht beträchtlich. Auch in andern, besseren Verhältnissen war man damals einem fast sicheren Tode geweiht.

Folgende Ziffern beziehen sich auf einige Vorstädte Moskaus, in denen allerdings vorzugsweise arme Leute lebten, die ein kümmerliches Dasein fristeten:

	starben	blieben übrig	Sterblichkeitsziffer
in einer Vorstadt . . .	173	32	85 %
„ „ zweiten . . .	438	72	85 %
„ „ dritten . . .	320	40	89 %
„ „ vierten . . .	477	48	90 %.

Leider besitzen wir keine weiteren Angaben über die Sterblichkeit in Moskau. Wir dürfen indessen annehmen, dafs der Durchschnittsverlust mehr als die Hälfte betragen haben werde. Nur gibt es ein Bedenken, welches die Exaktheit obiger Berechnungen in Frage zu stellen geeignet ist. In diesen Tabellen ist nur von Toten und Übrigbleibenden die Rede. Ob nicht, wenigstens in vielen Fällen, eine dritte Postengruppe fehlt? Wir meinen die Zahl derjenigen, welche sich durch schleunige Flucht der tödlichen Wirkung der Seuche zu entziehen suchten. Wenn schon in gewöhnlichen Zeiten das Entlaufen der Haussklaven an der Tagesordnung war, wie wir aus unzähligen, das Wiedereinfangen derselben betreffenden Verordnungen wissen, so mochte die Lösung aller Zucht und Ordnung, in solchen Zeiten der Epidemie, dem Drange nach Freiheit, dem Selbsterhaltungstriebe noch mehr Spielraum gönnen. Erfahren wir doch aus dem oben angeführten Schreiben der Zarin an den Wojewoden von Kolomna, dafs bei der letzteren Stadt eine sehr grofse Anzahl von Flüchtlingen aus Moskau eingetroffen war.

Wie weit aber die Flucht aus der Hauptstadt ein Rettungsmittel sein konnte, ist nicht leicht zu entscheiden. Kein Zweifel, dafs ein grofser Teil der Flüchtenden dem Tode nicht entrann. Die Beschwerden und Mühsale der Wanderung, die allgemein herrschende Armut auf solchen Reisen werden die Widerstandsfähigkeit der Menschen einer allgemein herrschenden Pest gegenüber eher gemindert als gesteigert haben.

Auch war ja die Krankheit nicht auf die Hauptstadt beschränkt. Wir besitzen eine Reihe von Angaben über die Sterblichkeit in einer Anzahl von Ortschaften in der weiteren Umgebung von Moskau. Der Rayon, den diese Punkte umfassen, ist gegen 600 Kilometer lang und gegen 500 Kilometer breit, umfafst also ein Areal von etwa 30 000 Quadratkilometern oder 600 Quadratmeilen. Dieses Territorium erscheint als besonders infiziert von der Krankheit. An der Grenze desselben liegt westlich die Stadt Wjasma, wo der Zar Alexei wochenlang, ja monatelang residierte, um das Aufhören der Epidemie in der Hauptstadt abzuwarten.

In diesem infizierten Gebiet wäre die Sterblichkeit in den Städten von derjenigen auf dem platten Lande zu unterscheiden. Leider fliefsen die Angaben inbezug auf das letztere so spärlich, dafs wir aufser stande sind, zu entscheiden, ob die Sterblichkeit auf dem platten Lande stärker gewesen sei als in den Städten, oder umgekehrt. Aus folgenden wenigen Beispielen läfst sich in dieser Hinsicht keine Summe ziehen:

	starben	blieben übrig	Sterblichkeitsziffer
in der Stadt Torshok . .	224	686	25 %
im Kreise Torshok . . .	217	2801	7 %.

Somit wäre hier die Sterblichkeit auf dem platten Lande unvergleichlich geringer gewesen, als in der Stadt. Ein umgekehrtes Ergebnis liefert folgendes Beispiel:

4*

52   Die Pest in Rufsland 1654.

	starben	blieben übrig	Sterblichkeits-ziffer
in der Stadt Kaschin .	109	300	26%
im Kreise Kaschin . .	1539	908	63%.

Die Mitte zwischen diesen beiden Beispielen hält Folgendes :

	starben	blieben übrig	Sterblichkeits-ziffer
in der Stadt Swenigorod .	164	197	45%
im Kreise Swenigorod . .	707	689	50%.

Sehr verschieden, aber überall sehr beträchtlich war das Mafs der Sterblichkeit in folgenden Städten:

	starben	blieben übrig	Sterblichkeits-ziffer
in Uglitsch	319	376	45%
„ Ssusdal	1177	1390	45%
„ Twer	336	388	46%
„ Tula	1808	760 Personen männl.Geschl.	45%, [1])
„ Kaluga	1836	777	70%
„ Perejaßlaw Saljeßkij	3627	939	75%
„ Perejaßslaw Rjasanskij	2583	434	85%.

Somit stellt sich eine gewisse Übereinstimmung der Mortalität in Moskau und in einigen Städten Mittelrufslands heraus. Ungefähr die Hälfte der Bevölkerung mag in wenigen Monaten, in den Sommer- und Herbstmonaten, der Seuche zum Opfer gefallen sein. Man darf für wahrscheinlich halten, dafs in dieser Hinsicht kein wesentlicher Unterschied zwischen den Städten und dem platten Lande werde bestanden haben. Die Lebensweise der grofsen Majorität der Bevölkerung war in den Dörfern und Städten im wesentlichen gleich. Dieselbe Bedürfnislosigkeit, dasselbe Elend, derselbe Mangel an Luft und Licht und Komfort in den Häusern der Bauern auf dem Lande, wie in den Wohnungen der Armen in den Städten. Als einige Jahre nach dem Unheil des

[1]) Kann man ungefähr ebenso viele übrigbleibende Personen weiblichen Geschlechts in Tula annehmen, so ist die Sterblichkeitsziffer ebenfalls 45%.

Jahres 1654 der Gesandte des Kaisers Leopold, Meyerberg, nach Rufsland kam, fertigte ein Zeichner im Gefolge des Diplomaten Abbildungen russischer Städte an. Ein Blick auf die Ansicht z. B. von Twer in dem Reisewerke Meyerbergs belehrt uns darüber, dafs diese Stadt im Grunde nichts mehr war als ein grofses Dorf.

Twer, welches einst die Hauptstadt eines selbständigen Staates gewesen war und in das Grofsfürstentum Moskau einverleibt wurde, machte um die Mitte des 17. Jahrhunderts mit seinen kläglichen, kümmerlichen Holzhäusern den Eindruck, als könne sehr wohl die Bevölkerung der Stadt, deren Hälfte hingerafft wurde, vor der Pest nur die bescheidene Ziffer von 724 Einwohnern betragen haben. Eine grofse Stadt brauchte damals, um die Bedeutung einer solchen zu haben, nur mehr einige tausend Einwohner zu zählen. Ganz anders Moskau, welches um die Mitte des 17. Jahrhunderts, wie schon aus den in den Reisewerken des Olearius, des Freiherrn von Meyerberg enthaltenen Plänen der Stadt zu ersehen ist, ungemein stark bevölkert gewesen sein mufs. Die Hälfte der Bevölkerung von Moskau, welche etwa von der Pest hingerafft wurde, mag sich auf ein paarmalhunderttausend Menschen belaufen haben.

VII.

Vergleichen wir die Sterblichkeit in Rufsland während der Epidemie des Jahres 1654 mit ähnlichen Erscheinungen in Westeuropa, so stellt sich heraus, dafs das Verhängnis, welches über die unglückliche Bevölkerung des Zartums Moskau hereinbrach, an Furchtbarkeit den schlimmsten Krisen dieser Art in andern Gegenden nicht nachstand. Sowohl der schwarze Tod, welcher im 14. Jahrhunderte wütete, als auch die Epidemien, welche während des 17. Jahrhunderts fast alle Länder heimsuchten, haben die Bevölkerung Westeuropas nicht ärger verwüstet, als die Seuche von 1654 diejenige Rufslands.

Es beruht mehr auf Schätzung und Annahme als auf Zählung, wenn man den Gesamtverlust an Menschen infolge des

schwarzen Todes in Europa auf 25 Millionen, im Orient ausschliefslich Chinas auf gegen 24 Millionen, in China auf 13 Millionen beziffert. Die Summe von 1 244 434 in Deutschland bei
dieser Gelegenheit verloren gegangenen Menschenleben erscheint
mäfsig gegenüber den Verlusten in Rufsland im Jahre 1654.
Wenn wir dagegen erfahren, dafs in Venedig in kurzer Zeit
100 000 Menschen, in London 100 000 Menschen, [1]) in Gaza in
sechs Wochen 22 000 Menschen, in Wien eine Zeitlang 1200 Menschen täglich gestorben sein sollen, so erinnert das an die Schreck-
nisse in Rufsland um die Mitte des 17. Jahrhunderts. Dafs in
England überhaupt nur 10 % der Bevölkerung übrig geblieben
sein sollen, nachdem der schwarze Tod dort gewütet hatte, erscheint übertrieben, glaublicher, dafs in Frankreich an einzelnen
Orten nur 10 % der Menschen am Leben geblieben seien. [2])
    Wie in Rufsland die Seuche des Jahres 1654, so mag auch
der schwarze Tod in Westeuropa an manchen Orten besonders
arg gehaust haben, so dafs mehr als die Hälfte der Bevölkerung
weggerafft wurde. So z. B. soll die Insel Mallorka bei dem
schwarzen Tode $^4/_5$ der Bevölkerung verloren haben; in Marseille
starb über die Hälfte der Bewohner dieser Stadt; in Holstein
wurde der Verlust an Menschenleben auf $^2/_3$ der ganzen Bevölkerung, in Schleswig gar auf $^4/_5$ geschätzt. [3]) Solche Sterb-
lichkeitsziffern von 50, 66, 80 % finden sich, wie oben gezeigt
wurde, in Rufsland an verschiedenen Orten und bei verschiedenen
Gruppen von Menschen. Auch die Erzählung, dafs in dem Berg-
distrikt von Wermeland in Schweden infolge der Verheerungen,
welche der schwarze Tod anrichtete, nur ein Jüngling und zwei
Mädchen übrig geblieben sein sollen, findet ihr Analogon in

---

[1]) Das Aussetzen der Sitzungen des englischen Parlaments während
des schwarzen Todes erinnert an entsprechende Erscheinungen in Rufsland 1654, wo alle Behörden in Moskau ihre Thätigkeit einstellten.
[2]) Hecker, Die grofsen Volkskrankheiten des Mittelalters. Berlin
1865, S. 45—50.
[3]) Haeser, Geschichte der epidemischen Krankheiten. Jena 1865,
S. 138.

manchem Zuge der grofsen Sterblichkeit in Rufsland um die
Mitte des 17. Jahrhunderts.[1]) Diese letztere Erscheinung stand in jener Zeit nicht vereinzelt
da. Das 17. Jahrhundert war auch anderswo eine Zeit furcht-
barer Krisen solcher Art. Die Pest räumte fast überall in entsetzlicher Weise auf. Führen wir einige Beispiele an. Im Jahre
1637 starben in Güstrow 20000 Menschen, in Neubrandenburg
8000; im Jahre 1629 wurden in Verona 32895 Einwohner von
der Pest weggerafft, in Leyden im Jahre 1635 20000, in Kopenhagen im Jahre 1654 über 9000, in Genua im Jahre 1656
60000; in dem provençalischen Städtchen Digne starben im Jahre
1629—1630 von Juni bis April von 10000 Einwohnern 8500;
die Pest, welche 1665 in London wütete, raffte im ganzen 69000
Menschen hin; in einer einzigen Nacht starben 4000 Personen;
Wien verlor im Jahre 1679 an der Pest 76921 Menschen, Prag
im Jahre 1681 83040. In Magdeburg starben im Jahre 1681
4500 Menschen; von 500 Schulkindern sollen in dieser Stadt nur
18 übrig geblieben sein; Halle verlor in demselben Jahre die Hälfte
seiner Bevölkerung; es starben dort von 10000 Menschen 4397.[2])

Wir haben aus den Annalen der Epidemien die allererschüt-
terndsten Vorkommnisse herausgegriffen; wir haben von allen in
medizinisch-historischen Schriften angeführten Beispielen einer
grofsen Mortalität die allerhöchsten Ziffern gewählt. Vergegenwärtigen wir uns die oben angeführten Angaben über die Seuche
in Rufsland im Jahre 1654, so haben wir den Eindruck, dafs
das Unheil in Moskau und in dessen Umgebung sehr wohl mit jenen
haarsträubendsten Epidemien in Westeuropa verglichen werden
kann; ja, man darf für wahrscheinlich halten, dafs die Vorgänge
in Rufsland im Jahre 1654 noch erschütternder gewesen seien als
die ärgsten Unglücksfälle dieser Art, welche anderswo vorkamen.
Der Mangel an Mitteln, mit denen man der Seuche in Rufsland
begegnete, der Gleichmut, mit welchem man Hunderttausende weg-
sterben liefs, ohne irgend energische Mafsregeln zu ergreifen, das

[1]) Geijer, Schwedische Geschichte I. S. 186.
[2]) Haeser a. a. O. S. 362 ff.

gänzliche Fehlen ärztlicher Hilfe — alles dieses entspricht den
Zuständen in orientalischen Reichen. Indien und Persien mögen
auch noch später ähnliche Episoden erlebt haben und auch heute
noch erleben können. Im 17. Jahrhundert entsprach Moskowien
ziemlich genau der Kulturstufe asiatischer Reiche. Um so wehr-
loser waren die Bewohner desselben den Verheerungen von Epidemien preisgegeben. Mehrere Jahrzehnte vor der Epidemie von
1654 gab es in Rufsland schon ausländische Ärzte, aber ihre Zahl
war gering, und ihre Thätigkeit war auf die Erhaltung der Gesundheit des Zaren und einiger Grofsen gerichtet. Dem Volke
kamen die aus Westeuropa berufenen Ärzte, die von westeuropäischer Intelligenz ins Leben gerufenen Apotheken in Moskau
nicht zu gute. Auch scheint es gerade in den Jahren der Pest
1654—56 an Ärzten überhaupt in Rufsland gefehlt zu haben;
unmittelbar danach waren hervorragende Mediziner wie Collins,
Rinhuber, Blumentrost u. a. am russischen Hofe thätig. An
allgemeine Sanitätspolizei, an Mafsregeln zum Schutze des Volkes
dachte man auch später noch lange nicht.

Der Eintritt Rufslands in die europäische Völkerfamilie, in
das europäische Staatensystem änderte auch in dieser Hinsicht
wie in andern Beziehungen vieles. In späteren Zeiten, als die
Regierung sich ihrer Pflichten dem Volkswohl gegenüber mehr
bewufst geworden war, konnten Epidemien nicht so heftig auftreten, als dies um die Mitte des 17. Jahrhunderts der Fall gewesen war. Als Beleg dafür läfst sich die Pest anführen, welche
im Jahre 1771 in Moskau wütete. So furchtbar die Seuche auftrat, so viel Aufsehen dieselbe erregte, während die Epidemie
von 1654 ziemlich spurlos an den nicht unmittelbar beteiligten
Zeitgenossen vorübergegangen war, so scheint doch 1771 erstens
die Sterblichkeit in der alten Hauptstadt lange nicht so verheerend
gewesen zu sein wie 1654, und zweitens gelang es durch energischere
Quarantänemafsregeln, die Verbreitung der Seuche auf ein weiteres
Gebiet zu verhindern.

Gehen wir noch ein Jahrhundert weiter, so ist die Sterblichkeit in Zeiten von ansteckenden Krankheiten in unsern Tagen

noch bedeutend geringer. Man nimmt an, dafs in den fünfziger
Jahren des laufenden Jahrhunderts 1 % der Bevölkerung von
Europa an der Cholera erkrankt und etwa die Hälfte der Kranken
gestorben sei. Selbst das heftigere Auftreten der Krankheit in
einzelnen Städten, wo 1 % der Einwohner erkrankte und $\frac{1}{2}$ %
starb,[1] erscheint ganz unbedeutend gegenüber den Vorgängen in
Rufsland im Jahre 1654.

Man scheint im 17. Jahrhundert in Moskowien das Gefühl
davon gehabt zu haben, dafs Grund vorhanden sei, sich solcher
Vorgänge, wie derjenigen des Jahres 1654, zu schämen. Schon
am Anfange des Jahrhunderts hatte der Zar Boris Godunow
während der Hungerjahre, in denen das Volk haufenweise weg-
starb, Mafsregeln getroffen, um westeuropäische Gesandte, welche
in dieser Zeit nach Rufsland kamen, über die Sachlage zu täuschen.
Ähnliches scheint unmittelbar nach der Epidemie des Jahres 1654
geschehen zu sein. Als 1655 der venezianische Gesandte Vimina
nach Rufsland kam, gelangte er gar nicht in die Gegenden des
Reiches, in denen die Pest gewütet hatte. Man liefs ihn nach
Smolensk reisen und wies ihm überall seine Wohnungen in solchen
Stadtteilen an, wo die Bevölkerung am dichtesten erschien. Es
geschah dies auf ausdrücklichen Befehl der Regierung.[2] Der
italienische Diplomat wurde, wie andere derartige Reisende in
Rufsland, stark beaufsichtigt, fortwährend bewacht. Man mochte
dafür sorgen, dafs er nichts Ungünstiges über Rufsland hörte.
So erklärt es sich, dafs er in seiner Schrift „Relazione della
Moscovia“ die wunderliche, den Thatsachen entgegengesetzte Be-
hauptung niederschreiben konnte: „non si sente il saggio di morbo
pestilentiale“. So war es möglich, dafs auch der Leibarzt des
Zaren Alexei, Collins, welcher etwas später nach Rufsland kam,
obenhin bemerken konnte, es seien allerdings in Rufsland ein paar
Tausend Menschen an der Pest gestorben.

---

[1] Haeser a. a. O. S. 787.
[2] S. die Denkmäler der diplomatischen Beziehungen Russlands,
Band X. S. 863.

III.

Die Herstellungskosten eines Buches im Jahre 1649.

Im Sommer 1648 faſste der Zar Alexei Michailowitsch nach einer eingehenden Beratung mit geistlichen und weltlichen Würdenträgern den Beschluſs, ein neues Gesetzbuch zusammenstellen zu lassen. Man sammelte die früher von den Zaren, Groſsfürsten und Bojaren erlassenen Gesetze und Verordnungen, verglich dieselben mit den Bestimmungen früherer Rechtsbücher, suchte die Lücken der Gesetzgebung auszufüllen. Eine aus fünf Personen bestehende Redaktionskommission unterzog sich der Arbeit der Sammlung und Sichtung des vorhandenen Materials; für die Annahme und Bestätigung des Gesetzentwurfs wurde eine Versammlung von Volksvertretern berufen. In etwas mehr als drei Monaten hatte die Redaktionskommission ihre Arbeit vollendet. Vom Oktober 1648 bis Januar 1649 erfolgte sodann die Lektüre des Entwurfs in der Deputiertenversammlung, die Annahme desselben, die Anfertigung einer Reinschrift. Am 29. Januar 1649 ward das neue Gesetzbuch („Uloshenije") bestätigt und man konnte mit dem Drucke desselben beginnen.

Das Original der Urkunde auf einem Streifen Papier von 434 Arschin (gegen 300 Meter) ist vollständig erhalten. Es erschienen im Druck 1649 drei Auflagen und später ist dann dieses Gesetzbuch nicht weniger als dreizehnmal gedruckt worden; auch Übersetzungen in das Lateinische, Französische und Deutsche wurden verbreitet.

Neuerdings ist im Archiv zu Moskau ein Aktenstück aufgefunden worden, welches über die Herstellungskosten des Gesetzbuches von 1649 Auskunft gibt. Es ist eine spezifizierte
Rechnung über alle bei der Drucklegung des Gesetzbuches verbrauchten Materialien, sowie über die bei dieser Gelegenheit an
die Arbeiter gezahlten Löhne. (Dieselbe ist abgedruckt in dem
„Magazin des Archäologischen Instituts", St. Petersburg 1879.
Band II. S. 21—30.) Beim Durchlesen der sehr eingehenden
Angaben drängen sich manche kulturhistorische Betrachtungen
auf, welche wir in den folgenden kurzen Bemerkungen zusammenfassen wollen.

Wir schicken voraus, dafs das Buch, dessen Inhalt in der
vollständigen Gesetzsammlung 160 Spalten füllt, etwa 20 Druck-
bogen oder gegen 300 Seiten mäfsigen Oktavformats entspricht.
Die erste Auflage betrug 1200 Exemplare. Die Gesamther-
stellungskosten der ganzen Auflage betrugen 952 Rubel. Davon
kam über die Hälfte, nämlich 506 Rubel, auf das Papier; an
Arbeitslöhnen an die Setzer, Buchbinder etc. wurde bezahlt
320 Rubel; so dafs auf alle übrigen Kosten eine Summe von
gegen 120 Rubeln verwandt wurde.

In gewissem Sinne verdient dieser letzte, aus einer grofsen
Menge kleiner Beträge zusammengesetzte Posten am meisten Beachtung, weil derselbe auf eine sehr wenig vorgeschrittene Arbeitsteilung im Druckgewerbe schliefsen läfst. Während heutzutage
Druckereien die Druckerschwärze, welche in grofsen Fabriken
in gewaltiger Menge hergestellt wird, durch den Handel zu beziehen pflegen, mufste die Druckerei in Moskau um die Mitte des
siebzehnten Jahrhunderts alle zur Bereitung der Druckerschwärze
und anderer Farben erforderlichen Hilfsstoffe auf dem Markte
kaufen und viel Arbeit daran wenden, das fertige Material für
den Druck zu gewinnen. Da finden sich denn in der Rechnung
z. B. folgende Posten: 16 Pfund Zinnober, 70 Krüge Farbe für
„Tinte" oder „Schwärze", 2 Pfund weifse Farbe, 1 Stück Gummi,
„einige Stücke Farbe", 2 Mafs Asche für Lauge u. dgl. m.
Auch die Bürsten wurden nicht gekauft, sondern in der Druckerei

angefertigt: wenigstens findet sich ein Posten von 7 Pfund Borsten „für Bürsten", 6 Pfund Pech „für Bürsten" u. s. w.

Ebenso gibt es andere Angaben, welche darauf schliefsen lassen, dafs das zum Druck erforderliche Material den Typographien nicht fertig geliefert wurde, sondern dafs man, ehe man mit dem Satz und Druck beginnen konnte, eine ganze Reihe von Vorarbeiten erledigen mufste. Derartige Posten in der Rechnung sind z. B. folgende:

3600 Nägel,

1 Pud 30 Pfund Kuhbutter für das Ölen der Bogen und der Presse.

267 Arschin Leinewand,

ein halbes Mafs Mehl für Kleister,

ein Sack Kohlen,

4 Faden Eisen,

20 Päckchen Bast,

13 Stricke u. s. w.

Leider erfahren wir nicht, wie viele Arbeiter bei der Herstellung des Buches verwandt wurden, wohl aber, wie lange die Arbeit dauerte, nämlich „einen halben Monat und zwei Tage". Ein solcher Zeitraum erscheint sehr gering. Dafs ein immerhin umfangreiches Buch bei der damaligen unvollkommenen Technik in so kurzer Zeit hat gesetzt und gedruckt werden können, ist vielleicht daraus zu erklären, dafs es wünschenswert erschien, das neue Gesetzbuch möglichst schnell zu verbreiten. Man darf annehmen, dafs die Zahl der Arbeiter, welche Zeitlohn erhielten, sehr bedeutend gewesen sein müsse. Die Summe von über 300 Rubeln, welche an Arbeitslohn gezahlt wurde, erscheint bei der sehr grofsen Münzeinheit jener Zeit als sehr beträchtlich. Allerdings haben wir Beispiele, dafs in jener Zeit, wo die gewöhnliche Arbeit sehr niedrig im Preise stand, die qualifizierte Arbeit — und zu dieser gehörte selbstverständlich die Leistung des Setzers, Druckers, Buchbinders — sehr teuer bezahlt werden mufste. Gleichwohl erscheint der Posten von über 300 Rubel um so bedeutender, als es u. a. eine Notiz in der Rechnung

gibt, dafs „die Korrektoren und Schreiber" oder Beamten 1 Rubel
25 Kopeken erhalten hätten.   Dieser Umstand bestätigt die
Annahme, dafs eine beträchtliche Anzahl von Menschen bei dem
Drucke des Gesetzbuches beschäftigt gewesen sein müsse.

Nicht alle Ausgaben werden sorgfältig auseinander gehalten.
Zum Schlusse der Rechnung findet sich folgende summarische
Zusammenfassung: „Aufserdem verschiedene Unkosten für Holz
und Kohlen und Blei, für kleine Spesen, für Papier und Tinte,
Eisen und Kupfer, für Reparaturen, für die Prachteinbände der
für den Zaren und den Patriarchen bestimmten Exemplare, für
Semmeln (калачи), welche die Arbeiter erhielten, für den Geist-
lichen, welcher den Dankgottesdienst abhielt, für Wachs- und
Talglichte u. s. w. — 24 Rubel 91$^1/_2$ Kopeken."

Es scheint also die glückliche Vollendung der Arbeit mit
einer Verteilung von Weifsbrot an die Arbeiter und mit einer
kirchlichen Zeremonie gefeiert worden zu sein! Indessen erfahren
wir aus der Rechnung, dafs die Arbeit nicht ohne Hindernis
verlief und dafs ein Teil des Buches — ungefähr der fünfte Teil,
— nachdem das Ganze fertiggestellt worden war, umgedruckt
werden mufste. Die Veranlassung dieser Verzögerung bei der
Vollendung der Arbeit ist uns nicht bekannt.

An Freiexemplaren erhielten: der Zar 6 Exemplare mit Goldschnitt und 3 in einfachem Einbande, der Patriarch 2 Exemplare
mit Goldschnitt und 1 in einfachem Einbande; von den 5 Exemplaren,
welche die Korrektoren (справщики) erhielten und welche vielleicht
den beträchtlichsten Teil ihres Lohnes ausmachten, ist über die
Art des Einbandes nichts gesagt.

Bevor man an das Umdrucken eines Teiles des Buches ging,
hatte man die Herstellungskosten desselben auf 828 Rubel berechnet, und ermittelt, dafs jedes Exemplar auf 69 Kopeken zu stehen
gekommen sei. Durch die Mehrkosten des Umdruckens, im Betrage
von 124 Rubeln, wurde der Kostenpreis eines jeden Exemplares
um 20 Kopeken erhöht, so dafs das Exemplar 79$^1/_3$ Kopeken,
in runder Summe 80 Kopeken kostete. Wir wissen nicht, zu

welchem Preise das Buch dem Publikum verkauft wurde. Es wird schwerlich mit weniger als 1 Rubel bezahlt worden sein. Da entsteht denn die Frage, ob ein solcher Preis hoch oder niedrig erscheint?

Bei Beantwortung dieser Frage hat man zuerst sich von dem damaligen Werte eines Rubels, von der Gröfse der damaligen Münzeinheit eine Vorstellung zu machen. Dafür gibt es etwa folgende Anhaltspunkte.

An der Hand von Ausgabebüchern aus jener Zeit, welche sich erhalten haben und Gegenstand wirtschaftshistorischer Untersuchung geworden sind, auf Grund einer grofsen Menge von Angaben in den Verordnungen der Regierung u. dgl. m. erfahren wir über die Preise jener Zeit u. a. folgendes: ein Tschetwert Roggen kostete 40 Kopeken, ein Balken von 25 Fufs Länge — 1½ Kopeken, 1 Pud Schweinefleisch 11 Kopeken, ein Hahn 3—4 Kopeken, 10 Stück Eier — 1 Kopeken u. s. w. Butter ist in der Druckereirechnung mit 2 Kopeken für das Pfund aufgeführt, was ungefähr andern Angaben aus einer etwas späteren Zeit (90—130 Kopeken für ein Pud Butter) entspricht.

Man erkennt leicht, dafs wir durch solche Angaben von den Lebensmittelpreisen uns viel leichter als durch Vergleichung des Geldwertes oder der Münzeinheit eine Vorstellung davon machen können, ob die Herstellungskosten des Gesetzbuches gering oder hoch erscheinen.

Man mufste nämlich, um ein Exemplar des Gesetzbuches zu erstehen, ebensoviel bezahlen, als 20—30 Pfund Butter kosteten, oder ebensoviel, als 2—3 Tschetwert Roggen zu stehen kamen, oder ebensoviel, als man für 1000 Stück Eier auszugeben pflegte. Mit andern Worten: der Preis eines Exemplares eines Buches von gegen 300 Seiten mäfsigen Oktavformates stellte sich so hoch, dafs derselbe, wenn man die heutigen Preise für die wichtigsten Lebensmittel berücksichtigt, zu unsern Zeiten etwa dem Satze von 20 bis 30 Rubeln gleichkäme. Es bedarf keines weiteren Beweises dafür, dafs in den letzten Jahrhunderten die

Brückner, Rufsland.   5

Herstellungskosten der geistigen Speise sich erheblich vermindert haben und keiner weiteren Ausführung über die grofse Bedeutung dieser Erscheinung, welche ja auch sonst allgemein bekannt ist, aber durch die Illustration an einzelnen Beispielen, wie in dieser flüchtigen Skizze, an Anschaulichkeit gewinnen mag.

IV.

Des Patriarchen Nikon Ausgabebuch 1652.

6*

Google

Wenn schon überhaupt von seiten der Geschichtsforschung das wirtschaftliche Leben unvergleichlich weniger beachtet wird, als das politische, so gilt dies ganz besonders von der Privatwirtschaft, deren Geschichte bisher fast gar nicht untersucht worden ist, während sich, vornehmlich in der letzten Zeit, die Staatswirtschaft denn doch einiger Aufmerksamkeit von seiten der Historiker zu erfreuen gehabt hat. Die Finanzgeschichte einiger Länder ist sogar durch tüchtige Werke vertreten, und einzelne dahin gehörende Monographien zählen zu den anziehendsten Erzeugnissen der historisch-ökonomischen Litteratur.

Allerdings ist es leichter Finanzgeschichte zu schreiben, als gröfsere, umfassendere wirtschaftsgeschichtliche Stoffe zu behandeln. Es ist nicht blofs die Beschränkung des Gegenstandes, welche die Bearbeitung finanzgeschichtlicher Fragen erleichtert, sondern auch die Anlehnung an das oft durchwanderte, in Zeiträume eingeteilte, nach bekannten Erscheinungen gegliederte Gebiet der gewöhnlichen Geschichte politischer Begebenheiten, und ferner der Umstand, dafs reichlicheres, bequemer zugängliches Material für die Geschichte der Staatswirtschaft vorzuliegen pflegt. Abgesehen von den vielen Geschäftspapieren und Rechnungen der Finanzbehörden sind die vielen Gesetze und Verordnungen, die ständischen Verhandlungen und Kammerdebatten, mit der damit zusammenhängenden publizistischen Erörterung finanzieller Probleme, ein unerschöpflicher Stoff für den Finanzhistoriker. Der innige Zusammenhang zwischen der Staatswohlfahrt überhaupt

und den Schicksalen des Budgets, zwischen den rein politischen
Ereignissen und dem Steigen und Fallen der Staatspapiere,
zwischen den allgemeinen politisch-ökonomischen Zuständen und
etwa den Steuererträgnissen — erleichtert im wesentlichen dem
Historiker das zu fällende Urteil.

Die andern Gebiete der Wirtschaft sind nur zu einem verhältnismäfsig geringen Teil abhängig von der Politik. Ihre Geschichte mufs eine völlig selbständige Periodisierung haben. Nur
in seltenen Fällen wird hier eine Anlehnung an schon bekannte,
verarbeitete Resultate der hergebrachten Geschichtsforschung stattfinden können. Die Geschichte der Privatwirtschaft ist noch zu
schaffen: nicht einmal im Entwurf besteht sie. Kein Rohmaterial
ist für dieselbe aufgespeichert. Wer sich auf dieses Gebiet wagt,
mufs sowohl das Material herbeibringen, als es herrichten; er
hat nicht blofs das Detail zu erforschen, sondern auch die allgemeinen leitenden Gesichtspunkte zu bestimmen, nach denen das
Material zu ordnen ist. Jeden Augenblick sieht er sich auf noch
völlig unbegangenen Pfaden.

Um so erfreulicher ist es, wenn einmal ausnahmsweise die
ameisenartig sammelnde, mehr quantitativ als qualitativ arbeitende
Geschichtswissenschaft wirtschaftshistorisches Rohmaterial liefert.
Wir sind in dem Falle, für die folgende Darstellung solches Rohmaterial benutzen zu können.

Der wirtschaftshistorische Stoff, dessen Verarbeitung den
Gegenstand der folgenden Darstellung bildet, ist dem Leben
Nikons entnommen. Es handelt sich um einige Monate der Privat-
wirtschaft Nikons.

Im Jahre 1852 bereits veröffentlichte die Moskauer Gesellschaft für Geschichte und Altertümer Rufslands „das Ausgabebuch Nikons" in dem Zeitraum vom 14. Dezember 1651 bis zum
5. August 1652.[1]) Der Herausgeber war nicht in der Lage,

---

[1]) In den Schriften „Wremennik" der Moskauer Gesellschaft, Band 13,
Materialien, S. 1—62.

dieser Edition eine irgendwie unterrichtende Einleitung vorauszuschicken oder dieselbe mit einem Kommentar zu begleiten. Er bemerkt nur mit kurzen Worten, dafs das Ausgabebuch Nikons in mehr als einer Beziehung Aufmerksamkeit verdiene. Es gewähre einen Einblick in das private häusliche Leben Nikons; es enthalte mancherlei Angaben über die Preise verschiedener Gegenstände um die Mitte des siebzehnten Jahrhunderts und gestatte uns einen Begriff zu erlangen vom Stande der damaligen Technologie.

Nur selten und in sehr unzulänglicher Weise haben die russischen Historiker in den Jahren, welche seit jener Publikation verstrichen sind, auf dieselbe Rücksicht genommen. Dieser Umstand zeugt eben wiederum davon, dafs die Wirtschaftsgeschichte nur wenig Beachtung findet. An eine Würdigung und Verarbeitung derartigen Rohmaterials hat bisher noch niemand gedacht.

Wir beabsichtigen dasselbe vorwiegend in zwiefacher Beziehung auszubeuten, indem wir zuerst mit Hilfe der Buchhalterei Nikons uns eine Vorstellung zu bilden versuchen von den Vorgängen in dem wirtschaftlichen Leben eines angesehenen russischen Kirchenfürsten jener Zeit, indem wir zweitens die Preisangaben im Kassabuche Nikons als Material für eine Geschichte der Preise benutzen. Die Vergleichung der wirtschaftlichen Zustände jener Zeit mit den Ereignissen der ökonomischen Entwickelung in der Gegenwart dürfte in mehr als einer Beziehung lehrreich sein.

Vergegenwärtigen wir uns zunächst den Zeitpunkt in Nikons Leben, auf welchen diese hauswirtschaftlichen Notizen sich beziehen.

Nikon wurde im Jahre 1613 im Gebiete von Nishnij-Nowgorod als der Sohn eines Bauern geboren. Schon während seiner Kindheit las er viele geistliche Bücher und trug sich mit dem Gedanken, sich dem Mönchsleben zu weihen. Indessen widmete er sich vorläufig nur dem Priesterstande und heiratete. Nach zehnjähriger Ehe trennte er sich von seiner Frau, weil beide den Beschlufs fafsten ins Kloster zu gehen. Nikon lebte sodann

auf einer Insel im Weifsen Meere in der Nähe des Klosters Solo-
wezk; die Brüder der geistlichen Gemeinschaft, der er an-
gehörte, suchten die Einsamkeit; jeder hatte seine Zelle etwa
2 Werst (¼ Meile) von der Zelle des nächsten Nachbars entfernt
am Ufer des Meeres; man nährte sich nur von Fisch und Broten.
Wie viele Ehrgeizige, welche eben um ihres Ehrgeizes willen
sich dem geistlichen Berufe widmen, um rascher von Stufe zu
Stufe zu steigen, so verstand es auch Nikon, sich den Weg zu
sehr hohen Ehren und Würden zu bahnen. Als er einst in Angelegenheiten des Inselklosters eine Reise nach Moskau unternehmen mufste, gelang es ihm während seines Aufenthaltes in
der Hauptstadt die Aufmerksamkeit des Zaren auf sich zu lenken.
Alexei Michailowitsch befahl, man solle Nikon zum Archimandrit
des Nowospafskischen Klosters machen; kurze Zeit darauf stieg
er noch höher, indem er Metropolit von Nowgorod und Luzk wurde.
So blieb denn nur noch eine Stufe zu erklimmen übrig. Während
es damals in Rufsland 4 Metropoliten gab (von Nowgorod, von
Kasan, von Rostow und von Krutiza), spitzte sich die Hierarchie
in der einen Patriarchenwürde zu. Auch diese sollte er erlangen.

Die Führung des Ausgabebuches fällt nun in die letzten
Monate des Metropolitenamtes Nikons und schliefst wenige Tage
nach Erlangung der Patriarchenwürde.

─────

Betrachten wir die Wirtschaft geistlicher Herren und geistlicher Institute in Rufsland im siebzehnten Jahrhundert, so
finden wir dort grofsen Reichtum. Es entsprach der hervorragenden Stellung der mittelalterlichen Klöster in andern Ländern,
wenn auch in Rufsland die Geistlichkeit die Rolle des Haupt-
produzenten übernahm, kolossale Umsätze in allerlei wirtschaft-
licher Thätigkeit hatte, allerlei ökonomisch sehr vorteilhafte Privilegien genofs, die Armenpflege leitete, hier und da äufsern
Prunk zeigte.

Die Patriarchen, Metropoliten, Erzbischöfe und Bischöfe hatten

manche fürstlichen Rechte. Es gab Verbrechen, deren gerichtliche
Aburteilung nur einem geistlichen Gericht zustand. Die Geistlichen hatten ihre Unterthanen, ihr finanziell auszubeutendes Gebiet, welches grofse materielle Vorteile sicherte. Während man
die Zahl der Bauerhöfe auf den Gütern des Zaren auf 50 000
anschlug, hatte der Patriarch deren 7000, der Metropolit von
Nowgorod 4000, ein Erzbischof, deren es zehn gab, etwa 1600.
Es gab Klöster, welche von 3000 Bauerhöfen Einkünfte bezogen.
Für das Kloster Walaam soll Nikon 60 Dörfer für die Summe
von 60 000 Rubel gekauft haben. Sehr mannigfaltig war die wirtschaftliche Thätigkeit solcher geistlicher Institute; sie besafsen
Salzseen, hatten Fischereien, beschäftigten sich mit Seidenbau;
eines grofsen Rufes erfreute sich der Gartenbau der Mönche in
dem Kijewschen Höhlenkloster; ausgezeichnetes Obst wurde da
gezogen.

Sehr auffallend ist der Gegensatz zwischen dem wahrhaft
fürstlichen Aufwande der höheren Geistlichkeit und der Dürftig-
keit des niedern Klerus, der nur dazusein schien, um die Einkünfte
der Prälaten zu mehren. Die Pfarrer und Diakonen erhielten
vom Zaren 2 Rubel jährlich, die Jahreseinkünfte derselben wurden
auf 30 — 40 Rubel geschätzt und selbst die ärmsten mufsten ihrem
geistlichen Chef, wie z. B. dem Metropoliten von Nowgorod, jährlich mindestens 1 Rubel zahlen.

Ganz anders verhielt es sich mit den Einkünften der Patriarchen. Nikons Vorgänger galt für sehr sparsam, aber er
verstand es doch nicht so wie Nikon, die Einkünfte dieses Amtes
ins Ungemessene zu steigern. Als der Vorgänger Nikons starb,
nahm der Zar Alexei selbst das Inventar des an Geld und Kostbarkeiten vorhandenen Vermögens des Patriarchen auf; er schrieb
an Nikon, es hätten sich 13 400 Rubel in Barem vorgefunden
und eine Menge silberner Gefäfse, Schüsseln, Teller, Pfannen,
Becken, Kannen u. s. w. Alle Gegenstände seien sehr sorgfältig
in fünffaches Papier oder andere Stoffe eingewickelt gewesen;
der Verstorbene habe jedes Stück, das er besafs, gut gekannt.
Die Zahl der dem Patriarchen zinspflichtigen Bauern hatte, bis Nikon

Patriarch wurde, 10 000 betragen; Nikon steigerte diese Zahl,
wie man sagt namentlich durch Erbschleicherei, vermittelst der
Gunst des Zaren auf 25 000. Bei dem Vorherrschen der Naturalwirtschaft in jener Zeit läfst sich der Umfang des Budgets des
Patriarchen nicht wohl durch eine Zahl ausdrücken. Indessen
mufs der Geldumsatz doch sehr bedeutend gewesen sein. Ein
Teil der Steuern war Einnahme des Patriarchen, z. B. die Hälfte
der Steuer, die im ganzen Reiche beim Kauf und Verkauf von
Pferden erhoben wurde. Der Patriarch hatte einen ganzen Hof-
staat; ein ganzer Trofs von Handwerkern aller Art arbeitete für
ihn: Goldarbeiter, Schneider, Steinhauer, Tischler, Maler u. s. w.
Unglaublich klingt die Bemerkung eines Zeitgenossen, des Paulus
Diakonus, welcher 1653 den Patriarchen von Antiochia, Makarius,
nach Moskau begleitete und dessen Aufzeichnungen wir sehr wichtiges Material über die geistlichen Zustände in Rufsland verdanken, [1] dafs Nikon als Patriarch 20 000 Rubel täglich, also
über 7 Millionen Rubel jährlich Einkünfte gehabt habe. Einer
andern Mitteilung zufolge soll sich die Jahreseinnahme des Patriarchen gegen das Ende des siebzehnten Jahrhunderts verringert
haben auf 42 000 Pfund Sterling, was allerdings gegen die sehr
zweifelhaften 7 Millionen einen ungeheuren Unterschied machen
würde.

Als Metropolit von Nowgorod stand Nikon an der Spitze
eines sehr komplizierten Verwaltungsorganismus. Ein Zeitgenosse
berichtet, die Metropoliten hätten etwa 2 500 Rubel jährlicher
Einkünfte gehabt, der Bischof von Nowgorod aber 10—12 000 Rubel;
er bewohnte einen Palast, hatte viele Beamte und zahlreiches Gesinde. Das Gefolge eines Bischofs wird auf ungefähr 100 Personen
angegeben. Paulus Diakonus sagt, der Metropolit von Nowgorod
habe 400 Klöster verwaltet; ihm seien 2 000 Geistliche unter-

---

[1] Mitgeteilt u. a. in Ruschtschinskis sehr lesenswerter Monographie
„Das religiöse Leben der Russen nach den Angaben ausländischer
Schriftsteller des 16. und 17. Jahrhunderts". Moskau 1871. S. u. s.
S. 134 und ff.

geben gewesen, deren jeder zu den Einkünften des Metropoliten habe beisteuern müssen; 70 fischreiche Seen hätten ihm Einkünfte geliefert, sein Gesinde habe aus 300 Personen bestanden. Leider gewährt das Ausgabebuch Nikons keinen Einblick in die wirtschaftliche Thätigkeit Nikons im weiteren Sinne. Während er zur Zeit seines Aufenthaltes in Moskau doch gleichzeitig seinem Hauswesen in der Hauptstadt und der Verwaltung der Nowgorodschen geistlichen Güter vorstand, sind in dem Ausgabebuch fast ausschliefslich die in Moskau gemachten Auslagen verzeichnet. Nur aus einigen kurzen Bemerkungen erfahren wir gelegentlich, wie auch in dieser Zeit die Sorge für die Wirtschaft in Nowgorod den Metropoliten beschäftigte. So haben wir denn schon erwähnt, dafs Nikon bares Geld nach Nowgorod schickte, das eine Mal betrug die Sendung 600 Rubel, ein anderes Mal 800 Rubel; eine bedeutende Quantität Sirup wird ebenfalls nach Nowgorod geschickt, und zwar auf das Gut Iljinskoje, um Kirschen und Himbeeren damit einzumachen. Vermutlich wurden die grofsen Einkünfte an Honig (das eine Mal 113 Pud, ein anderes Mal 72 Pud) ebenfalls zu dem Zwecke gemacht, um diese Vorräte nach Nowgorod zu befördern. Zu derartigen Sendungen werden jedesmal ein paar Leute vom Gesinde und einige Pferde verwendet. Auch wird bemerkt, wieviel Zehrgeld sie auf die Reise erhalten. Ebenso werden für die beträchtliche Summe von 10 Rubeln Apfelbäume für Nikons Garten in Nowgorod gekauft. Dies geschah anfangs März, als noch niemand voraussetzen konnte, dafs Nikon so bald schon Patriarch werden und seinen bleibenden Aufenthalt nicht mehr in Nowgorod haben sollte.

Bei der nur gering entwickelten Arbeitsteilung mufste die industrielle Produktion im Hause eine grofse Rolle spielen. Der Palast des Zaren, wie das Haus des Prälaten waren eine Art Mikrokosmos. Wie der Zar allerlei Handwerker in seinem Dienste hatte, die nur für den Hof arbeiteten, so z. B. dafs es Gold- und Silberarbeiter, Leinweber verschiedener Art gab, 100 Kürschner und Schneider, 200 Branntweinbrenner, Bierbrauer und Böttcher, 150 Köche, Wasserführer und Geschirrwäscher, 100 Wagenbauer,

Sattler, Schmiede, Radmacher, [1]) so hatte selbst jeder Bojar eine Menge Handwerker in seinem Gesinde. Leinwand wurde zu Hause gewoben, Kleider, Stiefel werden zu Hause genäht; alle Speisen und Getränke zu Hause bereitet. [2]) Man kaufte möglichst wenig, oder vorzugsweise nur das Rohmaterial, um dasselbe zu Hause verarbeiten zu lassen.

So werden auch in Nikons Haushalt viele Gegenstände produziert, deren Anfertigung später aufser dem Hause stattzufinden pflegte. Personen aus dem Gesinde lernen wir als Handwerker kennen. Wenn man das säuerliche Nationalgetränk — Kwafs — zu Hause braute, so versteht sich das auch heute noch in sehr vielen bescheideneren Haushaltungen in Rufsland von selbst, aber selbst Siegellack wird zu Hause angefertigt und zu diesem Zwecke zu wiederholten Malen Zinnober eingekauft. Selbst auf Reisen, während der Fahrt nach dem Solowezk-Kloster, werden Wachslichte gegossen.

Doch finden sich auch Spuren einer ziemlich vorgeschrittenen Arbeitsteilung, inbezug auf mancherlei Gegenstände. Das Brotbacken wurde allerdings, wie es scheint, in der Regel zu Hause besorgt, wie u. a. aus dem Ankauf grofser Quantitäten Roggen (einmal 56 Tschetwert) zu ersehen sein dürfte, indessen kommen doch wiederholt Fälle vor, in denen fertig gebackenes Brot gekauft wird. Als einmal Nikon zu Tische Besuch hat, wird die Ausgabe von 60 Kopeken für weifse Semmeln notiert. Der Haushälter, Mönch Jonas, erhält regelmäfsig kleine Summen zum Ankauf von Brot, Zwiebeln und andern Speisezuthaten. Zu Ostern werden zwei fertige Kuchen gekauft, ferner einmal 2 000 Stück Brezeln. Auch Gemüse mufste gekauft werden, wie Gurken, Kohl, Rüben, Erbsen; ebenso Eier, der Saft der säuerlichen Kronsbeere, aus dem man ein Getränk bereitet. Sämtliches Tisch- und Küchengeschirr wird eingekauft, ebenso Koffer für die Reise, eine Laterne mit Marienglas, Fässer, Eimer, Löffel, Leuchter. In kleinen Quantitäten, aber sehr oft, wird Papier

---

[1]) Kotoschichin, Rufsland zur Zeit Alexeis. Kap. VI und VII.
[2]) Kostomarow, das häusliche Leben der Grofsrussen. S. 110, 112.

gekauft, ebenso Talglichte, welche stets gekauft werden müssen,
während die Wachslichte regelmäfsig zu Hause fabriziert werden.
Während sämtliche prächtige Gewänder Nikons zu Hause genäht
werden, werden einfache Schafpelze, Stiefel, ja sogar einzelne
Stücke Wäsche auf dem Markte gekauft. Während die Heiligenbilder zu Hause versilbert werden, müssen die Pferde aufser dem
Hause beschlagen, ebenso Sättel aufser dem Hause repariert
werden. Es begegnen uns einige Fälle, in denen Halbfabrikate
erwähnt werden: so werden für Nikons Stiefel, welche im übrigen
zu Hause angefertigt werden, Sohlen auf dem Markte gekauft;
ein Tisch wird gekauft und ein Eisen dazu, welches zu Hause
an dem Tische befestigt wird; ein hölzerner Schlitten wird gekauft
und zu hause mit Eisen beschlagen. — Merkwürdig ist, dafs
während z. B. die Hostien zu Hause gebacken werden, zum ein-
maligen Dielenwaschen in der Wohnung Nikons zwei Frauen
gemietet werden, welche einen verhältnismäfsig hohen Lohn
erhalten.

Bei allen diesen Umständen ist übrigens zu berücksichtigen,
dafs Nikon gewissermafsen nur zeitweilig sich in Moskau aufhielt,
so zu sagen auf Reisen nur, und trotz des vielen Gesindes und Gepäcks, welches sich auf 30 Schlitten verteilte, eben als Reisender
manches zu kaufen veranlafst war, was im regelmäfsigen Leben
zu Hause produziert wurde.

So erscheint es fast, als sei inbezug auf die Steigerung von
der Naturalwirtschaft zur Geldwirtschaft Nikons Haushalt vor-
geschrittener gewesen als derjenige mancher seiner Zeitgenossen.

In dem grofsen Haushalt des Zaren herrschte die Naturalwirtschaft vor. Von allen Waren, welche zu eigenem Verbrauche
oder zu Geschenken oder als Lohnzahlung dienten, wurden bei
Hofe stets grofse Vorräte gehalten. Der Zar hatte 600 Korn-
kammern, 30 Keller, 40 000 Pferde, welche von 200 Stallknechten
und 200 Pferdehirten gehütet wurden; im Haushalte des Zaren
wurden 40 000 Pfund Wachs jährlich zu Lichten verbraucht. [1]

_____

[1] Kotoschichin VI, 2, 6. Margeret über Rufsland etc.

Allerlei Vieh, Geflügel, Obst hat er die Hülle und Fülle. Es
kam vor, dafs ausländische Gesandte, die sich zeitweilig in der
Hauptstadt aufhielten, täglich 22 Sorten Getränke, 8 Schafe,
30 Hühner u. s. w. erhielten.[1] Die Strelzy erhielten aufser
15 Rubeln in Geld noch 15 Tschetwert Roggen und 2 Pud Salz
jährlich; die Leibwächter des Zaren kostbare Stoffe, Zobelfelle,
1 Werschok Samt.[2] Auch sonst kam es wohl vor, dafs Arbeiter
vorherrschend in Naturalien ihren Lohn erhielten. Zimmerleute
erhielten Korn, Fisch, Hirse, Käse; Fuhrleute wurden mit Schinken
bezahlt u. dergl.[3]

Man kann annehmen, dafs Nikons eigenes Gesinde den Lohn
so gut wie ausschliefslich in Naturalien empfing. Dagegen werden
in dem Ausgabebuche allerlei Geldlohnzahlungen erwähnt, für Reparaturen aller Art, für Schmiedearbeiten, für den Transport ein-
gekaufter Waren, für Veterinärdienste, für Kürschner-, Schneider-
arbeiten, für ausgeführte Bauten.

Dagegen werden die Geschenke oder Trinkgelder meist nicht
in Barem bezahlt, sondern in Heiligenbildern, deren Edelmetall-
wert übrigens einen sehr genau zu bestimmenden Geldwert
repräsentierte. Die Fälle, in denen Nikon solche Geschenke an
Diener des Zaren zu machen hat, sind aufserordentlich zahlreich.
Daher scheint denn auch die Arbeit des Versilberns der Heiligenbilder in Nikons Hause, wie aus einer grofsen Menge von Bemerkungen über den Preis des hierbei verbrauchten Silbers hervorgeht, ununterbrochen fortgedauert zu haben. Übrigens werden
auch nur die etwas höher gestellten Hofbeamten in dieser Weise
beschenkt; geringere erhalten ein Trinkgeld in Barem.

Teilt man die Bedürfnisse in notwendige, Luxus- und An-
standsbedürfnisse ein, so hat man, wenn man das Ausgabebuch
Nikons betrachtet, Veranlassung darüber zu staunen, welche sparta-
nische Einfachheit inbezug auf die gewöhnlichen Bedürfnisse des

---

[1] Olearius, Reisebeschreibung S. 16.
[2] Kotoschichin VII, 9.
[3] Aristow, die Industrie im alten Rufsland (russisch), S. 280.

täglichen Lebens mit einer grofsartigen Prunksucht in andere
Beziehung vereint ist.

Was die notwendigen Bedürfnisse anbetrifft, so ist es auffallend bei sonst grofsen, hier und da durchaus luxuriösen Lebensverhältnissen eine wahrhaft mönchische Mäfsigkeit in Speise und
Trank in Nikons Haushalt zu finden. Von Leckerbissen gibt es
fast gar nichts mit Ausnahme der Geschenke des Zaren, welche
bisweilen, wie oben erwähnt wurde, in Konfekt, Pfefferkuchen,
Obst und Beeren bestanden. Fleisch scheint Nikon selbst, schon
als ewig fastender Mönch, nie genossen zu haben. Während der
7 Monate wird nur ein einziges Mal des Ankaufs von Fleisch erwähnt, und zwar ist es Schweinefleisch, welches denn allerdings
in der gewaltigen Menge von gegen 800 Pfund eingekauft wird.
Fisch wird dagegen sehr viel und in mannigfaltiger Weise konsumiert. Sehr viele Fischarten werden erwähnt, darunter recht
teure aus entlegenen Gegenden nach Moskau importierte Fischarten. Die Hauptnahrungsmittel sind Brot, Zwiebeln, Meerrettich,
Rüben, Pilze, Knoblauch, Speiseöl, Honig, Butter. Weifsbrot
scheint nur ausnahmsweise konsumiert worden zu sein. In der
Regel ist auch wohl der Metropolit selbst Roggenbrot. — Ausnahmsweise wird des Einkaufs von ausländischen Speisezuthaten
erwähnt. Bei feierlichen Gelegenheiten, etwa zu Ostern, wird
etwas Besonderes gebacken oder gesotten und dazu werden in
kleinen Mengen Nelken, Pfeffer, Safran, Reis, Rosinen, Mandeln,
Feigen gekauft. Im ganzen mochte der Küchenzettel des angesehenen und reichen Prälaten sich nur wenig von demjenigen
eines Bauern unterscheiden. Ausländische Weine, welche damals
in bedeutender Auswahl nach Rufsland eingeführt zu werden begannen, waren durch die mönchische Art Nikons ausgeschlossen.

Das Küchen- und Tischgeschirr ist ebenfalls sehr einfach
und wertlos. Es gab wohl einiges Silbergeschirr im Haushalte
Nikons, selbst auf Reisen, doch müssen es nur sehr wenige Stücke
gewesen sein. Ein silbernes Salzfafs wird in Moskau ausgebessert.
Sehr oft wird dagegen das allereinfachste hölzerne Geschirr gekauft, Teller und Löffel, Fässer und Eimer, aber alles dieses zu

Spottpreisen. Sogar die Schüssel, auf welcher der Metropolit dem Zaren und dem Patriarchen geweihte Hostien sendet, kostet nur 4 Kopeken. Schlösser, Koffer, Kasten und Körbe, welche wiederholt angeschafft werden, scheinen, wenn man nach den Preisen dieser Gegenstände urteilen will, von der allereinfachsten Qualität gewesen zu sein.

Von eben so grofser Einfachheit, und nicht über den gewöhnlichen Bedarf eines Bauern hinausgehend, war das Pferdegeschirr. Die Preise, welche für die während der sieben Monate angeschafften Zügel und Zäume, Krummhölzer und Sättel notiert werden, lassen keinen Zweifel darüber zu, dafs alle diese Gegenstände aus den einfachsten Stoffen angefertigt wurden.

Fast der einzige Luxus inbetreff des Hausgeräts, den sich Nikon zu jener Zeit erlaubte, bestand in einer Uhr, von deren Reparatur in dem Ausgabebuche Erwähnung geschieht. Auch wird für dieselbe ein neues Futteral gemacht, auf dessen Einfachheit wir indessen aus dem Umstande schliefsen können, dafs diese Arbeit von einem — Zimmermann gemacht wird. [1]

Nikons geistige Bedürfnisse waren nicht kostspieliger Art. Das häufige Einkaufen von Schreibpapier erklärt sich wohl eher durch die Verwaltungsgeschäfte des Metropoliten als durch die schriftstellerischen oder wissenschaftlichen Liebhabereien des Theologen. Es wird der Ankauf zweier geistlicher Bücher erwähnt; ferner wird eine offenbar etwas sorgfältiger gearbeitete Bücherkiste angeschafft. Sie kostet nämlich verhältnismäfsig viel — 24 Kopeken.

Worin unterschieden sich demnach vorwiegend Nikons Bedürfnisse und Ausgaben von denjenigen der Vertreter bescheidenerer Gesellschaftsklassen? In der Kleidung.

Hierin nun zeichnet sich der Metropolit durch einen sehr beträchtlichen Aufwand aus. Diese Art Prunksucht mag damals ziemlich allgemein gewesen sein. Ähnlich dem „Pluderhosen-

---

[1] Es ist vielleicht dieselbe Uhr, welche, als einst Nikon gehörig, noch heute in Moskau gezeigt wird, s. d. russ. Ausgabe von Adelungs Werk über Meyerberg. S. 304.

teufel", welcher damals im Westen sein Wesen trieb, verbrauchte
man in den wohlhabenden Mittelständen Rußlands bedeutende
Summen für kostbare Stoffe, welche man damals meist aus dem
Orient erhielt. Schwere Seidenzeuge wurden mit Vorliebe getragen. Der Ehrgeiz bestand namentlich in der Menge des zu
einem Kleidungsstück verbrauchten Stoffes. Man erzählt von
einem Bojaren, welcher einen Gürtel von über 5 Ellen Länge
und einer halben Elle Breite trug.[1] Die beliebtesten Geschenke,
welche an angesehene Personen entweder aus Courtoisie oder
zum Zwecke der Bestechung oder als Belohnung für geleistete
Dienste gemacht wurden, pflegten aus Fellen und kostbaren
Stoffen zu bestehen. Vorwiegend die Kleidung unterschied die
Stände. Die Höhe der Fellmütze war ein Maßstab für das
Ansehen und den Rang eines jeden.[2]

Man sieht: die Pracht und Kostbarkeit ist vorherrschend
ein Anstandsbedürfnis. Nur mochte bei Nikon, wenn er auf
diese Art Konsumtion viel Gewicht legte, eine persönliche Liebhaberei hinzukommen. Die Zeitgenossen berichten von ihm, er
habe manche neue Moden eingeführt. So habe er sich u. a. eine
neue Kopfbedeckung machen lassen von weißer Seide mit Perlenstickerei, welche letztere den Cherubim darstellte. Als Patriarch
trug Nikon keine Stiefel, sondern eine Art Sandalen. Er hatte
stets Gewänder der verschiedensten Farben. So sah ihn Paul
Diakon einst in einem Gewande von roter und einem Überwurf
von grüner Farbe. Schillernde Farben waren damals bei der
Geistlichkeit sehr beliebt, wie Collins, der Leibarzt des Zaren
Alexei und andere Zeitgenossen berichten. Die Geistlichen bedienten sich sehr gerne der Spiegel. Sogar in den Kirchen in
der Nähe des Altars sollen Spiegel angebracht gewesen sein. So
hielt man die Würde der äußeren Erscheinung in sorglichster
Weise aufrecht.[3]

An eigentlichen Komfort ist bei einer derartigen Konsum-

---

[1] S. Kostomarow, l. c. 64, 71.
[2] Ebend. 73.
[3] Ruschtschinski, l. c. 128—131.

Brückner, Rußland.   6

tion nicht zu denken. Man will nur eine Wirkung hervorbringen, auffallen, imponieren. Ein wirkliches Bedürfnis wird nicht empfunden. Selbst bei Hofe gab es keine Teller, obgleich man goldene Schüsseln hatte; ebensowenig kannte man Servietten, so reiche Gewänder man auch trug.[1]) Oft mochten die Speisen weniger schmackhaft sein, als durch äufsere Form Effekt hervorbringen, wie denn z. B. am Namenstage des Zaren Semmeln von 3 Ellen Länge gebacken zu werden pflegten.[2]) Die Heiligenbilder konnten in der Regel nur in sehr beschränkter Weise als Kunstwerke bezeichnet werden, aber sie waren stets in ungeheurer Zahl vorhanden und hatten ein gewaltiges Gewicht an Edelmetall. — Es war nicht eben sehr bequem sich mitten im Sommer über die schlechtgepflasterten oder mit Balken belegten Strafsen im Schlitten fahren zu lassen, wie namentlich auch Nikon sehr oft that — wir besitzen Abbildungen davon — aber es galt für vornehm und dem geistlichen Stande angemessen, sich keines andern Fuhrwerks zu bedienen und da liefs man sich denn rütteln und schütteln um des Anstandsbedürfnisses willen.

Die Garderobe Nikons, als er in der Eigenschaft eines Metropoliten von Nowgorod in die Hauptstadt kam, mochte doch, wenn wir an das auf 30 Schlitten verteilte Gepäck denken, recht vollständig sein. Dennoch hielt Nikon es für angemessen, sogleich nach seiner Ankunft in Moskau für teure Stoffe unverhältnismäfsig grofse Ausgaben zu machen. Als gleich in den ersten Tagen des Aufenthaltes in Moskau der Zar dem Metropoliten zwei Pferde zum Geschenk machte, kaufte Nikon sogleich einen Schlitten, welcher allerdings nur 1 Rubel 20 Kopeken kostete. Dieser Schlitten aber wurde mit kostbarem Tuche beschlagen und mit einer prächtigen Samtdecke versehen. Die 4 $\frac{1}{2}$ Ellen Tuch und der grüne Samt, welche zu diesem Zwecke angeschafft werden, kosten fast 12 Rubel und repräsentierten demnach den Wert von 30 Tschetwert oder 10 000 Pfund Roggen (nach damaligen Kornpreisen). Wenige Tage später kaufte Nikon,

---

[1]) Margeret, russ. Ausg. S. 69.
[2]) Kotoschichin I. 30.

für das bei seiner geistlichen Kleidung notwendige Panagion,
Edelsteine und Perlen für die Summe von 30 Rubeln (im Werte
gleich 25000 Pfund Roggen), wozu er übrigens nur 5 Rubel
aus den Summen des Metropolitenamtes entnahm und 25 Rubel
von seinem eigenen Gelde verbrauchte. Für das Fell eines Pelzes
gab er 5 Rubel aus und kaufte dazu Seidenstoff für nahezu
4 Rubel, so dafs dieser Pelz ebenfalls einen Wert von fast
10000 Pfund Roggen repräsentierte. Wenige Tage später wird
schon wieder für eine prachtvolle Mütze carmoisinroter Atlas
gekauft; eine Woche später werden 20 Arschin Seidenstoff für
21 Rubel gekauft, eine Summe, welche zum Ankauf von über
16000 Pfund Roggen hingereicht hätte. Einige Wochen lang
werden sodann keine derartigen Gegenstände mehr gekauft, bis
dann Ende Februar schon wieder prachtvolle Zobelmützen mit
kirschrotem Samt gemacht werden, welche auf nicht weniger als
53 Rubel zu stehen kommen. Wenige Tage später wird schon
wieder weifser, grüner und roter Atlas für ein geistliches Gewand
gekauft und gleich darauf mehrere Ellen kirschrotes Tuch für
ein anderes geistliches Gewand, welches nicht weniger als 20 Rubel
kostete, wozu dann ein paar Wochen später als Futter mehrere
Ellen teuren Seidenstoffs besorgt werden. Zum Schlufs finden
wir dann endlich nach Nikons Rückkehr aus dem Kloster Solowezki
noch einmal eine Ausgabe von 20 Rubeln für Seidenstoff zu einem
Gewande, welches der zum Patriarchen erhobene Nikon sich
bestellte, und die Ausgabe von 11 Rubeln für Tuch zu einer
prächtigen Bibermütze, mit welcher sich Nikon in seiner neuen
Würde zu schmücken gedachte.

Bedenkt man, dafs Nikon in sieben Monaten gegen 200 Rubel
(= 500 Tschetwert = 150000 Pfund Roggen) für seinen „Staat"
ausgab, während alle sonstigen Ausgaben für Essen, Trinken,
Hausgerät u. dergl. verschwindend klein erscheinen, so müssen
wir staunen über diesen Luxus. Nikon glaubte es seiner Würde
schuldig zu sein, in Samt und Seide zu gehen. Dadurch suchte
er zu imponieren, während er mit bäurischer Kost vorlieb nahm
und sonst keinen grofsen Aufwand machte. Diese Einseitigkeit

6*

des Luxus erklärt sich zum Teil durch die herrschende Mode,
zum Teil wohl auch durch die Individualität des eitlen Mannes,
der von mönchischer Askese je später je weiter sich entfernte.[1])
Eine andere sehr beträchtliche und fast täglich sich wieder-
holende Ausgabe Nikons besteht in Almosen und Trinkgeldern.
Diese waren bei allen nur erdenklichen Gelegenheiten unum-
gänglich. Es ist kaum zu glauben, wie entwickelt eine solche
Unsitte war. Der Zar liefs bei allerlei Hoffesten Almosen verteilen. So oft er oder die Zarin öffentlich erschienen, mufsten
eine grofse Menge von Paketen von 20 Kopeken bis zu 30 Rubeln
jedes in Bereitschaft gehalten werden, damit fortwährend Geschenke gemacht würden.[2]) Heiratete der Zar, so gab es Geldgeschenke in grofser Menge. Wurde dem Zaren ein Sohn geboren,
so schickte man an Geistliche, an Bettler, an die Verbrecher
in den Gefängnissen Almosen.[3])

So hochgestellte Personen, wie Nikon, mufsten ähnlich wie
der Zar, viel Geld verschenken. Namentlich geistliche Institute
und Mönche werden mit gröfseren oder geringeren Summen bedacht. In dem einen Falle erhält ein Kloster die für jene Zeit
sehr beträchtliche Summe von 50 Rubeln zum Geschenk, in einem
andern Falle erhält ein anderes Kloster nur 50 Kopeken. Auch
für im Auslande gelegene Klöster wird gesammelt: ein griechisches
Kloster erhält einmal 7 Rubel. Auch auf der Reise macht Nikon
solche Geschenke. Bald werden für einen Bettelmönch Stiefel
gekauft, bald wird eine Summe Geldes in die Gefängnisse geschickt, damit sich die dort Eingekerkerten mit etwas besserer Speise
einen Tag gütlich thun. Bisweilen erhält ein Bettler einen halben
Rubel, häufiger nur einige Kopeken. Kaum ein Tag vergeht,
ohne dafs derartige Ausgaben notiert werden. Die Kirche war

---

[1]) S. d. Notiz über die schwer wiegenden Reliquien aus Nikons
Garderobe, aus dessen Patriarchenzeit bei Adelung, Meyerberg, russ.
Ausg. S. 304.
[2]) Kotoschichin, VII. 3.
[3]) Kotoschichin, I. 21, I. 26.

eine Versorgungsanstalt für viele: sie hatte den gröfsten Teil der Armenpflege in der Hand.

Einen ähnlich grofsen Posten wie die Almosen, bildeten im Budget Nikons die Trinkgelder an die Diener solcher hoher Herren, welche ihm Geschenke machten oder ihn mit Einladungen beehrten. Täglich erscheinen solche Sendboten, welche jedesmal mit Geld oder Heiligenbildern beschenkt werden müssen. Selbst die verhältnismäfsig wertlosen Geschenke an Wein, Speisen und Obst werden vom Zaren nie durch eine Person geschickt: es sind jedesmal mehrere Personen verschiedenen Ranges, Bojaren und Bojarensöhne, Speisemeister und Kämmerer, Heizer und Wächter. Die Belohnung, welche sie erhalten, wird ihrem Range gemäfs abgestuft. — Eine sehr beträchtliche derartige Ausgabe wird durch das Weihnachtsfest veranlafst; die ihre Glückwünsche darbringenden Geistlichen und Kirchensänger erhalten recht bedeutende Geldgeschenke, zusammen im Betrage von 16 Rubeln (12 000 Pfund Roggen). — Als Nikon einst in einem Kloster speiste, erhielt das ganze Personal des Klosters Geldgeschenke oder Almosen, wie man es nennen will. So mufs Nikon jeden Augenblick seine milde Hand aufthun und aus den allerdings reichlichen Mitteln seiner Diözese Gaben spenden und zwar meist an Menschen, welche materiell ohnehin ganz sorgenfrei gestellt sind. Die eigentlichen Bettler, also die wirklich Bedürftigen, verursachen eine verhältnismäfsig geringe Ausgabe. Dagegen bilden die Geldgeschenke an Geistliche und Hofdiener eine sehr stattliche Summe. [1])

Von Interesse ist es mit Hilfe von Nikons Ausgabebuch einen Einblick zu thun in die Art des Reisens zu jener Zeit.

---

[1]) Dabei erfahren wir, welche Mannigfaltigkeit von untergeordneten und höheren Ämtern bei Hofe bestand. Es kommen mit Botschaften und Sendungen zu Nikon: Sytniki, Skatertniki, Istopniki, Podkljutschniki etc., d. h. Speisekammerwächter, Tischtuchverwahrer, Heizer, Schlüsselverwahrer u. s. w.

Während der sieben Monate, über welche das Ausgabebuch berichtet, unternahm der Metropolit zwei sehr weite Reisen. Zuerst reiste er von Nowgorod bis Moskau, sodann von Moskau in das Solowezki-Kloster und zurück nach Moskau. Die Verkehrsanstalten waren zu jener Zeit sehr mangelhaft. Die Zeitgenossen berichten, dafs in manchen Gegenden Rufslands nur im Winter gereist werden konnte. Während im Westen das Korporationswesen der Mittelstände allerlei Verkehrsanstalten bereits im Mittelalter hatte entstehen lassen — wir erinnern nur an die Posten der Universität Paris, an die Posten so mancher geistlicher Orden, an die sogenannten Metzgerposten — fehlte es bis zur Regierung Alexei Michailowitschs in Rufsland vollständig an irgend genügenden Einrichtungen dieser Art. Erst im siebzehnten Jahrhundert ward ein einigermafsen regelmäfsiges Fuhrwesen eingeführt. Es bestanden Stationen mit Postpferden und Postkutschern, welche zu einem von der Regierung bestimmten Satze Passagiere zu befördern hatten. Es waren zu dem Zwecke sogar Ansiedelungen von 30 – 100 Höfen jede gemacht worden, welche etwa 4 – 15 geographische Meilen voneinander entfernt an den Hauptstrafsen gelegen waren und Postdörfer (Samskija Slobody) hiefsen. [1] Ähnlich dem bekannten *cursus publicus* der Römer aber, ja ähnlich zum Teil auch den noch heute bestehenden Fahrposteinrichtungen Rufslands, war diese Anstalt nur privilegierten Reisenden zugänglich. Ohne einen behördlichen Postschein durfte niemand Pferde erhalten. Für Privatreisende, etwa mit Waren, war diese Anstalt nicht vorhanden. Die Langsamkeit, mit welcher Güter befördert wurden, übersteigt alle Begriffe. Die Waren, welche in Archangelsk etwa im Juni oder Juli ausgeschifft wurden, pflegten erst zu Weihnachten in Moskau anzukommen. [2] Da es überall schlechte Wege gab, die jeden Augenblick Aufenthalt verursachen konnten, da es ferner durchweg an

---

[1] Kotoschichin, VII. 26.

[2] J. de Rodes, Bedenken über den russischen Handel im Jahre 1653 in den Beiträgen zur Kenntnis Rufslands u. s. Gesch., herausgegeben von Gustav Ewers und Moritz v. Engelhardt, Dorpat 1816. S. 266.

Gasthäusern unterwegs fehlte und man vorzugsweise auf die Gast-
freundschaft der Klöster angewiesen war, so mußte man mit
außerordentlich viel Gepäck reisen, sich mit allen für die Zeit
der Reise erforderlichen Lebensmitteln versehen, unterwegs oft
anhalten, um Speisen zu bereiten. Gesandte und hochgestellte
Herren reisten um so schwerfälliger, je größer ihr Gefolge war.
— Der englische Gesandte Carlisle brauchte für sein Gepäck
allein 60 Schlitten und für sich und sein Gefolge 140 Schlitten.[1]
Nikon reiste in 31 Schlitten.

Als Nikon von Nowgorod aufbrach, wurden an dem Tage
der Abreise zwei Holzkoffer gekauft. Man muß annehmen, daß
er bedeutende Vorräte an Lebensmitteln, an Brot, gedörrten Fischen
u. s. w. mitnahm. Unterwegs werden nur wenige Lebensmittel
gekauft. Unter den letzteren findet sich ein Ankauf von 50
Hechten, 17 Brachsen, 16 Barschen und 3600 kleineren Fischen
in Waldai; etwas weiter werden wieder 200 große Barsche und
27 Hechte gekauft; am andern Tage erfolgt wieder ein Ankauf
von Fischen. — Wiederholt wird Heu und Hafer gekauft; man
läßt die Pferde beschlagen; an einer Stelle wird Arzenei für
Pferde gekauft; an einer andern Stelle werden den Pferden „die
Mäuler gereinigt", was eine übrigens unbedeutende Ausgabe verursacht. Wo die Reisegesellschaft die Nacht zubringt, da erhält
der Hausknecht ein Trinkgeld. In Twer kauft der Metropolit
Schreibpapier, freilich nur einige Bogen. Die Reise von Nowgorod nach Moskau wird in sieben Tagen zurückgelegt; da die
ganze Strecke ungefähr 4—500 Werst betrug (70 Meilen), so
kommt auf jeden Tag eine Strecke von etwa 8 Meilen.

Als Nikon am 11. März aus Moskau nach dem Solowezki-
Kloster aufbrach, neigte sich der Winter seinem Ende zu. Es
konnte als ein gewagtes Unternehmen gelten, in dieser Jahreszeit
eine so weite Fahrt zu unternehmen, auf welcher man unfehlbar von
Thauwetter überfallen werden mußte. Für die Reise wird ein
„Reisestuhl" (?) von Leder für den Metropoliten gekauft, derselbe

---

[1] Fabricius, über d. russ. Post, russisch, S. 20.

reist in einem grofsen auf Schlitten gesetzten Wagen. Zehn
Schlitten werden angeschafft, ebenso Pferdegeschirr, ein Koffer
u. dergl. m. — Ein bedeutender Vorrat von Heu wird mitgenommen. Die Reise bis Wologda dauerte sieben Tage, was
einen ganz ähnlichen Grad von Schnelligkeit, wie auf der Reise
von Nowgorod nach Moskau darstellt. In Wologda wird nicht
weniger als einen vollen Monat hindurch gerastet, offenbar weil
eingetretenes Thauwetter der Schlittenbahn ein Ende gemacht hatte
und man warten mufste, bis die Wege einigermafsen fahrbar waren.
Während der 32 Tage, welche Nikon in Wologda zubrachte, richtete
er sich ganz behaglich ein, kaufte eine Menge Küchen- und Tafel-
geschirr, 56 Tschetwert Roggen, ein Fafs mit Kohl, $8\frac{1}{2}$ Tschetwert
Zwieback von Roggenmehl, Butter, Wachs, Essig, Salz u. s. w.
in gröfseren Portionen, liefs sich Leuchter anfertigen, bestellte
einen verschliefsbaren Behälter für das Tischsilber, liefs für seine
Uhr ein Futteral machen u. s. w. In diese Zeit fiel Ostern:
bei dieser Gelegenheit wird allerlei gebacken; dazu wird Reis,
eine grofse Menge gefärbter Eier und — Schweinefleisch gekauft.
Es werden Wachslichte gegossen, es wird Mehl gemahlen; der
Namenstag der Zarin wird gefeiert mit einem Essen; die Tisch-
und Handtücher werden gewaschen und zu diesem Zweck wird
etwas Seife gekauft. Für die Weiterreise werden u. a. 120 Pfund
Salz angeschafft. Wie man damals auf Reisen in Nikons Verhältnissen einen vollständig eingerichteten Haushalt führte, ohne
auf Hotels rechnen zu können, ist u. a. daraus zu ersehen, dafs
Nikon während seines doch nur zeitweiligen Aufenthaltes in Wologda
ein Pferd zum Wasserführen kaufte, ebenso Pferdegeschirr, mehrere
Pud Teller (wahrscheinlich zinnerne) und Schüsseln u. dergl. m. —
Am 19. April reiste Nikon aus Wologda ab; wann er in Cholmogory, dem Geburtsorte Lomonossows, anlangte, erfahren wir nicht,
wohl aber, dafs er am 10. Mai sich an diesem Orte aufhielt und
erst zwei Tage später von da weiterreiste; am 22. Mai langte
er in Archangelsk an, wo er eine volle Woche blieb. Hier wurden
am Ufer des Weifsen Meeres von Nikons Leuten Wachskerzen
gegossen. Man mochte deren bei den bevorstehenden Feierlich-

keiten im Solowezki-Kloster — der Abholung der Gebeine Philipps — in besonders grofser Menge bedürfen. Von Archangelsk ging es nun zu Schiff nach dem Kloster, wo Nikon sich nur möglichst kurze Zeit aufgehalten zu haben scheint, da er schon am 7. Juni die Rückreise nach Moskau antrat, die er über Onega und Kargopol ohne Aufenthalt in 29 Tagen zurücklegte. Da die Strecke etwa 1400 Werst oder 200 Meilen beträgt, so kommen auf eine Tagereise nicht mehr als 50 Werst täglich, was denn recht langsam erscheint.

Über die Kosten der Reise nach Solowezki und zurück haben wir gar keine Angaben. Dagegen sind die für die zwischen Nowgorod und Moskau gebrauchten Postpferde ausgegebenen Summen sehr genau verzeichnet. Auf jeder Station zwischen Nowgorod und Moskau müssen die „Progony" bezahlt werden, was auf der im Frühling unternommenen Reise nicht geschehen zu sein scheint. Man darf fast mit Sicherheit annehmen, dafs Nikon auf der ersteren Reise mit Postpferden fuhr, im Gegensatze zu der zweiten Reise, während deren er sich eigener Pferde bediente. Über die Preise der Benutzung von Postpferden haben wir manche Angaben von Zeitgenossen. Kotoschichin bemerkt, die Postknechte hätten für je 10 Werst 1½ Kopeken erhalten; einer andern Nachricht zufolge betrugen „doppelte Progony" von Nowgorod bis Pskow für zehn Pferde 110 Kopeken. Olearius fuhr von Reval nach Riga und bezahlte 2—4 Rubel für die Fahrt. Einem andern Berichte zufolge nahmen die Postillone für 350 Werst 2 Rubel u. s. w. Aus solchen Angaben einen ganz bestimmten Satz herauszulesen, ist schwierig, weil die Länge einer Werst sich veränderte, wie denn früher eine Werst 1000 Faden (7000 Fufs) zählte, im 17. Jahrhundert 700 Faden (4900 Fufs), jetzt 500 Faden (3500 Fufs) und weil wir nicht immer wissen, um welche Anzahl von Pferden es sich handelt. So wissen wir auch von Nikons Winterreise von Nowgorod nach Moskau, dafs er sie in 31 Schlitten machte, ohne dafs wir eine Andeutung darüber hätten, mit wie viel Pferden jeder Schlitten bespannt gewesen sei. In jener Zeit pflegte man bisweilen einspännig zu fahren. So fuhr Carlisle in ganz ein-

fachen und sehr kleinen Schlitten, die für den Kutscher keinen
Raum hatten, so dafs derselbe auf dem Pferde reiten mufste.
Ebenso ist mehr als eine Abbildung einspänniger Schlitten mit
reitendem Kutscher in Adelungs Ausgabe von Meyerbergs Illustrationen zu dessen Reisewerk zu finden. Herr Kostomarow be-
merkt indessen, dafs Reiseschlitten in jener Zeit meist mit zwei
Pferden bespannt worden seien. Dem sei wie ihm wolle, die
Kosten der Fortschaffung von 31 Schlitten von Nowgorod nach
Moskau waren sehr gering. Berücksichtigt man die betreffenden
Angaben (für eine Station von 20 Werst 90 Kopeken, für 65 Werst
3 Rubel, für 52 Werst 2 Rubel 50 Kopeken, für 87 Werst
4 Rubel u. dergl. m.), so ergibt sich bei einspännigen Schlitten
eine Ausgabe von 1 Kopeken für eine deutsche Meile für jedes
Pferd; für den Fall, dafs die Schlitten zweispännig waren, die Hälfte.

Zur Geschichte der Preise.

Eine exakte historische Würdigung der Preisangaben in
Nikons Haushalt wird bedingt durch die Feststellung eines Preis-
mafsstabes. Erst der letztere ermöglicht die Vergleichung
zwischen wohlfeil und teuer, zwischen sonst und jetzt. Einen
absoluten Preismafsstab gibt es nun freilich nicht. Sowohl der
Arbeitslohn, als das Edelmetall, als auch das Getreide sind durch
Jahre, Jahrzehnte und Jahrhunderte Schwankungen, Wertverände-
rungen unterworfen gewesen. Was den Arbeitslohn, zumal im
siebzehnten Jahrhundert, in Rufsland anbetrifft, so ist derselbe,
bei dem Vorherrschen der unfreien Arbeit, gleichsam nur als
Ausnahme vorhanden; derselbe variiert ferner je nach Ort und
Zeit und Qualität der Arbeit allzusehr, als dafs man daran denken
könnte, ihn als Preismafsstab zu verwenden. Der Preis des Edel-
metalls ist ebenfalls sehr schwankend und, insofern die Münzeinheit in fortwährendem Zusammenschrumpfen begriffen ist, nur
mit Berücksichtigung dieser Münzveränderungen als Mafsstab zu
gebrauchen. Wählt man das Getreide als Wertmafsstab, so mufs
man auch bei den Kornpreisen verschiedener Zeiten die Ver-

schiedenheit der Münzeinheit, des entsprechenden Quantums Edelmetall berücksichtigen. Die Vergleichung vieler Preisangaben mit den Getreidepreisen wird immerhin die lehrreichste sein. Wenn wir wissen, welche Menge Tuch, Eisen, Reis, Arbeit u. s. w. in der Zeit Nikons einem Tschetwert Roggen entsprach, so werden wir leicht, mit den heutigen Getreidepreisen die Preise anderer Gegenstände vergleichend, zu bestimmten Ergebnissen über den Verlauf der Preisbewegung in den letzten Jahrhunderten gelangen.

Wir fragen demnach zuerst, wie sich die Münzeinheit von damals zur Münzeinheit von heute verhielt; wir fragen zweitens, wie sich die Getreidepreise von damals mit Berücksichtigung der Verschiedenheit der Münzeinheit zu den gegenwärtigen Getreidepreisen verhalten.

Was die Veränderung der Münzeinheit anbetrifft, so ist dieselbe gerade in dem Jahrhundert Nikons besonders auffallend gewesen. Unter Joann IV., also um die Mitte des sechzehnten Jahrhunderts, prägte man in Rufsland aus 1 Pfund Silber 6 Rubel, unter dem Zaren Wassilij Schuiskij 6 Rubel 30 Kopeken, unter Michail 877 Kopeken, unter Alexei $921\,^2/_3$ —1 024 Kopeken, [1]) — jetzt prägt man aus einem Pfund Silber 22 Rubel. Entsprechend einer solchen Reduktion der Münzeinheit müfste, also *ceteris paribus*, eine Preissteigerung aller andern Gegenstände von der Zeit Nikons bis heute auf das $2\,^1/_2$ fache eingetreten sein. [2]) Eine solche Preissteigerung trat denn auch wiederholt ein und wurde empfunden. Im Jahre 1621 klagte der englische Gesandte in Rufsland, man habe in dem Staate Moskau angefangen das „Geld leichter" zu machen „um etwa ein Viertel (von 6 Rubel unter Joann IV. auf $8\,^1/_2$ Rubel unter Michail aus 1 Pfund Silber, was so ziemlich 25 $^0/_0$ beträgt) und dem entsprechend seien alle Waren teurer geworden, was den Handel sehr wesentlich erschwere."

---

[1]) Sablozkij, Über die Preise im alten Rufsland (russisch) S. 88.

[2]) Wobei, da gegenwärtig die Preise in Papiergeld ausgedrückt werden, noch das Agio auf Papiergeld im Betrage von 10 — 15 $^0/_0$ berücksichtigt ist.

Die Bojaren gaben die Thatsache der Münzverschlechterung zu, bemerkten aber, die Zerrüttung des Staates habe die Regierung zu einer solchen Maſsregel genötigt: sie beriefen sich dabei auf das Beispiel vieler andern Staaten, die in ähnlichen Verhältnissen ähnlich gehandelt hätten. Ihrerseits klagten sie über eine unverhältnismäſsige Steigerung der Preise englischer Waren. — Als gegen das Ende des Jahrhunderts wiederum eine allgemeine Preissteigerung inbetreff der ausländischen Waren sich geltend machte, entsprach dieselbe ebenfalls genau den inzwischen eingetretenen Münzveränderungen, und nur ein, nationalökonomisch natürlich sehr mangelhaft geschulter Publizist, wie Possoschkow, konnte die Behauptung aufstellen, daſs die Veränderung des Verhältnisses zwischen Real- und Nominalwert der Münzen den ausländischen Kaufleuten kein Recht gebe, ihre Waren teurer zu verkaufen als früher. [1]) Possoschkows Angaben über die eingetretenen Preisveränderungen entsprechen, wie wir an einer andern Stelle gezeigt haben, sehr genau der Reduktion der Münzeinheit. [2])

Dieser Veränderung der Münzeinheit zufolge kann man sagen, daſs 1 Rubel zur Zeit Nikons derselben Menge Silbers entsprach, welcher heutzutage $2^1/_2$ Rubel entsprechen. Damit ist aber natürlich nicht gesagt, daſs die Kaufkraft eines Rubels im Jahre 1652 $2^1/_2$ mal so stark gewesen sei, wie die Kaufkraft eines Rubels von heute. Die Wertveränderung des Silbers in den letzten zwei Jahrhunderten, die gesteigerte Geldwirtschaft, welche die frühere Naturalwirtschaft in mannigfacher Weise verdrängt hat, und noch andere Verhältnisse haben den eigentlichen Wert des Rubels in einem viel stärkeren Verhältnis herabgedrückt als in demjenigen von $2^1/_2 : 1$. Dieses Verhältnis läſst sich aber schwerlich in einer Zahl ausdrücken. Will man indessen einen solchen Versuch machen, so kann man denselben auf folgende Art anstellen.

Adam Smith spricht im fünften Kapitel des ersten Bandes seines Werkes von den Warenpreisen, ausgedrückt in Geld oder

---

[1]) Possoschkow, Werke, herausgeg. von Pogodin. 1842. S. 252.
[2]) S. Finanzgeschichtl. Studien, St. Petersburg 1867. S. 147.

in Arbeit, und bemerkt dazu, das Geld sei von Jahr zu Jahr ein stabilerer Wertmesser als das Getreide, von Jahrhundert zu Jahrhundert sei indessen das Getreide ein stabilerer Wertmesser als das Geld. Am besten sei es, den Unterschied im wirklichen Wert einer gewissen Ware zu verschiedenen Zeiten und an verschiedenen Orten an dem Unterschiede des Grades zu messen, in welchem diese Ware den Besitzer bei verschiedenen Gelegenheiten in den Stand gesetzt hat, sich die Arbeit anderer zu verschaffen; da es aber sehr schwer sei, die laufenden Arbeitspreise in getrennten Perioden und Orten mit einiger Genauigkeit zu erfahren, so müsse man sich an die Getreidepreise halten.

Ein Tschetwert Roggen kostete zur Zeit Nikons durchschnittlich 40 Kopeken. Berücksichtigt man die Veränderung der Münzeinheit in dem letzten Jahrhundert, so würde man für dasselbe Tschetwert Roggen heute $2^{1/2}$ mehr oder 1 Rubel bezahlen; da man aber heutzutage ein Tschetwert Roggen nicht mit 1 Rubel, sondern durchschnittlich etwa mit 6—8 Rubel bezahlt, so kann man annehmen, dafs die Kaufkraft eines Rubels zur Zeit Nikons etwa 6—8 fach so stark war als heute.

Ein solcher Ausspruch hatte immerhin nur mehr einige Bedeutung inbezug auf Roggen, während je nach der Preisbewegung eines jeden Artikels die Kaufkraft eines Rubels sich in ganz anderem Verhältnisse wird geändert haben. Bei einer solchen Relativität der Wohlfeilheit oder Teuerung eines jeden Gegenstandes mufs man auf eine exakte Darstellung der Preisbewegung inbezug auf die verschiedenen Handelsgegenstände u. s. w. verzichten und sich darauf beschränken, im allgemeinen darauf hinzuweisen, in welchen Waren eine Tendenz zur Preissteigerung und in welchen Waren eine Tendenz zum Wohlfeilerwerden sich während der letzten zwei Jahrhunderte kundgethan hat.

Die Vergleichung der Werte verschiedener Gegenstände im siebzehnten Jahrhundert in Rufsland mit den Werten derselben Gegenstände in der Gegenwart liefert nicht eigentlich neue Resultate. Da indessen die Preisgeschichte nur selten und ausnahmsweise Gegenstand der Forschung gewesen ist, und die Ge-

legenheit, so zahlreiche Preisnotizen zu sammeln, wie sie in
Nikons Ausgabebuch vorliegen, sich selten darbietet, so mag es
doch der Mühe wert sein, jene Grundwahrheiten wieder einmal
bestätigt zu finden, welche etwa Roscher in seiner „Geschichte
der Preise" (ein Kapitel seiner „Grundzüge der Nationalökonomie")
in so anschaulicher Weise mit historischen und statistischen Angaben belegt.

Vergegenwärtigen wir uns diese Hauptresultate der auf die
Bewegung der Preise gerichteten Beobachtungen. Es sind in
kurzem folgende.

Auf niederen Kulturstufen gedeihen Rohstoffe in solcher
Fülle, dafs sie nur mehr durch okkupatorische Arbeit erlangt
werden, demnach sehr wohlfeil sind. In dem Mafse als die
Zahl der Konsumenten steigt, also die Nachfrage gröfser wird,
in dem Mafse als die Produktionsquellen der Rohstoffe sparsamer
fliefsen, stellt sich die Notwendigkeit ein, die Ware auf einem
mühsameren Wege und mit Anwendung von Kapital zu beschaffen.

Rohstoffe, deren Produktion mit Hilfe von Kapital und
Arbeit in fast willkürlicher Ausdehnung gesteigert werden kann
(wie Getreide), steigen nicht so im Preise, wie andere, bei deren
Produktion der Naturfaktor eine verhältnismäfsig bedeutendere
Rolle spielt (wie Wild, Holz).

Gewerbeerzeugnisse werden mit dem Steigen der Kultur
wohlfeiler durch entwickelte Technik, Beherrschung der Natur-
kräfte, gröfsere Arbeitsteilung, Benutzung von Kapitalien, mannig-
fach hergestellte Verkehrsmittel.

Auf diese zwei Gruppen von Erscheinungen, auf das Teurer-
werden der Rohstoffe und das Wohlfeilerwerden der Gewerbeerzeugnisse, weisen wir mit Hilfe der Preisangaben in Nikons
Kassabuch hin.

Rohstoffe.

Am überraschendsten ist die Wohlfeilheit des Holzes und
der Holzprodukte in Rufsland im siebzehnten Jahrhundert. Die

ausländischen Reisenden waren oft verwundert über den starken Holzverbrauch. Carlisle, der englische Gesandte, erzählt, daſs die Russen, welche die Reisenden auf der Fahrt von Archangelsk nach Moskau begleiteten, einst aus den Barken stiegen und am Ufer „ein solches Feuer anmachten, als wollten sie die ganze Gegend in Brand stecken". Die Straſsen der Städte waren mit Holz gepflastert. Es gab fast ausschlieſslich hölzerne, sogar oft ohne eiserne Nägel gebaute Häuser, welche so häufig eine Beute gewaltiger Feuersbrünste wurden, daſs es Sitte war, auf den Märkten fertige hölzerne Häuser für solche Fälle feilzubieten. [1] Bei Hochzeiten wurden groſse Holzstöſse als Beleuchtungsmittel angezündet. [2]

Über die Preise von Bauholz erfahren wir aus Nikons Ausgabebuch Genaueres, indem der Metropolit sich während seines Aufenthaltes in der Hauptstadt eine Hauskapelle bauen lieſs. Diese wurde nur aus Holz aufgeführt und der Preis eines jeden Stückes Material wird gewissenhaft notiert. Achtzehn Tannenholzbalken von 3 Faden [3] Länge kosten zusammen 40 Kopeken (also ungefähr soviel wie ein Tschetwert Roggen); fünfzehn andere Balken von $2\frac{1}{2}$ Faden (oder 7—8 Ellen) Länge kosten zusammen 35 Kopeken; sechzehn Balken von $2\frac{1}{2}$ Faden — 24 Kopeken, so daſs alle diese 49 Balken von zusammen 130 Ellen Länge eben so viel kosteten, wie eine Elle Tuch in jener Zeit. Ein Bauernhäuschen (Isba) nebst Kammer wird für 16 Rubel gekauft. Zwei Deichseln kosten 1 Kopeken. Holzkoffer werden mit 6 bis 15 Kopeken bezahlt. — Matten, in solcher Menge, daſs gegen hundert Fische darin eingepackt werden können, kosten 4 Kopeken. Die Schlitten, bei denen wohl eine sehr geringe Arbeitstechnik aufgewendet wurde, sind lächerlich wohlfeil. Der Prachtschlitten Nikons, zu welchem sehr kostbare Decken gemacht wurden, kostete nur 1 Rubel 19 Kopeken; einfache Schlitten zum Reisen kosten

---

[1] S. Olearius 73. Boussingault, Theatre de la Moscovie 1659 in der Bibl. russe et polonaise, V. S. 11.

[2] Kotoschichin, L 17.

[3] 1 Faden = 3 Arschin oder Ellen.

nur 15 Kopeken; ja es findet sich sogar die Bemerkung, dafs ein
Schlitten 5 Kopeken gekostet habe.   28 Schüsseln und 70 Löffel
kosten zusammen 64 Kopeken; 200 Löffel werden mit 1 Rubel
20 Kopeken bezahlt. Fässer sind verhältnismäfsig teuer, offenbar, weil hier eine gewisse Vollkommenheit der Technik mehr in
betracht kommt, als das Rohmaterial, nämlich etwa 30 Kopeken
das Stück. Vergleicht man diesen letzteren Preis mit dem Getreidepreise von damals, so ist heutzutage ein Fafs, mit dem Getreidepreise verglichen, wohlfeiler als damals.

Verhältnismäfsig teurer als Holz erscheint Fleisch, Fisch
und Wild. Leider gibt es in dem Ausgabebuche Nikons gar
keine Angaben über die Preise des Fleisches, mit Ausnahme
einer einzigen, wo eine Quantität Schweinefleisch, das Pud zu
11 Kopeken, gekauft wird, was im Verhältnis zu Manufaktur-
warenpreisen natürlich immer noch sehr wohlfeil, aber im Verhältnis zu den Preisen des Holzes recht teuer erscheinen dürfte.
Wir besitzen andere Angaben über die Viehpreise jener Zeit,
welche darthun, dafs dieser Artikel nicht allzu wohlfeil war. —
Im Jahre 1685 kommt es allerdings vor, dafs ein Pferd mit
2 1/2 Rubeln, ein anderes mit 260 Kopeken bezahlt wird. [1]
Margeret dagegen berichtet, dafs ein Pferd im Einkauf 20 und
im Verkauf 50—100 Rubel zu kosten pflege. [2] Im Tagebuche
Patrik Gordons wird verschiedener Pferdekäufe erwähnt; in dem
einen Falle zahlt er für ein Pferd 50 Rubel, in einem andern
verkauft er drei Pferde für 60 Rubel, in einem dritten kauft er
„ein schönes" Pferd für 30 Rubel u. dergl. [3]. Jährlich wurden,
wie Kotoschichin bemerkt, in Moskau gegen 20000 Pferde verkauft. Der Zar besafs in Moskau und andern Städten zusammen
gegen 40000 Pferde. [4] Jeder Bojar hatte eine Menge Pferde

---

[1] S. die von der Moskauer Gesellschaft für Geschichte und Altertümer Rufslands herausgeg. Zeitschrift „Wremennik" 1854. Miscellen,
S. 28.
[2] Margeret, russ. Ausg. S. 59.
[3] Tagebuch Gordons V., herausgeg. von Posselt I. S. 307, 313, 338.
[4] Kotoschichin, VI. 6.

und pflegte sich derselben bei der Zurücklegung selbst der kleinsten
Strecken zu bedienen. — Die letzteren Angaben lassen wiederum
auf bedeutende Wohlfeilheit des Zugviehs schliefsen. Die Menge
der Pferde, deren man sich auf Reisen bedient, sowie die
Wohlfeilheit des Transports verschiedener Gegenstände aus einer
Gegend von Moskau in die andere, deuten ebenfalls auf einige
Wohlfeilheit der Pferde. Als nämlich Nikon 3 Fässer für Kwafs
kaufen läfst, kostet der Transport dieser Fässer von der Stelle,
wo sie gekauft worden, zum Hause Nikons 1 Kopeken. Als ein
anderes Mal 20 grofse Fische gekauft werden (Störe und Weifs-
fische), welche auf dem Markte auf mehrere Fuhrwerke geladen
wurden, kam der Transport dieser Fische vom Markte zu Nikons
Hause 3 Kopeken zu stehen u. dergl.

Ein ausländischer Reisender bemerkt, in Rufsland sei nichts
so wohlfeil als Fisch.[1]) Dies ist indessen doch nicht von allen
Fischarten zu verstehen. Allerdings kauft Nikon einmal 82 Hechte,
Brachsen u. dgl. für 135 Kopeken, 3600 Waldaiheringe für 108
Kopeken u. s. f. Dagegen sind Störe ein grofser Luxus und
kosten sehr viel. Für 20 Störe werden 8 Rubel bezahlt, 1 Weifs-
fisch kostet 1 Rubel. Das Volk nährte sich meist mit gesalzenen
Fischen; frischer Fisch wurde aus entlegeneren Gegenden nach
Moskau gebracht und dort in grofsen Wasserbassins gehalten, war
also nur den Reichen und Vornehmen vorbehalten.[2]) Gesalzene
Fische waren nicht teuer, wenn nicht Regierungsmafsregeln entweder die Fischereien beeinträchtigten oder das Salz verteuerten.
Gesalzener Lachs kostete etwa 1 Kopeken das Pfund. 1 Pfund
frischen Kaviars bezahlte man mit 4 Kopeken, doch geschah es
wohl, dafs man verdorbenen Kaviar von Regierungswegen den Kaufleuten zu dem allerdings niedrigen Preise von 1 Rubel für 10 Pud
aufzwängte, was etwa $\frac{1}{4}$ Kopeken für das Pfund beträgt.[3])

Die ausländischen Reisenden staunten über die Menge des

---

[1]) Ruschtschinski, a. a. O. S. 87.
[2]) Kostomarow, das häusliche Leben der Grofsrussen. S. 86.
[3]) Rodes, Bedenken über den moskowitischen Handel, a. a. O.
S. 249.

Wildes in Rufsland. Es ist zu bedauern, dafs in Nikons Haushalt dieser Artikel gar nicht vorkommt. Dafs viel Wild vorhanden gewesen sein müsse, ist u. a. daraus zu entnehmen, dafs für die Jagden des Zaren Hirsche, Bären, Füchse, Hasen, die man im Umkreise von 30 Werst rings um Moskau lebendig fing, gehalten wurden. Im weiteren Umkreise war die Jagd frei. Es gab 100 Jäger und ebensoviele Hunde bei Hofe.[1]) Aus Kilburgers Preisangaben wissen wir, dafs damals eine Ente 5 Kopeken, ein Birkhuhn 3 Kopeken, ein Auerhahn 8—9 Kopeken, ein Rebhuhn 1 Kopeken, ein Hase 3—4 Kopeken kostete. Zahmes Geflügel war verhältnismäfsig teurer: ein indisches Huhn kostete 15—16 Kopeken, ein Huhn 3 Kopeken, ein Paar Küchlein 2 Kopeken. Die Eier werden bei Nikon wiederholt im Preise notiert. Er bezahlt das Hundert mit 8—15 Kopeken, was mit den Angaben bei Olearius (9 Eier 1 Kopeken) oder bei Kilburger (5 Eier im Mai 1 Kopeken, 15 Eier im Juli 1 Kopeken) so ziemlich übereinstimmt und den heutigen Preisen, mit Roggen verglichen, gleichkommt.

Leder erscheint teurer: es ist eben nicht mehr reines Rohprodukt. Nikon mufs für Leder zu Stiefelsohlen 18 Kopeken, für ein Paar Stiefel 1 Rubel, für ein Stück Saffian zu einer Mütze 50 Kopeken bezahlen. Nicht wohlfeil sind auch Felle. Nikon läfst wiederholt Pelze kaufen: ein solcher von Lammfell kostet 97 Kopeken, ein Schafspelz 1 Rubel. Obgleich es z. B. sehr viel Elentiere in Rufsland gab, wie wir u. a. aus Margerets Schrift wissen,[2]) so waren doch Elenhäute verhältnismäfsig teuer und kosteten das Stück die beträchtliche Summe von 4 Rubeln.[3]) Aus diesen Beispielen ist zu ersehen,

---

[1]) Kotoschichin. VI. 6.

[2]) Margeret, Russ. Ausg. 6.

[3]) Rodes, Bedenken a. a. O. S. 254 und Krischanitschs Schrift über Rufsland a. d. J. 1663—1665, welche Bessonow im Jahre 1859 u. d. T. „der russische Staat um die Mitte des siebzehnten Jahrhunderts" herausgegeben hat, Bd. I. S. 35. Wie hoch im Gegensatz zum Rohprodukt Industrieerzeugnisse bezahlt wurden, ist aus Krischanitschs Klage zu ersehen, man verkaufe den Ausländern eine Elenhaut für

dafs Rohprodukte, welche einer noch so geringen Verarbeitung bedürfen, verhältnismäfsig hoch im Preise stehen.[1]) So erfordern Seife und Talglichte doch nur eine geringe Technik, stehen aber hoch im Preis. Wenn Nikons Tischtücher gewaschen werden sollen, mufs nach Seife geschickt werden und das erforderliche Quantum wird mit 3 Kopeken bezahlt, eine Summe, für deren dem heutigen Mafsstab entsprechenden Getreidewert man heutzutage etwa 10 Pfund Seife zu kaufen im stande wäre. Ebenso erscheinen Talglichte zu 24—30 Kopeken für 100 Stück teuer bezahlt. Wenn wir annehmen, dafs deren Gröfse und Gewicht den gegenwärtig produzierten Talglichten entsprochen habe, so könnte man heutzutage für die dem gegenwärtigen Getreidepreise entsprechende Summe fast die doppelte Anzahl von Lichten kaufen. Dennoch galten Talglichte als wohlfeileres Beleuchtungsmaterial wie Wachslichte. Es wird berichtet, die Reicheren hätten Wachslichte gebraucht, die Ärmeren Talglichte. Sogar im Palaste des Zaren sollen im sechzehnten Jahrhundert Talglichte gebraucht worden sein. [2]) Lampenöl war, wie der Archidiakonus Paulus, welcher die Reise des Patriarchen Makarius von Antiochien nach Rufsland im Jahre 1653 beschreibt, bemerkt, so teuer, dafs es sogar nur sehr wenig Öllämpchen vor den Heiligenbildern gegeben habe. [3]) Das Pfund Wachs, dessen Preis in Nikons Ausgabebuche sehr oft notiert wird, kostete 12 Kopeken. Es entsprach demnach nach damaligen Preisen ein Pud Wachs 7 Tschetwert Roggen, während heutzutage ein Pud Wachs etwa 3—4 Tschetwert Roggen entspricht, was übrigens eher auf ein Steigen der Getreidepreise als ein Sinken der Wachspreise deuten mag. Ebenso entsprach Honig, welcher wiederholt mit 66, 67, 75, 84, 86 Kopeken das Pud notiert wird, etwa 2 Tschetwert Roggen, während heute der

---

3—4 Rubel und müsse nachher den Ausländern für Kleidungsstücke, welche daraus verfertigt würden, das Zehnfache zahlen.

[1]) Dafs u. a. Federvieh im älteren Rufsland sehr teuer war, bemerkt Aristow, a. a. O. 301.

[2]) Kostomarow, das häusliche Leben der Grofsrussen. S. 55.

[3]) Ruschtschinski a. a. O. 46.

7*

Preis des Honigs dem des Getreides nahekommt, oder denselben
nur in geringem Mafse übersteigt. [1]) Sehr teuer war zu Nikons
Zeit die Butter, welche mit 90—130 Kopeken für das Pud notiert
wird, so dafs etwa 3 Tschetwert Roggen einem Pud Butter entsprachen, während gegenwärtig ein Pud Butter nicht viel mehr
kostet als ein Tschetwert Roggen.

Des Obstes und Gemüses wird in Nikons Ausgabebuche nur
selten erwähnt. Über die Preise des ersteren erfahren wir aus
dieser Quelle gar nichts. Die Obstzucht war nicht sehr entwickelt,
doch berichtet Olearius mit Staunen von der Menge des Obstes
und Gemüses in Rufsland und bewundert die Gärten des Zaren. [2])
Für 1 Kopeken kauften die Reisenden der holsteinischen Gesandtschaft auf dem Wege nach Moskau ein sehr stattliches Gericht
Himbeeren. [3]) Linsen kannte man in Rufsland damals noch
nicht. [4]) Es ist nicht leicht zu entscheiden, ob folgende Preise,
deren in unsrer Quelle erwähnt wird, hoch oder niedrig zu
nennen seien: 30 Köpfe Kohl für 9 Kopeken, ein Fafs Kohl
60 Kopeken, ein Fafs Gurken 36 Kopeken, ein grofser Eimer
voll Gurken 5 Kopeken, 2000 Stück Gurken 57 Kopeken,
1 Tschetwerik Zwiebeln 10 Kopeken. Man müfste eben genauer
von der Gröfse der Gefäfse und der Qualität der Ware unterrichtet
sein, um diese Frage erörtern zu können. Erbsen zu 80 bis 120
Kopeken das Tschetwert, wie Nikon sie bezahlen mufste, erscheinen,
mit den heutigen Preisen verglichen, nicht übermäfsig teuer. Damals
wie heute entspricht ein Tschetwert Erbsen 2—3 Tschetwert Roggen.
Auch das Verhältnis der Roggen- und Weizenpreise zu einander
hat sich nicht geändert. Hafer scheint relativ wohlfeiler geworden

---

[1]) Honig wurde statt des Zuckers gebraucht. Nur den Reichsten
stand ausländisches Konfekt zu Gebote. S. Kostomarow a. a. O. 89.
Wachs wurde exportiert, s. Margeret. Der Wachsverbrauch bei Hofe
war sehr stark. Kotoschichin VI. 2, berechnet denselben auf 1000 Pud
jährlich. Bei der Beerdigung des Zaren verbrauchte man 100 Pud.
Kotoschichin I. 32.
[2]) Olearius 77 und 78.
[3]) Olearius 11.
[4]) Ruschtschinski 87.

zu sein. [1]) Dagegen ist die Veränderung des Verhältnisses von Roggen zu Roggenmehl und von Weizen zu Weizenmehl in den letzten zwei Jahrhunderten eine sehr auffallende. Ein Tschetwert Roggenmehl kostete damals das 3—4fache vom Roggenpreise, während jetzt das Roggenmehl nur etwa um $15^0/_0$ teurer ist als der Roggen. Weizenmehl kostete damals relativ viel weniger als Roggenmehl, insofern es nur um etwa 40—$60^0/_0$ teurer war als der Weizen, dagegen relativ teurer als heutiges Weizenmehl, welches nur etwa $13^0/_0$ teurer zu stehen kommt als der Weizen. Indessen sind in unsrer Quelle die auf diesen Gegenstand bezüglichen Preisnotierungen nicht zahlreich. [2]) Dafs die Getreidepreise damals mancherlei Schwankungen je nach Zeit und Ort ausgesetzt waren, ist bekannt. In Kasan kostete ein Tschetwert Roggen 12 —25 Kop., in Archangel 1 Rubel u. dergl. m. [3])

Arbeitslöhne.

Hat es einige Schwierigkeit die Preise der Rohprodukte in verschiedenen Jahrhunderten miteinander zu verg'eichen, so ist eine solche Vergleichung inbezug auf den Arbeitslohn mit noch gröfseren Schwierigkeiten verbunden. Die Qualität der Arbeitsleistung jetzt und früher ist in den meisten Fällen eine sehr verschiedene. Ferner ist in sehr zahlreichen Fällen der in Geld bezahlte Arbeitslohn nur ein Teil des Lohnes überhaupt, der ja

---

[1]) Dem Ausgabebuche Nikons zufolge kostete damals ein Tschetwert Roggen 40—54 Kopeken, ein Tschetwert Weizen 85 Kopeken bis 1 Rubel, ein Tschetwert Hafer 28—30 Kopeken. Jetzt kostet ein Tschetwert Roggen 7 Rubel 25 Kopeken bis 7 Rubel 50 Kopeken, Weizen 14 Rubel bis 14 Rubel 50 Kopeken, Hafer 380—410 Kopeken.

[2]) Wenig Anhaltspunkte für preisgeschichtliche Untersuchungen gibt die Notiz in unsrer Quelle, dafs ein Tschetwert Roggenzwieback 34 Kop. gekostet habe. Mit der Notiz, dafs 1000 Kringel 40 Kopeken kosteten, ist gar nichts anzufangen. Eine sehr beliebte Speise war Haferbrei. Sollte nicht der Umstand, dafs das Roggenbrot in Rufsland dem Weizenbrot vorgezogen worden sein soll (Kostomarow a. a. O. 82), eine Ursache der relativen Wohlfeilheit des Weizenmehls gewesen sein?

[3]) Rodes a. a. O. 253.

auch in Naturalien, Lebensmitteln, Kleidung u. s. w. bezahlt
wird, so dafs etwa die Art der Nahrung und Verpflegung, welche
sich nicht in einer Zahl ausdrücken läfst, der entscheidende
Mafsstab für den Lohn sein müfste. Bei dem Vorherrschen der
unfreien Arbeit in jener Zeit haben sich wenige Preisnotizen
solcher Art erhalten. Dennoch wäre es möglich und von grofsem
Interesse die Löhne für qualifizierte Arbeit, die Gehalte der
Techniker, Militärs, Ärzte u. s. w. in Rufsland zu jener Zeit
zum Gegenstande des Studiums zu machen. An Material ist kein
absoluter Mangel, wie denn z. B. das Tagebuch Patrik Gordons
sehr wertvolle Beiträge für eine derartige Preisgeschichte enthält.

Wir können es nicht unternehmen, eine genaue Vergleichung
der Arbeitslöhne im siebzehnten Jahrhundert mit den Arbeitslöhnen in gegenwärtiger Zeit zu versuchen. Indem wir aber in
dem Folgenden die auf diesen Gegenstand bezüglichen Angaben
des Ausgabebuches Nikons mitteilen, hoffen wir doch zu einem
allgemeinen Ergebnis über die Frage gelangen zu können, ob der
Lohn damals hoch oder niedrig gewesen sei.

Die Angaben über die Gehalte der Personen von Nikons
Gefolge haben nur ein geringes Interesse. Wenn wir erfahren,
dafs einige derselben, u. a. der die Wirtschaft führende Mönch,
je 3 Rubel halbjährlich an Lohn erhalten, so können wir über
die Höhe eines derartigen Lohnes nicht urteilen, weil diese den
Metropoliten umgebenden Geistlichen zum Hause gehörten, also
freie Nahrung, Wohnung, Kleidung hatten. Von gröfserem Interesse ist die Bemerkung, dafs jene zwei Frauen, welche in Nikons
Hause die Fufsböden waschen, für eine solche einmalige Dienst-
leistung, welche vermutlich die Arbeit eines Tages ausmachte,
20 Kopeken erhalten, was also verhältnismäfsig teuer zu sein
scheint. Der Hausknecht an einem Orte, wo Nikon auf der Reise
von Nowgorod nach Moskau nächtigt, erhält ein Geldgeschenk
von 2 Kopeken. Dafs die Fährleute in Twer 15 Kopeken erhalten, bietet kaum einen Grund zur Beurteilung, weil wir nicht
wissen, ob dies der Lohn für das Übersetzen von 30 Fuhrwerken
ist, oder eine Art Trinkgeld. Das Beschlagen eines Pferdes

kostet 8 – 9 Kopeken. Für das Reinigen der Mäuler von einer uns unbekannten Anzahl Pferde wird 3 Kopeken bezahlt, was sehr wenig ist, wenn diese Manipulation als eine veterinärärztliche Leistung anzusehen ist. Der Macherlohn für die Eisenarbeiten an einem Schlitten, welcher nur 119 Kopeken kostet, beträgt 2 Rubel. — Ein Lohn von 5 Kopeken für das Verspinnen eines Pfundes Baumwolle zu Dochten erscheint als ganz exorbitant, wenn man die entsprechende Vergütung für die allerdings heutzutage mit Hilfe von Maschinen fast unentgeltlich geleistete Arbeit dieser Art damit vergleicht. Für die Anfertigung eines hölzernen Behälters für eine Uhr erhält der Zimmermann — und aus dem Umstande, dafs es ein solcher ist, kann man auf die Einfachheit der Arbeit schliefsen — 25 Kopeken, was indessen, wenn man die Getreidepreise von damals und heute berücksichtigt, heute etwa die Summe von 5 Rubeln repräsentiert. Wenn ein Maler, welcher 10 Bilder der heiligen Mutter Gottes anfertigt, für diese Arbeit 150 Kopeken erhält, so erscheint ein solches Künstlerhonorar als sehr bescheiden; nur ist zu berücksichtigen, dafs von einer eigentlichen Kunstleistung hierbei nicht die Rede sein kann. Die Zahlung von 10 Kopeken an einen Buchbinder, welcher 24 Hefte und einen Ledereinband geliefert hatte, scheint recht mäfsig zu sein. Ob dagegen die Zahlung von 5 Rubeln für den Silberbeschlag eines geistlichen Buches so hoch gewesen sei, als dies, mit andern ähnlichen Handwerkslöhnen verglichen, im ersten Augenblick erscheint, ist nicht zu beurteilen. Wenn aber der Baumeister, welcher Nikons Hauskapelle in Moskau baute, 4 Rubel 50 Kopeken erhielt, so mag ein solcher Lohn als bedeutend gelten.

Sehr gering erscheint der Schneider- und Kürschnerlohn im Vergleich mit dem Wert der herzustellenden Kleidungsstücke, wenn derselbe auch an sich gar nicht unbedeutend sein mochte, in folgenden Fällen. Ein Kleidungsstück, dessen Stoff und Zuthaten 40 Rubel kosten, kommt an Macherlohn 15 Kopeken zu stehen. Das Anfertigen von Samtmützen, an denen der Samt und der Zobel einen Wert von 51 Rubeln repräsentieren, kostet 2 Rubel u. dergl. m.

Aus diesen Angaben glauben wir schliefsen zu dürfen, dafs
der Lohn für eine Arbeit, welche einige technische Vorbildung
erfordert, verhältnismäfsig hoch gewesen sei.

Industrieerzeugnisse.

Die Industrie war in Rufsland vor zwei Jahrhunderten nur
schwach entwickelt. Man bedurfte sehr vieler vom Auslande im-
portierter Manufakturwaren. Russische Industrieprodukte standen
nicht hoch im Preise, konnten aber ihrer geringen Qualität wegen
nicht wohl mit den ausländischen Waren derselben Gattung kon-
kurrieren. Dies läfst sich u. a. auch aus Nikons Ausgabebuche
nachweisen. Will der Metropolit sich eine stattliche Kleidung
anfertigen lassen, so kauft er nur ausländische Stoffe; die Wäsche
und mancherlei Kleidungsstücke, welche für Nikons Gesinde angeschafft werden, sind offenbar Erzeugnisse der russischen Industrie.
Die ersteren Artikel sind aufserordentlich teuer, die letzteren
verhältnismäfsig wohlfeil.

In Rufsland wurde viel Leinwand angefertigt, aber mehr
gröbere Sorten. Obgleich die Produktion feinerer Leinwand nicht
ganz ausgeschlossen war, wurde doch feinere Ware meist aus
Holland importiert. In Nikons Haushalt mochte wohl russisches
Erzeugnis gebraucht werden. Ein Hemd kostet 22, in einem
andern Falle 27 Kopeken; ein Paar Hosen 11 Kopeken. Wir
wissen aus einer andern Quelle, dafs eine Arschin Leinwand
2—5 Kopeken kostete.

Eines andern, wahrscheinlich baumwollenen Stoffes („Krasche-
nina") wird in unserer Quelle erwähnt, welcher 6 Kopeken die
Arschin kostet, ferner noch eines Stoffes („Bumaseja"), dessen
Preis 13 Kopeken die Arschin war.

Von fertigen Kleidungsstücken, welche offenbar bescheideneren
Ansprüchen genügten, sind zu erwähnen: ein grauer Rock für
einen Stallknecht für 81 Kopeken; ein Kaftan für 3 Rubel 60 Kopeken; 1 Paar Stiefel für 1 Rubel. [1] — Nicht teuer erscheinen

---

[1] Andere derartige Notizen finden sich in der historischen Zeit-

24 zinnerne Knöpfe für 2 Kopeken. Ein Lederstuhl für 33 Kopeken mochte nicht ein Luxusmöbel gewesen sein. — Von Pferdegeschirr wird erwähnt: Zügel zu 8 Kopeken, ein Kummet zu 12 Kopeken. Eine Laterne von Marienglas für den Stall kostet 6 Kopeken.

Das Schreibpapier, welches Nikon zu kaufen pflegte, mochte wohl ausländisches Fabrikat sein. Das Ries kostete 75 Kopeken. Ob damals die Papierfabrik, welche Johann von Schweden bei Moskau errichtete und deren Kilburger erwähnt, schon bestand, wissen wir nicht. Das russische Papier kostete im Jahre 1671 1 Rubel das Ries und war schlechter als das ausländische, so dafs der Import ausländischer Ware auch später fortdauerte. Die geringe Güte des russischen Papiers galt als eine Folge des Mangels an feinen Lumpen.

Wie teuer aber ausländische Waren zu stehen kamen und wie sehr der Verbrauch derselben nur den Reichsten in Rufsland möglich war, ist aus den sehr hohen Preisen der Kleiderstoffe zu ersehen, welche Nikon, wie schon erwähnt, so gern kaufte.

Für kostbare Stoffe hatte man in Rufsland zwei Bezugsquellen: den Orient — namentlich Persien — und das westliche Europa. Wie viel die Kaufleute an solchen Waren gewannen, ist u. a. aus der Notiz zu ersehen, dafs persische Seide, welche im Einkaufspreise 30—60 Rubel zu stehen kam, zu 45—90 Rubel das Pud verkauft wurde. — Die grofse Menge von Bezeichnungen für die verschiedenen Stoffe [1]) deutet auf einen recht starken Verbrauch dieser Waren wenigstens vonseiten der höheren Klassen. Dafs aber selbst Tuch als ein Luxusmittel betrachtet wurde, ist u. a. aus dem Umstande zu ersehen, dafs die bei dem Aufstande des Jahres 1662 gegen die Rebellen verwendeten Soldaten je ein

---

schrift „Wremennik" 1854 unter den Miszellen S. 28 und 34 u. a. eine Mütze 108 Kop., ein Paar Stiefel 48 Kop., ein Säbelgürtel 15 Kop., ein Paar Schuhe 18 Kop., ein Kamm 2 Kop., eine Bürste 7 Kop., ein Kaftan 20 Kop., eine Mütze mit Biberfell besetzt 30 Kop., eine andere Mütze 60 Kop., ein Zaum 45 Kop., ein Paar Saffianstiefel 40 Kop.

[1]) Kostomarow a. a. O. 68.

Werschock Tuch erhielten, während mehrere Beamte bei dieser Gelegenheit mit je 1 Werschock Samt belohnt wurden.

Wir haben schon oben gezeigt, wie aufserordentlich grofs der Luxus war, den sich der Metropolit Nikon hinsichtlich des Verbrauches kostbarer Stoffe gestattete. Hier wollen wir nur der Preise für die in dem Ausgabebuche erwähnten Gegenstände dieser Art erwähnen. Es kommen vor: Tuch zu 1 Rubel, 1 Rubel 60 Kopeken, 2 Rubel 40 Kopeken die Arschin; Atlas zu 1 und zu 2 Rubel die Arschin, Samt zu 3 und zu 4 Rubel die Arschin. — Berücksichtigt man die Getreidepreise jener Zeit, so müssen diese Ziffern als verhältnismäfsig sehr hoch bezeichnet werden. Heutzutage entspricht eine Arschin dieser Stoffe ungefähr $\frac{1}{4}$ oder $\frac{1}{2}$ Tschetwert Roggen, damals galten zwei bis zehn Tschetwert Roggen so viel wie eine Arschin Tuch, Atlas, Taft, Samt. — Die relative Wohlfeilheit des Holzes, dessen Preis wir mit den Tuchpreisen schon oben verglichen, und die relative Kostspieligkeit dieser Gewebe sind wohl am besten geeignet, die entgegengesetzte Bewegung der Preise von Rohstoffen und Manufakturen in den letzten zwei Jahrhunderten anschaulich zu machen.

Ebenso waren Metallwaren in jener Zeit unverhältnismäfsig teuer. Der Bergbau war noch ganz unentwickelt. Es fehlte fast an allen Metallen. Das in Rufsland gefundene Eisen war schlecht. Erst unter Peter dem Grofsen begann ein Aufschwung der Bergwerke in Sibirien, deren Eisengruben besseres Produkt lieferten, als die in Rufsland gelegenen. Die mancherlei Versuche, welche die Regierung seit dem fünfzehnten Jahrhundert machte, ausländische Bergleute nach Rufsland zu berufen, hatten keine grofsen Resultate. Noch im sechzehnten Jahrhundert wurde das meiste Eisen importiert, und daher hatten, als am Anfange dieses Jahrhunderts die Engländer um das Recht der Ausbeutung von Eisengruben in Rufsland baten, selbst die in ähnlichen Fällen sonst sehr eifersüchtigen russischen Industriellen und Kaufleute nichts gegen die Gewährung eines solchen Verlangens einzuwenden. Einzelne Hüttenwerke, wie etwa das seit dem Jahre 1632 bestehende des Holländers Andreas Winins bei Tula oder das Bergwerk des Dänen Marselis und des Holländers Akema, reichten nicht hin, um den Bedarf des weiten Reiches zu decken. [1] Auch gelangten diese Unternehmungen wohl erst in der zweiten Hälfte der Regierung des Zaren Alexei Michailowitsch, also nach dem Zeitpunkte, in welchen die Führung des Ausgabebuches des Metropoliten Nikon fällt, zu einiger Blüte.

Metalle sind nicht wie Holz auf dem Wege einfacher Okkupation zu erlangen, sondern müssen auf dem mühsamen Wege der Produktion beschafft werden. Diese erfordert Kapital, Unternehmungslust, technische Kenntnis — Dinge, welche in Rufsland um die Mitte des siebzehnten Jahrhunderts nur sehr spärlich vertreten waren. Selbst Roheisen ist demnach, wenn man die Stufe der damaligen wirtschaftlichen Entwickelung berücksichtigt, nicht so sehr Rohprodukt als Kunstprodukt. Es mufste sehr hoch im Preise stehen. Viele Waren, die anderswo wohlfeiler und besser aus Eisen hergestellt zu werden pflegen, werden auch heute noch in manchen Gegenden Rufslands aus Holz angefertigt. Die Ausländer, welche Rufsland im 17. Jahrhundert bereisten, machten, wie schon oben mitgeteilt wurde, die Bemerkung, dafs bei dem Bau von Häusern oder beim Zimmern von Flufsfahrzeugen oft gar keine eisernen Nägel in Anwendung kamen. — Orientalische Geistliche, welche daheim an manchen in Rufsland ganz unbekannten Luxus gewohnt sein mochten, bemerken u. a., dafs es in Rufsland gänzlich an — metallenen Kronleuchtern fehle. [2] — Nur die Wohlhabenden hatten Leuchter, welche aus Messingdraht angefertigt waren. [3]

Aus Nikons Kassabuche erfahren wir, dafs Eisen damals 1 Rubel 10 Kopeken das Pud kostete; es kam demnach ein Pud Eisen im Werte gleich dem Quantum von 3 Tschetwert Roggen. Vergleicht man den Eisenpreis mit dem Holzpreise, so stellt sich

---

[1] Kilburger in Büschings Magazin III. S. 523—527.
[2] Ruschtschinski a. a. O. S. 46. Nur ein Zweig der Metallindustrie war recht bedeutend entwickelt, die Glockengiefserei, an welcher auch russische Meister teilnahmen.
[3] Kotoschichin S. 55.

heraus, dafs ein Pud Eisen im Werte einem Balken von etwa
40—50 Ellen Länge gleichkam. Wären die Schlitten, über deren
Wohlfeilheit wir oben eine Bemerkung machten, mit Eisen
beschlagen gewesen, so hätten sie nicht 15 Kopeken das Stück
kosten können. — Der Metropolit Nikon liefs einen Tisch anfertigen, welcher zusammengelegt werden konnte. Das Holz an
diesem Tische kam 25 Kopeken zu stehen, das Eisen doppelt so
viel. -- Ganz enorm erscheint der Preis von 10 Kopeken (gleich
dem Werte von $^1/_4$ Tschetwert Roggen) für ein Hufeisen. —
Zwei neue Schlösser für den Keller kosten 16 Kopeken; ver-
zinnte Nägel für den Schlitten, offenbar nur zur Verzierung
dienend, kosteten 4 Kopeken; bei dem Bau der Hauskapelle
kommen Nägel zur Verwendung; 1300 Stück kosteten 1 Rubel
10 Kopeken, was weniger teuer erscheint. Drei Kupferleuchter
kosteten aber 90 Kopeken, so dafs der Wert eines wahrscheinlich
spottschlechten Leuchters damals dem Werte eines Tschetwerts
Roggen nahezu gleichkam, was wiederum als ein sehr hoher Preis
erscheinen mufs.

Kolonialwaren und Gewürze.

Die Russen brauchten viel Gewürze. Sie thaten viel Knoblauch und Pfeffer in die Suppe, den Wein tranken sie oft mit
Gewürzen vermischt. Ausländische Gewürze, getrocknetes Obst
u. dergl. waren sehr beliebt, und auch der Metropolit Nikon kon-
sumierte diese Artikel, besonders wenn bei festlichen Gelegenheiten etwas Aufserordentliches gebacken wurde. Diesem Umstande
verdanken wir folgende Preisnotizen, deren Vergleichung mit den
gegenwärtigen Preisen einiges Interesse darbietet.

Reis finden wir mit 4 Kopeken das Pfund notiert, so dafs
etwa 10 Pfund Reis einem Tschetwert Roggen entsprachen,
während heutzutage etwa 100 Pfund Reis so viel kosten, wie
ein Tschetwert Roggen. Mandeln kosteten 9 Kopeken, so dafs
etwa 4 Pfund Mandeln den Wert eines Tschetwerts Roggen repräsentierten, während man heute für einen Tschetwert Roggen

ebensoviel ausgibt, wie für 30 Pfund Mandeln. Nelken kosteten
80—144 Kopeken das Pfund, so dafs etwa $^1/_4$ Pfund Nelken
einem Tschetwert Roggen an Wert gleichkam, während man
gegenwärtig für den Wert eines Tschetwerts Roggen 20 Pfund
Nelken zu kaufen imstande ist. Wenn Baumwolle 12 Kopeken
das Pfund kostete, so entsprechen 3—4 Pfund dem Werte eines
Tschetwerts Roggen, während man heute mit dem Werte eines
Tschetwerts Roggen 20 Pfund zu kaufen vermag. — Feigen
kamen 4 Kopeken das Pfund zu stehen, so dafs etwa 10 Pfund
im Werte einem Tschetwert Roggen gleichkamen, während heute
ein Tschetwert Roggen so viel kostet wie 30 Pfund Feigen. Sehr
teuer waren damals auch Rosinen, welche 3, 4, 5 und 6 Kopeken
das Pfund kosteten. Für das entsprechende Quantum Getreide
könnte man heute statt eines Pfundes 5—6 Pfund kaufen. —
Noch teurer war Pfeffer: 2 Pfund kosteten 36 Kopeken, also
ungefähr so viel wie ein Tschetwert Roggen, während man gegenwärtig für den Wert eines Tschetwerts Roggen 20 Pfund kauft.
Ähnlich teuer erscheinen: Zinnober zu 48 Kopeken das Pfund,
Safran zu ungefähr 4 Rubeln das Pfund, Weihrauch zu 16 Kopeken das Pfund.

Überblicken wir die Ergebnisse der aus dem Haushalte des
Metropoliten Nikon ersichtlichen preisgeschichtlichen Verhältnisse,
verglichen mit den gegenwärtigen Preisverhältnissen, so finden
wir eine Bestätigung der Resultate der national-ökonomisch-
historischen Forschungen, welche von namhaften Forschern angestellt wurden. E. Laspeyres fafst diese Ergebnisse in seinem
Aufsatze: „Welche Waren werden im Verlaufe der Zeiten immer
teurer? Statistische Studien zur Geschichte der Preise"[1]) etwa
so zusammen:

Alle Waren steigen um so mehr im Preise, resp. fallen um
so weniger im Preise, je mehr sie unter sonst gleichen Umständen .

---

[1]) In der Tübinger Vierteljahrschrift für Staatswissenschaft, 1872,
I. Heft.

Naturprodukt oder je weniger sie verarbeitet sind; dies zeigen folgende Produktionsgesetze:

1) die Beschränktheit der toten Natur hat das Streben, bei langdauernd zunehmender Nachfrage die Produktionskosten aller Waren zu erhöhen;

2) die Unbeschränktheit des menschlichen Geistes hat das Streben, bei zunehmender wie bei abnehmender Nachfrage die Produktionskosten aller Waren durch Erfindungen zu erniedrigen;

oder: 1) je mehr ein Gut Rohprodukt ist, desto mehr haben die Produktionskosten die Tendenz zu steigen und um so weniger die Tendenz zu fallen, und 2) je mehr ein Gut Kunstprodukt ist, desto mehr haben die Produktionskosten die Tendenz zu fallen.

Wir hatten in unsrer Abhandlung Gelegenheit zwei verhältnismäfsig weit auseinander gelegene Zeitpunkte, das siebzehnte und das neunzehnte Jahrhundert miteinander zu vergleichen. E. Laspeyres vergleicht die Jahre 1846—1850 mit den Jahren 1851—1865 und kommt zu folgenden Ergebnissen. Er weist auf Grund sehr zahlreicher, sorgfältig gesichteter Materialien nach, dafs Rohprodukte, d. h. die Produkte von Waldbau, Jagd, Fischerei, Viehzucht und Pflanzenbau von 100 auf 128, Kolonialwaren von 100 auf 118, Manufakturwaren von 100 auf 108, dafs also Rohprodukte in dem von ihm betrachteten Zeitraume dreimal so stark im Preise gestiegen seien wie Kunstprodukte, dafs ein solcher Unterschied der Preisveränderung von Lustrum zu Lustrum immer gröfser werde und dafs, wenn man die Geldentwertung in dem entsprechenden Zeitraume berücksichtige, die Rohprodukte als teurer, die Kunstprodukte als wohlfeiler geworden erscheinen. An einzelnen Beispielen wird dieses Verhältnis sehr anschaulich eingehender illustriert. Eine sehr auffallende Preissteigerung zeigen Wallfischborten, Eiderdaunen, Büffelhörner, Hirschfelle, Elefantenzähne, Schwämme, Harz, Holz und Holzprodukte, Häute. Die Häute sind mehr im Preise gestiegen, als das daraus bereitete Leder. Die Knochen sind in stärkerem Mafse teurer geworden als die daraus bereitete Knochenschwärze. Dagegen sind Chemikalien, wie z. B. Soda, Holzextrakte stark im Preise gefallen, ebenso Manufakturen aus Mineralien, wie Zinnober, Draht, Eisenbahnschienen. Roheisen ist in stärkerem Maſse gestiegen, als alle daraus verfertigten Produkte, aber weniger als Steinkohle; Schwefelblume ist mehr gesunken als roher Schwefel u. s. w.

Betrachten wir andere preisgeschichtliche Untersuchungen und Materialien, welche einen gröfseren Zeitraum umfassen, als der von Laspeyres betrachtete, so treten diese allgemeinen Züge der Preisveränderung noch entschiedener hervor, und wir finden noch auffallendere Analogien mit den Ergebnissen unsrer Beschäftigung mit den Einzelheiten im Haushalt des Metropoliten Nikon. So erfahren wir aus einer Monographie über die Preise der wichtigsten Waren und Lebensmittel in Orleans im 14. bis zum 18. Jahrhundert, dafs etwa im 15. Jahrhundert die Metalle verhältnismäfsig sehr hoch im Preise standen, dafs namentlich Eisenwaren sehr teuer bezahlt wurden, während Getreide relativ wohlfeil war.[1] Selbst von teuren Luxusfischen, wie wir sie auf der Tafel unsres russischen Kirchenfürsten wahrnehmen, ist in dieser Monographie als im 15. Jahrhundert in Orleans vorkommend, die Rede. Wahrscheinlich fand auch hier wie in Rufsland bei den teuren Fischen ein Transport statt, welcher diesem ursprünglich durch Okkupation gewonnenen Rohprodukt den Charakter eines Kunstprodukts verlieh.

Ähnliche Beispiele finden sich in Roschers Geschichte der Preise.[2] Wir haben aus den Angaben in unsrer Quelle gesehen, dafs zwischen Roggen und Roggenmehl ein sehr beträchtlicher Unterschied bestand. Etwas Ähnliches ist es, wenn im Westen von Amerika 4 Bushel ungemahlen den Wert von 3 Bushel gemahlen haben, während in Ravenna im dreizehnten Jahrhundert, also auf einer relativ hoch entwickelten Wirtschafts-

---

[1] Mémoire sur la valeur des principales denrées et marchandises, qui se vendaient et se consumaient en la ville d'Orléans au cours du 14, 15, 16, 17, 18 siècles. Mémoires de la société archéologique de l'Orléanais. 1862. S. 103—500.

[2] Grundzüge der Nationalökonomie, 3. Aufl. S. 236 ff.

stufe, der Mahllohn nur etwa $^1/_{10}$ des Kornes betrug und im
neueren Deutschland auf $^1/_{18}$ des Kornpreises heruntergesunken ist.

Selbst Brot erscheint auf niederen Kulturstufen im Vergleich
mit Fleisch etwa in derselben Weise als Kunstprodukt, wie wir
etwa oben die Bemerkung machten, dafs Roheisen im Vergleich
mit Holz als ein Kunstprodukt bezeichnet werden könne. Unter
Heinrich VIII. in England war Kalb-, Rind-, Hammel- und
Schweinefleisch die gewöhnliche Nahrung der Armen, während
das Brot sehr teuer war. Im siebzehnten Jahrhundert kostete
1 Pfund Haferbrot soviel und mehr als 1 Pfund des besten
Fleisches. Während wir bei den Römern in der Kaiserzeit enorme
Wildpreise antreffen, war in Lusitanien zur Zeit des Polibius das
Wild so gut wie umsonst. — Wir fanden oben die Lederprodukte
verhältnismäfsig teuer. Ebenso kostete in England im Jahre
1348 ein Ochse soviel wie ein Paar Stiefel, während jetzt die
Haut nur etwa $^1/_{10}$ soviel gilt als das Tier.

Wir staunten oben über die relativ kolossalen Preise der
Kleiderstoffe. Ebenso kostete in England im Jahre 1172 1 Elle
Tuch soviel wie zwei Ochsen. Im Westen von Nordamerika gibt
der Bauer 2 Pfund rohe Wolle für 1 Pfund Wollgarn. Ähnliche
Preisveränderungen finden sich, wenn man gröfsere Zeiträume betrachtet, auch bei den Kolonialwaren. Wir hatten oben Gelegenheit die relativ hohen Preise der Kolonialwaren mit der relativen
Wohlfeilheit des Getreides im siebzehnten Jahrhundert zu vergleichen. Ebenso hatte im fünfzehnten Jahrhundert in Florenz
1 Pfund Zucker gleichen Wert mit 15 Pfund Fleisch, und im
vierzehnten Jahrhundert kostete in Turin 1 Pfund Pfeffer ebensoviel wie 28 Pfund Speck u. dergl. m. Damals verdienten u. a.
die Importeurs von Kolonialwaren 100—400 $^0/_0$ Unternehmer-
gewinn. Seitdem haben Arbeitsteilung und Kapitalnützung, die
Entdeckung wohlfeilerer Bezugsquellen, die Herstellung grofser
Verkehrsanstalten, die Rechtssicherheit und die Konkurrenz zu
einem Sinken der Preise solcher Waren beigetragen.

V.

Eine russische Gesandtschaftsreise nach Italien (1656—57).

Der Staat Moskau stand im 17. Jahrhundert aufserhalb des europäischen Staatslebens. Es war eine seltene Ausnahme, dafs russische Gesandte in Westeuropa erschienen. Sie machten mit ihrer asiatischen Tracht, bei ihrer völligen Unkenntnis der Sprachen und Sitten der vorgeschrittenen Völker denselben Eindruck, welchen heutzutage chinesische Diplomaten hervorzubringen pflegen. Kamen westeuropäische Gesandte nach Moskau, so hatten sie, nach Hause heimkehrend, von ähnlichen Erlebnissen und Reiseeindrücken zu berichten, wie etwa gegenwärtig eine Reise nach Persien oder Japan dieselben darzubieten pflegt. Ein ständiger diplomatischer Verkehr zwischen Rufsland und Westeuropa war das Resultat der grofsen Wandlung, welche sich in dem moskowitischen Staate im Zeitalter Peters des Grofsen vollzog.

Die folgende Darstellung der Reise eines russischen Gesandten nach Florenz und Venedig um die Mitte des 17. Jahrhunderts mag diese Verhältnisse veranschaulichen.

Es hatte sich im Jahre 1655 ereignet, dafs die Republik Venedig einen diplomatischen Agenten — es war ein Geistlicher, Alberto Vimina — nach Rufsland gesandt hatte, um den Zaren Alexei zur Teilnahme an einer von den westeuropäischen Staaten gegen die Türkei zu unternehmenden militärischen Aktion zu veranlassen. Der Zar Alexei war indessen, gerade als der venetianische Diplomat nach Rufsland kam, mit dem Kriege gegen Polen beschäftigt; auch konnte man einen Bruch zwischen Schweden

8*

und Rufsland erwarten. So lagen denn die orientalische Frage und andere politische Interessen der russischen Regierung ferne.

Indessen wurde denn doch das Erscheinen Viminas in Rufsland zum Ausgangspunkte eines diplomatischen Verkehrs zwischen dem Zaren und der Republik Venedig. In den darauf folgenden Jahrzehnten erschienen in der Lagunenstadt mehrere moskowitische Gesandte. Venedig galt damals noch als eine Grofsmacht. Bekanntlich hat Peter der Grofse im Jahre 1698 der berühmten Republik einen Besuch abstatten wollen, um die Werften und Arsenale, die Geschwader und industriellen Etablissements der Stadt in Augenschein zu nehmen.

Wie wenig man in Moskau von Westeuropa wufste, zeigt der Umstand, dafs Vimina, als er in Rufsland erschien, in naivster Weise gefragt wurde, woher er komme, wer in Venedig herrsche, mit welchen Staaten Venedig Beziehungen unterhalte etc. Von einer gewissen Naivetät zeugte ferner russischerseits der Wunsch, die Republik Venedig, da man nun doch einmal von ihrer Existenz erfahren hatte, um eine Summe Geldes zu bitten: Rufsland bedurfte der materiellen Mittel, um Krieg zu führen gegen Polen und Schweden. Ein solches Anliegen nun sollte eine russische Gesandtschaft in Venedig vorbringen.

Die Reise von Moskau nach Italien.

Heutzutage kann man die Reise von Moskau nach Venedig in vier Tagen zurücklegen. Im 17. Jahrhundert bedurfte man, um dieses Ziel zu erreichen, ebensovieler Monate. Der Konflikt zwischen Rufsland und Polen nötigte die Reisenden zu einem grofsen Umwege. Die Route ging von Moskau nach Archangelsk und von dort zur See um ganz Europa herum durch die Meerenge von Gibraltar nach Livorno. Diese Reise ist mehrmals gemacht worden, und auch der russische Diplomat, welcher 1656 nach Italien aufbrach, mufste diesen gefahrvollen und weiten Weg einschlagen.

Von diplomatischer Schulung oder politischer Erfahrung ist

bei den russischen Gesandten jener Zeit kaum die Rede. Das auswärtige Amt in Moskau wählte auf gut Glück den einen oder den andern der höheren Administrativbeamten, ohne dafs der zu ernennende Gesandte irgendwie für eine diplomatische Mission qualifiziert gewesen wäre. Von den westeuropäischen Verhältnissen hatte kaum jemand in Rufsland eine genaue Vorstellung. Die Kenntnis der westeuropäischen Sprachen fehlte vollständig. Die russischen Gesandten waren für den Verkehr mit den Fürsten und Staatsmännern in Westeuropa auf die Vermittelung von Dolmetschern angewiesen. Nur wenn etwa, was zuweilen geschah, Ausländer im Auftrage der moskowitischen Regierung als diplomatische Agenten in Westeuropa erschienen, konnte eine unmittelbare persönliche geschäftliche Verhandlung statthaben.

An der Spitze der Gesandtschaft, welche 1656 nach Venedig ging, stand der Wojewode von Perejafslawl, Tschemodanow; als Gehilfe stand ihm ein anderer Beamter, Posnikow zur Seite. Das Gefolge der Diplomaten bestand aus 33 Personen.

Nachdem die Vorbereitungen zur Reise im Frühling 1656 mehrere Wochen in Anspruch genommen hatten, brachen die Reisenden Anfang Juli aus Moskau auf. Es gab viel Gepäck. An barem Gelde führte die Reisegesellschaft nur eine kleine Summe mit sich; dagegen hatte man den Gesandten 4000 Pfund Rhabarber und eine ansehnliche Partie Zobelfelle mitgegeben; diese Waren sollten im Auslande verkauft werden. Da glich denn die diplomatische Reisegesellschaft einer orientalischen Handelskarawane und bewegte sich sehr schwerfällig.

Wie die Russen nach Venedig reisen mufsten, hatten sie von den in Moskau und Archangelsk lebenden ausländischen Kaufleuten und Schiffern in Erfahrung zu bringen. Von geographischen Kenntnissen gab es bei den damaligen Russen kaum eine leise Spur. Sie waren auf die Führung holländischer Schiffskapitäne angewiesen; auch das Mieten der Fahrzeuge, welche den Verkehr zwischen Archangelsk und Livorno zu vermitteln pflegten, besorgten Ausländer. In allen Stücken waren die Russen unerfahren, unbeholfen.

Die Reisegesellschaft war so zahlreich, daſs in Archangelsk zwei Schiffe für dieselbe gemietet werden muſsten. Erst im September war man endlich so weit, die lange Seereise antreten zu können. Bei so später Jahreszeit fiel dieselbe sehr beschwerlich und gefahrvoll aus. Die Fahrt von Archangelsk nach Livorno (gegen 7000 Kilometer) währte 12 Wochen. Nirgends wurde gelandet. Es gab furchtbare Stürme zu bestehen. In seinem Reisebericht erwähnt Tschemodanow eines furchtbaren Unwetters an der irischen Küste (Ende Oktober): die Wogen hätten das Verdeck überspült, einige Kajütenfenster eingeschlagen, so daſs das Schiff im Raume über eine Elle hoch Wasser gehabt habe; ein Leck habe man notdürftig mit Segeltuch verstopft und das eingedrungene Wasser die ganze Nacht hindurch mit Kesseln und Eimern ausgeschöpft.

Nachdem die Reisenden mit knapper Not der Wut der Elemente entronnen waren, drohte ihnen, als sie sich den Küsten Portugals und Spaniens näherten, eine neue Gefahr. Türkische Seeräuber machten diese Meere unsicher. Bemannung und Passagiere der beiden holländischen Schiffe erwarteten stündlich von den Piraten angegriffen zu werden; alle waren kampfbereit; die Lunten wurden angezündet; von vorbeifahrenden Schiffern hörte man, daſs zwischen Gibraltar und Livorno viele Seeräuberschiffe hausten, so daſs dort die gröfste Vorsicht zu empfehlen sei. Kaum hatten die Reisenden die Meerenge von Gibraltar passiert, so erblickten sie plötzlich drei Piratenschiffe, welche bei dem spanischen Städtchen Motril hinter einem Felsvorsprunge auf sie gelauert hatten und nun Jagd auf sie machten. Schon waren die Räuber ziemlich nahe, als sie, die Kampfbereitschaft auf den Schiffen der Russen wahrnehmend, zurückwichen und nach einiger Zeit verschwanden. Mit Freudenthränen dankten die Reisenden dem Schöpfer für ihre Rettung, die Schiffer aber, fernere Verfolgung fürchtend, änderten die Richtung ihrer Fahrt, lavierten einige Zeit und kamen an die Küste Korsikas und endlich nach Livorno.

Aller dieser Umstände wird in dem Reisetagebuche erwähnt,

welches die Gesandten stets führen und nach der Heimkehr dem auswärtigen Amte vorlegen mufsten. Es gehörte zu den Obliegenheiten der Diplomaten über die Gegenden, durch welche sie kamen, allerlei Erkundigungen einzuziehen, über die Entfernungen der verschiedenen Orte voneinander Angaben zu sammeln. So suchte denn Tschemodanow auch während der langen Seereise sich einigermafsen über die Länder zu orientieren, in deren Nähe man vorbeikam. Aus den geographischen Notizen im Reisetagebuche ist zu ersehen, dafs alle Namen und Daten dem unwissenden Diplomaten völlig neu waren. Von der Nordküste Norwegens wird bemerkt, es sei das Land des dänischen Königs; die Faröer werden als „Fir" bezeichnet; Island heifst die „Eisinsel"; die Shetlandsinseln werden „Gitlan" genannt; ferner bemerkt Tschemodanow in seinem Bericht, dafs „das spanische Land mit dem französischen zusammenhänge" und dafs alle diese Länder bei der Fahrt zur linken Hand geblieben seien. Die Verballhornung der geographischen Namen geht häufig so weit, dafs es unmöglich ist, die Fehler der Russen zu korrigieren und zu raten, welche Stadt oder welcher Ort gemeint sei.

Livorno.

Während wir über die Reise Tschemodanows von Moskau über Archangelsk nach Livorno nur durch das amtlich geführte Reisejournal der Russen unterrichtet sind, erfahren wir über den Aufenthalt der Reisenden in Livorno wesentlich Ergänzendes durch die Geschäftspapiere, welche sich im Florentiner Archiv befinden. Das Erscheinen einer russischen Gesandtschaft in Italien erregte ein gewisses Aufsehen. [1]) Es bestanden allerdings zwischen Livorno und Archangelsk zu jener Zeit Handelsbeziehungen. Die Hauptware, welche aus Rufsland nach Italien eingeführt wurde,

---

[1]) In den „Annali di Livorno" von Giuseppe Vivoli (Bd. IV. Livorno 1846, S. 303) wird der Ankunft der russischen Gesandten als eines wichtigen Ereignisses erwähnt.

war Kaviar. In dem Verzeichnis der Waren, welches ein im Jahre 1659 aus Archangelsk in Livorno eingetroffenes Schiff brachte, finden wir aufser 241 Fässern Kaviar und einigen andern Gegenständen einige tausend Pfund Wachs.[1] In Livorno lebten Geschäftsleute, welche eine regelmäfsige kommerzielle Verbindung mit Archangelsk unterhielten und auch wohl imstande waren, der florentinischen Regierung über das Wesen des Staates Moskau und die Russen Mitteilungen zu machen; aber noch hatte man auf toskanischem Boden niemals russische Gesandte begrüfst. Nur etwa zwischen Rom und den Zaren hatte es in früherer Zeit, wenn auch nur ausnahmsweise, diplomatische Beziehungen gegeben. Reisende Russen erschienen in Westeuropa nur höchst selten. Der Eindruck, welchen Tschemodanow und dessen Gefolge hervorbrachten, war neu, überraschend.

Über den Empfang, welcher den Russen in Livorno zu teil wurde, finden sich in dem Reisejournal Tschemodanows zahlreiche Angaben. Sowohl die andern auf der Reede von Livorno stehenden Schiffe, als auch die Fahrzeuge, auf denen die Russen anlangten, salutierten mit Böllerschüssen. Tschemodanow hatte den Schiffern 17 Rubel für das Pulver zu zahlen, welches überhaupt unterwegs für Ehrensalven verbraucht worden war. 78 Schüsse hatten 234 Pfund Pulver erfordert.

Der Gouverneur von Livorno, Antonio Serristori, sandte sogleich einen Offizier zu den Schiffen, um über die Reisenden Erkundigungen einzuziehen; als die Waren der Russen gelöscht wurden, stellte man Wachen zu denselben. In feierlicher Weise wurden die Gesandten, welche vorläufig auf den Schiffen blieben, im Auftrage des Gouverneurs von einem Beamten begrüfst. Es erschienen auch Ärzte, um sich davon zu überzeugen, dafs Mannschaft und Passagiere gesund seien und keine Gefahr einer Ansteckung von ihnen drohe. Auf dem Schiffe trank man auf das Wohl des Zaren Alexei und des Grofsherzogs Ferdinand. Es war der Gouverneur selbst erschienen, fragte nach der politischen

---

[1] Archiv in Venedig. Schreiben des venetianischen Gesandten in Florenz, Ottavian Valier.

Lage des Staates Moskau, erkundigte sich nach dem Stande des polnisch-russischen Krieges etc. — Erst am vierten Tage der Ankunft auf der Reede von Livorno gingen die Russen ans Land. Der Kaufmann Charles Longland, welcher Handelsverbindungen mit Archangelsk unterhielt, liefs die Reisenden in fünf schön geschmückten Booten von den Schiffen abholen. Am Ufer standen sieben Wagen. Die Gesandten hatten ihre prächtigsten Kleidungen angelegt. Eine ungeheure Menschenmenge staunte den stattlichen Zug der orientalischen Gesandtschaft an. Die Schilderung der ehrenvollen Aufnahme — die Russen bezogen eine Wohnung im Hause Longlands —, der Festessen und Toaste nimmt in dem russischen Reisejournal sehr viel Raum ein. Es lag offenbar den Diplomaten viel daran, ihrer Regierung von der Auszeichnung zu berichten, deren sie in Livorno teilhaftig geworden waren. Als die Gesandten den Wunsch äufserten, die in Livorno befindliche Kirche zu besuchen, wurden ihnen sogleich einige Wagen zur Verfügung gestellt. So oft sie auf der Strafse erschienen, gab es eine unabsehbare, gaffende Menschenmenge. Ein venetianischer Agent, welcher sich in Livorno befand, machte den Russen einen Besuch. Es stellte sich für die letzteren die Notwendigkeit heraus, einen Dolmetscher für das Italienische in Dienst zu nehmen. Es war ein Deutscher, Johann Sachs, welcher in diese Stellung eintrat.

Während des vierwöchentlichen Aufenthaltes in Livorno suchten die Russen mancherlei Erkundigungen über die Weltlage einzuziehen. Seit ihrer Abreise aus der Heimat hatten sie keinerlei Nachrichten erhalten. Jetzt erfuhren sie von manchen politischen Ereignissen, welche sich inzwischen zugetragen hatten. In dem Ausgabebuche Tschemodanows findet sich die Bemerkung, es seien für die Anfertigung von Auszügen aus den Zeitungen Zobelfelle im Betrage von $3\frac{1}{2}$ Rubeln verausgabt worden. In den Gesprächen der Russen mit dem Kaufmann Longland bei Tische war von den Beziehungen Frankreichs zu Spanien die Rede. Mit den Behörden in Livorno und dem venetianischen

Agenten verhandelten die Russen über die Weiterreise nach
Venedig. [1])
Aus den Berichten der venetianischen und toskanischen Beamten, welche sich zur Zeit in Livorno befanden und ihren Regierungen Bericht erstatteten, erfahren wir mancherlei von der
Art und Weise, wie die russischen Reisenden auftraten. So schrieb
z. B. der venetianische Agent, Armano, die Russen hätten nicht
eher landen wollen, als bis ihnen zu Ehren eine gewisse Anzahl
von Kanonenschüssen abgefeuert worden wäre. Dem Gouverneur
von Livorno fiel sogleich die Hartnäckigkeit auf, mit welcher die
Russen darauf bestanden, dafs alle Äufserlichkeiten des Zeremoniells auf das peinlichste beobachtet würden. Auch war er nicht
angenehm davon berührt, dafs Tschemodanow ihm ein geringfügiges
Geschenk überreichen liefs, welches in einem Zobelfell von mittel-
mäfsiger Güte bestand. Dafs die Diplomaten eine so grofse
Menge von Waren mitgebracht hatten, erregte Erstaunen. Der
Krämergeist der Russen machte keinen guten Eindruck. So
z. B. hatten sie, wie Serristori schreibt, bei einem Juden, Moses
Frank, Edelsteine kaufen wollen, aber nur den halben Preis geboten, so dafs der Abschlufs des Geschäfts unterbleiben mufste;
als sie ferner wegen des Verkaufs der mitgebrachten Waren zu
verhandeln begannen, forderten sie mafslose Preise, 30 Prozent
mehr als die Waren zu dem herrschenden Marktpreise wert waren.

Die Gesandten machten den Eindruck sehr einfacher, unge-
bildeter, roher Menschen. Die Italiener staunten darüber, dafs
Tschemodanow und Posnikow in ihrem Wesen nichts, auch gar
nichts Vornehmes an sich hatten, sich durch Kleinlichkeit und
Geiz hervorthaten, sich mit ihren Untergebenen gemein machten
und so eigensinnig darauf bestanden, überall freigehalten zu werden.

In ausführlichen Briefen schildert Serristori das Aussehen
und die Manieren der Russen: Tschemodanow sei etwa 60, Posnikow 40 Jahre alt; sie sprächen nichts als russisch; sie lobten
die italienische Küche und die italienischen Weine; als man ihnen

---

[1]) S. d. „Denkmäler d. diplomat. Beziehungen Rufslands mit andern
Staaten" (russisch), B. X. S. 931—973. St. Petersburg 1872.

bei der Ankunft einige Fäſschen Wein zum Geschenk machte, hätten sie alle die verschiedenen Sorten zusammengegossen; im Essen und Trinken seien sie mäſsig; nur daſs sie in ihren Stuben dem mitgebrachten Branntwein fleiſsig zusprächen; in der Wohnung der Gesandten werde fortwährend Musik gemacht, getanzt und gesungen; sie seien eigensinnig und miſstrauisch, hätten offenbar viel Geld, da sie mit den Reichtümern ihres Zaren zu prahlen liebten, und beobachteten eine stolze, steife Haltung, wenn sie zu Hause sich auch noch so wenig würdevoll benähmen. Manche Sitten der Russen erschienen den Italienern ungeheuerlich. So z. B. schreibt Serristori: „Sie sind sehr unreinlich (sporchi), schlafen in Kleidern und auf dem Boden liegend, und die Gesandten bedienen sich dabei derselben Decken, welche die Dienerschaft zu benutzen pflegt." Indem der Gouverneur noch andere Mitteilungen macht, welche sich nicht zum Wiedererzählen eignen, bemerkt er, es gäbe noch weitere schöne Sachen zu berichten, doch möge es für diesesmal genügen etc. Der Gouverneur lieſs das Porträt Tschemodanows anfertigen und nach Florenz senden; er fügt demselben einige Bemerkungen bei und macht darauf aufmerksam, wie der Oberkörper übermäſsig lang erscheine, da der Gürtel so tief liege; die Perlen am Kragen des faltigen weiten Gewandes, sagt Serristori, seien nicht sehr wertvoll.

Obgleich die Russen den Besuch Serristoris nicht erwidert hatten, indem sie vorgaben, in dieser Hinsicht keine Instruktionen vom Zaren erhalten zu haben, dachte der Gouverneur denn doch daran, sie zu einem Feste einzuladen; sie seien, bemerkt er, zur Fröhlichkeit geneigt (hanno gusto d'allegria); er bitte daher um Instruktionen, wie es in diesem Punkte gehalten werden solle.

Einige Tage später erschienen demnach die russischen Diplomaten auf einem Balle, welchen der Gouverneur gab; sie waren reich gekleidet; ehe sie zum Balle fuhren, muſsten verschiedene Formalitäten beobachtet werden; es wurde Branntwein gereicht; beim Anlegen der langen Prachtgewänder machten die Gesandten wiederholt das Zeichen des Kreuzes; sodann beteten sie vor ihren Heiligenbildern; auf dem Balle saſsen sie unbeweglich die ganze

Zeit auf den für sie in Bereitschaft gehaltenen Sesseln, nahmen an dem Tanze keinen Teil, tranken wiederholt und betrachteten die Damen sehr aufmerksam. Man erfuhr, dafs sie, nach Hause zurückgekehrt, von nichts anderem sprachen als von der Schönheit und Anmut der Damen.

Man erfuhr ferner von manchen Zügen bestialischer Roheit der Gesandten. Als einst der Gesandtschaftsgeistliche sich betrunken hatte und die Dienerschaft mit Mifshandlungen bedrohte, ergriffen die Gesandten eigenhändig den Berauschten und banden ihn an einen Bettpfosten an, so dafs der Unglückliche die ganze Nacht und den folgenden Tag in dieser Stellung verbleiben mufste. Einen ihrer Diener, welcher sich betrunken hatte, legten sie zur Strafe zwischen ein Bett und die Wand auf den Boden; er mufste drei Tage dort liegen bleiben; am vierten Tage durfte er aufstehen, mufste aber noch in seinem Gewahrsam bleiben. Einen andern Diener, welcher ebenfalls einen Rausch sich angetrunken hatte, schlugen sie so unbarmherzig mit einem Stücke Holz, dafs er, um einer so barbarischen Strafe zu entgehen, sich losrifs, aus dem Hause entlief und nirgends aufgefunden werden konnte. Die Polizei mufste Anstalten treffen, um nach dem Entwichenen zu forschen.

Die Beschränktheit der russischen Diplomaten äufserte sich in folgendem Zuge: auf die Frage, ob das Tabakrauchen und Schnupfen in Rufsland gestattet sei, antworteten sie, der Zar sei ein frommer Mann und habe deshalb den Gebrauch dieses Krautes auf das strengste verboten; bisher sei die Nase das einzige Glied gewesen, mit welchem die Menschen nicht sündigten; nun aber habe der Teufel den Tabak ersonnen, damit die Menschen auch mit der Nase sündigten, und so habe denn der weise Monarch durch das Verbot des Tabakschnupfens seine Unterthanen vor der Sünde bewahren wollen. „Welche Scheinheiligkeit!" ruft der italienische Berichterstatter entrüstet aus.[1]

Sehr wunderlich erschien folgender Umstand: als die Ge-

---

[1] „Atto di vero bachettone!"

sandten sich zur Weiterreise über Florenz nach Venedig rüsteten,
wollten sie durchaus alle noch nicht aufgezehrten, zu Schiffe mitgebrachten Lebensmittel, Salzfisch, Mehl, Salzfleisch, Met und
andere Getränke, ja sogar leere Fässer mitnehmen und nicht
weniger als vier Barken damit beladen, indem sie vorgaben, dafs
es den Eindruck der Würde und Vornehmheit mache, wenn
jemand viel Gepäck mit sich führe. Als sie erfuhren, dafs man
von der Grenze des Gebiets der venetianischen Republik bis
Venedig nur einen Tag reise, äufserten sie sich sehr entrüstet
darüber und wiesen darauf hin, dafs Alberto Vimina, als er nach
Rufsland gekommen sei, tausend Meilen habe reisen und die ganze
Zeit hindurch auf Kosten des Zaren habe leben dürfen.

So setzten denn die russischen Diplomaten durch ihre Eigen-
art die Italiener in Erstaunen. Man hatte es mit einer fremden
Kultur zu thun, und war nicht entzückt von den Sitten und Ge-
wöhnungen der Russen. „Am Feiertage," heifst es in einem Berichte aus Livorno, „fahren die Gesandten nicht aus, bleiben den
ganzen Tag zu Hause, trinken Branntwein, summen ein Liedchen
und spielen Schach. Herr Longland", schreibt der Referent
weiter, „sucht sich, je näher der Zeitpunkt der Abreise der Gesandten heranrückt, mit wohlriechenden Essenzen zu versehen, um
die Stuben, welche die Russen bewohnen, einem Räucherungs-
prozefs zu unterziehen; man vermutet, es werde einer Art strenger
Quarantäne bedürfen; wenigstens liefsen die Gesandten nach drei-
stündigem Aufenthalte im Hause des Herrn Gouverneurs einen
so penetranten Kaviargeruch zurück, dafs derselbe drei Tage
hindurch zu spüren war; man kann sich also vorstellen, dafs dort,
wo sie längere Zeit gewohnt haben, der Gestank nicht so leicht
zu beseitigen sein werde."

In einem andern Bericht wird erwähnt, dafs eine Spazierfahrt
zu einem in der Nähe der Stadt gelegenen Weinberge den Gesandten viel Vergnügen gemacht habe; sie seien entzückt gewesen,
weil sie in ihrer Heimat nur öde oder mit Wald bedeckte Ebenen
zu Gesicht bekämen. Der ältere Gesandte fiel durch Lüsternheit
und Begehrlichkeit auf und sprach gern in sehr freier Weise von

dem schönen Geschlecht; er erkundigte sich u. a. nach den in
Italien geltenden Strafen für sexuelle Vergehen. Als er einmal
auf der Strafse eine Anzahl Damen in einem Wagen sah, fragte
er nach dem Namen einer derselben, deren Schönheit ihm aufgefallen war. Nachdem er erfahren hatte, dafs es die Frau eines
Arztes sei, begann er, nach Hause zurückgekehrt, über Schmerzen
im Arm zu klagen; auf den Vorschlag, einen Arzt holen zu lassen,
erwiderte er, er wolle lieber selbst zum Arzte gehen; die angeblichen
Schmerzen sollten nur Gelegenheit geben, im Hause des Arztes
dessen schöne Frau zu sehen. Man hatte Mühe ihm dieses Vorhaben auszureden. Dagegen ging Tschemodanow in einen Laden,
angeblich um dort etwas zu kaufen, in Wirklichkeit aber, um die
schöne Frau des Kaufmanns, welche er auf der Strafse bewundert
hatte, zu sehen. Die Russen hatten in ihrer Heimat davon gehört, dafs sie in Italien nur weibliche Dienstboten haben würden;
als man ihnen in Livorno sagte, dafs es in dieser Stadt, als
einem Hafenplatze, keine weibliche Bedienung gebe (sic), sprachen
sie die Hoffnung aus, bald nach Florenz und Venedig zu gelangen;
wo es Dienerinnen geben werde. Zu alledem wollte die werk-
heilige Frömmigkeit nicht stimmen, welche die Russen an den Tag
legten; fortwährend gab es geistliche Feierlichkeiten, Gottesdienst,
Gebete mit brennender Kerze in der Hand. Dabei bemerkte
man, dafs die Russen während dieser Zeremonien sehr zerstreut
waren, und auch die Nichtachtung des Priesters zeugte von einer
gewissen geistlichen Frivolität. Nur etwa beim Gebete für den
Zaren beugten sie nicht blofs die Kniee, sondern warfen sich,
mit der Stirn laut aufschlagend, ganz zu Boden.

Begreiflicherweise erregte die asiatische Kleidung der Russen
das gröfste Aufsehen, so dafs auf der Strafse überall ein dichter
Volkshaufe ihnen zu folgen pflegte. Man spottete über die Taschen
der Moskowiter, welche so tief seien, dafs man sich arg bücken
müsse, um irgend einen Gegenstand daraus hervorzulangen, darüber,
dafs die Russen ihre Schnupftücher nicht in der Tasche, sondern
in der Mütze zu verwahren pflegten u dergl. m. Ferner wunderte
man sich darüber, dafs Hummern und Austern dem Geschmack

der Fremden nicht zusagten, während sie Fische sehr gern afsen. Von den musikalischen Liebhabereien der Russen wird berichtet: „Der zweite Gesandte behauptet eine sehr schöne Stimme zu besitzen und macht aufserdem den Kapellmeister, wenn das Gefolge Gesänge aufführt, was sehr oft geschieht; ihre Melodien sind aber schlimmer als Katzenmusik." Sodann heifst es in einem der 'Berichte: „Acht bis zehn Personen von dem Gefolge der Russen sind krank, zwei davon infolge der Schläge mit einem Stücke Holz, welche der ältere Gesandte ihnen zur Strafe für unmäfsiges Trinken eigenhändig gegeben hat." Von der Knickrigkeit der Russen erzählte man folgende Züge: „In diesen Tagen gingen die Gesandten abends in ein Bad; es war mehrere Tage nicht geheizt worden und daher verbrauchte man viel Holz; man unterhielt die Russen den ganzen Abend mit Instrumentalmusik, brachte allerlei wohlriechende Essenzen und leistete ihnen verschiedene Dienste, wozu besondere Personen gemietet wurden; für alles dieses zahlten sie nur mit zwei kleinen russischen Münzen. Ein Geistlicher äufserte den Wunsch, eine ganz geringe russische Münze als numismatische Seltenheit zu erhalten; er mufste sie kaufen. Musikanten, welche ihnen zu Ehren aufspielten, gaben sie ein sehr kleines Geldstück. Schenkte man ihnen Lebensmittel, so afsen sie zunächst dasjenige, was leichter verdirbt; aus geschenkten Weinen wollten sie Branntwein destillieren, weil dieses vorteilhafter sei. Die Überreste der zu Schiffe mitgebrachten Vorräte wollten sie nicht, wie dies gewöhnlich geschieht, an Bord lassen, sondern haben alles ans Land zu bringen befohlen und hüten es sorgfältig.... Da es aber sehr umständlich ist, auf der Weiterreise alle Lebensmittel mitzuschleppen, haben sie, um Geld herauszuschlagen, 60 Schinken an verschiedene Personen verkauft; es gab einen argen Lärm, weil der Pächter der Schlachtsteuer eine Abgabe für diesen Handel verlangte; es hat viel Mühe gekostet ihn still zu kriegen.... Als eines Abends in einer Gesellschaft, welcher die Gesandten beiwohnten, einige Musikanten etwas aufspielten und ein Geistlicher dem älteren Diplomaten andeutete, er müsse etwas zahlen, entschuldigte sich Tschemodanow

damit, dafs er gar keine kleine Münze bei sich habe; da der
Geistliche sich stellte, als könne er dieser Äufserung keinen Glauben
schenken, so holte Tschemodanow zwei ungarische Zechinen aus
der Tasche; der Geistliche machte, als seien diese beiden Geld-
münzen für die Musikanten bestimmt, griff eiligst darnach und
gab sie den Spielleuten trotz des energischen Protestes des Gesandten, welcher sodann den ganzen Abend hindurch seine üble
Laune nicht verbergen konnte. Alle Trinkgelder, welche die Gesandten bei verschiedenen Gelegenheiten spenden müssen, pflegen
sie eigenhändig abzugeben. Als sie am letzten Sonntage aus
der Kirche zurückkehrten, gaben sie den Kutschern der ihnen
zur Verfügung gestellten Fuhrwerke gar kein Geld, sondern luden
dieselben in ihre Stube ein und boten ihnen aus ihrem eigenen
goldenen Becher einen Trunk Branntwein an. . . . Zwei Kapuziner-
mönche baten die Gesandten in Gottes Namen ihnen etwas Rhabarber zu schenken; die Russen besannen sich stundenlang bis
zum Abend und gaben endlich eine halbe Unze Rhabarber, indem
sie bemerkten, dafs Mönche im Grunde keiner Arzeneien bedürfen
sollten. Die Art und Weise der Gesandten bei Handelsgeschäften
ist in der That abscheulich (veramente brutissimo); wären sie
gewöhnliche Leute, so würde ihnen manches nicht so hingehen.
In diesen Tagen kauften sie bei Moses Frank Schmuckgegenstände
für 300 Zechinen; sie behielten die Sachen und bestellten den
Verkäufer zu sich, damit er die Bezahlung abhole; als er nun
nach dem Gelde kam, wollten die Russen ihm die gekauften
Gegenstände zurückgeben, indem sie sagten, dafs sie kein Geld
hätten. Da Frank darauf bestand, dafs sie die Sachen behalten
müfsten, drohten die Russen dieselben zum Fenster hinauszuwerfen.
Nach langem Streiten kam man überein, dafs Frank eine Quantität Rhabarber zu sehr hohem Preise als Bezahlung annahm. —
Dem Herrn Pietro Avach, welcher den Russen Zobelfelle ab-
kaufen wollte, verweigerten sie das Recht, die Ware vor dem
Abschlusse des Geschäfts zu sehen. — Obgleich man sie im Hause
des Herrn Charles Longland mit allem Notwendigen versieht,
schickten sie ihre Diener in die Küche, um von dort heimlich

Brot zu nehmen, welches sie sodann in ihren Gemächern mit ihrem Kaviar verzehrten. Die Diener folgten dem Beispiel ihrer Herren und gaben allerlei Schelmereien an (fanno baronato dell' altro mondo): einer der Diener hatte einige Citronen und einige Päckchen Zwiebeln gekauft; als sich nun beim Einpacken für die Weiterreise herausstellte, dafs manches davon verfault war, bestand er darauf, dafs auch die verdorbenen Stücke in seinem Gepäck aufgehoben würden." Bei der Abreise aus Livorno schenkten die Gesandten keinem von den Personen, welche sie bedient hatten, etwas. Herrn Charles Longland gaben sie acht Zobelfelle, aber von der schlechtesten Sorte; eine Dienerin erhielt ein ganz wertloses Katzenfell u. s. w.

Wiederholt begegnen uns in den Berichten aus Livorno spöttische Bemerkungen über den Mangel an Lebensart und die Unreinlichkeit der Russen. „Bei Tische," heifst es da u. a., „scheuen sie sich gar nicht die Bissen aus dem Munde zu nehmen und in die Schüssel zurückzulegen; auch gibt es noch viele andere Schweinereien (sporchezze) . . . Bei ihnen zu Hause pflegen nur die Vornehmen sich zum Essen zu setzen, wobei sie indessen sich weder der Gabeln noch der Löffel bedienen; alles wird mit den Händen genommen; es ist spafshaft zu sehen, wie sie, wenn jemand von den Unsrigen bei ihnen speist, ihm nachzuahmen suchen und die Gabel gebrauchen; sie nehmen ein Stück aus der Schüssel mit der Hand, stecken es sodann auf die Gabel und führen dieselbe sodann zum Munde." Als die Zeit der Abreise der Gesandten aus Livorno nach Florenz heranrückte, schrieb Antonio Serristori an den Grofsherzog u. a.: „Ich habe mit Beobachtung einer gewissen Vorsicht durch Personen, welche Beziehungen zu den Gesandten haben, ihnen zu verstehen gegeben, sie sollten doch möglichst wenig Gestank zu verbreiten suchen;[1] inbetreff der Dienerschaft kann dem Übelstande nicht abgeholfen werden, da sie ihre Kleidungsstücke nicht wechseln und die Herrschaft kein Geld hat, um sie mit neuen Sachen zu versehen. Aber auch die

---

[1] Che procurino di venir con manco cattivo odore che sia possibile.

Herren sind, wenn sie auch oft in die Badstube gehen, nicht so reinlich, dafs man es wagen könnte, sie in eine Prachtkutsche zu setzen" u. s. w.

In einem andern Berichte heifst es: „Die Dienerschaft schläft auf der Diele auf Teppichen und Filzdecken und bedeckt sich mit allem, was gerade bei der Hand ist; andere schlafen auf Pfühlen und bedecken sich mit Fellen. Longland versah sie mit Bettstellen und Matratzen, aber die Herren haben die Matratzen fortnehmen lassen etc."

Immer neue Anekdoten von der Roheit der Gesandten konnten aufgetischt werden. So schreibt der Berichterstatter u. a.: „Der ältere Gesandte wollte einen seiner Diener abstrafen; als der polnische Dolmetscher ihn zu besänftigen versuchte, wandte sich der Gesandte zu ihm und spuckte ihm mehrmals ins Gesicht — eine höfliche Rücksicht, welche er gegen jeden übt, der ihm etwas sagt, was ihm nicht gefällt; sodann verlangte er, um den Dolmetscher zu demütigen, derselbe solle ihm die Füfse küssen. Als der Pole nun sich bückte, um dem Befehle nachzukommen, versetzte der Gesandte ihm einen Faustschlag und zwar mit solcher Zartheit (delicatezza), dafs der Pole sich überschlug und sich sehr arg am Kopfe verletzte, so dafs er mehrere Tage zu Bette lag und auch jetzt noch einen Verband tragen mufs."

Bald gab es von Zank und Streit zwischen Tschemodanow und Posnikow, bald von einer Schlägerei einiger der Herren vom Gefolge der Gesandten in sehr schlechter Gesellschaft zu erzählen. Die Italiener konnten sich von ihrem Staunen über den Mangel an Salonfähigkeit der Russen nicht erholen. Es gab über allerlei zu spotten. Man lachte darüber, dafs die Diplomaten sich einbildeten, der Grofsherzog Ferdinand werde an sie schreiben und dafs sie sehr oft danach fragten, ob nicht ein Brief von ihm angelangt sei; man freute sich über das Entzücken, mit welchem die Russen das italienische Obst und die in Rufsland völlig unbekannten Gemüsearten kosteten, über die Neugier, mit welcher sie jedes kleine steinerne Gebäude betrachteten, weil in Rufsland Holz fast ausschliefslich als Baumaterial diente; dafs die Russen

aufser einigen Säbeln gar keine Waffen mit sich führten, erschien
den Italienern um so wunderlicher, als auch diese kalten Waffen
nie angelegt, sondern stets zu Hause gelassen wurden, während
die Russen ihre Heiligenbilder überall mit sich zu schleppen
pflegten; die Italiener belustigten sich über das Erstaunen der
Gesandten, als diese im Hause des venetianischen Agenten Giuseppe
Armano sechs Damen an einem Hazardspiele, bei welchem es sich
um hohe Summen handelte, teilnehmen sahen; die Bemerkungen
über die Wunderlichkeit und Unzweckmäfsigkeit der russischen
Tracht nehmen in den Berichten einen beträchtlichen Raum ein;
als der Koch der Gesandtschaft den Versuch machte, eine schmack-
hafte italienische Speise anzurichten, mifslang das Experiment
durchaus, so dafs niemand von dem Gericht essen konnte.

Florenz.

Die toskanische Regierung hatte keinen Grund, die russische
Gesandtschaft in allen Stücken freizuhalten. In Moskau wufste
man nichts von Florenz und dem Grofsherzoge Ferdinand; Tschemodanow und Posnikow waren nur wie zufällig auf dem Wege
nach Venedig in Livorno erschienen; sie hatten gar keine geschäftlichen Aufträge in Florenz auszurichten; der Grofsherzog
hatte keinerlei Pflichten gegenüber dem russischen Staate zu erfüllen. Die auf toskanischem Gebiet lebenden Kaufleute hatten
in höherem Mafse als die Regierung ein Interesse an der russischen
Gesandtschaft, deren Habitus einer orientalischen Handelskarawane
glich. Es war genug, wenn die Vertreter der Regierung den
Reisenden mit einer gewissen Courtoisie begegneten. Charles
Longland, der englische Kaufherr, welcher im Kaviarhandel mit
Rufsland bedeutende Summen umsetzte, hielt es seinem Interesse
entsprechend, die Russen in seinem Hause aufzunehmen, sie reich-
lich zu bewirten, einige Wochen hindurch die Last eines solchen
Besuches zu tragen. Dagegen hatten die russischen Gesandten
vergeblich gehofft, dafs die Regierung von Florenz aus ihnen
Fahrzeuge, Wagen und Pferde etc. zur Verfügung stellen werde.

9*

Sie mufsten sich dazu bequemen, die Reise auf eigene Kosten fortzusetzen.

Aus dem offiziellen Reisejournal der russischen Gesandten erfahren wir von ihrem Entschlusse, die grofsen Rhabarbervorräte in Livorno zurückzulassen. Der Kaufmann Longland erhielt den Auftrag, den Verkauf dieser Ware zu besorgen. Dagegen wurden die Zobelfelle oder, wie es in dem Tagebuche heifst, „der dem Zaren und dem Patriarchen gehörende Schatz" nach Florenz transportiert und zwar auf Wasserwegen. Es waren Fahrzeuge dafür gemietet worden. Nicht ohne Grund hatte Antonio Serristori dem Grofsherzog berichtet, dafs das Gepäck der russischen Reisenden, wie man sehen werde, sich sehr wunderlich ausnehme. [1] Als beeidigter Finanzbeamter begleitete eines der Mitglieder des Gefolges die Ballen mit den Zobelfellen. Für die Reisenden mietete man durch die Vermittelung des neuangeworbenen Dolmetschers, Hans Sachs, vier Wagen mit Pferden, um zunächst nach Pisa zu reisen. Dafs die Russen sich bemühten, alles möglichst sparsam einzurichten, ist aus der Bemerkung des Berichterstatters aus Livorno zu ersehen, die Russen würden wohl in Pisa gern länger rasten, da sie dort bei einem Kaviarkaufmann freie Wohnung haben würden, während sie auf der Strecke zwischen Pisa und Florenz, keinen derartigen Vorteil geniefsend, ihre Reise schwerlich unterbrechen würden.

Allerdings bereitete ein Kaufmann zu Pisa, dessen Name im Journal arg verballhornt ist, [2] von welchem aber ausdrücklich bemerkt wird, er sei der Geschäftsfreund Longlands, den Reisenden einen feierlichen Empfang: er hatte ihnen einige Wagen, Vierspänner, entgegengeschickt. Im Reisejournal wird sogar erwähnt, dafs bei dem Einzuge in die Stadt zu Ehren der Gesandten auf den Wällen die Geschütze gelöst worden seien; das Volk, in dichten Haufen zu beiden Seiten der Strafsen stehend, habe die Gesandten begrüfst. Bei Tische trank man auf das

---

[1] Il bagaglio di questi Signori è veramente curioso e ridicolo ma perchè si verrà a Firenze fra poco, non si descrive.

[2] In den Archivalien „Samminiatelli", im Journal „Isemendeli".

Wohl des Zaren Alexei und des russischen Thronerben Alexei Alexejewitsch, worauf die Gesandten einen Toast auf den Grofsherzog ausbrachten. Dazu gab es Gespräche über die Beziehungen Rufslands zur Türkei, wobei die Russen der Heldenthaten der donischen Kosaken im Kampfe mit den Türken in schönfärberischer Weise erwähnten. Einem kurzen Berichte aus dem Archiv von Florenz entnehmen wir die Bemerkung, dafs die Russen wegen verspäteter Ankunft in Pisa und wegen des schlechten Wetters von den Sehenswürdigkeiten der Stadt nichts in Augenschein nehmen konnten. In dem Reisejournal ist dieses Umstandes nicht erwähnt. Die Russen hatten schwerlich einiges Verständnis für die herrlichen Baudenkmäler Pisas. Der Dom und das Baptisterium, der unvergleichliche „Campo santo" und der schiefe Turm etc. hätten den ungebildeten Orientalen allenfalls ein religiöses, nicht aber ein architektonisches Interesse darbieten können.

Die Reise von Pisa nach Florenz währte anderthalb Tage, so dafs die Diplomaten doch in einem Gasthause unterwegs zur Nacht einkehren mufsten. Das Mittagessen wurde in Empoli eingenommen, welche Stadt im Reisejournal „Neapel" genannt wird.

In einiger Entfernung von Florenz trafen die Reisenden mit Eseln bespannte Prachtkutschen, welche der Grofsherzog gesandt hatte; das Journal erwähnt der samtenen Polster und des eleganten Geschirrs; eine Strecke mufste im Reiten auf Eseln zurückgelegt werden. Bei der Stadt begrüfste der Bruder des Grofsherzogs, Leopold (im Journal „Diapoldus"), die Ankommenden; unter Kanonendonner und Musik, schreiben die Gesandten, habe ihr festlicher Einzug in Florenz stattgefunden, wobei sich ereignet habe, dafs Leopold sich weigerte, den Rücksitz im Wagen einzunehmen.

Am Thor des Palazzo Pitti, wo die Gesandten eine Wohnung erhielten, empfing sie der Grofsherzog Ferdinand selbst; auch gab er ihnen bis in die für die Reisenden bestimmten Gemächer das Geleite.

In Livorno hatten die Reisenden am Eingange des Hafens die Statue des Grofsherzogs Ferdinand I. von Giovanni Bandini

mit den vier angeketteten Barbaresken in Bronze an den Ecken
des Piedestals von Tocca gesehen. Im Reisetagebuche der Russen
findet sich eine recht eingehende Schilderung dieses Kunstwerks
und die Bemerkung, dafs der Grofsherzog aufs Meer hinaus-
gefahren sei und die Seeräuber besiegt und gefangen habe. Ein
solches Heldenstück imponierte den Russen umsomehr, als sie
selbst kurz vorher in grofser Furcht vor den türkischen See-
räubern geschwebt hatten. In dem Gesandtschaftsbericht findet
sich bei Gelegenheit dieser Erzählung, welche die Russen aus
Charles Longlands Munde hörten, der Ausruf: „Ha! ist das
ein Fürst!“

Es mochte bei der Bedeutung der orientalischen Frage auch
für Rufsland in jener Zeit für die Russen von grofsem Interesse
sein, unmittelbar mit solchen Persönlichkeiten zusammenzutreffen,
welche den Mut hatten, den gefürchteten Türken die Spitze zu
bieten. Die Reisenden begegneten dem Grofsherzog mit Ehrfurcht. Als zwei Herren vom Gefolge Tschemodanows und Posnikows zum ersten Male bei dem Grofsherzog erschienen, fielen sie
zu Boden und küfsten ihm die Füfse. [1]

Schon in Livorno war den Russen mancherlei aufgefallen.
Eine neue Welt hatte sich vor ihnen aufgethan: Die italienische
Kultur übte einen mächtigen Eindruck. Aus dem Reisetagebuche
ist zu ersehen, dafs die Reisenden fähig waren, viele Gegenstände,
welche ihnen völlig neu waren, zu bewundern. Wenn auch allerdings die Heiligenbilder und Geräte in den Kirchen am aus-
führlichsten beschrieben werden, wie das der ausschliefslich geistlichen Bildung der Russen jener Zeit entsprach, so ist doch auch
vieler anderer Dinge erwähnt. So z. B. hatten sie in Livorno
die Festungswerke und Hafenbauten bewundert, die grofse Menge
der auf der Reede befindlichen Schiffe, ein grofses Kriegsschiff,
dessen Länge die Russen auf 400 Fufs und dessen Höhe sie auf

---

[1] Archiv z. Florenz: Diario Fiorentino X. S. 518. „Avevano seco
due Persone Moscovite di loro Camerata i quali introdotti la prima volta
all audienza del Gran Duca di Toscana si disserero (sic?) lunghi in terra
e gli baziarono i piedi per la riverenza grande che portavano a sovrani.“

70 Fufs angeben. Man erzählte ihnen, dafs es auf diesem Schiffe 200 Kanonen und 500 Matrosen und Soldaten gebe und dafs dieses Fahrzeug zum Kampfe mit den „türkischen Räubern" bestimmt sei. Die Wifsbegierde der Russen ging so weit, dafs sie sich nach dem Alter der Stadt Livorno erkundigten. Nicht ohne Grund war aus Livorno nach Florenz berichtet worden, dafs die Reisenden eine „curiosità grande di vedere il mondo" an den Tag legten. Mit Aufmerksamkeit betrachteten sie die Wassergräben, welche die Festung Livorno umgaben, die darüber führenden Kettenbrücken, die so breit seien, dafs „zwei Karren einander ausweichen könnten," die überall aufgeführten soliden steinernen Gartenmauern, die sorgfältig hergestellten Zisternen; auch einer Piscine ist erwähnt. Auf dem Wege nach Florenz waren die Reisenden in einem herrlichen Garten spazieren gegangen: da habe es nicht blofs Eichen, sondern auch Zitronenbäume und Dattelpalmen mit daran hängenden Früchten gegeben, Weinreben etc. Der Eindruck solcher Herrlichkeit mochte um so stärker wirken, als die Russen alle diese Gegenstände im Januar sahen und sich den Winterschlaf vergegenwärtigen konnten, in welchem die Natur in ihrer Heimat um dieselbe Zeit liegen mufste. — In Livorno hatten sie etwas ganz besonders Wunderbares gesehen; sie schreiben davon: „ein Vogel, genannt Straufs, grofs, die Füfse wie bei einer Kuh, frifst Eisen und Steine und Knochen, anderthalb Menschen Höhe; struppiges Gefieder, grau; die Deutschen," d. h. die Ausländer überhaupt, „tragen es auf den Hüten."

Von Pisa hatten die Reisenden so gut wie nichts gesehen. Sie bemerken in ihrem Tagebuche nur, es sei eine grofse Stadt mit sehr vielen Einwohnern. Florenz mufste ihnen ausnehmend gefallen, zumal sie dort so gut aufgenommen wurden. Ungemein naiv erscheint die Bemerkung im Reisejournal, der Grofsherzog habe ihnen, den russischen Gesandten, seine eigene Wohnung eingeräumt und habe für die Zeit ihrer Anwesenheit andere Zimmer bezogen. Die Russen schilderten die Pracht der ihnen zur Verfügung gestellten Gemächer, die reichen goldgewirkten Tapeten und Gobelins, welche biblische Stoffe darstellten, so dafs sie dem

Verständnis der Russen sich eher zugänglich zeigten als andere Bildwerke; die Höhe und Weite der Stuben setzte die Russen in Erstaunen; zum ersten Male sahen sie Portieren von schwerem Stoffe.

Bald nach der Ankunft in Florenz führte man die Russen über die aus Prachtsälen und Galerien bestehende Arnobrücke in die Ufficien. Hier bewunderten sie die Schatzkammer des Großherzogs, die Werkstätten, wo die Goldschmiede arbeiteten, die Waffensammlung. Sie erwähnen, sie hätten einen Magnetstein gesehen, welcher 60 Pfund Eisen zu heben vermochte; die Edelsteine, Prachtgefäße und Mosaiktische scheinen den Russen ganz besonders gefallen zu haben. Ferner schreiben sie: „In den oberen Gemächern sind zwei sehr grofse Äpfel, sehr schön gemacht; darauf sind alle Staaten aufgeschrieben und alle Planeten und himmlische Götter; und diese Äpfel kann man nach verschiedenen Richtungen drehen." In Rufsland hatte man noch keinen Globus gesehen. — Ferner führte man die Reisenden in das Arsenal, in das Giefshaus, in den Marstall, wo die Pferde allerlei Kunststücke produzierten: es gab solche, die da tanzten, grüfsten, auf den Knieen rutschten: „Alles auf Kommando", sagen die Russen mit der naiven Freude eines kleinen Knaben, welcher zum ersten Male einer Aufführung im Zirkus beiwohnt. — Ein ausgestopftes Krokodil, welches in einem der Gemächer über einer Thüre hing, wird sehr genau beschrieben. Die Prachtanlage des „Giardino Boboli" machte auf die Russen einen tiefen Eindruck. In Rufsland gab es bis zu der Regierungszeit Peters des Grofsen nichts dergleichen. Um so mehr staunten die Russen über die gegrabenen Teiche und die Wasserkünste, über die Statuen und Fischreservoirs etc. [1])

Luxus, Wohlleben, Komfort waren den Russen in ihrer Heimat nur in beschränktem Mafse bekannt geworden. In Florenz zeugte vieles von bedeutenden materiellen Mitteln. Ohne in der Lage zu sein, Kunstschöpfungen als solche würdigen zu können

---

[1]) S. d. Denkmäler a. a. O. 1152—1162.

— von Marmorbildwerken ist als von „steinernen Kerlen und Tieren" die Rede — hatten die Russen doch das Gefühl, dafs diese Kultur der ihrigen überlegen sei. Der herrlichen Kirchen in Florenz ist übrigens im Reisetagebuche nirgends erwähnt, obgleich gerade in der Zeit, als Tschemodanow in der Arnostadt weilte, der Bau der berühmten „Capella dei principi" schon weit vorgeschritten war und von den Touristen jener Zeit gern besichtigt wurde. Die Russen scheinen weder den Dom besucht noch den prächtigen Glockenturm bestiegen zu haben

Die toskanische Regierung zeigte sich den russischen Diplomaten gegenüber sehr zuvorkommend. Der Marchese Piero Corsini erhielt den Auftrag, während des Aufenthaltes der Russen in Florenz für ihre Unterhaltung zu sorgen; auch fand sich ein Sergeant von der Garnison von Livorno, welcher des Russischen mächtig war, also die Rolle eines Dolmetschers zu spielen vermochte. Drei Tage nach ihrer Ankunft wurden die Russen festlich bei Hofe bewirtet. An der Tafel erschienen der Grofsherzog und die Grofsherzogin, der Prinz Leopold und verschiedene Magnaten. Es fiel auf, dafs die Gesandten so gut wie gar nichts afsen. Der Dolmetscher sagte, es sei dieses ein Zeichen der tiefen Ehrfurcht vor den fürstlichen Gastgebern. Als Tschemodanow nur etwa zwei Bissen gekostet hatte, und der Grofsherzog ihn aufforderte doch zuzulangen, stand der russische Gesandte auf, nahm die Mütze ab und afs ein wenig. Ferdinand befahl sodann, die Speisen in die von den Gesandten bewohnten Gemächer zu bringen, und dort thaten sie sich gütlich.

Man erzählte sich mancherlei von der Sorgfalt und Peinlichkeit Tschemodanows inbetreff des Zeremoniells. Er schien jeden Augenblick zu fürchten, dafs irgend ein Verstofs gegen die Etikette begangen werde, und erkundigte sich bei jeder Gelegenheit, wie der florentinische Hof die Gesandten anderer Grofsmächte zu behandeln und aufzunehmen pflege. Als eines Tages sein Genosse, Posnikow, einen Wagen kommen liefs, um eine Badeanstalt zu besuchen, schalt er ihn tüchtig dafür aus und bemerkte, man könne leicht durch unvorsichtige Handlungen die Gesandtenwürde verletzen.

Recht spafshaft war folgender Zwischenfall. Ein Gelegenheitsdichter hatte den älteren Gesandten in einem Sonett gefeiert, und dabei mit keiner Silbe des zweiten Gesandten, Posnikow, erwähnt. Der letztere war in so hohem Grade entrüstet darüber, dafs es zwischen den beiden Diplomaten zu einem argen Wortwechsel kam, welcher in ein Handgemenge auszuarten drohte. Der Marchese Corsini suchte die beiden Staatsmänner durch das Versprechen zu beruhigen, dafs jener Dichter ein zweites Sonett zu Ehren des zweiten Gesandten verfassen werde, was denn auch geschah, aber wiederum zu Mifshelligkeiten Anlafs gab, da sich herausstellte, dafs das zu Ehren Posnikows verfafste Gedicht auf schöner verziertem Papier geschrieben war als das der Persönlichkeit Tschemodanows gewidmete. Im ganzen aber, wird in einem Schreiben aus Florenz aus diesen Tagen bemerkt, betrug sich Tschemodanow vorsichtig, anständig und würdevoll, so dafs das ihm und seinen Genossen vorausgegangene Gerücht, sie seien „Halbtiere" (mezze bestie), übertrieben erschien.

In Florenz empfingen die russischen Gesandten mancherlei Besuche; es kam der venetianische Resident, um ihnen seine Freude über ihre bevorstehende Ankunft in Venedig auszudrücken; auch teilte er ihnen mit, dafs er wegen ihrer bevorstehenden Reise über einen Teil des Kirchenstaates mit der päpstlichen Regierung verhandle, damit nirgends ein Aufenthalt stattfinde, weil sonst allerlei Quarantäneregeln sehr beschwerlich fallen würden. Auch der Sohn des Grofsherzogs, Cosimo, kam zu den Gesandten, welche sehr verwundert darüber schienen, dafs er, nachdem er auf einem Sessel Platz genommen hatte, auch sie zum Sitzen einlud. Cosimo erkundigte sich nach der Seereise, welche die Russen zurückgelegt hatten, und fragte sie, ob sie aus Rufsland Zeitungen und Briefe erhalten hätten. Die Gesandten mufsten diese Frage verneinen. In Rufsland erschienen damals noch keine Zeitungen, und die Entstehung einer Briefpost in Rufsland, welche den Staat Moskau mit dem Westen in Berührung zu bringen vermochte, fällt in eine etwas spätere Zeit. Mehrere Monate waren vergangen, seit Tschemodanow und Posnikow ihre Heimat verlassen hatten, und sie hatten inzwischen gar keine Kunde von Hause erhalten. Als der Grofsherzog bei der den Gesandten bewilligten Audienz dieselben fragte, ob der Zar sich gegenwärtig in Moskau befinde, mufste er sich mit der Antwort begnügen, dafs ihr Landesherr um die Zeit ihrer Abreise aus Rufsland in den Krieg habe ziehen wollen, indessen wüfsten sie nicht, wohin er seine Schritte gelenkt habe.

Recht komisch klingt die Äufserung in dem Reisejournal, der Grofsherzog habe, als er die Gesandten empfing, seine Freude darüber geäufsert, dafs er, wie das Erscheinen der Gesandten in Florenz zeigt, der Gnade des Zaren teilhaftig geworden sei. In solchen Wendungen zeigt sich der orientalische Hochmut, welcher u. a. die Tatarenfürsten von der Überzeugung erfüllt erscheinen liefs, dafs sie besser, höher seien als alle andern Herrscher. Diese Reproduktion angeblicher Äufserungen Ferdinands entsprach offenbar dem Wunsche der Diplomaten, ihrer Regierung gegenüber den Erfolg ihrer Mission in besonders günstigem Lichte darzustellen. Nicht umsonst schrieb der Verfasser eines vortrefflichen Werkes über die politischen Verhältnisse Rufslands, ein Mann, welcher gerade in jenen Jahren eine Stellung im Ausländischen Amte zu Moskau bekleidete, Kotoschichin: „In den Gesandtschaftsberichten werden die Verhandlungen nicht ihrem Thatbestande zufolge, sondern so geschildert, wie deren Verlauf den Verstand der Gesandten in einem besonders günstigen Lichte erscheinen zu lassen geeignet wäre, um die Gunst des Zaren zu erwerben, weil die unverschämten Verfasser dieser Berichte darauf bauen, dafs der Zar auf keine Weise die Wahrheit erfahren könne."[1])

Im Verlaufe des Gesprächs mit dem Grofsherzog und dessen

---

[1]) Kotoschichin, welcher 1661 nach Schweden emigrierte, schrieb sein Buch, welches erst 1837 entdeckt und herausgegeben wurde, in Stockholm. Es erschien 1840 unter dem Titel: „Rufsland unter Alexei Michailowitsch", s. d. Kapitel IV. § 28.

Sohne, welcher, angeblich auch sehr ehrfurchtsvoll und erfüllt von Dankbarkeit, der „Gnade" des Zaren Alexei erwähnte, kam die Rede auf die russische Kriegsmacht. Tschemodanow entwarf sogleich eine ruhmredige Schilderung der ungeheuren Menge von Soldaten, welche dem Zaren zu Gebote ständen; er erwähnte der verschiedenen Truppenteile und Waffengattungen, der Strelzy, Kosaken u. s. w., ihre Pferde seien rasch, ihre Schwerter scharf und wohin sie auch kämen, niemand könne den Truppen des Zaren widerstehen. Indem die Gesandten nicht ohne Selbstgefälligkeit den Inhalt ihrer Ausführungen produzieren, fügen sie hinzu: „Und der Sohn des Grofsherzogs sagte: freilich haben ja auch wir selbst schon vernommen, dafs bis jetzt noch keines Staates Kriegsscharen vor den Truppen des Zaren haben bestehen können — überall erscheint seine Hand hoch und stark." Es ist nicht anzunehmen, dafs Cosimo sich in dieser Weise wird ausgedrückt haben. Auch entsprach die Renommage der russischen Gesandten den Erfolgen der russischen Waffen keineswegs. Von den Tataren und von den Polen sind die Russen während des 17. Jahrhunderts wiederholt geschlagen worden, und es bedurfte der Hilfe der Ausländer in der zweiten Hälfte dieses Jahrhunderts, um die russische Armee einigermafsen kriegstüchtig zu machen.

Von eigentlich geschäftlichen Verhandlungen mit der florentinischen Regierung konnte während des Aufenthaltes der Russen in der Hauptstadt Ferdinands keine Rede sein. Die russischen Diplomaten hatten für derartige Verhandlungen keinerlei Instruktionen und ohne dieselben war gar nichts auszurichten, da die Vertreter des moskowitischen Staates in jener Zeit, nur blindlings den Weisungen der ihnen mitgegebenen Instruktion folgend, keine Verantwortlichkeit selbständiger Aktion übernehmen mochten. Dem Versuche der Grofsherzogin, den Russen einige kostbare Felle abzukaufen, begegneten sie damit, dafs sie ihr und dem Sohne Ferdinands einige Felle zum Geschenk machten. Der Grofsherzog wünschte für seine Unterthanen das Recht der Handelsverbindung mit Rufsland zu erwerben und brachte diese Frage bei einem

Besuche, welchen er den Gesandten abstattete, zur Sprache. Tschemodanow und Posnikow beschränkten sich darauf zu versprechen, dafs sie dem Zaren von dem Wunsche des Grofsherzogs Mitteilung machen würden.

Die Gesandten waren mit dem ihnen bereiteten Empfange sehr wohl zufrieden und ebenso mit den Geschenken, welche der Grofsherzog ihnen hatte überreichen lassen. Es waren vier Stücke Goldbrokat von hohem Werte, ferner zwei Musketen und zwei andere Feuergewehre, welche den Gesandten um so besser gefielen, als die Jagd auf kleine Vögel im „Giardino Boboli" ihnen besonderes Vergnügen gemacht hatte, sodann einige Schachteln mit wohlriechenden Essenzen und Arzeneien aus dem Laboratorium des Grofsherzogs und einige gläserne Becher. Man hatte sich, ehe man die Wahl der Geschenke traf, nach dem Geschmack der Russen erkundigt. Die Gegengeschenke der Gesandten bestanden in Fellen. Der Grofsherzog erhielt 40 Stück Zobelfelle, die Grofsherzogin 10 Stück Zobelfelle und 1 Schwarzfuchsfell; der Marchese Corsini erhielt 4 Stück Zobelfelle und noch eine Person 2 Zobelfelle. In dem obenerwähnten Schreiben aus Florenz heifst es: „Sonst aber geben sie Niemand etwas, wahrscheinlich aus Geldmangel, indem sie behaupteten, . für die ganze Reisegesellschaft zur Bestreitung aller Reisekosten nicht mehr als 1400 Zechinen mitbekommen zu haben." [1]

Man schrieb aus Florenz, dafs die russischen Gesandten im Verkehr mit dem Residenten der venetianischen Republik sich bemüht hatten, ihn zur Auszahlung der Geldsummen zu bewegen, welche auf der Reise bis Florenz verausgabt worden waren. Ja, sie gingen soweit, von der Republik sogar Diäten für die in Florenz verlebten Tage zu verlangen, wo sie doch von dem

---

[1] Florentiner Archiv. Vgl. d. Denkmäler a. a. O. 1184, wo der Wert der 40 dem Grofsherzog geschenkten Zobelfelle mit 70 Rubeln angegeben ist. In Rücksicht auf die Geschichte des Kleinerwerdens der russischen Münzeinheit wäre diese Summe, um mit heutigem Gelde verglichen zu werden, mit 15 zu multiplizieren. Die Vorräte an barem Gelde bestanden bei der Abreise der Gesandten nur aus 500 Thalern; s. d. Denkmäler S. 1179.

Grofsherzog in allen Stücken freigehalten worden waren. Natürlich konnte diesen nicht sehr bescheidenen Forderungen nicht entsprochen werden. Auch die Behörden der florentinischen Regierung hatten viel
Mühe mit den fremden Gästen. In den Akten finden sich sehr
genaue Verzeichnisse der Namen der Reisenden, wobei es natürlich
sehr schwer hielt, die unbequem auszusprechenden russischen
Namen einigermafsen korrekt zu reproduzieren. Ebenso suchte
man sich bei dieser Gelegenheit alle Einzelheiten des zarischen
Titels einzuprägen. Die Russen legten aufserordentlich viel Gewicht darauf, dafs bei dem mündlichen oder schriftlichen Gebrauch
des Titels nicht die geringste der zahllosen Bezeichnungen vergessen werde.

Bei der Abreise der Gesandten, am 1. Januar alten Stils
(11. Januar neuen Stils), begleitete sie der Grofsherzog bis zu
den Thoren des Palastes; der Prinz Leopold gab ihnen mit nicht
weniger als 64 Wagen das Geleite; der Marchese Corsini fuhr
mit ihnen bis Trespiano.

Von Florenz nach Venedig.

Die Reise von Florenz über die Apenninen brachte den
reisenden Russen eine Fülle neuer Eindrücke. Sie, die noch nie
ein Gebirge geschaut hatten, sahen sich in Landschaften versetzt,
wo man zu Wagen nicht fortkommen konnte, sondern in von Eseln
getragenen Sänften reiste. Von der Grofsartigkeit der Gebirgs-
landschaft, von dem Reiz der freien Natur findet sich selbstverständlich in dem Reisetagebuch keine Erwähnung; dagegen werden
die prächtigen Stoffe der Polster in den Sänften und die Tressen
daran eingehend geschildert. Über Firenzuola ging der Weg
nach Bologna. Diese Stadt fiel den Russen durch ihre steinernen
Häuser und durch Schleusen auf. Auch über die Stadt Ferrara
finden sich im Journal einige Bemerkungen; die Gröfse des Ortes,
die Breite der Gräben, welche ihn umgaben, wird in Zahlen ausgedrückt. Nachdem die Reisenden demnach eine Strecke über

päpstliches Gebiet zurückgelegt hatten, langten sie auf venetianischem Gebiete an. Sie äufsern ihre Verwunderung, dafs an der Grenze keinerlei Festungsbauten zu sehen seien; es stehe dort nur „ein steinernes Zelt". Von dem Po bemerkten die Russen, es sei dieses der gröfste Flufs Italiens; an der Etsch fielen ihnen die grofsartigen Deicharbeiten, Schleusen und andere Wasserbauten auf. Die Namen der Orte, durch welche die Reise ging, sind im Journal arg verunstaltet. So heifst Chioggia — Tschose.

Auf dem Wege nach Venedig erfuhren die russischen Diplomaten zu ihrer nicht geringen Überraschung, dafs der Doge Franc. Molin, welcher 1645 bis 1655 an der Spitze des venetianischen Staatswesens gestanden und zu welchem sie der Zar gesandt hatte, schon eine geraume Zeit nicht mehr unter den Lebenden weilte, und seit dem Tode Molins drei verschiedene Personen nacheinander die Dogenwürde bekleidet hatten, nämlich Carlo Contarini, Franc. Cornaro und Bertuccio Valier, welcher letztere noch regierte, als die russische Gesandtschaft in Venedig eintraf. Es zeugt dieser Umstand davon, dafs man in Rufsland von den Begebenheiten Westeuropas sehr wenig erfuhr.

An der Grenze des venetianischen Gebiets hatte Alberto Vimina, derselbe, welcher vor kurzem in Rufsland gewesen war, im Auftrage der Regierung der Republik die russischen Gesandten empfangen. Auf der Weiterreise richteten Tschemodanow und Posnikow an den venetianischen Staatsmann verschiedene Fragen: wer in Venedig die wichtigsten Stellen bekleide, insbesondere welcher Beamte die auswärtigen Angelegenheiten leite, ob es in Venedig eine griechische Kirche gäbe, ob sich in Venedig Gesandte andrer Staaten befänden und was für welche u. s. w. Die Antwort Viminas auf die letztere Frage, dafs nämlich in Venedig ständige Residenten verschiedener Mächte weilten, mochte den Russen überraschend erscheinen, weil in Moskau in jener Zeit nur ausnahmsweise und auf kurze Zeit ausländische Gesandte sich aufzuhalten pflegten und der Begriff eines Corps diplomatique den Russen völlig fremd war. Man kam ferner auf die orientalische Frage zu reden: die Russen erkundigten sich nach den

Hilfsmitteln der Venetianer im Kampfe mit den Türken; Vimina erzählte von den Erfolgen, welche die Republik in der letzten Zeit gehabt, von der grofsen Seeschlacht, welche 1656 bei den Dardanellen stattgefunden hatte, von der Eroberung einiger türkischen Inseln u. s. w. In allen Stücken waren die Russen auf mündliche Mitteilungen angewiesen; sie waren nicht im stande, sich durch die Lektüre von Zeitungen über die neuesten Ereignisse zu unterrichten. Ebenso fragten sie auf dem Wege zwischen Chioggia und Venedig, wie alt denn die letztere Stadt sei u. s. w.

Diese Fahrt in prächtigen Barken, an dem „Littorale di Palestrina" und dem „Littorale di Malamocco" vorüber, ist in dem russischen Reisejournal recht ausführlich beschrieben. Die Russen schildern die kostbare Ausstattung der ihnen zur Verfügung gestellten Fahrzeuge, die grofse Menge der sie umgebenden Barken und Gondeln, die Begrüfsungsrufe der Bevölkerung am Ufer u. s. w. Auch in den offiziellen Tagebüchern der Republik im Archiv zu Venedig (Ceremoniali III fo. 140 ff.) findet sich die Bemerkung, dafs die Ankunft der russischen Gesandten mit besonderem Pomp stattfand, weil nicht blofs die Fahrzeuge der Regierung sich dabei beteiligt hätten, sondern unzählige Privatgondeln mitfuhren, deren Insassen die fremden Gäste neugierig anstaunten.

Schon von dem Augenblicke an, als man in Venedig von der Ankunft der russischen Gesandtschaft in Livorno erfahren hatte, war man mit der Frage von dem Zeremoniell des Empfanges der Ankömmlinge aus dem fernen Osten beschäftigt gewesen. Es leuchtete der Regierung der Republik ein, dafs bei dem Stande der orientalischen Frage nähere Beziehungen zu dem Staate Moskau Vorteile darbieten könnten. Man beschlofs in Rücksicht auf den türkischen Krieg [1]) die russischen Gesandten freizuhalten und mit Auszeichnung zu behandeln. So sollte denn, wie dieses auch bei andern Gelegenheiten wahrzunehmen ist, die orientalische Frage als Mittel der Annäherung Rufslands an die

---

[1]) In riguardo alle congiunture della guerra Turchesca.

westeuropäische Welt dienen; die Solidarität Rufslands und die
der andern Staaten im Kampfe gegen die Türken war von welt-
geschichtlicher Bedeutung.

Venedig.

Die russischen Gesandten verblieben in Venedig vom 11. Januar
bis zum 1. März alten Stils, also etwa sieben Wochen. Die Lagunenstadt mufste auf die Reisenden einen tiefen Eindruck machen.
Schon beim Einzuge bewunderten sie die Hunderte von Gondeln,
deren Konstruktion sie in ihrem Berichte schildern. „In Venedig,“
heifst es darin weiter, „steht in allen Strafsen Wasser und an
den Thüren halten Fahrzeuge.“ Die Eleganz der den Russen
eingeräumten Wohnung wird ausführlich beschrieben. Von den
Sehenswürdigkeiten der Stadt gefielen ihnen insbesondere die
Reliquien, welche sie im Dogenpalaste und in einigen Kirchen
sahen. Da gab es ein angeblich von dem Evangelisten Lucas
gemaltes Bildnis der heiligen Mutter Gottes, etwas Blut des
Heilandes, Milch und Haare der heiligen Mutter Gottes, das
Messer, mit welchem Petrus das Ohr des Malchus abgeschnitten
hatte, ein Stück vom heiligen Kreuze, ein Stück von dem Pfosten,
an welchem Christus gegeifselt worden war, die Gebeine des
heiligen Marcus, drei Rippen des heiligen Stephan, ein Stück der
Dornenkrone u. s. w. Im Dogenpalaste besichtigten sie ferner
allerlei Kronen und andere Kostbarkeiten, welche die Venetianer
in Konstantinopel erbeutet hatten.

Es fiel den Reisenden auf, dafs es in Venedig weder Stadt-
mauern noch Festungstürme gab. Die Rialtobrücke, welche mehrere
Jahrzehnte vor der Ankunft der russischen Gesandten in Venedig
gebaut worden war (1588--1591), erregte das Staunen der Reisenden, weil schon damals, wie auch jetzt eine bedeutende Anzahl
von Läden auf derselben sich befand; die Russen erkundigten
sich nach den Kosten des wunderbaren Baues und erfuhren, dafs
derselbe auf über 400000 Dukaten zu stehen gekommen war.
Auch der zahllosen andern Brücken ist erwähnt. Man zeigte den

Reisenden die prächtige Galeere „Buccentoro", in welcher der Doge von Venedig seit 1311 jährlich am Himmelfahrtstage unter grofsen Feierlichkeiten eine Strecke weit in das Adriatische Meer hinausfuhr und durch Hineinwerfen eines kostbaren Ringes sich gleichsam mit dem Meere „vermählte". Endlich ist noch der Glasfabriken in Murano (im Journal „Mojarau") erwähnt. Von dem Markusplatze, der Piazzetta, von der Riva degli Schiavoni, dem Campanile u. s. w. findet sich in dem Reisebericht kein Wort. Die Touristenfähigkeiten der Russen waren offenbar nur sehr schwach entwickelt; auch waren ihre Bewegungen durch das steife Zeremoniell, welches das Herkommen und die Instruktion ihnen vorschrieben, gehemmt. Die meiste Zeit verbrachten sie in den ihnen angewiesenen Gemächern.

Hier, in ihrer Wohnung, wurden die Gesandten auch bewirtet, wobei an der Tafel regelmäfsig auf das Wohl des Zaren und des Zarewitsch, sowie auf das Wohl des Dogen Bertuccio Valier getrunken wurde.

Gleich am folgenden Tage nach der Ankunft der Russen in Venedig erschien bei ihnen eine Deputation der in der Lagunenstadt lebenden Griechen. Es war die Zeit, da die unter türkischem Joche seufzenden Griechen auf eine Befreiung aus demselben durch Rufslands Hilfe zu hoffen begannen. Nicht selten erschienen griechische Mönche in Moskau als Bettler im grofsen Stil. Konstantinopel galt immer noch als die geistliche Metropole Rufslands. So oft auch in den folgenden Jahrzehnten russische Gesandte in Venedig erschienen, kamen sie sogleich mit den griechischen Emigranten in Berührung. Russen und Griechen hatten gemeinsame politische und geistliche Interessen.

Die Griechen, welche den russischen Diplomaten, Tschemodanow und Posnikow, einen Besuch abstatteten, drückten ihre Freude darüber aus, dafs es ihnen vergönnt sei, „eines so grofsen orientalischen Zaren" Gesandte, welche zugleich Glaubensgenossen seien, zu sehen. Auch luden sie die Russen ein, dem Gottesdienste in der griechischen Kirche beizuwohnen und die dort befindlichen Reliquien in Augenschein zu nehmen: es werde ein

feierlicher Gottesdienst zu Ehren des Zaren Alexei stattfinden
u. s. w.

Erst etwa zwei Wochen später erschienen die russischen Gesandten in der griechischen Kirche. Sie waren von einer Deputation von Griechen in prächtigen Gondeln abgeholt worden. Sowohl die Ausstattung der Kirche und die dort befindlichen Reliquien, als auch der Verlauf der gottesdienstlichen Feierlichkeit werden im Reisejournal der Moskowiter ausführlich beschrieben. Es war ein Festgottesdienst zu Ehren des Zaren Alexei, welcher in der Predigt als „der Beschützer der orientalischen Kirche", als „der Hort der Frömmigkeit", als „der Verteidiger und der Trost der Christen", als „Besieger der Ungläubigen" gefeiert wurde. Der Geistliche sprach in seiner Rede die Hoffnung aus, daſs der Zar als eine Sonne des Glaubens über dem Dunkel des Unglaubens aufgehen, d. h. alle Feinde Gottes überwinden und als zweiter Konstantin erscheinen möge, um die in schimpflicher Sklaverei lebenden und viele Qualen ausstehenden Griechen zu trösten und zu befreien; als ein zweiter Alexander von Makedonien, dessen Name und Ruhm weithin bekannt seien, werde er die Moslim, die Nachkommen Hagars, besiegen u. s. w.

Es war eine politische Demonstration, zugleich vielleicht auch ein Mittel, von den Russen ein Geldgeschenk zu erhalten. Tschemodanow und Posnikow zahlten sechs Dukaten.

An demselben Tage kamen einige griechische Geistliche und Kaufleute zu den russischen Gesandten und unterhielten sich mit ihnen über die orientalischen Angelegenheiten. Sie erzählten u. a., daſs sie in Handelsgeschäften nach Konstantinopel zu reisen pflegten und dort von den Türken gehört hätten, daſs diese den Zaren Alexei, welcher über die Polen glänzende Siege erfochten, sehr fürchteten; auch habe man in der Türkei in alten Schriften die Prophezeihung von dem bevorstehenden Siege der Russen über die Türken gefunden, so daſs jeden Augenblick der Angriff der Russen auf Konstantinopel erwartet werde. Infolge dessen aber sei die Lage der Griechen in der Türkei eine um so schlimmere geworden; sie würden schwer bedrückt und miſshandelt und ihre

10*

einzige Hoffnung sei der Zar Alexei, der sie aus den Händen der Ungläubigen befreien werde.

Diese Stimmungen und Verhältnisse lassen es begreiflich erscheinen, dafs die Griechen in Venedig die Gelegenheit benutzten, den Russen zu schmeicheln. Die Besuche der Griechen wiederholten sich. Es erschien u. a. ein griechischer Metropolit. Es gab auch mancherlei Berührung mit Abenteurern und Schwindlern. So brachte z. B. ein Grieche den russischen Gesandten das Porträt eines der vielen falschen Prätendenten, welche in Rufsland aufgetreten waren und die öffentliche Sicherheit bedrohten, und bemerkte dazu, dafs ein ähnliches Bild sich im Besitze eines griechischen Geistlichen befinde.

Eine merkwürdige Illustration zur orientalischen Frage lieferte folgende Episode: es erschienen eines Tages bei den russischen Gesandten nicht weniger als fünfzig Russen, welche aus türkischer Gefangenschaft entflohen waren und um ein Almosen baten; sie hatten, als sie nach Venedig kamen, von der bevorstehenden Ankunft der russischen Gesandten erfahren und drei Wochen lang auf dieselben gewartet.   Ihre Befreiung aus der Knechtschaft dankten sie den Siegen der Venetianer, welche in den Seeschlachten (1656) bei den Dardanellen einige mit russischen Sklaven bemannte Galeeren erobert hatten.   Diese Russen hatten auf den Werften und in den Arsenalen der venetianischen Republik Tagelöhnerarbeiten zu leisten übernommen.   Sie berichteten ebenfalls, dafs in den von Slaven und Griechen bewohnten Provinzen des türkischen Reichs der Name des Zaren Alexei einen guten Klang habe und dafs die Türken Rufsland fürchteten.

Dabei ist zu bemerken, dafs es bis dahin noch nie einen unmittelbaren Zusammenstofs zwischen Rufsland und der Türkei gegeben hatte, und dafs in der darauf folgenden Zeit bis zu den Siegen Münnichs über die Türken, während der Zeit der Regierung der Kaiserin Anna, die Russen nicht sehr glücklich mit den Türken kämpften, so dafs z. B. selbst die Eroberung Asows nur ein vorübergehender Erfolg war und selbst Peter der Grofse keine dauernden Vorteile errang.

Natürlich gab es während des Verweilens der russischen Gesandtschaft in Venedig fortwährend Verhandlungen mit der venetianischen Regierung. Aber auch andere Beziehungen wurden angeknüpft. So z. B. erschien bei den Moskowitern der Sekretär des Residenten des Fürsten von Mantua und richtete im Namen des Fürsten eine Begrüfsung aus. Ferner machte auch der französische Resident den russischen Diplomaten einen Besuch, welcher aber nicht erwidert wurde. Der letztere Umstand erregte peinliches Aufsehen, so dafs Alberto Vimina bei Tschemodanow und Posnikow erschien und ihnen den Vorwurf machte, sie hätten die Pflicht der Höflichkeit verletzt, indem sie einen Gegenbesuch unterliefsen. Die russischen Diplomaten entgegneten, sie seien nicht zu einem Besuche beim französischen Gesandten verpflichtet: es sei in Rufsland nicht Sitte, dergleichen Rücksichten zu beobachten; und so begnügten sich denn Tschemodanow und Posnikow damit, einen Dolmetscher, den Polen Toporowsky, zum französischen Diplomaten zu senden und sich nach dessen Gesundheit zu erkundigen. Man war eben russischerseits in jener Zeit sehr weit davon entfernt, die Regeln des „savoir faire" im allgemein-diplomatischen Verkehr zu beherrschen. Offenbar erklärt sich die Verletzung der Höflichkeitspflicht in diesem Falle vornehmlich dadurch, dafs die russischen Diplomaten für einen solchen Fall keinerlei Instruktion erhalten hatten.

Eines Tages kam ferner der Resident des Fürsten von Parma; ein andermal erschienen ein paar vornehme Herren aus Deutschland, deren Namen und Herkunft in dem Reisejournal in so entstellter Form wiedergegeben sind, dafs wir dieselben nicht zu enträtseln vermögen.[1]) Sie sollten geäufsert haben, sie seien mit dem Kaiser „befreundet" und dessen Räte.

Der päpstliche Nuntius hielt es nicht für angezeigt, den russischen Diplomaten einen Besuch zu machen. Er begnügte sich damit, sie durch Alberto Vimina fragen zu lassen, ob sie

---

[1]) „Ondrei Ermanussilivia Parzija" und „Iwan Ssivila Parzija" „Grafen" aus der Stadt „Toriza", welche „120 italienische Meilen" von Venedig entfernt ist. Denkmäler X. 1058.

auch nach Rom reisen würden: der Papst selbst habe befohlen, sich darnach zu erkundigen. Die Gesandten erwiderten, dafs sie keinerlei Auftrag an den Papst, also keine Veranlassung zu einer Reise nach Rom hätten.

Die Verhandlungen der russischen Gesandten mit der venetianischen Regierung waren im wesentlichen nicht erfolgreich. Ja, es gab sogar mancherlei Zwischenfälle. Die Schwerfälligkeit des Zeremoniells machte sich bei jeder Gelegenheit geltend. Sehr bald nach ihrer Ankunft teilten venetianische Beamte den Russen mit, dafs der Doge an der Podagra krank liege und sie nicht persönlich empfangen könne: die Gesandten müfsten vor dem Grofsen Rate erscheinen, wo der höchste Beamte der Republik nach dem Dogen diesen vertreten werde. Die Gesandten protestierten entschieden: sie seien zum Dogen gesandt und müfsten ihn selbst sehen und ihm das Schreiben des Zaren eigenhändig überreichen. Dagegen seien sie, wenn allem zuvor die Audienz stattgefunden habe, bereit, mit den Staatsbeamten über die Geschäfte zu verhandeln. Im Verlaufe des Gesprächs deutete Alberto Vimina an, die Macht des Dogen sei beschränkt, er thue eigentlich nichts und wisse nichts. Eine solche republikanische Regierungsform stand im argen Widerspruche mit dem monarchischen Bewufstsein der russischen Gesandten. Sie entgegneten, dafs wenn nicht der Doge regiere, wenn die Senatoren und Beamten alles thäten und von allem wüfsten, man die Staatspapiere nicht mit dem Namen des Dogen, sondern mit den Namen der regierenden Staatsmänner versehen müsse. Auch wunderten sich die Russen darüber, dafs manche Ämter nicht anders als durch Wahl und auf kurze Zeit besetzt würden. Bei dem Mangel an staatsrechtlichen Begriffen in Rufsland zu jener Zeit, bei der unumschränkt despotischen Macht der russischen Zaren, welche dem Rechtsbewufstsein ihrer Unterthanen entsprach, konnte eine Erörterung der staatsrechtlichen Verhältnisse der Republik Venedig leicht zu Mifsverständnissen Anlafs geben.

Während der Verhandlungen darüber, ob die Gesandten den Dogen selbst sehen würden oder nicht, erwähnte Alberto Vimina,

dafs auch er bei Gelegenheit seiner Gesandtschaftsreise nach Rufs-
and keine Audienz beim Zaren gehabt habe. Die Russen stellten
diesen Umstand nicht in Abrede, bemerkten aber, dafs Vimina
nur durch eigene Krankheit daran verhindert gewesen sei, dem
Zaren das Schreiben des Dogen persönlich zu überreichen, was
allerdings der Thatsache entsprach.

Indessen erreichten die Russen ihr Ziel. Allerdings mufsten
sie die Genesung des Dogen abwarten; aber sodann konnte die
Audienz stattfinden. Doch gab es noch zuvor manche Schwierigkeit zu überwinden. Alberto Vimina fragte die Gesandten nach
dem Zweck ihrer Mission, nach dem Hauptinhalt ihrer Instruktion.
Die Gesandten lehnten höchlichst entrüstet die Zumutung ab,
das Geheimnis ihrer Aufträge schon vor der Audienz auszuplaudern.
Es blieb dabei, dafs sie zunächst reinen Mund hielten, obgleich
Vimina nochmals erschien und dringend vorstellte, wie notwendig
es sei, schon vor der Audienz zu wissen, um welche Geschäfte
zwischen Moskau und Venedig es sich handeln werde. Die Russen
überhäuften den venetianischen Gesandten mit Vorwürfen: er
wisse nicht, was politischer Anstand sei, er rede Dinge, welche
dem ruhmreichen venetianischen Staate zur Schande gereichten,
er wolle sie, die Diplomaten, in Versuchung führen, aufs Glatteis
locken u. s. w. Vergeblich suchte Vimina die mifstrauischen,
sich in allen Stücken unsicher fühlenden Diplomaten zu beruhigen.
Sie verweigerten jede weitere Auskunft.

Als Vimina einige Tage später bei den Gesandten erschien
und ihnen mitteilte, der Doge sei genesen und werde sie empfangen,
suchten die Russen ihrerseits sich zu vergewissern, dafs der ihnen
zu bereitende Empfang ehrenvoll genug ausfallen werde; sie beriefen sich darauf, dafs die Gesandten des Zaren vom türkischen
Sultan und vom Schah von Persien und von andern Kaisern und
Königen mit besonderer Auszeichnung behandelt würden. Vimina,
berichteten Tschemodanow und Posnikow in ihrem offiziellen
Journal, schwur hoch und teuer vor dem Bilde der heiligen
Mutter Gottes, dafs die russischen Gesandten bei dem Empfange
solche Ehren geniefsen sollten, wie dieselben keinen andern

Diplomaten, den Vertretern anderer Staaten, zu teil zu werden pflegten.

Am 22. Januar (1. Februar) fand die Audienz statt. Mit grofser Feierlichkeit wurden die Gesandten von Alberto Vimina und dreifsig Kavalieren in prächtig geschmückten Gondeln abgeholt: die Sitze in den letzteren waren von Samt, mit Gold und Spitzen geziert. Nachdem der Zug an der Piazzetta gelandet war und die Gesandten von dem Platze aus durch die „Porta della Carta" in den Hof des Dogenpalastes zur marmornen „Scala dei Giganti" geführt worden waren, beklagten sich die Diplomaten darüber, dafs der Doge sie nicht, wie die Ehre des Zaren erfordere, am Fufse der Treppe noch besonders empfange; man entgegnete, dafs dieses nicht Brauch sei. Die Gesandten drückten nochmals ihre Unzufriedenheit aus und behaupteten, dafs den Vertretern des Zaren überall, auch beim Sultan und beim Schah von Persien, solche Ehre widerfahre. So gab es denn einigen Aufenthalt.

Zu beachten ist der Umstand, dafs dieses Zwischenfalles in den Zeremoniellprotokollen im Archiv zu Venedig nicht erwähnt ist; wir wissen davon nur aus dem offiziellen Bericht der russischen Gesandten. Dafs aber dieser letztere nicht immer buchstäblich den Thatsachen entsprach, ist aus mancherlei Einzelheiten zu ersehen. Tschemodanow und Posnikow bemerkten, dafs die venetianischen Beamten schliefslich zugaben, ein Versehen begangen zu haben, indem der Empfang der Gesandten durch den Dogen an der Treppe vergessen worden sei. Wir haben keinen Grund anzunehmen, dafs die Vertreter der venetianischen Regierung in der That eine derartige Entschuldigung vorgebracht hätten.

Im Audienzsaal befanden sich der Doge und die Mitglieder des Rats „in gewöhnlicher Kleidung", wie ausdrücklich im Zeremoniellprotokoll verzeichnet ist,[1] obgleich zuerst von manchen Seiten die Absicht geäufsert worden war, die Russen in grofser Gala zu empfangen.

---

[1] Con le loro vesti ordinari cosi essendo stato per consulta stabilito.

Tschemodanow hielt seine Rede in russischer Sprache. Dieselbe wurde ins Lateinische übersetzt. Der sehr lange Titel des Zaren erregte einiges Aufsehen. Der Doge antwortete in italienischer Sprache; seine Worte wurden zuerst ins Lateinische, sodann aus dem Lateinischen ins Russische übersetzt. Hierauf überreichte Posnikow, welcher in den italienischen Akten nur als „Secretario" bezeichnet wird, das an den Dogen gerichtete Schreiben, wobei er der Anwesenheit Alberto Viminas in Rufsland im Jahre 1655 erwähnte und von des Zaren Bereitwilligkeit sprach, den Angehörigen der Republik Venedig das Recht in Rufsland Handel zu treiben zu gestatten. Die Verlesung des Schreibens Alexeis mufste vorläufig unterbleiben, weil dasselbe, als in russischer Sprache verfafst, zuerst übersetzt werden mufste. Hierauf wurde von den Russen dem Dogen einiges Rauchwerk als Geschenk überreicht.

Tschemodanow schenkte ein Schwarzfuchsfell im Werte von 50 Rubeln, 40 Zobelfelle im Werte von 200 Rubeln und ein Hermelinfell im Werte von 20 Rubeln; Posnikows Geschenk fiel geringer aus und bestand aus 20 Zobelfellen und einem Hermelinfell. Sowohl die Russen als die Venetianer standen die ganze Zeit.

Hierauf gab es einen Zwischenfall, über welchen die italienischen und die russischen Akten in verschiedener Weise berichten.

Im Zeremoniellprotokoll der Venetianer heifst es, man habe den russischen Gesandten aufgefordert sich zu setzen und zwar zur Rechten des Dogen; Vimina habe dem Diplomaten ausdrücklich erklärt, dafs es mit den Gesandten aller grofsen Potentaten so gehalten zu werden pflege; indessen habe Tschemodanow weder sich setzen noch sich bedecken wollen, so dafs auch der Doge und alle Anwesenden genötigt gewesen wären, während der ganzen Feierlichkeit stehen zu bleiben.

Im russischen Bericht wird erzählt, Tschemodanow habe, dazu aufgefordert, zur Rechten des Dogen Platz genommen, aber sogleich durch den Dolmetscher das Verlangen gestellt, dafs auch Posnikow einen Sessel erhalte; als nun dieses verweigert worden sei, habe auch Tschemodanow sich erhoben und sei stehen verblieben.

Es war diese Episode offenbar die Folge einer gewissen Unklarheit in der Stellung, welche Posnikow einnahm. Er war ein Mittelding zwischen einem Gesandten und einem Legationssekretär. Zum Schlusse der Audienz versprach der Doge, das Schreiben Alexeis übersetzen und ein Antwortschreiben anfertigen zu lassen.

Sowohl in dem russischen als in dem italienischen Bericht wird bemerkt, dafs eine ungeheuere Menschenmenge dem Zuge der Gesandten zum Dogenpalaste und zurück bis zu der Wohnung der Gesandten zuschauten. Das Schauspiel, welches die russischen Diplomaten mit ihrem zahlreichen Gefolge, alle in bunter orientalischer Tracht, darboten, war so eigentümlich, dafs selbst vornehme Beamte, von dem zur Zeit herrschenden Maskenrechte Gebrauch machend und sich herandrängend, den Zug betrachteten. [1])

Das russische Schreiben des Zaren an den Dogen sollte nun übersetzt werden, aber die Venetianer hatten niemand, welcher dazu im stande gewesen wäre. So erschien denn Vimina bei den russischen Gesandten mit der Bitte, sie möchten durch ihren Dolmetscher, den Polen Toporowsky, das Schriftstück ins Lateinische übersetzen lassen. Zuerst entgegneten die russischen Diplomaten, der Dolmetscher sei nicht dazu da, um die Geschäfte der venetianischen Republik zu besorgen; alsbald aber, da sie einsahen, dafs leicht ein Aufenthalt entstehen konnte, und da Vimina drohte, dafs der Doge von dem Inhalt des Schreibens gar keine Notiz nehmen könne, verstanden sich Tschemodanow und Posnikow dazu, eine lateinische Übersetzung anfertigen zu lassen. So konnte denn das Schreiben zur Kenntnis der venetianischen Regierung gelangen und beantwortet werden.

Am 26. Januar (5. Februar) fand die zweite Audienz der

---

[1]) Archiv in Venedig: „A questa funzione vi fu numerosissimo concorso di tutti gli ordini della Città et anco di personaggi pubblici dei più qualificati, chi con il commodo della mascheria si portarono a sadisfare la propia curiosità."

Gesandten statt. Man hatte zwar den letzteren mitgeteilt, die Verhandlungen dürften nicht lange währen, weil der Doge keine lange Sitzung vertrage. Die Russen, welche diesesmal, wie aus den Zeremoniellprotokollen hervorgeht, beide safsen, erläuterten die Beziehungen des Staates Moskau zu Polen, klagten lebhaft über alle die Rechtsverletzungen, deren sich die Könige Wladislaw und Jan Casimir gegenüber dem russischen Staate schuldig gemacht hatten und berichteten von den grofsen Erfolgen der russischen Waffen, von der Besetzung vieler polnischer Städte durch die russischen Truppen, sowie von den Versuchen des Kaisers Ferdinand, den Frieden zwischen Rufsland und Polen wiederherzustellen. Hierauf kamen die Gesandten auf die türkischen Angelegenheiten zu reden und bemerkten, der Zar sei gegenwärtig, da er durch den polnischen Krieg in Anspruch genommen sei, nicht in der Lage, an einer Aktion gegen die Pforte teilzunehmen; sobald aber der polnische Krieg ein Ende habe, schlossen die Gesandten, werde man gern bereit sein zu einem Angriffsbündnis gegen den Feind der Christenheit. Der Doge antwortete, indem er dem Wunsche Ausdruck gab, der Zar möge rechtzeitig melden, wenn er in der Lage sei, die militärischen Operationen gegen die Türken zu beginnen.

Am 30. Januar (9. Februar) sollte die dritte Audienz stattfinden. Noch immer wufste man in Venedig nichts von dem eigentlichen Zweck der Gesandtschaftsreise der Moskowiter. Indessen hatte man schon eine Ahnung davon, dafs es sich um Subsidien für den polnischen Krieg handeln werde. Tags zuvor, ehe die dritte Audienz stattfand, erschien Alberto Vimina bei den Gesandten und suchte sie über den eigentlichen Inhalt ihrer Aufträge auszuforschen; er sagte dabei, dafs, wenn die Russen um Geld bitten würden, sie nicht viel Ehre damit einlegen könnten. Die russischen Diplomaten fragten betroffen, woher er denn wisse, dafs sie um Geld bitten wollten; Vimina erwiderte, es sei dieses seine eigene Vermutung. Im übrigen weigerten sich Tschemodanow und Posnikow abermals ganz entschieden vor der Zeit, d. h. nicht in feierlicher Audienz, weiteres über ihre Instruktion mitzuteilen.

Bei der Audienz vom 30. Januar schilderten die Gesandten Rufslands Beziehungen zu Schweden; sie klagten bitter über die Handlungsweise des Königs Karl Gustav und erläuterten eingehend, wie es zum Bruch zwischen Schweden und Polen gekommen sei. Dabei wurde denn schliefslich die Bitte um Geld vorgebracht: die venetianische Regierung solle doch so viel Thaler und Dukaten geben, als sie könne, und zwar schnellmöglichst: der Zar werde darüber quittieren.

Offenbar bot die fremde Sprache bei den Verhandlungen grofse Schwierigkeiten dar. Man sagte den Russen, man werde auf ihr Anliegen später antworten und zunächst alles von ihnen Vorgebrachte übersetzen lassen. Es erschienen nach der Audienz bei den Gesandten Alberto Vimina und ein Geheimschreiber, um alles von den Russen bei der Audienz Vorgebrachte noch einmal zu hören und sich verdolmetschen zu lassen. Die Gesandten entsprachen der Aufforderung sogleich und wollten sodann die Gelegenheit benutzen, um durch die Beamten der venetianischen Republik genaue Angaben über die Titel des Kaisers, der Könige von Frankreich, England, Dänemark, Polen und Schweden u. s. w. zu sammeln. Vimina konnte übrigens der Bitte der Russen nicht entsprechen, weil, wie er sagte, die genauen Angaben über die im internationalen Verkehr üblichen Formalien nur den Akten des Archivs der Republik entnommen werden könnten.

Ein paar Tage später kam Vimina wieder zu den Gesandten und fragte, ob sie die Subsidien erbeten hätten, damit der Zar in Stand gesetzt würde, gegen die Türken Krieg zu führen. Die Anfrage erregte die höchste Entrüstung: die Gesandten gaben ihrem Erstaunen über das Unziemliche einer solchen Anfrage Ausdruck; nicht um des Geldes willen, sondern um die rechtgläubigen Christen aus dem Türkenjoche zu befreien, werde der Zar seine Truppen in den Kampf senden. Sehr gereizt fragten Tschemodanow und Posnikow, ob Vimina von sich aus so vorwitzig frage oder dazu von der venetianischen Republik beauftragt sei. Nach einigem Zögern erklärte Vimina, er habe aus eigener Initiative seinen eigenen Gedanken Ausdruck gegeben.

In einer Audienz, am 6. (16.) Februar, wurde nun den Gesandten der Entwurf des Antwortschreibens des Dogen an den Zaren überreicht: Der Doge sagte darin, er habe mit grofser Teilnahme von dem Konflikt zwischen Rufsland einerseits und Polen und Schweden andrerseits gehört; besonders erfreulich sei die Bereitwilligkeit des Zaren, den Kampf mit den Türken aufzunehmen. Der gegenwärtige Zeitpunkt sei dazu sehr geeignet, weil die Türkei durch den Kampf mit Venedig in Anspruch genommen sei und man daher bei einer durch die Donischen Kosaken zu unternehmenden Diversion mit Zuversicht auf Erfolg rechnen könne. Inbetreff des Hauptpunktes erfolgte eine entschieden ablehnende Antwort; die Republik Venedig, schrieb der Doge, führe nun schon dreizehn Jahre hindurch Krieg gegen die Türken und da sei sie denn nicht in der Lage, der moskowitischen Regierung mit einer Anleihe oder Subvention auszuhelfen.

Es gab sodann noch ein paar Sitzungen, an denen der Doge, wegen Krankheit oder wenigstens Krankheit vorschützend, nicht teilnahm. Als die Reinschrift der Antwort angefertigt werden sollte, verlangten die russischen Gesandten von derselben, ehe sie versiegelt wurde, Einsicht zu nehmen, um sich davon zu überzeugen, dafs der Titel des Zaren ganz genau wiedergegeben worden sei. Am 20. Februar (2. März) brachte Vimina das fertige Schreiben den Gesandten mit dem Bemerken, der Doge sei krank und könne keine Abschiedsaudienz erteilen. Tschemodanow und Posnikow brausten auf: sie könnten das Schreiben nicht anders als aus den Händen des Dogen selbst entgegennehmen. Vergebens stellten die venetianischen Beamten den russischen Diplomaten vor, dafs es in Venedig durchaus Regel sei, derartige Antwortschreiben nicht in öffentlicher, feierlicher Audienz zu überreichen, sondern in der Wohnung der Gesandten abzugeben. Die Russen antworteten, dafs alle derartige Präzedenzfälle für sie gar nichts bedeuteten und dafs sie an ihre Instruktionen inbetreff solcher Etikettefragen gebunden seien. Sie wufsten wohl, dafs in Moskau jede Abweichung von den nach dem Herkommen der russischen Diplomatie zu beobachtenden

Formen mit Folter und Knute, Gefängnis und Verbannung bestraft zu werden pflegte. Kein Wunder, dafs sie eigensinnig auf ihrem Stücke bestanden, so dafs die venetianischen Beamten mit dem ausgefertigten Schriftstück heimkehren mufsten. Aufserdem hatte sich herausgestellt, dafs in dem Titel des Zaren in dem Schreiben des Dogen ein kleines Versehen sich eingeschlichen hatte, und so bestanden die Gesandten darauf, dafs das ganze Dokument noch einmal geschrieben werde. Die venetianischen Beamten waren höchlichst unzufrieden und sagten den russischen Gesandten, sie hätten den Dogen und den grofsen Rat schwer gekränkt; die ganze Stadt sei Zeuge davon gewesen, wie die Urkunde, statt von den Diplomaten entgegengenommen worden zu sein, wieder zu dem Dogen zurückgetragen wurde.

Man mufste sich fügen: der Doge gewährte den Russen eine Abschiedsaudienz. Dieselbe fand am 23. Februar (5. März) statt. Es fiel auf, dafs die Moskowiter bei dieser Gelegenheit besonders höflich und ehrfurchtsvoll ihren Dank für den freien Unterhalt ausdrückten. Sie verbeugten sich dabei sehr tief und legten ihre Mützen auf den Boden. [1] Es gab zum Schlusse einen Austausch höflicher Redensarten. Der Doge betonte nochmals, er hoffe, dafs der Zar der venetianischen Republik im Kampfe gegen die Türken beistehen werde. Beim Überreichen des Antwortschreibens soll denn noch, wie der russische Gesandtschaftsbericht hervorhebt, der Doge gesagt haben, alle Schreiben an andere Staaten würden mit silbernen Siegeln versehen, aber das Schreiben an den Zaren Alexei trage ein goldenes Siegel.

An den folgenden Tagen wurde über die Formalitäten der Abreise und das Geleite verhandelt. Vimina soll die Gesandten, wie sie in ihrem Berichte erzählen, noch zum Schlusse zu einem Abstecher nach Rom beredet haben, da der Papst sie zu empfangen wünsche u. dergl. m., worauf denn die Russen nochmals erwider-

---

[1] Archiv zu Venedig, „inchinandosi e diponendo a terra i loro barettoni". Ähnlich in dem vom Sekretär Bon unterzeichneten Protokoll der Audienz, wo alle Reden reproduziert sind, ebenfalls im Archiv zu Venedig.

ten, sie hätten keinen Auftrag, den Papst zu besuchen und ohne einen solchen sei an eine derartige Reise nicht zu denken.

Am 1. (11.) März verliefsen die Gesandten Venedig, wo sie am „Canale grande" in der „Casa Grimani" [1]) gewohnt und zu ihrem Unterhalte täglich 25 Goldstücke erhalten hatten.

Von dem Tage der Abreise der Russen aus Venedig (1. März) ist ein Schreiben datiert, welches Tschemodanow an den Grofsherzog von Toskana richtete und welches sich im Archiv zu Florenz befindet. Es ist in lateinischer Sprache verfafst, mit der eigenhändigen russischen Unterschrift Tschemodanows versehen und enthält erstens den in demütigen Ausdrücken dargebrachten Dank für die gute Aufnahme, welche der Grofsherzog den russischen Gesandten gewährt hatte und zweitens eine Empfehlung des Dolmetschers Johann Sachs, welcher in die Dienste des Grofsherzogs zu treten wünschte; dem Schreiben war ein Hermelinfell für den Grofsherzog und ein ebensolches für den Bruder desselben, Leopold, beigefügt.

Johann Sachs, welcher sich in ein paar Schreiben an den Grofsherzog aus Venedig „Tenente Giovanni Sachxy di Austria" unterzeichnet, galt in Livorno und Venedig, wie aus manchen Äufserungen hervorgeht, für einen unbedeutenden, unerfahrenen und auch der italienischen Sprache nicht vollständig mächtigen Mann. [2])

Aus Venedig schrieb Sachs an den Grofsherzog über die Verhandlungen der russischen Gesandten mit der venetianischen Regierung; hier hiefs es nun doch, dafs der Zar um Geld gebeten habe, um zu einem energischen Vorgehen gegen die Türken rüsten

---

[1]) Es gibt am „Canale grande" zwei „Pal. Grimani", Hausnummer 30 auf der linken Seite im sansovinesken Stil, und auf der rechten Seite Hausnummer 41, ein prächtiger, von Michele Sanmichele ca. 1550 erbauter Palast, wo sich jetzt das Appellationsgericht befindet.

[2]) So z. B. schreibt man aus Livorno am 1. Januar 1657 „Questo tenente, come V. A. verra, e ancora lui poco atto a questo mestiero" (eines Dolmetschers). In einem Schreiben aus Venedig heifst es von Sachs, er scheine „difficolta d' intelligenza" zu haben und doch müsse man mit ihm verhandeln u. s. w.

zu können, [1]) indessen sei die Antwort des Dogen ablehnend ausgefallen! Man könne kein Geld geben, hoffe aber, dafs der Zar mit eigenen Mitteln den Krieg gegen die Türken führen werde. Zum Schlusse erbot sich Sachs noch zu ferneren Reporterdiensten.

Alle diese Korrespondenzen enthalten den Beweis, dafs in Italien das Erscheinen der russischen Diplomaten an verschiedenen Punkten der apenninischen Halbinsel ein lebhaftes Interesse erregte. Es entstand die Hoffnung, dafs der Zar ein nützlicher Bundesgenosse im Kampfe gegen die Türken sein werde. Von einer Diversion der Russen, welche die Tataren und Türken im Osten angreifen konnten, erwartete man einen grofsen Erfolg. Man überschätzte bei dieser Gelegenheit die Kriegstüchtigkeit der Moskowiter; die sogenannten Tschigirin-Feldzüge 1677—78, die Feldzüge Golizyns in die Krim 1687 und 1689, ja selbst die Asowschen Feldzüge Peters des Grofsen 1695 und 1696 sollten zeigen, dafs Rufsland erst etwa in ferner Zukunft den Türken sehr gefährlich werden konnte; zunächst stand der Staat Moskau zu sehr aufserhalb Europas, als dafs er an militärischer Ausbildung und Erfahrung sich mit den höher zivilisierten sonstigen Gegnern der Pforte zu messen vermocht hätte.

Und gerade das Erscheinen und Auftreten der russischen Gesandten in Italien war geeignet, darzuthun, dafs Rufsland noch sehr viel zu lernen hatte. Wir haben gesehen, welches Aufsehen die Roheit und Unwissenheit der Moskowiter sogleich in Livorno gemacht hatten. Die Schreiben Antonio Serristoris und anderer Beamten enthielten eine Reihe von Anekdoten, welche die Unbildung und Fremdartigkeit im Gebahren der Russen illustrierten. Ihre Streitsucht und Kleinlichkeit, ihre Taktlosigkeit und ihre Geneigtheit zu mancherlei Exzessen hatten den Spott der feingebildeten Italiener erregt. Ihr orientalisches Kostüm hatte der Schaulust des gaffenden Pöbels zum Objekt gedient.

Für die Zeit des Aufenthaltes der Russen in Florenz und Venedig fehlt es uns an einer solchen Quelle, welche in dem

----

[1]) „Che lui potesse con le magiori forze andar invader lo stado del gran Turco per terra e anche par mare quanto più sarebe possibile."

Mafse umständlich, wie die Berichte Serristoris, die Wirkung veranschaulicht, welche die russischen Diplomaten in Florenz und Venedig übten. Indessen gibt es hier und da Andeutungen darüber, dafs die in Livorno über die Russen gefällten Urteile von den Äufserungen anderer Beobachtungen in Florenz und Venedig in allen Stücken bestätigt wurden.

So z. B. schreibt Botta in seiner „Storia d' Italia", in Venedig habe die Ankunft der moskowitischen Gesandtschaft sehr unterhaltend gewirkt, Tschemodanow habe nur russisch gesprochen und sei in der wunderlichen Tracht seiner Heimat erschienen. Man erzählte sich, der Gesandte habe gefragt, ob nicht die Wogen der Lagunen bei der Ebbe und Flut die Häuser Venedigs mit sich fortzubewegen vermöchten, als könnten so gewaltige Bauwerke schwimmen, wie Seegras; man sprach ferner davon, dafs Tschemodanow im Theater die Dekorationen betastet habe, um sich davon zu überzeugen, dafs es sich nicht um wirkliche Objekte, sondern um Bilder handle. [1]

In Venedig befand sich zur Zeit der Anwesenheit Tschemodanows und Posnikows in dieser Stadt ein Südslave, Jurij Krishanitsch, welcher etwas später nach Rufsland kam und eine Reihe hochbedeutsamer Schriften über Rufsland verfafste. Er schildert in seinen Aufzeichnungen, welche nur zum Teil herausgegeben worden sind, den überaus peinlichen Eindruck, welchen diese russischen Gesandten in Italien überhaupt und auch in Venedig hervorbrachten. Die barbarische, asiatische Kleidung, die Unkenntnis anderer Sprachen, die Unbeholfenheit des Auftretens der Russen im Auslande erschienen dem hochgebildeten Südslaven, welcher jahrelang in Rom gelebt hatte, die Welt kannte und sich durch vielseitige Kenntnisse auszeichnete, so kläglich, dafs er seiner Überzeugung Ausdruck gab, Rufsland thäte besser, gar keine Gesandten ins Ausland zu senden, als sich durch derartige diplomatische Vertreter zum Gegenstande des Spottes und der Verachtung der Welt zu machen. Krishanitsch schreibt: „In

[1] Ob Tschemodanow und Posnikow im Theater gewesen sind? Im Reisejournal ist keine Andeutung darüber zu finden.

Venedig pflegten viele Edelleute, in Masken, um nicht erkannt
zu werden, zuzuschauen, wenn die Gesandten bei der Tafel waren:
es wurde dabei herzlich über die Russen gelacht; es ist nicht
zu sagen, wie schmachvoll sich die letzteren dabei benahmen.
Dazu waren sie, weil der Wein in diesen Gegenden so wohlfeil
ist, fast immer betrunken. Oft erschienen bei den Russen Frauenzimmer von schlechtem Rufe, worüber natürlich allgemein ge-
spottet wurde; man verachtete die Russen. . . . Während des
Aufenthaltes der Russen in Florenz erschienen in den Zeitungen
die schlimmsten Schmähartikel über die Russen, man sprach da
von ihren unförmlichen Händen, von ihrer Unreinlichkeit, von
dem üblen Geruch, den sie verbreiteten, von ihren schlechten
Manieren bei Tische, von ihrer Unflätigkeit, von ihrer Armut,
von ihrer Geneigtheit zu Ausschweifungen, von ihrer Betrunkenheit u. s. w. [1])

[1]) Aus den ungedruckten Partien der Schriften Krishanitschs in
der Abhandlung Bessonows über diesen in der Zeitschrift „Pravoslav-
noje Obosrjenie", Moskau 1870. November S. 648—650. — Siehe ferner
Krishanitschs Mitteilungen in dessen von Bessonow herausgegebenen
Schriften, Bd. I., S. 148 ff.: „Den Ausländern fällt unser Äußeres auf.
Wir haben keine feinen Sitten und Manieren. . . . . Der König von
Dänemark hat gesagt: Kommen noch einmal russische Gesandte zu uns,
so werde ich sie im Schweinestall wohnen lassen, weil da, wo sie gewohnt haben, vor lauter Schmutz niemand wohnen kann. In einem
andern Lande stand von unsern Gesandten in der Zeitung: Wenn die
Gesandten in einen Laden gingen, um dort etwas zu kaufen, so kann
vor Gestank eine Stunde lang niemand in dem Laden bleiben. In einer
Stadt ließen sie in einem Gasthause zum Goldenen Ochsen einen fürchter-
lichen Schmutz zurück u. s. w." Diese Äußerungen werden auch ander-
weitig bestätigt. Als russische Gesandte in London geweilt hatten,
stellte sich bei ihrer Abreise heraus, daß die Wohnung, in welcher sie
gewohnt hatten, furchtbar verunreinigt war und daß sie die Möbel total
verdorben hatten. Siehe die Auszüge aus den Akten in Ssolowjews
Geschichte Rußlands Bd. XII. 241. Von sexuellen Exzessen russischer
Diplomaten in Persien, in Wien, in Hamburg, in Holland u. s. w. finden
sich in Ssolowjews Werk zahlreiche Angaben. Über die Betrunkenheit
russischer Gesandten in Stockholm 1608 siehe Petrejus, Historien und
Bericht von dem Großfürstentum Muschkow, S. 598, und Olearius
(Ausgabe von 1663), S. 195. Der Arzt Alexeis, Collius, (Present state
of russia 1672, cap. 23), findet die Tracht der Russen lächerlich. Vgl.

Bei alledem aber hatte das Erscheinen der russischen Gesandten in Italien eine gewisse politische Bedeutung. Unmittelbar nach ihrer Abreise von Venedig sollen, wie Krishanitsch erzählt, in den Zeitungen Gerüchte von einem viel Erfolg verheifsenden Bündnis mit dem Staate Moskau verbreitet worden sein: man erzählte, der Zar werde sogleich eine Armee von 100000 Mann gegen die Pforte absenden u. s. w.

Rückreise.

Die Reise der russischen Gesandten von Venedig bis nach Moskau währte von Anfang März bis Ende August, also nahezu ein halbes Jahr. Die Route ging zunächst über Treviso und Bassano nach Trient. An der Grenze des venetianischen und kaiserlichen Gebiets gab es einigen Aufenthalt und Streit, weil die Russen sich anfangs weigerten, den üblichen Zoll zu erlegen. Der Bischof von Trient bereitete den Russen einen festlichen Empfang: er schickte ihnen Wagen und Reitpferde entgegen; es gab einen prächtigen Einzug in die Stadt, wo eine Wohnung für die Reisenden hergerichtet war und sie fürstlich bewirtet wurden. In ihrem Reisejournal erzählen die Gesandten, man habe sie überreden wollen, eine ganze Woche in Trient zu verweilen, aber sie hätten darauf bestanden weiter zu reisen. Von Trient bis Bozen wurde die Reise auf der Etsch und Eisach in Booten fortgesetzt, sodann gab es wieder Wagen; aber weil es an Geldmitteln fehlte für die ganze Reisegesellschaft Fuhrwerke zu mieten, ging der gröfste Teil des Gefolges der Gesandten zu Fufse neben den Wagen her, wobei einer der Dolmetscher, Lazarus Zimmermann, desertierte und nicht wieder aufgefunden wurde. In Innsbruck, wo die Reisenden beim Statthalter ebenfalls eine freundliche Aufnahme fanden, erfuhren sie von einigen, den Zaren betreffenden Zeitungsnachrichten, Alexei befinde sich an der polnischen Grenze, habe mit Schweden noch nicht Frieden ge-

---

meine Abhandlung: „Ein Kleiderreformprojekt vor Peter dem Grofsen" weiter unten.

11*

macht u. s. w. Es sollten in Innsbruck zu Ehren der Gesandten allerlei Belustigungen veranstaltet werden, aber die Russen erklärten, dafs nach dem russischen Kalender die „stille Woche" anhebe und dafs sie infolge dessen an keinerlei Lustbarkeiten teilnehmen könnten, auch ohnedies ihre Reise fortsetzen müfsten. Kaum hatten die Gesandten Innsbruck verlassen, so entliefen abermals drei Personen von der Dienerschaft; einer der Entflohenen wurde wieder eingefangen. Offenbar hatte die schlechte Behandlung die Leute zur Flucht getrieben. Über Partenkirchen (im Journal „Pantikejew") und Landsberg ging es dann weiter nach Augsburg, wo der Gesandtschaftsgeistliche an einem Schlaganfall erkrankte und starb. Er wurde, da es keine griechische Kirche gab, ohne Sang und Klang bestattet. [1])

In Augsburg erzählte man den Russen, der römische Kaiser Augustus habe die Stadt gebaut; man zeigte ihnen auch ein Standbild, welches den Kaiser auf einem Greif reitend, mit einer Keule in der Hand, darstellte. Ebendort bewunderten die Reisenden die herrlichen Manufakturwaren und Metallarbeiten, Waffen und Gefäfse, welche damals beliebte Handelsartikel waren. Nach viertägiger Rast wurde die Reise fortgesetzt; die Russen kamen über Donauwörth (im Journal „Doneberg") und Nördlingen („Groffeneten"), an welch letzterem Orte man ihnen von der Schlacht (6. September 1634) erzählte, in welcher die Schweden unter Bernhard von Weimar eine Niederlage erlitten hatten. Im Reisetagebuche der Russen ereignete sich ein Mifsverständnis: sie bemerkten, hier sei der König Gustav Adolf gefallen: eine Verwechselung mit Lützen.

Weiter sind im Reisetagebuche als Stationen genannt u. a. Dinkelsbühl („Tinilschlil"), Mergentheim („Mergestar"), Miltenberg („Meldebort"), Seligenstadt („Selgostat") und Frankfurt („Frankfokr"), wo der Rat den Reisenden gegenüber die Honneurs machte

---

[1]) So berichten die Gesandten. Krishanitsch wollte wissen, der Geistliche sei nicht gestorben, sondern ebenfalls entlaufen. Er bemerkt dazu, der Mann sei sehr ausschweifend gewesen. Man erinnere sich der Bestrafung des betrunkenen Popen durch Tschemodanow in Livorno.

und vier Tage gerastet wurde, weil Fahrzeuge zur Weiterreise nach Holland gemietet werden mufsten.

Weiter reisend, lehnten die Gesandten die Einladung des Kurfürsten von Mainz ab in dieser Stadt (im Journal „Metz") zu weilen. Wie weit die geographische oder besser orthographische Konfusion im Reisetagebuche geht, ersieht man daraus, dafs von Bingen oder dem „Binger Loch", als von „Penerlechte" und „Spinerlocht", von dem Mainzer Kurfürsten, als von dem Fürsten von „Muntua" die Rede ist und bemerkt wird, dafs bei Bingen der Flufs „Begirgatt" in den Rhein falle — offenbar eine Verwechselung des Fleckens Bingerbrück mit der Nahe. In derselben Weise wird weiterverballhornt: Lahnstein heifst „Ponstep", Kaiserswerth „Kesheschwet", Bonn „Tarbon" oder „Tambon" u. dergl. m.

Bei Arnheim an der holländischen Grenze kam es zu einem unangenehmen Zwischenfall: die Reisenden wurden mit Steinen beworfen. Ihre bei der örtlichen Obrigkeit vorgebrachte Klage blieb erfolglos. Es kann sein, dafs die Russen die üblichen Zölle zu zahlen sich geweigert hatten und dadurch einen Aufenthalt und Streit veranlafsten, wie dieses u. a. auch in Mergentheim geschehen war.

Ende April trafen die Russen in Amsterdam ein. Hatten schon auf dem Wege dorthin die verschiedenen Kanalbauten und Schleusen einen grofsen Eindruck auf die Reisenden gemacht, so gab es von Amsterdam erst recht viel im Reisetagebuche zu erzählen: die Stadt habe keine Mauern, nur hier und da gebe es Türme, und am Fufse der letzteren befänden sich Läden mit allerlei Waren. Die Kanäle in Amsterdam, die Baumreihen, mit denen die Ufer derselben bepflanzt waren, die vielen steinernen Brücken, der stattliche mit zahllosen Schiffen bedeckte Hafen erregte das Staunen der Russen.

In Amsterdam wiederholte sich, was in Livorno stattgefunden hatte. Die Kaufleute, welche Handelsverbindungen mit Archangelsk pflegten, hielten es ihrem Interesse entsprechend, die Reise der russischen Diplomaten zu fördern, ihnen gegenüber die Honneurs zu machen. Ein holländischer Handelsherr, welcher auch in Rufsland geweilt hatte, kam den Reisenden, noch ehe sie Amsterdam erreicht hatten, entgegen und richtete an sie u. a. die Frage, ob sie ein Schreiben an die Generalstaaten mitgebracht hätten. Die Gesandten verneinten die Frage und bemerkten, dafs sie nur wie zufällig in den Niederlanden erschienen seien, um von dort aus zur See nach Archangelsk zu reisen, da der direkte Landweg nach Moskau durch den polnisch-russischen Krieg gesperrt sei.

Sodann wandten sich die Russen an einige holländische Handelsherren, welche bei ihnen zum Besuche erschienen, mit der Bitte, ihnen Schiffe für die Überfahrt nach Archangelsk zu mieten, weil ihnen selbst, den Russen, alle Geschäftskenntnis und Erfahrung in solchen Dingen fehle und sie gewifs dabei übervorteilt werden würden.

Die Kaufleute sorgten dafür, dafs die Gesandten eine Wohnung erhielten und festlich bewirtet wurden. Bei Tische wurden die üblichen Gesundheiten ausgebracht, wobei die Russen, wie im Journal zu lesen ist, „auf das Wohl der holländischen Staaten, der Generale und des Fürsten (sic)" tranken.

Alsbald wurde auch ein Schiff für die Überfahrt nach Archangelsk gemietet; der Preis betrug 110 Rubel. [1] Es gab noch ein feierliches Mahl, welches die Vertreter der Regierung den Gesandten zu Ehren veranstalteten. Sodann wurde ihnen ein Schreiben der Generalstaaten an den Zaren überreicht und am 4. Mai gingen die Reisenden an Bord. Erst am 20. Mai stach man in See und am 25. Juni erreichte das Schiff die Mündung der Dwina. Die Fahrt hatte nur 5 Wochen gedauert. Die Reise von Archangelsk nach Moskau nahm längere Zeit in Anspruch. Nach einer Abwesenheit von über fünfzehn Monaten waren Tschemodanow und Posnikow wieder daheim und konnten nun im Auswärtigen Amt von dem Erfolge oder, besser gesagt, Mifserfolge ihrer Gesandtschaftsreise Bericht erstatten. —

----

[1] Da ein Tschetwert Roggen damals 1/2 Rubel kostete, während jetzt derselbe mit 7—8 Rubel bezahlt zu werden pflegt, so wäre dieser Preis von 110 Rubel, um die Summe in heutigem Gelde auszudrücken, etwa mit 15 zu multiplizieren.

Die Hauptbedeutung dieser und ähnlicher russischer Gesandtschaftsreisen im Zeitalter vor der Regierung Peters des Grofsen
ist nicht auf politischem Gebiete zu suchen. Wenn man bedenkt,
dafs es für die Russen in jener Zeit gar keine sonstigen Motive
zu Reisen nach Westeuropa gab, so wird man den Reisen russischer Diplomaten eine gewisse zivilisatorische Wirkung nicht
absprechen können. Während im achtzehnten Jahrhundert die
Russen der vornehmen Kreise aus eigenem Antriebe und als
Touristen in grofser Zahl ins Ausland reisten, die Sprachen der
westeuropäischen Länder, insbesondere das Französische be-
herrschten, sich durch Sitte und Tracht, durch Lebensart und Verständnis für höheren Lebensgenufs kaum von den Vertretern der
vornehmen Gesellschaft Frankreichs, Englands, Italiens u. s. w.
unterschieden, war das Erscheinen von Moskowitern in diesen
Ländern im siebzehnten Jahrhundert eine seltene Ausnahme.
Der Eindruck, welchen solche Reisenden machten, der Abstand
ihrer Halbkultur von der Bildung der höheren Stände in Westeuropa, das Fremdartige, Orientalische in dem Gebahren dieser
Reisenden, welche gewissermafsen das Terrain sondieren, auf
welchem etwas später Tausende von reisenden, lernbegierigen und
lernfähigen Russen erschienen — alles dieses veranschaulicht die
Bedeutung der Metamorphose, welche sich an Rufsland vollzog,
illustriert den Sprung, welcher in der Verwandlung Rufslands aus
einem asiatischen in einen europäischen Staat beschlossen war.

Leute, wie Tschemodanow und Posnikow sahen im Auslande
viel Neues, Nachahmenswertes; wiederholten sich derartige Reisen
öfter und öfter, so mufste das chinesische Prinzip von der Vor-
züglichkeit, Unfehlbarkeit moskowitischer Art und Sitte erschüttert
werden. Westeuropa trat mit steigendem Erfolg als Lehrmeisterin
Rufslands auf. Der Prozefs der Annäherung zwischen Orient und
Occident hatte begonnen. In diesem Sinne erschienen politisch-
geringfügige Vorgänge, wie die russische Gesandtschaftsreise nach
Italien vom Jahre 1657, als bedeutsame historische Ereignisse,
der Beachtung, Erforschung und Darstellung wert.

VI.

Eine russische Gesandtschaft in Paris im Jahre 1681.

Aus den in der vorhergehenden Abhandlung berührten Episoden der Geschichte des diplomatischen Verkehrs Rußlands mit Italien im 17. Jahrhundert, insbesondere aus der Art des Auftretens der russischen Gesandtschaft in den Jahren 1656 und 1657, konnte man entnehmen, wie fremd der Staat Moskau den westeuropäischen Mächten in der Zeit gegenüber stand, welche der Reformepoche Peters des Grofsen vorausging. Und dies gilt insbesondere auch von Rußlands Beziehungen zu Frankreich in jener Zeit. Während des 17. Jahrhunderts bedeutete die germanische Welt für Rußland viel mehr, als die romanische. Unter den Bewohnern der deutschen Vorstadt bei Moskau, welche in manchen Stücken eine Art Hochschule für die höheren Kreise der russischen Gesellschaft und auch für den jungen Zaren Peter geworden ist, fanden sich sehr wenige Franzosen, während Holländer, Engländer, Schotten und Deutsche dort die hervorragendste Rolle spielten. Die Niederlande hatten in jener Zeit eine Art konsularischer Vertretung in der russischen Hauptstadt. Es erschienen bisweilen dort englische Gesandte, um die Interessen des englischen Handels zu fördern. Frankreich hatte unvergleichlich viel weniger Veranlassung, diplomatische Beziehung mit dem weit entfernten, aufserhalb der westeuropäischen Staatenfamilie stehenden moskowitischen Reiche anzuknüpfen. Nicht sowohl französische als zuerst polnische, dann holländische, englische und deutsche Sitten, Moden und Trachten fanden Eingang in Rußland während des 17. Jahrhunderts. Erst um die Zeit des sieben-

jährigen Krieges wird der politische Verkehr beider Staaten ein
lebhafterer. Erst während der Regierungen Elisabeths und Katharinas ist Frankreich für Rufslands Entwickelung auf dem Gebiete
der Litteratur, der Hofsitte und des vornehmen Luxus ein eigentliches Vorbild geworden. Dagegen gab es im Zeitalter Ludwigs XIV. nur sehr wenige Berührungspunkte für den Verkehr
zwischen Frankreich und Rufsland. Die Interessen der beiden
Staaten gingen inbezug auf Schweden, Polen, die Türkei vielfach auseinander; an ein Zusammenwirken auf politischem Gebiete war nicht zu denken. So gab es denn keine Annäherung.
Kalt und fremd stand der „Allerchristliche König" dem Zaren
gegenüber. Man beobachtete in Paris aus weiter Entfernung die
Vorgänge in dem halbasiatischen Reiche Moskowien, etwa wie
man heutzutage den Ereignissen in zentralafrikanischen oder zentral-
asiatischen Staaten mit einem verhältnismäfsig geringen Grade
von Teilnahme zu folgen pflegt. Mehr ethnographische, oder
allgemein theoretische Interessen veranlafsten den König Heinrich IV., des Erzählungen den vielgereisten Margeret zu lauschen,
welcher mehrere Jahre in russischen Kriegsdiensten gestanden
hatte und mancherlei von dem moskowitischen Reiche, von Boris
Godunow und Demetrius zu erzählen wufste. Dagegen wollte
der König bei seinem grofsartigen Entwurfe einer christlichen
Staatenrepublik nichts davon wissen, dafs der Zar auch in dieselbe eintrete: das Land sei zu weit entfernt, das Volk barba-
risch; ohnehin gebe es eine allzugrofse Buntheit und Mannigfaltigkeit konfessioneller Gegensätze in Europa.

Aber allmählich mufste auch Frankreich wie die andern Staaten
dem emporstrebenden moskowitischen Staate eine gewisse Beachtung
schenken. Wiederholt tauchte auch in Frankreich, wie anderswo,
der Gedanke auf, über Rufsland hinweg mit dem noch entfernteren
Osten, mit China, Persien und Indien Beziehungen anzuknüpfen.
Schon in der Zeit des Zaren Michail erschien in Moskau ein
französischer Gesandter, des Hayes Courmenin, welcher den Abschlufs eines Handelsvertrages anbot, ohne dafs dieses Ziel erreicht worden wäre. Sodann erschienen in der Zeit der Regierung

des Zaren Alexei und Feodor russische Gesandtschaften in Paris
(1654, 1668 und 1681); in der ersten Zeit der Regierung Peters
werden die diplomatischen Beziehungen lebhafter, insofern wiederholt russische Gesandte in Frankreich, französische in Moskau
auftreten, ohne indessen eine eigentliche Annäherung beider Staaten
bewirken zu können.

Von dem Aufenthalte des aufserordentlichen Gesandten Potemkin in Frankreich im Jahre 1681 hatte man bisher nur sehr
wenig Kenntnis. Von um so gröfserem Interesse ist ein Aktenstück „Réception des ambassadeurs moscovites venus en France
en 1681", welches vor einigen Jahren im 34. Bande des „Magazin
der Kaiserlichen Historischen Gesellschaft zu St. Petersburg"
(S. 1—10) erschien. Es ist hier vieler Einzelnheiten inbetreff
des bei dieser Gelegenheit beobachteten Zeremoniells erwähnt,
wobei die russischen Gesandten, Potemkin und Wolkow, eine gewisse Kleinlichkeit an den Tag legten. So z. B. weigerten sie
sich, an dem Grenzzollamt ihre Effekten visitieren zu lassen, indem sie vorgaben, dafs der König sonst erfahren werde, welche
Geschenke ihm die Moskowiter mitgebracht hätten. Bei der Audienz,
welche den Gesandten von dem Könige bewilligt wurde, vermochte
man sie nicht ohne Schwierigkeit dazu zu bewegen, die Mützen ab-
zunehmen. Dem Verlangen Potemkins, dafs Ludwig XIV. sich
bei der Nennung des Namens des Zaren Feodor vom Throne
erheben sollte, begegnete man mit der Antwort, es genüge, wenn
der König bei dieser Gelegenheit den Hut abnehme. Der Forderung der Russen, dafs für die Verhandlung französischerseits drei
Kommissäre ernannt würden, setzte man die kühle Bemerkung
entgegen, ein Kommissar werde ausreichen. Ähnliche Differenzen,
bei denen indessen die russischen Diplomaten jedesmal nachgeben
mufsten, wiederholten sich auch in andern Fällen.

Aus einem andern Aktenstücke in derselben Edition, einer
Instruktion des Ministers des Auswärtigen, Colbert Croissy, an
einen französischen diplomatischen Agenten in Moskau (S. 399—401)
ersehen wir, dafs Frankreich auf die diplomatischen Beziehungen
mit Rufsland kein Gewicht legte. Von einem mit diesem Reiche

abzuschliefsenden Handelsvertrage bemerkt der Minister: „Les humeurs et maximes des français sont tant différents de cette nation, qu'il n'y a point d'apparence que ces deux nations si contraires s'accordent longtemps et que par conséquent le dit traité de commerce s'anéantira de soi même" (401).

Potemkin machte in Paris, dem Zentrum der politischen Hegemonie in Europa, der tonangebenden Hauptstadt des damals mächtigsten Staates der Welt, eine seltsame Figur. Sein Auftreten ist ungeschickt; es entspricht den Formen orientalischer Diplomaten. Er ist ebenso anspruchsvoll inbezug auf die äufseren Formen des diplomatischen Verkehrs als ungewandt in der Beherrschung der Technik eigentlicher Hoffähigkeit.

Wir sind in der Lage, das von der historischen Gesellschaft im XXXIV. Bande des „Sbornik" mitgeteilte Dokument über das Verweilen Potemkins in Frankreich im Jahre 1681 durch anderes von uns entdecktes Material über diese Episode ergänzen zu können.

Im K. S. Staatsarchiv zu Dresden befindet sich ein Aktenstück „Relation von der Ambassade, so der Moskowische Zar Herr Theodorus Alexejewitsch im Monaten Mai, Juni, Julio und Augusto dieses 1681 Jahres, an Cron Frankreich, Spanien und Engeland abgehen lassen, mit erstens gesetzten Zarlichen Schreiben, Conferenzpunkten und Königlich Französischer Antwort".

Dieses Aktenstück und die daran geknüpften weiteren Mitteilungen über den Aufenthalt der russischen Gesandtschaft in Paris verdanken ihre Entstehung dem Umstande, dafs sich zu jener Zeit in Paris ein Sachse, Doktor der Medizin Laurentius Rinhuber, [1]) befand, welcher dem Kurfürsten von Sachsen unmittelbar nach den in Paris stattgehabten Verhandlungen über dieselben ausführlich berichtete.

Zunächst teilt Rinhuber den Wortlaut des in lateinischer Sprache verfafsten, an Ludwig XIV. gerichteten Schreibens mit, welches die russischen Diplomaten im Auftrage ihres Monarchen

---

[1]) S. d. Abhandlung über Rinhuber weiter unten.

überreichten.   Der Inhalt dieses Aktenstücks ist im wesentlichen folgender:

Der Zar Feodor weist auf die freundlichen Beziehungen hin, welche früher zwischen Rufsland und Frankreich bestanden hätten; insbesondere hätte es solche in der Zeit der Herrschaft des Zaren Alexei gegeben. Indem Feodor sodann seiner Thronbesteigung erwähnt — etwas spät: dieselbe hatte bereits vier Jahre zuvor stattgefunden — teilt er dem Könige von Frankreich seinen Entschlufs mit, inbetreff der mit andern Staaten zu pflegenden freundschaftlichen Beziehungen dem Beispiele seines Vaters folgen zu wollen. Daher habe er den Statthalter von Uglitsch, Peter Potemkin, und den „cancellarius“ (Dumnyi Djak) Stephan Wolkow[1]) als Gesandten nach Frankreich reisen lassen. Von ihren Instruktionen würden dieselben während der Verhandlungen Mitteilung machen. Datiert ist das Schreiben vom 10. Oktober 7189 d. h. 1680.

Der Titel des Zaren ist im Eingange sehr ausführlich angeführt; auch wird im sonstigen Inhalt des Schreibens des Zaren in den umständlichsten Formen erwähnt, während der König Ludwig XIV. nur mit kurzen Titulaturen bedacht wird. Dieser Umstand ist für den Gang der Verhandlungen nicht ohne Wichtigkeit geblieben.

Sodann folgt unter der Überschrift „die Ursach der Moskowischen Legation an Kron Frankreich, Spanien und Engeland ist begriffen in folgenden Conferenzpunkten, so in der Conferenze zwar diskursive proponiret, hernach aber schriftlich übergeben worden wie folgt“ das russischerseits in lateinischer Sprache verfafste Protokoll der Verhandlungen, welche Potemkin und der „cancellarius“ (d. h. Djak) Wolkow mit dem französischen Minister Colbert-Croissy pflogen. Der Inhalt ist im wesentlichen folgender.

Die Russen gedachten zunächst der russischen Gesandtschaft, welche 1668 in Frankreich gewesen war. Auch damals hatte Peter Potemkin an der Spitze der diplomatischen Mission ge-

---

[1]) In Rinhubers Abschriften der Akten und eigenen Ausführungen steht durchweg irrtümlich „Polkow“.

standen. Damals war mit dem Marschall Villeroi und dem Finanz-
minister (Thesaurius) Colbert über einen Handelsvertrag verhandelt
worden. Russen und Franzosen sollten in beiden Ländern Gegen-
seitigkeitsrechte geniefsen. Zum Abschlufs eines Handelsvertrages
kam es damals nicht. Jetzt forderte Colbert Croissy die russischen
Diplomaten auf, sich über die Bedingungen eines abzuschliefsenden
Vertrages zu äufsern. Die Russen äufserten den Wunsch, dafs
französische Kaufleute nach Archangel, „dem einzigen Hafen
Rufslands", kommen und dort zur Sommerzeit, im Juni, Juli
und August beliebige Waren gegen „Goldmünzen und Thaler"
einkaufen möchten. Dabei wird das Vollgewicht der Münzen und
das Verhältnis eines ungarischen oder holländischen Dukaten zum
Rubel genau angegeben.[1] Ähnliches wird inbetreff der Thaler
gesagt: vierzehn derselben sollen ein Pfund wiegen; ein Thaler
ist gleich einem halben Rubel. Hierauf folgen genaue Bestimmungen über die von den Franzosen bei dem Import französischer
Produkte zu zahlenden Zölle. Ein Fafs Wein — Alicante und
andere hohe Sorten — zahlt 60 Thaler, spanischer Wein 40 Thaler;
Weifswein 20 Thaler, ein Anker Franzbranntwein 6 Thaler; ein
Pud weifseren Zuckers zahlt 1 Dukaten, „roten krystallisirten"
2 Ecus; ein Pud Konfitüren 3 Ecus oder 9 Franken. Kirchen-
wein ist zollfrei. Andere Waren werden nach dem Werte besteuert, je nach Umständen mit 5 oder 4 Prozent. Französische
und englische Schiffe sollen insbesondere alle Vorräte an barem
Gelde und an Waren genau deklariren bei Strafe der Konfiskation,
„wie auch anderswo zu geschehen pflege". Verboten ist der
Import von Kornbranntwein und Tabak. An Schiffsgebühren
werden von jedem Fahrzeuge 10 Ecus entrichtet. Den Franzosen,
welche nach Rufsland kommen, wird eine gute Behandlung zu-
gesichert. — Dies Aktenstück ist „Versailles, am 10. Mai 1681"
datirt, von Peter Potemkin und Stephan Wolkow unterschrieben
und mit deren Siegel versehen.

---

[1] Aureus nummus seu ducatus hollandicus seu hungaricus ponderis
drachmae unius scu un gros, aequabit pretio Rubellum Moscoviticum,
qui continet centum kopieki.

In dieser Proposition der Russen verdient der Umstand Beachtung, dafs von einer Voraussetzung, als könnten auch die Russen nach Frankreich kommen, keine Rede ist, während in dem Hinweis auf die Verhandlungen von 1668 ausdrücklich von Gegenseitigkeit gesprochen wird.[1]) Die Russen schienen sich durchaus mit dem Passivhandel begnügen zu wollen.

Während der Verhandlungen spielte Rinhuber die Rolle eines Vermittlers und Dolmetschers. Er beherrschte das Russische. So teilt er denn über die „Responsoria Regis" folgende sehr interessante Einzelnheiten mit.

„Des Königl. Antwortbriefs Copia hatte ich zu mir genommen, ist mir aber entzogen worden, entweder in der Secretaria Colberts oder in der Gesandtenkammer, doch aber weilen ich selbe aus dem Französischen in Latein und Moskowitisch vor die Gesandten übersetzet, habe ich alle und jede contenta in frischem Gedächtnifs. Der auswendige Überschriftstitul war: au très-haut, très-excellent et très-puissant Seigneur Tzar et grand Duc Theodore, fils d'Alexis, autocrateur de toute la grande, petite et blanche Russie und so fort, ganz vollkommen wie selben die Envoyés begehret. Inwendig aber war eben dieser grofse Titul anstatt der Exordii gesetzt und dabei nostre très cher frère salut und loco vostre Maiesté Tzarée nur nostre Maiesté; vom königlichen französischen Titul war gar nichts zu finden als nous. Der moskowitische Gesandte urgierte, es möchte doch allerwegen gesetzet sein vous grand Seigneur Tzar, votre Maiesté Tzarée. Colbert antwortete, es wäre nicht Manier; auch die Eigenschaft der französischen Sprache liefse nichts andres zu, als Votre Majesté. Der Gesandte aber brachte mit vielen Instanzen doch zuwege, dafs der schon versiegelte Brief wieder umbgeschrieben und aufs neue ausgefertiget wurde. Der Gesandte replizierte weiter: Er (der Brief) wäre kleiner und nicht so grofs als der vorige. Colbert sagte: Es ist eben so ein grofs Stück Pergament als das erste, nur dafs es der Secretaire

---

[1]) Utriusque nationis, tam magni Domini Tzareae Suae Majestatis, quam Magni Domini Regiae Suae Majestatis subditi, mercatores proficiscerentur et in utroque regno mercimonium invicem exercerent u. s. w.

in kleinere Form zusammengelegt; der Gesandte: doch wird es
mir den Kopf kosten, weil nicht allenthalben gesetzt: Votre
Majesté Tzarée. In Summa: der Gesandte war malcontent; wir
antworteten: Ihr Moskowiter seid wunderliche Leute; der König
setzet in seinem Briefe den ganzen Zarlichen Titul zweimal, und
von seinem eigenen Titul setzt er gar nichts als nous; er sagt
ja nicht Roy, auch nicht notre Majesté. Ihr derohalben könnt
erkennen, wie viel Ihr Fehler begehet in Euren Schreiben an
alle Potentaten, da Ihr' den Zar. Titul und Nos magnus Dominus
Tzar, Tzarea nostra Majestas, soviel mal wiederholet. Ja, wider-
setzte er: dafs ist ein~anderes, denn unser Zar mit keinem zu
vergleichen."

So nahmen denn beide Parteien ein Recht in Anspruch
mafsgebend zu urteilen. Die französische Regierung hielt sich
für berufen, die Neulinge auf dem Gebiete westeuropäisch-völker-
rechtlicher Formen in der Handhabung diplomatischer Etikette
zu unterweisen, während Potemkin in echt orientalischer Selbst-
überhebung alle Argumentation der Franzosen mit dem Bemerken
zurückwies, dafs kein Fürst an Rangstellung sich mit dem Zaren
von Moskau vergleichen könne. Die Anmafsung der Russen beruhte auf abstrakten Theorien und erinnerte an die Art, wie
etwa im 13. Jahrhundert der Tatarenchan an den König Ludwig IX.
von Frankreich geschrieben hatte. Frankreichs Überlegenheit
war eine thatsächliche; sie beruhte auf der Hegemonie Ludwigs XIV.
in Europa. Je zweifelloser die faktische Macht Frankreichs da-
stand, desto eher konnte man auf die kleinliche Ausführlichkeit
der Titel verzichten; die Pedanterie der russischen Diplomaten
gemahnt an die Titelsucht von Emporkömmlingen, die in der
besten Gesellschaft nicht zur eigentlichen Anerkennung gelangen.
Im übrigen hatte Potemkin Grund um seiner eigenen Sicherheit
willen auf einer genauen Beobachtung der nach russischen Begriffen unerläfslichen Formen des diplomatischen Verkehrs zu bestehen, da jeder Verstofs gegen die herkömmliche Sitte in diesem
Punkte als schweres Verbrechen gegen die Autorität des Zaren
gelten und demgemäfs bestraft werden konnte. Es fehlte nicht

an Beispielen der grausamsten Mißhandlung russischer Diplomaten, wenn denselben nach der Rückkehr in die Heimat irgend ein Verstoß gegen die orientalische Etikette nachgewiesen werden konnte. Am unerbittlichsten wurde eine Schmälerung des Zarentitels geahndet.

Beachtenswert ist der Umstand, daß Rinhuber in diesem Streite über die Formalien der diplomatischen Korrespondenz auf französischer Seite stand und die Kleinlichkeit und geschäftliche Unerfahrenheit der Russen tadelte.

Die Franzosen konnten um so eher eine vornehme und überlegene Haltung beobachten, als ihnen nicht besonders viel an den Beziehungen zu dem Staate Moskau gelegen zu sein schien. Rinhuber teilt die „Formalien des Königlichen Antwortbriefs" mit, und wir ersehen aus diesem in lateinischer Sprache verfaßten Aktenstück, daß man in Versailles, statt in die Einzelheiten einer geschäftlichen Diskussion einzutreten, die Russen im Grunde mit allgemeinen Redensarten abspeiste. Man sprach von Freundschaft und Wohlwollen; man gab der Hoffnung Ausdruck, daß die Handelsbeziehungen beiden Reichen Nutzen bringen würden; man erwähnte wohl auch der Forderung, daß die Franzosen in Rußland das Recht freier Religionsübung genießen sollten. Was aber, hieß es zum Schlusse, die übrigen Vorschläge der russischen Gesandten betreffe, so müsse man erst die thatsächliche Anknüpfung kommerzieller Beziehungen abwarten, die Wünsche der französischen Kaufleute, welche etwa nach Archangel kommen dürften, vernehmen und dann Beschluß fassen. Das von König Ludwig und weiter unten von Colbert unterzeichnete Aktenstück trägt das Datum des 12. Mai 1681.

In einem ausführlichen an den Kurfürsten von Sachsen gerichteten Schreiben erzählt Rinhuber, gewissermaßen als offizieller Reporter, wie denn überhaupt die ganze diplomatische Mission der russischen Gesandten verlaufen sei. Wir teilen dieses Aktenstück „De Moscoviticorum Ablegatorum in Franciam adventu et recessu, mensibus Majo et Junio anno 1681 celebratis" vollständig mit. Rinhuber schreibt:

12*

„Demnach von der Correspondence, so Frankreich mit Moskau anitzo vielleicht stabiliren möchte, unterschiedliche Meinungen vorgefallen, und aber sothane Conjunktur Kron Schweden und den Alliirten nachteilig zu sein gemutmafst wird; als habe ich folgende aus eigener expérience erlangte Acta verfassen wollen. Überdies kann auch einer, so der Moskowiter humeur bekannt, mit vielen Argumenten belegen, dafs Kron Schweden von Moskau bei sothanem Stand der Sachen nichts Sonderliches zu fürchten habe, obgleich der König von Frankreich Sr. Zar. Majestät Dieses oder Jenes ansinnen möchte. Es bestehet aber die Ursache der Moskowischen Gesandtschaft in einigen Curialien und Complimenten, so der Grofszar Theodor Alexejewitsch bei seiner angetretenen Regierung denen Kronen Spanien, Frankreich und Engeland andeutet, und dabei gedachte Könige invitiret die vormalig gepflogenen Commercien mit Moskau zu continuieren. Die Moskowischen Abgeschickten waren Peter Iwanowitsch Potemkin und der Kanzler Stepan Wolkow. Herr Peter Potemkin, so auch anno 1668 nach Spanien, Frankreich und Engeland, und anno 1675 am Kaiserl. Hofe Envoyé war, wufste wol, dafs diese Herren Potentaten ihm schon vor diesem grofse Verehrungen gethan, hat derowegen vermittelst seines Herrn Vettern diese Charge envoyé zu sein aufs neue von Seiner Zar. Majestät erhalten. Dieser Vetter ist Knjas Wassilij Feodorowitsch Odojewskij, ein zwar junger Herr, aber wegen seiner guten conduite beim Zar vor Anderen sehr wohl angesehen. Potemkin aber, obwohl er vor diesem auch ein Mann von guter conduite, ist er doch nunmehr bei hohem Alter fast kindisch worden. (Ich) habe seine Fehler vermäntelt, so gut ich immer gekonnt, die königl. französischen Commissäre aber haben ihn auf der Reise von Calais bis Paris und Bordeaux gar hart und possierlich tractirt, wie denn die Franzosen andere zu vexieren pflegen, so ihre Manieren und Sprache nicht verstehen. Der König hat ein grofs Geld auf diese Gesandten spendieret, nämlich 100 Pistol zur täglichen Depens. Die Moskowiter zwar waren wohl zufrieden gewesen mit 100 Thalern, aber die Commissäre des Königs ihnen kein Geld gegeben, sondern die armen Moskowiter tractiret nach Plaisir. Sollte dieses der König wissen, er würde etc. Die Gesandten zogen den letzten April von Saint-Denis nach Paris bis in ihr deputirt logis aux ambassadeurs extraordinaires, mit Trompeten und Paukenschlag. Der König tractirte sie comme des ambassadeurs extraordinaires, obwohl ihr Charakter nur les envoyés. Es war ein remarquabler Einzug, welchen auch aller fremden Potentaten ministri betrachteten. In der ersten Königlichen Karossen war Peter Potemkin, Marschall d'Estrées, Mr. du Bonnevil, introducteur des ambassadeurs, Mr. Torf, gentilhomme ordinairo du Roy und ich als Königlicher Interprete. In der andern, der Königin Karosse safs Stepan Wolkow, der Kanzler, Mr. Girault, et trois gentilhommes. In der dritten fuhr Peter Potemkin sein Sohn, und andere Edelleute. Vor und nach denen Karossen waren die Pauker und Trompeter und andere Moskowiter, an die 50 Personen, zu Pferde. Zu Paris wurden sie tractiret drei Tage mit der grofsen Königlichen Tafel, hielten auch allezeit hernach offene Tafel, allwo fast alle vornehme Standespersonen zu erscheinen pflegten, ja auch des Königs Kinder und les Princes du sang und andere Fürsten und Herren. (Ich) hatte also täglich denen Franzosen genug zu erzählen von Moskowischen Sachen. Den 4. Mai war die Audienz bestimmt. Herr Peter Potemkin hielt auf seinen Respect. Marechal d'Estrées kam an im Hôtel des ambassadeurs, stieg aus der Karossen. Peter Potemkin begehrete, der Marschall möchte die Stiegen aufkommen. Der Marschall sagte, lasset den Gesandten herunter; er weifs ja, dafs ich im Namen des Königs komme, mit ordre die Gesandten bei Sr. Maj. zu führen. Der Moskowit weigerte sich lange aus seinem Gemach bis an die Treppen zu gehen; ich sagte: Ihr müsset wohl gar hinunter, führete ihn also; er blieb aber auf jeder Stufe bestohen, also brachten wir eine Viertelstunde zu; Marschall wartete unten zwar mit französischer impatience, sahe den auf der Stiegen, dieser Jenen an; auf der letzten Stufen stehend bat er, der Marschall möchte ins Haus eintraten. Marschall bat, er möchte doch bis an die

Thür kommen, welches er that, aber mit Zwang und bot dem Marschall die Hand, selbe aus der Thür reichend. Dieses war eine verdriefsliche Ceremonie, denn der Marschall gab ihm die Hand und zog ihn ein wenig fort, also dafs der Moskowit einen Tritt heraus unter den freien Himmel thun mufste, und dann gingen sie hinauf, der Marschall aber voran.[1] Der Marschall bat, er möchte sich bald fertig machen nach Versailles bei dem König zu fahren. Peter Potemkin legte andere Kleider an, liefs den Pfaffen rufen (denn so nennen sie ihn) und fing an zu singen und zu beten, nach der Moskowiter Brauch; der Marschall mufste also eine feine Weile warten; endlich fuhren wir in drei obenerwähnten Karossen fort. Als der Gesandte des Königs Haus von fern an ersahe, fing er sich an zu kreuzen und zu segnen. Die Franzosen sagten: siehe er betet das Château an. Zu Versailles fanden wir les compagnies des régiments de gardes françaises et suisses rangées en haye et sous les armes. Petrus segnete sich noch mehr, als er das château und diesen Apparat ersah, vorgebend, dafs dergleichen wohl in der Welt nicht wäre. Ils furent conduits à l'appartement où on reçoit ordinairement les ambassadeurs, et suivant la coutume de leurs pays, ils faisaient porter devant eux les lettres de créance par le secrétaire, et les présents des zibelins par des cent suisses. On les mena de cet appartement à travers des gardes du grand prevôt et des cent suisses, jusqu'à la porte de la salle des gardes du corps, où ils furent reçus par le maréchal duc de Duras; quand ils entrèrent dans la chambre du Roy, qui était sur son trône [2] accompagné de Monseigneur le dauphin, de Monsieur et

[1] In dem offiziellen französischen Bericht, welcher im 34. Band des Magazins der Historischen Gesellschaft S. I. ff. abgedruckt ist, steht kein Wort von dieser „verdriefslichen Ceremonie". Da heifst es nur: „Les ambassadeurs le reçurent au bas du degré, lui donnèrent la main, le conduisirent dans leur appartement, lui donnèrent un fauteuil" u. s. w. S. ebenso S. 6.

[2] In dem offiziellen französischen, dem Pariser Archiv entlehnten Bericht ist eines Zwischenfalles auf dem Wege zum Audienzsaal erwähnt: „les ambassadeurs, qui jusqu'alors n'avaient point marché découverts, entrant dans la chambre du lit, le dit sieur Stolph les obligea des se

de tous les Seigneurs de la cour, ils firent une petite révérence, et lorsqu' ils approchèrent, Sa Majésté se leva, osta son chapeau et un moment après se remit à sa place et se couvrit. Le sieur Pierre Potemkine, qui portait la parole, commença son discours et se ferma.[1]) Ich sagte auf Moskowitisch: wenn du reden wil (denn in dieser Sprache nennt einer den andern Du), so rede fort, oder ich werde reden müssen. Peter Potemkin sagte: Du siehest, ich nenne den Zarlichen Namen und der König bewegt sich nicht, thut auch nicht den Hut ab. Ich antwortete: der König hat ja schon seinen und zwar extraordinaire révérence gemacht im Anfang, und Er verstehts nicht, wenn Ihr den Zarlichen Namen in Eurer Sprache nennet. Indem fragte mich der König: ce que c'est que le Moscovite parle? Ich erklärte es mit wenigen Worten; der König: après.[2]) Also redete Peter weiter. Der König wartete also, sahe einen nach dem andern an. Ich interpretirte endlich in folgenden terminis: Sire, l'Envoyé dit: Par la grâce de Dieu le grand Seigneur Tzar et grand duc Theodor (folgt der Titel) souhaïte au très chrétien et invincible prince Louis Roi de France et de Navarre, son très cher et honoré frère, salut et toutes les sortes des prospérités; et Vous fait savoir qu'il est en parfaite santé, Lui et toute sa famille, et souhaite une pareille santé à Votre Majesté et toute sa famille royale. Hierauf wiedersetzte der König: Eh bien? Peter redete noch und Ich auf Französisch: Sire, l'envoyé répond, quand je suis sorti de la grande et impériale ville de Moscou le. grand Seigneur Tzar mon maistre, estait en parfaite santé,[3]) et m'a

découvrir à quoi ils firent d'abord quelque difficulté, mais enfin ôterent leurs bonnets" u. s. w.

[1]) D. h. er verstummte plötzlich.

[2]) Die Erwähnung dieses Zwischenfalles fehlt so gut wie gänzlich in dem französischen Berichte.

[3]) Somit fragte Ludwig XIV. nicht nach der Gesundheit des Zaren und Potemkin machte, als sei darnach gefragt worden. Im offiziellen Bericht: „l'ambassadeur témoigna souhaiter que le roi se levât pour demander des nouvelles du czar; le roi lui répondait que, quoiqu'il vint d'en apprendre, néanmoins s'intéressant comme il faisait à sa santé, il écouterait volontiers les nouvelles assurances qu'il lui en donnerait" u. s. w.

commandé de rendre à Votre Majesté ces lettres de sa part; je supplie aussi Votre Majesté de vouloir bien recevoir ces lettres de sa propre main. Der König erhub sich hierauf mit Hutabziehen, empfing den Zarlichen Brief mit seiner Hand und überreichte selben an Colbert de Croissy (Ich übersetzte ihn hernach in Colberts Hause bald in Latein). Peter Potemkin redete ferner; ich interpretierte: Sire, nous sommes chargés de la part du grand Tzar notre maître, de faire agréer quelques petits présents de Moscovie à Votre Majesté, et nous la prions de les recevoir non point comme des présents, mais comme des fruicts que la Russie a fait naître pour le service de Votre Majesté. Hierauf wurden die Zobelins durch 100 Schweitzer auf den Königl. Thron gelegt, und der König liefs die Gesandten benebst 12 Personen zum Handkufs. Peter Potemkin bat, die übrigen möchten auch zum Handkufs zugelassen werden, der König aber weigerte sich (Ursach dessen, weil der Königl. Thron nicht von Jedem zu betreten). Peter Potemkin aber nahm es vor eine Ungnade an · und sagte hernach zu mir: Der König thut es darum, dafs er nicht allen meinen Leuten etwas verehren will. Die andern Moskowiter sagten: Diese, so die Hand geküfst, bekommen Geschenke, die andern aber nichts. Enfin, war die letzte Rede, Sire nous rendons toutes les graces imaginables à Votre Majesté de ce qu'elle a daigné nous écouter etc. Die Königin und Madame Dauphine und andere stunden auf dem Thron zur Linken des Königs als incognito. Les envoyés furent ensuite traités magnifiquement par les officiers du Roy. Die Gesandten wollten des Königs Gesundheit nicht trinken, sagten, die Königlichen sollten erst die Zarliche Gesundheit anfangen, also ward keine von beiden. Nachmittags sollten sie zur conférence bei Colbert. Peter Potemkin sagte: nein, ich habe ordre bei keinen zu gehen als bei den König. Zur conférence will ich morgen oder übermorgen, aber in des Königs Hause und nicht in Colberts kommen; wir antworteten: Colbert wohnet allhier im Château oder Königshause; hierauf schickte er einige mit mir zu besehen, wo Colbert wohnete. Nun sind Colberts appartements im rechten Flügel, so vons Königs Wohnung abgeschnitten durch eine Barriere; diese kamen wieder zurück vorgebende, es wäre ein ander Haus, abgesondert: um dahin zu kommen, müsse man wohl 20 Schritte unterm freien Himmel gehen. Potemkin antwortete: So will ich nicht hingehen. Colbert wartete also über eine gute Stunde. Endlich ging ich zu ihm und referierte, dafs die Moskowiter den Tag der Audienz mit Niemand anders reden als mit dem Könige. Morgen wollten sie gern bei Mr. Colbert kommen und conferiren auf Königl. Befehl. Ils furent ensuite ramenés à l'hôtel des ambassadeurs à Paris. Potemkin und Wolkow waren gar malcontent, vorwendend, sie wären übel traktirt worden. Den Tag hernach kam Bonnevil mit ordre, sie sollten bei Colbert zur conférence. Potemkin antwortete: Ich will conferiren dans le conseil du Roi. Bonnevil: das kann nicht sein. Potemkin: ich begehre vor der conférence des Königs klare Augen zu sehen,[1] darauf will ich mit Colbert conferiren. Bonnevil: Der König wird nicht da sein. Bonnevil kam hernach wieder und sagte: resolviret Euch morgen bei Colbert zu conferiren. Die Gesandten antworteten: Nein, wir wollen nicht, wofern wir vor der conférence den König nicht sehen sollen. Bonnevil: Ihr werdet ihn nicht sehen, und wo Ihr nicht zur conférence wollet, so wird man Euch den Königl. Antwortsbrief morgen ins Haus senden und alsobald depeschiren. Sie sagten endlich: So wollen wir denn kommen. Den 8. Mai Bonnevil les ramena à Versailles dans les carosses de leurs Majestés. Potemkin war ganz traurig, fragte vielmal, warum der König zornig auf ihn wäre? Wir antworteten: er ist nicht zornig. Potemkin: Warum soll ich ihn denn heute nicht sehen? Wir kamen ins Schlofs und appartement, warteten über eine Stunde. Potemkin betete gar viel und segnete sich. Endlich liefs der König sie hinaufrufen. Potemkin fing da an vor Freuden zu weinen, sagende: der König weifs gar wohl, dafs wir nichts mehr begehren als Seine klaren Augen zu sehen. Liefen also geschwinde die Stiegen auf und vergafsen alles Leides, weil sie den König

---

[1] Im französischen Bericht heifst es, sie wollten den König sehen „pour le mieux considérer".

sehen sollten. Der König ging aus seinem Kabinet, sah die Gesandten freundlich an, grüfste sie, fragte, ob sie wohl zufrieden
wären. Resp. (Antwort) Sehr wohl, aber Ihro Majestät Gegenwart
und klare Augen sind uns lieber als alle grofse Tractamenten, der
König: Sie belieben bei Colbert zu gehen zur conférence car
c'est notre bon plaisir. Resp. Gar gern. Ensuite ils se rendirent chez le Colbert et ils eurent avec lui une conférence de
près de deux heures. Ich interpretierte. Die Conferenzpunkte
sind oben gesetzt. Ils furent encore traités après cette conférence, besehen hernach des Königs Palais, und alles was darinnen: die Garten-, die Wasserwerke, die Lust- und Vogelgärten.
Die Königl. fragten, wie es ihnen gefiele? Potemkin sagte: und
wenn auch Salomon wiederkommen sollte, würde er Alles nicht
besser anordnen können, als Euer König. Dieses mufste ich auch
hernach bei der Königl. Tafel referiren, und gefiel dieses, des
Moskowiten, jugement dem Könige über die Maafsen wohl. Madame
Dauphine, so mich sehr viel von Moskowischen Sachen fragte,
responsierte darauf: il a raison. Folgender Tage besahen die
Gesandten was vornehmlich in Paris remarquabel, sonderlich das
exercice des mousquetaires du Roi, denn dieses meritiret zu sehen.
Den 11. Mai war die Abschiedsaudienz. Seine Majestät übergaben das Antwortschreiben dem Potemkin in die Hand. Diese
bedankten sich vor erwiesene Königl. Gnade und Tractamente.
Die Königl. Präsente waren 1. des Königs Porträt in einer
güldenen Schatull mit schönen Diamanten versetzt. 2. Gold- und
Silberstücke zu Kleidern. 3. Tapisserieen, um innen Saaltafel
und Stühle zu bekleiden. Und diese drei Sorten bekamen Potemkin,
Wolkow und Potemkins Sohn, doch der erste köstlicher als die
andern. Die Edelleute und übrigen güldene und silberne Schaupfennige. Dreimal mehr gab der König als die Moskowiter
an Zobelin geschenkt, dafs es recht heifset nach dem Italienischen Sprichwort: Chi dona caro vende si non sia villano
quello chi prende. Endlich hat der König die Gesandten über
Bordeaux und Bayonne an die spanische Grenze führen lassen,
welcher, ob Er wohl mit denen Gesandten nicht allerdings zu-

frieden, wird Er doch einen Envoyé nach Moskau abfertigen, et tout cela pour les raison de conséquence".

So Rinhubers Bericht über die russische Gesandtschaft in Paris. Die Vermutung, dafs Ludwig XIV. bald in lebhafteren diplomatischen Verkehr mit Rufsland treten werde, erwies sich als falsch. Rinhuber mochte wünschen, dafs dieses geschehe, weil er die Hoffnung hegte, dabei eine Rolle zu spielen. Seine Vergangenheit gab ihm ein Recht zu erwarten, dafs er westeuropäischen Mächten, welche mit dem Staate Moskau zu thun haben wollten, wesentliche Dienste leisten könne.

Aus diesen Mitteilungen ist zu ersehen, dafs in Frankreich ein gewisses Interesse für Rufsland vorhanden war und dafs man sogar ernstlich an eine diplomatische Vertretung Frankreichs in Rufsland dachte. Indessen sollte es noch lange währen, ehe es zu einer dauernden und erfolgreichen Annäherung der beiden Mächte kam.

VII.

Ein Kleiderreformprojekt vor Peter dem Grofsen.

Peter der Grofse hatte während der ersten Jahre seiner Regierung sich im Grunde sehr wenig mit Politik beschäftigt, die Führung der Staatsgeschäfte andern überlassen und hierauf sich ausschliefslich den Aufgaben der auswärtigen Politik zugewandt. Es war insbesondere die orientalische Frage, welche ihn beschäftigte, seine Reise ins Ausland veranlafste. Er weilte anderthalb Jahre im Westen, nicht um dort zu lernen, wie man mit Weisheit den Staat regiere, nicht um die Gesetzgebung und die Institutionen fremder Länder zu studieren. Es galt ihm den Schiffsbau zu erlernen, eine gröfsere Flotte zu bauen und dadurch in den Stand gesetzt zu werden zu einem ernsteren Kampfe mit der Türkei. Aber auch ohne die Absicht, die Sitten und Gebräuche anderer Nationen zu beobachten, hinausreisend, war Peter doch so lange Zeit hindurch den Eindrücken ausgesetzt, den eine allseitig entwickelte Kultur, wie er dieselbe namentlich in Holland und in England zu betrachten Gelegenheit hatte, auch auf minder Empfängliche als er ausüben mufste, und diesen Eindrücken verdankt man jene Reihe von Mafsregeln, welche in dem äufseren Wesen, im Kostüm und Habitus der Russen eine gründliche Änderung bezweckte und im Volke die gröfste Aufregung hervorrief.

Im Orient gibt es keine Moden. Ungleich schwerer als der Westländer, trennt sich der Orientale von der Art seiner Tracht. Er ist auch darin, wie in allem andern, konservativ. Ebenso hatte in Rufsland die Kleidung, welche man dem Orient ent-

lehnt, sehr lange hindurch Art und Form früherer Zeit bei-
behalten. Die Kleidung war weder schön, noch zweckmäfsig,
noch hygienisch entsprechend, aber man hielt daran fest und
wollte von keiner Änderung wissen.

Und in diesem Punkte war das Volk nicht konservativer
als die frühere Regierung, die hohe Geistlichkeit, die Würdenträger. Als einst in den letzten Jahren der Regierung des Zaren
Alexei ein Bojar in polnischer Tracht auf die Jagd ritt, hatte
es sich ereignet, dafs diese Kleidung nachher auf Befehl des
Patriarchen verbrannt wurde. Es gab Fälle, in denen einzelne
Vertreter der höheren Kreise so kühn waren, deutsche Kleidung
zu tragen, aber die Regierung nahm ein solches Beginnen sehr
übel auf. Am 6. August 1675 erschien ein Ukas an alle Hofbeamten, sie sollten bei Strafe der Ungnade und der Degradation
sich nicht erdreisten, ausländische Sitten anzunehmen, die Haare
nach ausländischer Sitte zu scheren, ausländische Kleidung,
Mützen oder Hüte zu tragen oder ihrem Gesinde das Tragen
solcher Gegenstände zu gestatten. [1])

Einige Jahrzehnte zuvor hatte sich der umgekehrte Fall ereignet. Es hatten die in Moskau lebenden Ausländer zum Teil
russische Kleidung zu tragen begonnen. Aber auch dies war
verboten worden, weil es geschehen war, dafs bei einer Prozession
die Ausländer, welche, als Ketzer, des Segens der russischen Kirche
unwürdig erschienen, doch dieses Segens teilhaftig geworden waren,
da der das Volk segnende Patriarch die in russischem Kostüm
anwesenden Lutheraner oder Katholiken nicht von den Rechtgläubigen zu unterscheiden vermocht hatte. Weil nun die Ausländer nicht wie die Russen sich gegen den Patriarchen ver-
neigten, merkte der Kirchenfürst den Unterschied und erliefs einen
Befehl an alle Ausländer, die russische Kleidung sofort abzulegen,
was, wie ein Zeitgenosse berichtet, wegen Mangels an Stoffen und
Schneidern grofse Schwierigkeiten darbot. [2])

Man weifs, wie namentlich die Geistlichkeit gegen das Bart-

---

[1]) Vollst. Gesetzsammlung I. Nr. 607.
[2]) Olearius. dritte Ausg. 183.

scheren auftrat. Der Patriarch Hadrian hatte noch kurz vor
gewaltsamer Einführung des Bartscherens durch Peter den Gr. eine
gewaltige Encyklika zugunsten des Bartes erlassen, in welcher
u. a. bemerkt wird, dafs Männer ohne Bart mit dem Schnurrbart
allein nicht wie Menschen, sondern wie Kater und Hunde aussehen u. dergl. m. [1]) In seinem Testament hatte der Vorgänger
Hadrians, der Patriarch Joachim, gegen die Einführung ausländischer Sitten und Trachten den entschiedensten Protest ein-
gelegt. [2]) Aber noch mehr: selbst ein Mann wie der ausgezeichnete Politiker und Diplomat Ordyn-Naschtschokin, welcher die
Bedeutung ausländischer Sitte zu würdigen wufste, seinen Sohn
von gebildeten Polen unterrichten liefs und keinesfalls zu den nationalen Fanatikern zählte, sagte wohl gelegentlich: „Was küm-
mern uns die Sitten der Ausländer, unsere Kleidung ist nicht
nach ihrem Sinn und Geschmack, ihre Kleidung nicht nach dem
unsern.“

Als Peter mit seinen Reformen inbezug auf Bart und Kleidung auftrat, war in den höheren Kreisen der Moskauer Gesellschaft von irgend welcher Opposition keine Rede. Der Patriarch
Hadrian, welcher soeben noch gegen das Bartscheren geeifert
hatte, verstummte. Die Grofsen bequemten sich meist ohne
Murren zu allem, was der Herrscher von ihnen verlangte. Viele
mochten auch wohl die Zweckmäfsigkeit einer solchen Reform
erkennen und Peters Ansichten teilen. Die Hochzeit eines Hofbeamten im Jahre 1701 wurde auf Befehl Peters im alten russischen
Kostüm gefeiert, um, wie ein Augenzeuge berichtet, die Lächer-
lichkeit und Tollheit der früheren Mode zu zeigen. Die Bojaren
hatten übermäfsig hohe Mützen, die Frauen 12 Ellen lange Ärmel
und 5 Zoll hohe Absätze u. s. w. [3]) Bei Hofe gewöhnte man
sich rasch an die europäische Kleidung, wie die zahlreichen Bildnisse der Zeitgenossen Peters zeigen, in denen die Golowin,

---

[1]) Eine Handschrift der Akademie der Wiss. b. Ustrjalow, Peter d.
Gr. III. 193.

[2]) Ustrjalow, Peter d. Gr. II. 116.

[3]) Perry, d. jetzige Staat von Moskau, deutsche Übers. S. 383.

Apraxin, Menschikow u. a. in derselben Kleidung, in derselben Perrücke erscheinen, die wir auf den Bildnissen etwa Eugens von Savoyen, französischer Marschälle oder anderer westeuropäischer Zeitgenossen erblicken.

Ganz anders murrte man in den unteren Schichten des Volkes! Unzählige wurden gefänglich eingezogen, und strenge bestraft, weil sie sich Äufserungen des Unmuts gegen den reformierenden Zaren erlaubt hatten. Ein Bürger der Stadt Dmitrow hatte, während er die neue Kleidung anzog, gesagt: „Wer diese Kleidung eingeführt hat, sollte gehängt werden!"[1] Schon vor Peter hatten die Sektierer in ihren Schriften behauptet: „Gott habe ausdrücklich die Einführung ausländischer Kleidungen verboten, ihm sei diese Kleidung im höchsten Grade widerwärtig." Eine solche Reform galt also als eine Ketzerei, als ein Abfall von der rechtgläubigen Kirche.[2] Jetzt murrte das Volk über den Patriarchen Hadrian, der zu so schlimmen Reformen schweige, alles über sich ergehen lasse, nicht protestiere, nur, um seine Stelle zu behalten. Allgemein hielt man es für wahrscheinlich, dafs das Bartscheren und die neue Kleidung nur der Anfang zu noch schlimmerer Ketzerei sei, dafs namentlich die Beobachtung der Fasten bei Hofe und im Heere unterbleiben werde. Es wurde sogar das Gerücht verbreitet, Peter sei gar nicht zarischer Abkunft, sondern ein untergeschobenes Kind, der Sohn einer Deutschen. Als Beweis wurde die Einführung der deutschen Kleidung betrachtet: ein wirklicher Russe hätte so etwas nie unternommen. Die abgeschmacktesten Märchen wurden erzählt und geglaubt, u. a. eine Legende: der Zar Peter sei im Auslande umgebracht worden und die Ausländer hätten einen andern geschickt, der sich für den echten Zaren ausgebe, während der wirkliche Peter in eine Tonne gesteckt und ins Meer hinausgestofsen worden sei. Personen der Umgebung Peters, wie etwa Menschikow, wurden als im Bunde mit dem Teufel stehend betrachtet, weil sie Perrücken trugen; der Zar selbst ist wiederholt als ein Antichrist bezeichnet worden.

---

[1] Ssolowjew, Gesch. Rufslds., Bd. XV. S. 187.
[2] Schtschapow, der Roskol, S. 100 ff.

Bei Gelegenheit des Aufstandes in Astrachan erzählte man dem Volke, dafs die ausländischen Militärs und höheren Beamten Götzendienst trieben und ihre Götzenbilder stets mit sich führten. Die Regierung erfuhr davon und stellte Nachforschungen darüber an, wie ein solches Gerücht habe entstehen können. Man erfuhr, dafs die Perrückenstöcke, deren sich die Ausländer und russischen Beamten zur Schonung ihrer Haartracht bedienten, für Götzenbilder waren angesehen worden. [1]

Die russische Kleidung, welche wir auf den Abbildungen der Werke ausländischer Reisenden, wie Meyerbergs oder Olearius u. a. zu betrachten Gelegenheit haben, bedurfte einer Reform. Sie hatte etwas Weibisches. Nicht selten geschah es, dafs Männer die Kleider ihrer Frauen für sich ummachen liefsen. Auch waren die alten Anzüge meist recht kostspielig und luxuriös, mit einem unnötigen Aufwande von Stoffen verbunden. — Als König Wilhelm III. in England den Zaren Peter fragte, was ihm denn in London am meisten gefallen habe, soll dieser geantwortet haben: „dafs die reichsten Leute in schlichten, aber reinlichen Kleidern einhergehen". [2] Peter selbst trug gern holländische oder französische Schifferkleidung. Diese gestattete ihm die freie Bewegung, deren seine Arbeiten beim Schiffbau und dergleichen bedurften. In den langen Gewändern, mit herabhängenden Ärmeln der russischen Vornehmen konnte man freilich keine Masten erklettern, nicht mit der Zimmermannsaxt hantieren, überhaupt nicht eine intensive Thätigkeit entwickeln. Sehr hübsch bemerkt Ssolowjew, [3] dafs die Art der Kleidung der Art des Volkes entspreche. Der bequeme, indolente Asiate erscheint eigentlich fortwährend im Schlafrock. Wollte der Russe sich in einen Europäer verwandeln, arbeiten, produzieren, vorwärts streben in

---

[1] Ssolowjew a. a. O. an verschiedenen Stellen des XV. Bandes.

[2] S. Posselt, Lefort II. 478. Dafs übrigens London in dieser Hinsicht selbst dem Kontinent vorausgeeilt gewesen zu sein scheint, ist aus dem Umstande zu ersehen, dafs auch der Genfer Jakob Lefort, der Bruder des Freundes des Zaren, in London sich über die einfachen und sauberen Kleider der Londoner lobend äufserte.

[3] Ssolowjew, XV. 136.

13*

westeuropäischer Weise, so mufste er seine, die Thätigkeit behindernde, orientalische Kleidung aufgeben. Es handelte sich nicht um eine Nationalitätenfrage, sondern um die Entscheidung, zu welcher Rasse, zu welchem Weltteile Rufsland fortan gehören sollte und wollte. Die Kleiderreform war eine geschichtliche Notwendigkeit, nicht das Ergebnis der zufälligen Laune eines absoluten Herrschers. [1])

Nicht Peter allein vertrat die Idee von der Notwendigkeit einer Kleiderreform. Wir beabsichtigen in dem folgenden auf die Ansichten eines Mannes hinzuweisen, der sich einige Jahrzehnte vor der reformierenden Thätigkeit Peters in Rufsland aufhielt, dessen Ideen in vieler Beziehung mit denjenigen des genialen Zaren übereinstimmten, dessen Entwürfe aber nicht verwirklicht wurden, weil sie nur von einem in der Verbannung lebenden Schriftsteller herrührten und nicht in die mafsgebenden Kreise der Regierungsgewalt zu dringen vermochten. Diese Ansichten gewähren einen interessanten Beitrag zur Kulturgeschichte jener Zeit.

Jurij Krishanitsch, ein Serbe, geboren 1617, kam, nachdem er einen Teil seiner Jugend in Italien verbracht hatte, nach verschiedenen Reisen im Jahre 1659 nach Moskau, wo er, als katholischer Geistlicher, die Unionsbestrebungen vertreten zu haben scheint. Vielleicht infolge solcher Agitation geriet er in einen Konflikt mit den bestehenden Gewalten und wurde im Jahre 1660 nach Tobolsk in Sibirien verbannt, wo er bis zum Jahre 1676 blieb. Seine ferneren Schicksale sind nicht bekannt. Er war, wie wir aus seinen Schriften ersehen, durch vielseitige Bildung ausgezeichnet und behandelte in seinen, die durchgreifendsten Reformen bezweckenden Elaboraten Fragen der heterogensten Art, das Staatswesen, die Volkswirtschaft, die Technik, die Religion und Moral u. s. w. betreffend. [2])

---

[1]) Als die japanische Gesandtschaft im Jahre 1863 sich in St. Petersburg aufhielt, fiel sie durch ihr Nationalkostüm auf. Spätere Gesandte (1873) erschienen in europäischer Kleidung.

[2]) Die Schriften Krishanitschs erschienen von Bessonow herausgegeben in den Jahren 1859 und 1860 u. d. T. „d. Russ. Staat um die Mitte des 17. Jahrhunderts" und „Über die Vorsehung".

Wir weisen nur auf diejenigen Stellen seiner Schriften hin, in denen die Kleiderreformfrage berührt wird. Krishanitsch ist als Slave voll Wärme für Rufsland. Er hofft durch Rufslands Macht und Entwickelung auf eine Regeneration des in Europa herabgekommenen West- und Südslaventums. In gewissem Sinne, als Nichtrusse, als Katholik, als Vertreter westeuropäischer Bildung ist er Ausländer, daher gilt bei manchen Historikern sein oft scharf tadelndes Urteil über Rufsland und die Russen als parteiisch und ungerecht; in anderer Beziehung, als Panslavist, ist er mit seinen Ansichten über Rufsland, mit seinen an Rufslands Emporkommen geknüpften Hoffnungen den Ausländern, welche im siebzehnten Jahrhundert über Rufsland schrieben, entgegengesetzt.

In seiner umfassenden Schrift „Gespräche über den Staat" widmet er der Frage von den Kleidungen und dem äufseren Wesen der Menschen zwei Abschnitte.[1] Seiner in vielen Fällen üblichen Methode gemäfs geht er auch in diesen Abschnitten von ganz allgemeinen Sätzen aus, erwähnt der Zustände verschiedener Völker, die er untereinander vergleicht, zitiert verschiedene betreffende Beispiele aus der Geschichte und kommt dann auf Rufsland zu reden, wo er die bestehenden Verhältnisse einer strengen Kritik unterzieht und sodann Reformvorschläge macht. Er sagt:

„Ein schönes Aussehen ist das Zeichen eines scharfen und tüchtigen Geistes: ein grobes Aussehen zeugt von Stumpfheit. Das günstigste Zeugnis für geistige Entwickelung ist mannigfaltige Schönheit. Es gibt Völker, die schön sind, aber nicht weise: bei diesen haben alle denselben Gesichtsausdruck, dieselben Züge, und sehen wie Söhne eines Vaters aus: so die Armenier, die Grusier und die Tscherkessen.[2] Aber diese Völker sind nicht sehr gebildet und entwickelt. — Einige Völker haben be-

---

[1] I. 124—143.
[2] „Tscherkassy" heifst sonst im 17. Jahrhundert „Kleinrussen", doch pafst die eigentlich russische Bedeutung der Wörter, die unser Autor braucht, nicht immer auf seine Sprache, die ein Gemisch ist von Russisch, Serbisch, Polnisch u. dergl.

sondere Vorzüge des Körpers: die Griechen haben grofse, runde,
glänzende Augen, die Spanier weifse Haut, schwarzes Haar, langen
Schnurrbart. Ebenso haben die Franzosen, Deutschen und Italiener
ihre besonderen Vorzüge. — Andere Völker sind als häfslich
bekannt. Die Tataren haben kleine, tiefliegende Augen, die
Kalmücken haben platte Nasen, die Mohren sind kohlschwarz
und haben aufgeworfene Lippen; die Indianer haben eine dunkle
Haut, platte Gesichtszüge und sind bartlos; die Samojeden sind
klein, haben breite Gesichter, kleine Augen, kurze Beine, keinen
Bart. Die Araber sind zwar dunkelfarbig, aber nicht häfslich:
auch in geistiger Entwickelung nehmen sie eine Mittelstellung ein."

„Unser Volk," sagt Krishanitsch weiter, indem er nicht so
sehr die Russen allein, als die Slaven überhaupt meint, „ist weder
als besonders schön, noch als besonders häfslich bekannt. Wir
sind nicht so häfslich wie die Zigeuner, Tataren, Samojeden,
Äthiopier, Indianer, Sibirier, und nicht so schön, wie die Griechen,
Italiener, Spanier, Franzosen und Deutschen. Die Nachkommen
Japhets übertreffen uns an Schönheit, wir dagegen übertreffen
die Nachkommen Chams. Wir sind stark von Körper, haben
hellblaue Augen, niemand der Unseren hat sehr starkes oder
ganz schwarzes oder ganz rotes Haar, sondern aschfarbenes.
Daher sind grofse Bärte, eben ihrer Seltenheit wegen, sehr geschätzt. Die Spanier und Italiener schätzen die Bärte nicht
hoch, sondern rasieren dieselben: jeder Bauer bei diesen Völkern
könnte leicht einen schönen Bart haben, wenn er denselben pflegen
wollte. Die Deutschen haben die verschiedensten Bärte: dichte
und dünne, lange und kurze, schwarze und rote: sie pflegen sie
nach Gefallen, stutzen sie oder nicht, rasieren sich oder nicht.
So müfsten es auch unsere Leute machen, namentlich die
Soldaten."

So liberal dachten die echten Russen inbetreff des Bartes
nicht, wie wir bereits bemerkten. Gerade inbezug auf Haare
und Bart war man sehr konservativ in Rufsland. Das Vorurteil
herrschte. Über Haar und Bart macht Krishanitsch an einer

andern Stelle, und zwar in dem Abschnitt über das Heerwesen, folgende treffende Bemerkungen.[1])

„Eine sehr wichtige Ursache der Feigheit bei den Truppen ist die häfsliche und unanständige Haar- und Barttracht und die schlechte Kleidung. Eine gute Kleidung flöfst dem Kämpfenden selbst Mut ein und imponiert dem Gegner. Selbst ein Pferd, wenn es hübsch aufgeschirrt ist, bäumt sich und springt vor Freude, ebenso ist ein schön geschmückter Krieger mit geordnetem Bart und Haar mutiger und hat ein höheres Selbstgefühl. Die russische Kleidung aber ist nicht schön und gestattet keine Würde und keine Freiheit und keine ungehinderte rasche Bewegung, sondern macht den Eindruck der Sklaverei, der Gedrücktheit und der Mutlosigkeit. Unsere Krieger stecken in so knappen und engen Röcken, als seien sie darin festgenäht: ihre Köpfe sind kahl; ihre ungepflegten Bärte geben ihnen eher das Ansehen von Waldmenschen als von tapferen Kriegern."

„Ein Baum im Winter und der Blätter beraubt erscheint elend, häfslich, jämmerlich, verächtlich, während er im Sommer stattlich, schön, üppig aussieht. Ebenso erscheint ein Mann mit nicht allzu langem oder weibischem, aber reichlichem und anständig geordnetem Haarwuchs und in einem Kleide von angemessenem Schnitte zu Pferde sehr stattlich, und kann sich, wenn er zu Fufse ist, viel besser bewegen: er ist nicht blofs schöner, sondern er kann auch eher dem Frost und Regen und Unwetter und der Sonnenglut trotzen und ist infolge dessen tapferer und dem Feinde gegenüber schrecklicher. Die Italiener und Spanier leben in viel heifseren Gegenden als wir und es fällt ihnen nicht ein, ihr Haupthaar zu scheren, weil sie auf Schönheit und Stattlichkeit viel halten. Wir aber leben in kalten Gegenden, sind von Natur nicht schön und hätten es um so nötiger das Haupthaar zu erhalten, um die Häfslichkeit unserer Gesichter zu mildern, um die Ohren vor dem Erfrieren zu schützen, um die Tapferkeit unserer Krieger zu erhöhen. Aber wir ziehen es vor, den Bar-

---

[1]) S. 94.

baren nachzuahmen, den Türken und Tataren, statt dem Beispiel
der Europäer zu folgen. Und zwar nicht in allen Stücken folgen
wir dem Beispiel der Barbaren, sondern machen es noch schlimmer
wie sie. Sie bedecken ihre kahlen, häfslichen Häupter mit kleinen
und grofsen Turbanen, die sie nie abnehmen; wir aber lassen
unsere kahlen Häupter unbedeckt gleich Kürbissen erscheinen.
Ein geschorener Kopf ist ein Zeichen der Sklaverei; den Kriegs-
gefangenen und Galeerensklaven wird das Haupthaar geschoren.
Der Schopf am Hinterhaupte bei den Tataren und der Schopf
am Vorderhaupte der Polen ist um nichts besser als völlige Kahl-
heit. Auch wenn die Russen das Haar ungeordnet wachsen
lassen, dafs es die Stirn bedeckt, gewährt dies einen widerwärtigen
Anblick und macht den Eindruck, als sehe man einen Waldmenschen. Die verwilderten Bärte lassen die Soldaten älter
erscheinen, als sie wirklich sind und daher ist der Schrecken, den
sie dem Feinde einflöfsen, geringer."

Krishanitsch war nicht der einzige Ausländer, auf den die
Sitte des Haupthaarscherens einen unangenehmen Eindruck machte.
Auch Olearius hatte eine ganz ähnliche Bemerkung gemacht,
indem er in seiner Reisebeschreibung (S. 179) berichtet: „Das
Haar auf dem Kopfe tragen nur ihre Popen lang und über den
Schultern herunter hängend, die andern aber alle kurz abge-
schnitten. Die grofsen Herren lassen es gar mit dem Scher-
messer abnehmen, halten es für einen Zierrat.

„So fern aber einer sich an Se. Majestät versündiget hat,
oder weifs, dafs er in Ungnaden ist, lässet er das Haar lang und
wild wachsen, so lange solche Ungnade währet u. s. w."

Krishanitsch läfst nun eine ganze Reihe von Völkern inbetreff der Haar- und Barttracht Revue passieren. Er lobt
die Art der Moldauer sich das Stirnhaar zu rasieren, mit dem
Hinterhaupthaar den ganzen Kopf und die Hälfte der Ohren zu
bedecken, ebenso scheint ihm die Coiffure der Venezianer recht
angemessen zu sein, welche das Hinterhaupthaar mit der Schere
stutzen und ringsherum einen Kranz von längerem Haar stehen

lassen. Auch lobt er die Spanier, welche das Hinterhaupthaar kurz scheren. Das Haar zu lang wachsen zu lassen oder gar an der Seite einen Zopf zu flechten, wie die Deutschen bisweilen thun, scheint ihm nicht nachahmungswert. Man müsse, meint er, in allen Dingen Mafs halten.

Von der Barttracht sagt er folgendes: „Die Böhmen und Ungarn tragen einen rund zugeschnittenen, mit Schere und Rasiermesser behandelten Bart. Bei einigen Völkern pflegen die jüngeren Leute, denen kein üppiger Bart wachsen will, den Bart mit der Schere zu beschneiden; sie tragen dann Stoppeln und Schnurrbart. Die Deutschen thun sehr gut, wenn bei ihnen jeder den Bart trägt, wie er will und wie es ihm gut steht. Die fein zugespitzten Ziegenbärte, die man hier und da in Europa sieht, können wir nicht loben. Die Türken scheren sich den Bart, so lange sie unverheiratet sind und halten es für unzulässig, als Ehemänner den Bart zu stutzen oder zu scheren. Soldaten sind nicht verpflichtet, diesem Gebrauche zu folgen, sondern beschneiden den Bart mit einer Schere, mit nicht einem Rasiermesser, wo das Kinn so glatt wird wie bei Frauenzimmern."

Sehr liberal und im Sinne Peters sagt Krishanitsch: „Wenn Jemand fragt, ob es denn nicht für die Christen unziemlich erscheine, Musik zu machen, den Bart zu scheren oder langes Haar zu tragen, so mufs man darauf antworten, dafs solches alles den Juden verboten gewesen sein mag, während es den Christen gestattet ist." — Aber im ganzen ist er doch, nicht aus religiösen, sondern aus Schönheitsgründen für ein Stehenlassen des Bartes, indem er bemerkt: „Allerdings waren die Römer tapfer und hatten trotzdem die Sitte, sich Haar und Schnurrbart glatt abzurasieren, aber die Römer hatten so schöne Helme mit allerlei Tiergestalten darauf, mit Schlangen, Wölfen und Bären und ihre Kleider hatten einen solchen Schnitt, dafs sie den Feinden imponierten. Uns ist es ratsamer Haar und Bart zu pflegen, als für die Kleidung viel Geld auszugeben."

„Eine gute Kleidung aber ist eine solche, welche gegen Regen, Frost, Nässe und Sonne schützt und den Menschen an

seinen Bewegungen nicht behindert, welche lange bält und nicht
teuer zu stehen kommt." [1])

„Die Spanier haben ein Volksspiel: man ringt und wetteifert
da um allerlei Preise. Unter den letzteren ist ein solcher, der
demjenigen zuteil wird, welcher am schönsten und zugleich am
wohlfeilsten gekleidet ist. Es kommt also dabei nicht auf Geld,
sondern auf Geist und Geschmack an." [2])

Krishanitsch findet nun, zu seinem grofsen Leidwesen, dafs
alle diese Bedingungen einer guten Kleidung bei den Russen und
sonstigen Slaven sich nicht finden. Er erinnert daran, dafs
Kaiser Konstantin der Purpurgeborene die Serben als Sklaven
bezeichnet hatte, weil sie schlechte Fufsbekleidung trugen: unge-
gerbtes Leder mit Stricken an die Füfse gebunden. Ähnlich
verächtlich findet Krishanitsch die Bastschuhe der Russen und
ist entrüstet darüber, dafs die Russen ihr Leder den Ausländern
verkaufen und selbst barfufs gehen. Die Beinkleider seien viel
zu lang und zu eng und reifsen leicht an den Knieen. Ebenso
seien die Röcke lang wie Säcke und dabei viel zu knapp, was
den Männern ein ganz weibisches Aussehen gebe. In den Kleidern
fehle es, weil sie so knapp seien, an Taschen, so dafs die Russen
ihre Messer, Briefschaften u. dgl. in den Stiefelschäften, ihre
Schnupftücher in den Mützen und ihr Geld im Munde verwahren
müfsten, welch' letztere Sitte Krishanitsch unsäglich widerlich
findet.[3]) Sehr lächerlich findet er die Sitte in Rufsland, Mützen
und Pelze mit Fell zu füttern, so dafs die teueren Zobel u. dgl.,
die doch zum Schmucke vorhanden seien, nicht einmal sichtbar
würden. Ebenso tadelt er die Sitte, die Hemden mit Goldstickerei
und Perlen zu benähen, da man sie unter dem Rocke nicht sehe.
Er meint, die Russen trügen nur darum so grelle bunte Farben,

[1]) S. 97.
[2]) S. 130.
[3]) Olearius 220: „die Russen seynd gewöhnt, dafs, wenn sie in Besichtigung oder Abmessung der Wahren begriffen, sie die Copecken offt
bei 50 Stück in's Mund nehmen, reden und handeln immerfort, dafs
man's jhnen nicht anmerken kann, machen, also zu reden, ihr Mund zur
Taschen".

weil sonst ihre Kleidungsstücke von so häfslichem Schnitte seien, dafs ihr Anblick nur noch etwa durch die Buntheit erträglich würde. Ganz anders, bemerkt er, machten es die Deutschen, welche meist graues Tuch trügen. Aber auch die Deutschen, fügt er hinzu, vertauschen in Rufsland, sobald sie russische Kleidung anlegen, die dunkeln Stoffe mit bunten, weil man in russischer Kleidung und grauem Stoffe durchaus wie ein Bauer gekleidet erscheine.

„Anderswo," fährt er fort, „tragen nur die Frauen Perlen; in Rufsland dagegen prunken beide Geschlechter mit solchem Tand." Von der Frauenkleidung sagt er: „Die Ärmel an den Kleidern sind von sehr kostbarem Stoffe, sehr eng und sehr lang, was sehr dumm ist. Die Hände sind nicht frei und die Ärmel reifsen leicht, weil sie zu knapp sind. Auch hängt man sich wohl vorn am Leibe allerlei silberne Troddeln an, was einem Pferde eher wohl anstehen würde, als einem Frauenzimmer. Die Kopfbekleidungen mit vier Hörnern sind entsetzlich widerwärtig. Einige tragen den Gürtel unterhalb des Bauches, andere gar keinen. Beides ist ganz unschicklich."

Sehr hübsch erörtert Krishanitsch die psychische Bedeutung einer weiten, bequemen Kleidung:

„Die Geistlichen, sowohl im Orient als im Occident, tragen weite Gewänder, offenbar, weil diese dem Menschen eine gewisse Stattlichkeit und Würde verleihen. Eine zu knappe Kleidung läfst den Menschen als unbedeutend und unansehnlich erscheinen, deckt die Blöfse nicht genügend und läfst manche Körpermängel, allzu grofse Magerkeit oder übermäfsige Dicke oder schlecht geformte Glieder hervortreten. Kommt ein Mensch in knapper Kleidung in die Gesellschaft solcher, welche bequeme, weite Gewänder anhaben, so wird er Furcht und Verlegenheit empfinden, als habe er etwas gestohlen, weil er fühlt, dafs seine Blöfse nicht hinreichend gedeckt ist, und dafs er gleichsam nackt unter Bekleideten erscheint. So mag es dem Ungarn zu Mute sein, wenn er unter Deutschen auftritt. Kommt aber ein Italiener, ein Deutscher, ein Spanier in eine Gesellschaft von Ungarn oder Slaven,

so tritt er sicher und würdig auf, wie ein Löwe und bewegt sich
leicht und frei und stolz. Dabei kosten noch die weiten Kleider
der letzteren weniger als die knappen der Ungarn: man braucht
zu den ersteren weder kostbare Farben noch allerlei Zieraten.
Die russischen Ärmel sind so eng, pressen die Arme so ein, dafs
man darin nur mit der gröfsten Anstrengung das Gesicht waschen
kann; man kann in den knappen Beinkleidern schlecht reiten,
nicht bequem gehen, auch nicht sich frei hinsetzen; auf dem
Pferde erscheint man wie ein an den Sattel gebundenes und daran
starrendes Stück Holz. — Solche Kleider sind auch nicht dauer-
haft. Sehr oft sieht man bei den Russen, Kroaten und Ungarn
einen neuen Rock mit zerrissenen Ärmeln, die eben infolge der
Knappheit an den Ellenbogen platzen. Bei den Italienern halten
die Ärmel so lange vor, wie der ganze Rock. Aufserdem herrscht
da die gute Sitte, die Ärmel, aus anderm Stoffe als der Rock
gemacht, anzunähen. Auch eine Teilung der Beinkleider in Ober-
beinkleid und Kamaschen ist sehr zweckmäfsig: man kann drei
Paar der letzteren vertragen, ehe man ein neues Beinkleid braucht."
    In Rufsland herrschte um jene Zeit ein gewaltiger Kleider-
luxus. Petrejus [1]) erwähnt u. a. der Hemden mit Kragen von
Atlas, Samt und mit Perlenstickerei versehen, Olearius [2]) berichtet von kostbaren Röcken von „Tammasch, Atlas und Gülden-
stücken", von goldenen mit Perlen gestickten Litzen und Quasten,
von „Posamenten und Schnüren und Borten" u. s. w. Bei
manchen Kleidungsstücken bestand der Ehrgeiz, darin möglichst
viel Stoff zu verbrauchen. Die sehr reiche Garderobe der Zaren
kann man sehr genau aus dem im Jahre 1844 herausgegebenen
Werke: „Die Ausgänge russischer Zaren" kennen lernen, in
welchem alle die verschiedenen Kleidungsstücke, welche die Zaren
im siebzehnten Jahrhundert Tag für Tag in der Kirche, bei
Audienzen, Hoffesten u. dergl. m. angehabt haben, protokollarisch
verzeichnet sind. Von den kostbaren Stoffen und schillernden
Farben der Kleidungsstücke der Zaren, mancher Magnaten und

---

[1]) Petrejus 593.
[2]) Olearius 182.

Geistlichen gewinnt man den vollständigsten Eindruck, wenn man das Werk des Akademikers Solnzew „Russische Altertümer" durchblättert, dessen prachtvolle Ausstattung ihresgleichen sucht.

Ein solcher Kleiderprunk war nun bis in die untersten Klassen der Bevölkerung in Rufsland verbreitet. Man kaufte viele ausländische teuere Waren, um sich damit zu schmücken, und Krishanitsch ist im höchsten Mafse unzufrieden mit der Einfuhr solcher Luxusgegenstände, Zieraten und Schmucksachen. Es sei thöricht, meint er, dafs in Rufsland jeder Seide und bunte teuere Stoffe tragen wolle, während doch das Land diese Waren nicht hervorbringe. [1]) Auch klagt er darüber, dafs die betrügerischen griechischen Kaufleute viel russisches Gold für buntes Glas, das sie als Edelsteine verkaufen, aus dem Lande bringen. [2]) Er schlägt vor, eine Kleiderordnung zu erlassen und meint, man müfste den unteren Ständen das Tragen von Seide, Perlen, kostbaren Farben streng untersagen. [3])

Petrejus sagt von den Russen: [4]) „So lange sie in den Häusern seyn, und daheime bleiben, haben sie die geringsten, zerrissenen und schlimmsten Kleider an, so sie haben. Wann sie aber wollen aufsgehen, und spaciren ihre Befreundten besuchen, oder sonsten in die Kirche, auff den Markt oder Schlofs, ziehen sie die besten und schönsten Kleider an, so sie haben, und wann sie nach Hause kommen, ... nehmen sie die alten Lumpen wieder u. s. w. und halten diesen Gebrauch alle, so wohl hohes als niedriges Standes personen, Männer und Weiber, alte und junge. Wer nicht selber so gute und köstliche Kleider hat, als er gerne haben wolte, sonderlich wann grofse Festtage vorhanden seyn, oder er will etwan zu Gaste gehen und sich für seinen Freunden und Verwandten etwas gros und stattlich sehen lassen, und erzeigen: Borget er von andern, oder gibt Geld zu stewer, so viel tage als er haben wil, und zu Ehren gebrauchen. Dann sie achtens

---

[1]) I. 154.
[2]) II. 155.
[3]) I. 89.
[4]) Mufskowitische Chronika, S. 613 und 614.

nicht, wenn sie gleich sollten verhüngern, essen trocken Brod,
und trinken Wasser nur allein, dafs sie sich unter dem Volk
können prächtig, stolz und hoffertig erzeigen, denn sie von Natur
zum Ehrgeiz und vermessenheit mehr, als zur Demut, Sanftmut,
und andern tugenden geneigt seyn."

Von einer Luxuspolizei oder einer Gesetzgebung in luxus-
polizeilicher Absicht in Rufsland bis zum siebzehnten Jahrhundert ist uns nicht viel bekannt, dagegen war im Westen schon
im Mittelalter ein Bestreben der Regierungen wahrnehmbar, den
Konsum der Unterthanen auch in Beziehung auf die Kleidung
gewissen Beschränkungen zu unterwerfen. Wir erinnern hier
nur etwa an die Kleiderordnung Philipp des Vierten von Frankreich und an die preufsische Kleiderordnung. — In England und
Frankreich waren gegen das Ende des zwölften Jahrhunderts
Scharlach und Hermelin verboten. Im spätern Mittelalter pflegten
die Ritter Gold, die Knappen nur Silber tragen zu dürfen, jene
Damast, diese Atlas oder Taft; oder es war auch, wenn die
Knappen Damast gebrauchten, den Rittern allein der Samt
vorbehalten. Das englische Verbot, während der Regierung der
Königin Maria, irgendwelche Seide am Hute, an der Mütze,
Hose u. s. w. zu tragen, wurde in der Absicht erlassen, die einheimische Wollfabrikation zu fördern. Ebenso war Sully aus
merkantilischen Gründen für Luxusverbote, um nicht das Land
durch Ankauf fremder Kostbarkeiten verarmen zu lassen. Auch
Heinrich IV. kleidete sich des Beispiels wegen sehr einfach und
spottete über diejenigen, welche, wie er sagte: „portaient leurs
moulins et leur bois de haute-futaie sur le dos". [1]

Ganz in derselben Weise, wie im Westen Luxusordnungen
sehr streng nach dem Unterschiede der Stände abgestuft zu sein
pflegten, oder wie noch Montesquieu die Ansicht aussprach, in
Monarchien sei der Luxus notwendig, um den Unterschied der
Stände aufrecht zu erhalten, so will auch Krishanitsch den Gebrauch von Luxuswaren den unteren Ständen nicht gestattet

---

[1] Roscher, Grundzüge d. Russ. Ök. I. 457 ff.

wissen. Er lobt die Kleiderordnung der Venezianer, wo vorgeschrieben wurde, wie viel die Kleidung kosten dürfe und wo den
geringeren Ständen das Tragen der Seide, Perlen, Gold u. dergl. m.
verboten sei. Indessen, meint er, im Gegensatze zu der oben
erwähnten Ansicht Montesquieus und im Widerspruche mit dem
Geist und der Absicht seiner sonstigen Ausführungen, es sei in
Monarchien nicht nötig darüber Gesetze zu erlassen. Zwei Seiten
weiter sagt er ausdrücklich: „Es wäre gut den gemeinen Leuten
das Tragen von Seide, Scharlachtuch und Goldstickereien zu verbieten, damit die Vornehmen und Geringeren voneinander unterschieden werden können. Es ist ganz unangemessen, wenn ein
kleiner Schreiber ebenso gekleidet ist, wie ein grofser Bojar."

Wie Peter der Grofse überrascht und angenehm berührt war
von der Einfachheit der Kleidung der reichen Londoner, so bemerkt auch Krishanitsch: „Im Westen ist die Kleidung ver-
nünftiger; man hat dort keine Knöpfe von Gold oder Edelsteinen,[1])
nicht kostbare lange Stickereien oder Troddeln und Schnüre an
den Knöpfen, nicht Perlenstickereien. Man trägt schwarzes und
grünes Tuch. Bunte Stoffe werden nur zur Ausschmückung der
Kirchen, für Frauenkleider und andere Zwecke gebraucht, nie
aber für Männerkleidungen. Der Aufwand, welchen ein Bojar
bei uns macht, um sich ein Jahr hindurch zu kleiden, würde genügen, um in Spanien, Italien oder Deutschland drei Fürsten
ein Jahr lang mit Kleidern zu versorgen. Dort kleiden sich
selbst die Könige einfach, und zwar geschieht dies nicht aus
mönchischer Askese, sondern weil die Männerkleidungen in diesen
Ländern keiner bunten Farben, keiner Perlen und Edelsteine u. s. w.
bedürfen. Wer dort etwa zu einer Hochzeit oder im Kriege sich
bunt kleidet, gilt als lächerlich und leichtfertig.... Die Deutschen
haben alles, und was sie nicht haben, bringen sie aus Indien, wir
haben nichts und verstehen nichts uns selbst zu verschaffen, sondern
müssen alles von den Deutschen kaufen und sind bereit, die Augen
aus dem Kopf hinzugeben für alle diese unnützen Dinge, wie

---

[1]) Es gab Ausnahmen, z. B. Buckingham.

Seide, Farbstoffe, Gold, Perlen u. s. w., und wollen dazu nicht
einmal von den Deutschen lernen, wie man sich praktisch kleide."
      „Ob ein Kleidungsstück zweckmäfsig ist, hängt vom Zuschnitt
desselben ab. Die Deutschen halten strenge Winter ohne Pelze
aus, wir dagegen, wenn wir nicht vom Scheitel bis zur Sohle in
Pelze eingehüllt sind, leiden von der Kälte. Auch die Deutschen
müssen, sobald sie unsere Kleidung annehmen, sich der Pelze
bedienen; dies kommt von dem ganz unzweckmäfsigen Zuschnitt
unserer Kleider. Die Deutschen, Italiener, Spanier leben in
wärmeren Klimaten als wir, sind aber durch ihre Kleidung weit
besser gegen das Wetter geschützt als wir, die wir eines solchen
Schutzes viel mehr bedürfen. Unser Land ist eines der kältesten,
regnerischsten von allen, und doch ist unsere Kleidung so un-
zweckmäfsig, dafs, wenn jemand sich vorgesetzt hätte, eine recht
teure, unzweckmäfsige, undauerhafte Kleidung zu erfinden, er
nichts so Schlechtes hätte aussinnen können, als was wir haben.
Das alles sehen die Ausländer und halten uns für ganz un-
vernünftige Leute; sie verachten uns deshalb. Mir wollte vor
Unmut das Herz brechen, als ich in einer Stadt des Auslandes [1]
die russischen Gesandten mit Perlen und allerlei Schmuck zur
Audienz fahren sah; sie steckten in so engen Kleidern, dafs sie
gar nicht im mindesten mit Würde auftraten und von allen Leuten
nicht so sehr mit Staunen als mit Bedauern betrachtet wurden."
      Nicht wie die japanischen Gesandten in neuester Zeit
in europäischer, sondern in einheimischer Tracht pflegten die
russischen Gesandten im siebzehnten Jahrhundert im Auslande
zu erscheinen. Selbst Franz Lefort, welcher an der Spitze der
Gesandtschaft stand, die 1697 und 1698 einen Teil Europas be-
reiste, und an welcher Peter der Grofse als „Freiwilliger" teilnahm, erschien bei feierlichen Gelegenheiten in russischem Kostüm,
obgleich er sonst nicht in russischer Tracht ging und auch sein
in Holland gemaltes Bildnis ihn in westeuropäischer Kleidung
erscheinen läfst. Er mochte sich allerdings in der letzteren statt-

---

[1] Wahrscheinlich in Wien.

licher ausnehmen, als im langen, knappen Kaftan, wie denn auch
die Zaren selbst in ihrem altrussischen Kostüm während des
siebzehnten Jahrhunderts nicht sehr gut aussahen. Krishanitsch
bemerkt in dieser Beziehung:

„Wer nicht glauben will, wie häfslich unsere Kleidung andern
Völkern erscheinen müsse, der betrachte nur die Porträts ausländischer Könige, besonders, wenn sie zu Pferde abgenommen
sind, und er wird den Abstand zwischen der ausländischen und
russischen Kleidung erkennen.“

Und freilich, wenn wir etwa die Bildnisse Michails, Alexeis,
Feodors, wie sie in den Werken von Olearius, Collins, Meyerberg u. a. zu sehen sind, mit dem in London von Kneller ge-
malten Porträt Peters des Grofsen vergleichen, so erscheint der
letztere in europäischem Stahlharnisch und Hermelinmantel bild-
schön neben den unbeholfenen, schwerfälligen, von Gold, Edelsteinen und Perlen strotzenden Figuren der früheren Zaren. Unser
Verfasser kommt daher zu folgendem Schlusse:

„In der That: entweder wir müssen die widerwärtige Kleidung
gegen eine andere vertauschen, oder wir dürfen nie und nimmer-
mehr Gesandte nach Europa schicken, ohne dafs ihnen auf Kron-
kosten andere Kleidung gegeben werde, wenn anders wir wollen,
dafs die andern Völker uns nicht verachten.“

Über die Durchführung einer Kleiderreform äufsert sich
Krishanitsch wie folgt:

„Aus allem dem Gesagten folgt, dafs die Kleiderfrage der
Beachtung und Sorge des Fürsten wert sei, und dafs er darauf
sinnen müsse, eine bessere, zweckmäfsigere Kleidung einzuführen.
Sonst kann es leicht geschehen, dafs etwa eine Erfindung, die von
unbedeutenden Leuten, Schneidern oder jungen Gecken herrührt,
mit der Zeit Mode wird, so dafs die vornehmen und sogar die
Fürsten auch derselben folgen. So soll es aber nicht sein, sondern
es müssen die von den Höheren aufgestellten Regeln von den
Niederen befolgt werden.“

Er erzählt nun eine Geschichte von einem bulgarischen Fürsten,
welcher alljährlich seinen Bojaren zwei Festmahle gab, eins im

Sommer und eins im Winter: er erschien dabei in einer Kleidung,
welche durchaus nicht aus ausländischen Stoffen, sondern von einheimischer Wolle oder Leinwand oder einheimischem Leder gut und
zweckmäfsig gearbeitet war. Damit habe der Fürst seinen Unterthanen die Lehre geben wollen, dafs man einheimische Stoffe nicht
verachten dürfe. An hohen Festtagen und bei Audienzen hätten
die bulgarischen Bojaren schöne Kleider getragen, aber keine
Perlen und kein Gold. Auch erwähnt er der Erzählung Suetons,
Augustus habe keine andern Kleider getragen, als solche, die von
seiner Gemahlin, seinen Schwestern, Töchtern und Mägden angefertigt gewesen seien, wie er denn überhaupt in seiner Kleidung
weise Sparsamkeit beobachtet habe. — Wie sehr das Beispiel des
Fürsten starken Einflufs übe, zeigt er ferner an Alexander dem
Grofsen, der aus einer Mischung von persischer und makedonischer
Sitte eine neue Kleidung erfand, erstens um die neuerworbenen
Unterthanen sich günstig zu stimmen, und zweitens, um zu zeigen,
dafs nicht die Unterthanen dem Könige ein Beispiel geben sollen,
sondern umgekehrt, der König den Unterthanen. Er sei ein
Philosoph gewesen und habe den Unterthanen eine gute, zweck-
mäfsige Kleidung verschaffen wollen.

Krishanitsch schlägt nun vor, die Einführung neuer Kleider
zuerst beim Militär zu versuchen. Es sei dies, meint er, nichts
Neues, da ja ohnehin die Leibwächter der Fürsten eine besondere
Uniform zu haben pflegten, wie denn die Janitscharen bei den
Türken sich durch besondere Kopfbekleidung auszeichneten, und
in den Staaten Europas die Leibwächter der Fürsten Kleider
haben, welche nicht so sehr durch die Farbe als durch den Schnitt
sich von den Kleidungen der andern Leute unterscheiden. So
etwas verleiht dem Fürsten Ansehen; auch komme eine solche
Uniform billiger zu stehen. So lange keine bestimmte Kleidung
für die Gardisten vorgeschrieben sei, suche jeder derselben sich
auf besonders kostspielige Weise zu schmücken.

Es war damit im Grunde dasselbe ausgesprochen, was Peter
und dessen Nachfolger in Ausführung brachten. Die Uniformierung
des Heeres in europäischer Weise, welche bereits unter Peter be-

begann, hat mehr als alle andern Mafsregeln dazu beigetragen, in Rufsland die westeuropäische Kleidung zu verbreiten. Wollte man mit Europa auf gleicher Stufe stehen, so mufste man einen Kampf wagen gegen europäische Heere. Dazu aber war erforderlich, dafs man das russische Militär nach europäischem Muster ummodelte. Mit den unförmlichen Kleidungen und schlechten Waffen der früheren Strelzy, der Kosaken und Baschkiren u. s. w. konnte man nicht viel ausrichten. So erschien zu allererst das russische Heer nicht mehr in asiatischer Kleidung, sondern in europäischer. Es war der grofse Gegensatz, auf welchen wir in der Einleitung unserer Abhandlung hinwiesen, der Gegensatz, welchen Krishanitsch an die Spitze seiner Betrachtungen über die Kleidungen stellt, wenn er sagt: „Alle verschiedenen Trachten können in zwei Arten geteilt werden: in orientalische, etwa wie bei den Persern, Griechen, Slaven, Türken, Tataren, Ungarn und in europäische, wie bei den Deutschen, Franzosen und andern Völkern."

Es war der Grundgedanke der Kleiderreform Peters des Grofsen, das Orientalische gegen das Europäische zu vertauschen, er ging dabei von demselben Gesichtspunkte aus, den Krishanitsch, als echter Reformer, mit bewunderungswürdiger Klarheit feststellt, wenn er in seiner Abhandlung über die Kleidung bemerkt: „Wenn jemand sagt, man solle das alte Herkommen nicht verletzen, so entgegnen wir: Irrtümer, auch wenn sie noch so alt sind, mufs man ablegen."

14*

VIII.

Laurentius Rinhuber.

———

Google

I.

Wiederholt ist in der letzten Zeit darauf hingewiesen worden, dafs der Einflufs Westeuropas auf Rufsland bereits mehrere Jahrzehnte vor der Regierung Peters des Grofsen stärker gewesen sei, als man bisher anzunehmen geneigt war. Die Erstarkung dieses Einflusses gehört zu den anziehendsten und wichtigsten Fragen der Geschichtsforschung überhaupt. Es mehren sich die Berührungspunkte zwischen dem Staate Moskau und den höher kultivierten Nationen des Westens; die Intensität der diplomatischen Beziehungen ist während der Regierung des Zaren Alexei Michailowitsch in einem raschen Steigen begriffen; die Zahl der in Rufsland lebenden Ausländer schwillt an; das Ansehen, welches sie geniefsen, wächst; ihrer Thätigkeit öffnet sich ein immer gröfserer Spielraum.

Zu den fesselndsten Erscheinungen in diesem Prozefs der Annäherung Rufslands an Europa gehört Laurentius Rinhuber, auf dessen Leben und Wirken wir in den folgenden Ausführungen, denen zahlreiche Akten aus sächsischen Archiven zu Grunde liegen, aufmerksam machen wollen.[1]

---

[1] Im kgl. Staatsarchiv zu Dresden finden sich viele Geschäftspapiere, in denen Rinhubers erwähnt wird. Der herzogl. Bibliothek zu Gotha sind die Aktenstücke entnommen, welche jüngst in dem Buche „Relation du voyage en Russie fait en 1684 par Laurent Rinhuber", Berlin bei Albert Cohn, 1883, veröffentlicht wurden und welche zum Teil Beck in seinem Buche über Ernst den Frommen (Weimar 1865) benutzte.

Die beträchtliche Anzahl Deutscher, welche um die Mitte des 17. Jahrhunderts in Moskau lebten, veranlaßte die deutschen Regierungen, den russischen Angelegenheiten eine gewisse Aufmerksamkeit zu widmen. Man suchte sich in Deutschland durch die in Rußland weilenden Deutschen über die Zustände des nur wenig bekannten mächtigen Reiches im Osten allerlei Nachrichten zu verschaffen. Man hatte auch wohl hin und wieder Gelegenheit, den einen oder den andern der auswandernden Deutschen dem Wohlwollen des Zaren oder seiner Räte zu empfehlen. Man hoffte durch kommerzielle und politische Beziehungen mit Rußland sich allerlei Vorteile zu verschaffen. Man bedurfte der Anteilnahme der Moskowiter an einem Kriege gegen die Türken.

Aus Sachsen waren in den fünfziger und sechziger Jahren des 17. Jahrhunderts manche Militärs, Techniker, Geistliche u. s. w. nach Rußland ausgewandert. Diese unterhielten einen Briefwechsel mit ihren Verwandten und Freunden daheim und vermittelten zwischen der russischen Regierung, welche noch mehr Ausländer zu berufen wünschte, und den auswanderungslustigen Landsleuten.

So z. B. war im Oktober 1654 ein Offizier, Nikolaus Baumann, in russische Dienste getreten; ihm war der Auftrag erteilt worden, u. a. in Kopenhagen noch andere Militärs für den Heerdienst im Staate Moskau anzuwerben; er hatte die Berufung des Geistlichen Vockerodt als Pastor der lutherischen Gemeinde in Moskau vermittelt; in den kirchlichen Angelegenheiten der sogenannten „deutschen Vorstadt" spielte er längere Zeit hindurch eine hervorragende Rolle; eine Zeit lang führte er den Vorsitz im Kirchenkollegium. Mit dem Herzog Ernst von Sachsen und dem Kurfürsten Johann Georg stand er im Briefwechsel. [1])

---

[1]) Über den Obersten Baumann finden sich viele Angaben in Fechners „Chronik der evangelischen Gemeinden in Moskau" 1, 289 ff. sowie bei Beck, Ernst der Fromme, Weimar 1865. In Gordons Tagebuche ist seiner nur ganz kurz erwähnt (1, 333, 347). Aus einem Aktenstück im Dresdener Archiv ist u. a. zu ersehen, daß er einen Kalmückenjungen gekauft habe. Ebendort eine Anzahl von Schreiben Baumanns an Kurfürst Johann Georg II. Ferner ein gedrucktes Lobgedicht auf

Im Jahre 1663 gab der Kurfürst von Sachsen einem Artilleristen, Namens Klengel, welcher in russische Dienste trat, einen Empfehlungsbrief an den Zaren mit. [1]

Um dieselbe Zeit ungefähr wanderte der Pastor Johann Gottfried Gregorii nach Rufsland ein, wo er längere Zeit wirkte und in den innerhalb der Lutheraner der deutschen Kolonie entstandenen Streitigkeiten als Parteigenosse des Obersten Baumann eine hervorragende Rolle spielte. Gregorii erschien wohl auch dazwischen als Vertreter der Interessen der deutschen Kirche zu Moskau in Dresden, um den Schutz und die materielle Unterstützung der sächsischen Regierung zu erbitten. Er und Baumann veranlafsten den Austausch einer Reihe von offiziellen Schreiben zwischen dem Zaren Alexei und dem Kurfürsten Johann Georg II. In Angelegenheiten der Deutschen schrieben der letztere und Herzog Ernst nicht blofs an den Zaren, sondern auch an russische Würdenträger, wie etwa den Fürsten Romodanowskij [2] oder den Minister Artamon Ssergejewitsch Matwejew.

Im Jahre 1667 vermittelte der Pastor Gregorii die Übersiedelung eines hervorragenden Mediziners, des Doktor Blumentrost, nach Rufsland. Derselbe war dem Zaren von dem Obersten Baumann empfohlen worden und wurde Leibarzt Alexeis. [3] Er

---

die Heldenthaten Baumanns in der Schlacht bei Konotop im Jahre 1662 u. s. w. Wertvolles Material zur Geschichte Baumanns findet sich in der neuerdings erschienenen vortrefflichen Monographie Zmjetajews „Zur Geschichte der ausländischen Konfessionen in Rufsland" (russisch), Moskau 1886.

[1] Akten im Dresdener Archiv.

[2] Akten im Dresdener Archiv. Über Gregoriis Erscheinen in Dresden im Jahre 1667 s. Fechner 1, 304 ff.

[3] S. Richter, Geschichte der Medizin in Rufsland 2, 299; das Originalschreiben Alexeis an den Kurfürsten von Sachsen, die Berufung Blumentrosts betreffend, im Dresdener Archiv. Es verdient Beachtung, weil darin gesagt ist, die in russische Dienste tretenden Ausländer könnten jederzeit nach ihrem Belieben in ihre Heimat entlassen werden, ein Versprechen, das später sehr oft nicht gehalten wurde. Das an den Dr. Laurentius Blumentrost gerichtete Vokationsschreiben des Zaren ist abgedruckt in der oben erwähnten Edition „Relation du voyage en Russie fait en 1684 par Laurent Rinhuber" S. 17—18.

nahm eine sehr angesehene Stellung ein, war aber dazwischen
mancherlei Gefahren und Verfolgungen ausgesetzt; bei dem Aufstande der Strelzy im Jahre 1682 wäre er von dem Pöbel umgebracht worden, wenn nicht die Prinzessin Sophie für die Erhaltung seines Lebens eingetreten wäre; seine Söhne nahmen
ebenfalls bedeutende Stellungen in Rufsland ein; er selbst starb
im Alter von 86 Jahren 1705 in Moskau.

Als Blumentrost im Jahre 1667 nach Rufsland ging, bedurfte
er eines Gehilfen, eines Assistenten. Seine Wahl fiel auf Laurentius Rinhuber. So kam dieser zum ersten Male nach Moskau.[1]

Das Geburtsjahr Rinhubers ist nicht zu ermitteln. In einem
Schreiben an den Herzog Friedrich teilt er mit, dafs seine Wiege
in dem Flecken Lucka bei Meifsen gestanden habe. Die Familie
lebte in bescheidenen Verhältnissen; indessen erhielt er eine gute
Schulbildung und besuchte sieben Jahre hindurch das Gymnasium
zu Altenburg. Den Vater verlor er früh und mufste zum Teil
durch Unterrichterteilen sich den Lebensunterhalt verschaffen.
Ein Stipendium verlieh ihm die Möglichkeit, sich sechs Jahre
hindurch an der Universität Leipzig dem Studium der Medizin
zu widmen. Noch ehe er seine Studien vollendet hatte, bot sich
ihm die Gelegenheit dar, den Doktor Blumentrost nach Rufsland
zu begleiten.[2] So entschlofs er sich denn zu der weiten Reise.
Der Umstand, dafs er seine Studien nicht vollendet hatte, mag
dazu beigetragen haben, dafs er in seinem ganzen späteren Leben
die ärztliche Kunst gewissermafsen nur gelegentlich ausübte und
mehr in der Eigenschaft eines Touristen und Diplomaten zu
wirken suchte.

Zunächst blieb Rinhuber in Rufsland, wohin er später wiederholt zurückkehrte, fünf Jahre.[3] Es waren die letzten Jahre der

---

[1] S. Rinhubers Schreiben an den Herzog Ernst von Sachsen vom
18. März 1673 in der bei Cohn erschienenen Edition S. 27.

[2] Er sagt von Blumentrost: hoc studiosum quendam Medicinae
Lipsiae quaerente obtinui verbo societatem itineris u. s. w. Relation S. 27.

[3] Er schrieb im März 1673: Moscovia quinque annis mea nutrice
relicta. Cohn S. 26.

Regierung des Zaren Alexei. Die Ausländer erfreuten sich damals einer wohlwollenden Behandlung von Seiten des Herrschers und seiner Würdenträger. Die „deutsche Vorstadt" bei Moskau, einem Ghetto vergleichbar, war in raschem Aufschwunge begriffen.

Man bedurfte der ausländischen Ärzte und Apotheker; Ausländer dienten als Dolmetscher im auswärtigen Amte; der auswärtige Handel Rufslands befand sich fast ausschliefslich in den Händen der Holländer, Engländer und Deutschen; die Offizierstellen in der russischen Armee waren zu einem grofsen Teil mit Ausländern besetzt. In dem Bojaren Matwejew, welcher dem Zaren Alexei als Minister und Freund zur Seite stand, hatten die Ausländer einen wohlwollenden Gönner.

Gleichwohl hatten die Einwanderer in Rufsland mit sehr grofsen Schwierigkeiten zu kämpfen und waren oft den schlimmsten Gefahren ausgesetzt. Das Volk hafste die Fremden und war geneigt, sie zu kränken und zu verfolgen. Der Mangel an Rechtsschutz machte sich darin fühlbar, dafs die mit den Ausländern abgeschlossenen Dienstkontrakte oft in der willkürlichsten Weise verletzt wurden. Die Ränke bei Hofe bewirkten sehr häufig eine Verschiebung des Machtverhältnisses der einzelnen Würdenträger, deren Klienten bei dem Sturze ihrer Patrone sehr leicht in furchtbare Krisen gerieten. Im wesentlichen war man von der Laune der jeweiligen Machthaber abhängig. Durch Bestechung und andere kleinliche Mittel mufste man der Gefahr eines Glückswechsels zu begegnen suchen. Auch in den Kreisen der in Moskau und in der „deutschen Vorstadt" lebenden Ausländer fehlte es nicht an Ränken, an Neid und Mifsgunst. So war denn das Leben der Einwanderer oft genug eine lange Kette von Kollisionen, reich an Verdrufs und Widerwärtigkeiten aller Art, ein schwerer Kampf ums Dasein, als dessen wertvollste Güter äufsere Ehre und Geld angesehen wurden. Es war nicht leicht Karriere zu machen in Rufsland, noch schwerer, sich auf der mühsam erklommenen Höhe zu behaupten. Die Lebensgeschichte Gordons, Leforts u. a. ist reich an unerfreulichen Episoden.

Auch Rinhuber, wie die beiden Männer, in deren Gesellschaft er 1667 oder 1668 nach Rufsland kam, Blumentrost und Gregorii, hatten mit allerlei Schwierigkeiten zu kämpfen und wurden vielfach angefeindet. Baumann und Gregorii hatten sich wegen verschiedener ihnen schuldgegebener Vergehen zu verantworten; die Streitigkeiten der Parteien in der lutherischen Gemeinde, an denen Rinhuber keinen unmittelbaren Anteil genommen zu haben scheint, veranlafsten eine unliebsame Intervention russischer Behörden.[1] Blumentrost wurde verleumdet: er sei kein eigentlicher Doktor der Medizin, beherrsche das Lateinische nicht ausreichend u. dergl. Es dauerte eine Weile, ehe der ausgezeichnete Mann sich eine angesehene Stellung erwarb und von seinem Wissen und Können unzweifelhafte Proben ablegen konnte.[2] Rinhuber scheint eine Zeit lang eine Art Hauslehrerstellung bei Blumentrost eingenommen zu haben.[3] Zugleich aber setzte er seine medizinischen Studien fort, indem er an der Hoffnung festhielt, dieselben zu einem Abschlusse zu bringen.[4] Sodann erteilte er in einer Knabenschule Unterricht.

Alsbald bot sich eine Gelegenheit dar, auch in eine gewisse Berührung mit dem Hofe zu kommen. Es war dem Einflusse westeuropäischer Sitte zuzuschreiben, dafs in Moskau der Gedanke auftauchte, den Zaren mit dramatischen Aufführungen zu belustigen. Dergleichen hatte man in Rufsland noch nicht gesehen. Um ein Schauspielerpersonal heranzubilden, geeignete Theaterstücke zu verfassen und zu inscenieren, bedurfte man der Ausländer. Der Pastor Gregorii wurde beauftragt, ein Drama zu schreiben. Mit Hilfe Rinhubers verfafste Gregorii eine Tragikomödie „Ahasverus und Esther". Drei Monate hindurch unterzog sich Rinhuber der Mühe, 64 junge Leute, meist Söhne ausländischer Offiziere und Kaufleute, in den Schulräumen der lutherischen Gemeinde im „exercitio comico", d. h. in der Schauspielkunst zu unterrichten.

---

[1] S. eine Menge Einzelheiten in Fechners Chronik der evangelischen Gemeinden in Moskau und in Zmjetajews Buche.
[2] S. Rinhubers Mitteilung in der Relation S. 28.
[3] Blumentrostij filium in literis erudivi.
[4] Relation S. 29.

Die Wirkung war zufriedenstellend. Als die Aufführung am 17. Oktober 1672 stattfand, hatte der Zar Alexei so viel Gefallen daran, daß er zehn Stunden hindurch unbeweglich dem Spiele zuschaute. Mit besonderem Erfolge spielte ein Sohn des Doktors Blumentrost, welchem eine Hauptrolle in dem Stücke zugefallen war.[1]) Der Zar drückte den Schauspielern und Dramaturgen seine Zufriedenheit aus. Nicht umsonst hoffte Rinhuber, daß diese Episode ihm zu weiteren Erfolgen verhelfen werde.[2]) Obgleich dergleichen dilettantische Leistungen dem eigentlichen Berufsleben Rinhubers, der Medizin, ganz fern lagen, so waren sie doch geeignet, die Aufmerksamkeit hochgestellter Männer auf seine Fähigkeiten und Kenntnisse zu lenken. Es bot sich ihm eine Gelegenheit zu einer diplomatischen Thätigkeit dar.

II.

In jener Zeit stand auf dem Gebiete der auswärtigen Politik die orientalische Frage an erster Stelle auf der Tagesordnung. Man empfand sehr schwer die Übermacht der Türkei, welcher es gelungen war, im Kampfe mit Polen bedeutende Erfolge zu erringen. Türkische Truppen waren siegreich vorgedrungen, hatten die Stadt Kamenjez-Podolsk besetzt. Der Umstand, daß Kleinrußland, die soeben erst mit schweren Opfern erworbene neue Provinz des Staates Moskau, geneigt war, mit den Türken gemeinschaftliche Sache zu machen gegen Polen und Rußland, ließ die Situation um so bedenklicher erscheinen. Es tauchte der Gedanke auf, einige der europäischen Mächte zur Bildung einer Koalition gegen die Übermacht der Türkei zu veranlassen. So allein konnte man hoffen, die Lage der Polen zu bessern. Oft genug hatten Polen und Moskau einander feindlich gegenüber gestanden. Jetzt erschienen ihre Interessen solidarisch. Der Zar fühlte sich berufen, an die Fürsten Westeuropas einen Mahnruf zu richten, daß man alles an alles setzen müsse, um ein gänzliches Unter-

---

[1]) Fechner nach Tichonrawow 1, 352. Relation S. 29—30.
[2]) Res haec certe melioris fortunae erit initium.

liegen der Polen zu verhindern. So tauchte denn der Gedanke auf, eine Gesandtschaft an verschiedene Höfe zu entsenden und auf diesem Wege, wenn möglich, eine allgemeine Erhebung gegen den Erzfeind der Christenheit zustande zu bringen. Es war ein kühnes Unternehmen. Der Staat Moskau hatte bis dahin keinen Einfluß in Europa gehabt, nur ausnahmsweise diplomatische Beziehungen mit den andern Mächten unterhalten. Jetzt ergriff er in der wichtigsten Angelegenheit des ganzen europäischen Staatenwesens die Initiative.

Es lag nahe, an die Spitze der mit so schwerwiegendem Auftrage betrauten Gesandtschaft einen Ausländer zu stellen, einen Mann, welcher, ebensowohl vertraut mit den europäischen Verhältnissen, als durch seine Lebensstellung mit Rußland verbunden, weltmännisch erfahren, sprachgewandt und gebildet, zu der Rolle eines Vertreters Rußlands in Europa sich eignete. Es war der Schotte Meneses, auf welchen die Wahl fiel.

Paul Meneses war als Kapitän im Jahre 1661 in russische Dienste getreten. Ebenso wie sein Landsmann und Freund, Patrick Gordon, welcher um dieselbe Zeit nach Rußland einwanderte, hatte Meneses im Jahre 1662 den Wunsch, im Gefolge einer russischen Gesandtschaft eine Reise nach Persien zu unternehmen, ohne jedoch die einem solchen Unternehmen sich entgegenstellenden Schwierigkeiten überwinden zu können. Indessen fehlte es ihm auch in Moskau, wo er verblieb, nicht an Erfolgen. Er heiratete, erhielt den Rang eines Majors, leistete der Regierung als Militär bedeutende Dienste in Smolensk und genoß das Vertrauen des Zaren und einiger Würdenträger.[1]

Es geschah nicht selten, daß Ausländer, freilich vorzugsweise solche, welche bereits längere Zeit in Rußland geweilt hatten, zu diplomatischen Missionen verwendet wurden. So reiste wohl Patrick Gordon im Auftrage des Zaren an den Hof Karls II. nach England, so war Kellermann russischer Gesandter in Venedig im Jahre 1667, so reiste Winius im Jahre 1672 nach England,

---

[1] S. Gordons Tagebuch, herausgegeben von Posselt, 1, 260. 290. 309. 314. 316. 361.

Frankreich und Spanien u. dergl. m. Es mochte im allgemeinen dem Staate Moskau mehr Ansehen und Gewicht in Europa eintragen, wenn derselbe durch europäisch gebildete, weltkundige, verschiedene Sprachen sprechende Staatsmänner vertreten war, als wenn Russen ohne allgemeine politische Bildung, an der Spitze der Gesandtschaften stehend, für den Verkehr mit den Fürsten und Ministern anderer Staaten auf die Vermittelung von Dolmetschern angewiesen waren.

Insbesondere galt Meneses überall, wo er auftrat, als ein tüchtiger, erfahrener und gewandter Mann. Er sprach und schrieb ein elegantes Latein. Er beherrschte das Französische. Im Auslande bewunderte man bei Gelegenheit seiner grofsen Gesandtschaftsreise seine Geschäftserfahrung. „Er sei," hiefs es, „ein feiner Kavalier und wisse mit den Leuten umzugehen." [1] Man machte die Bemerkung, dafs dieser moskowitische Gesandte „mit einem ganz andern Air agieret, als man bisher von dergleichen Gesandtschaften gewöhnt gewesen." [2] In Venedig bewunderte man seine Sprachkenntnisse und seine Beredsamkeit. Man nahm gern wahr, dafs der Gesandte selbst, sowie der gröfste Teil seines Gefolges, nicht in der damals bei derartigen Gelegenheiten üblichen russisch-asiatischen, sondern in französischer Tracht erschien. [3]

Unter solchen Verhältnissen mufste Laurentius Rinhuber es für eine hohe Gunst des Schicksals halten, dafs Meneses, ein schottischer Baron, ein Edelmann — er führte den Beinamen „von Pitfodels" — ihn aufforderte, als Legationssekretär an der Reise nach Berlin, Dresden, Wien, Venedig und Rom teilzunehmen. Es geschah dieses an demselben Tage, an welchem die von Gregorii und Rinhuber inscenierte Tragikomödie „Ahasverus und Esther" aufgeführt wurde. [4]

[1] Berliner Archiv.
[2] Schreiben Berlepschs an einen kursächsischen Beamten aus Bielefeld im Dresdener Archiv.
[3] Archiv in Venedig.
[4] Hoc ipso die Nobilis Dominus Paulus Menesius... me sibi volebat socium itineris. Relation S. 30.

Rinhubers Entschluſs war schnell gefaſst. Er scheint in Moskau nicht als Arzt thätig gewesen zu sein, sondern, wie oben bemerkt wurde, eine nichtoffizielle Stelle eingenommen zu haben. Gleichwohl muſste er bei dem Bojaren Matwejew um seine Verabschiedung bitten und seine Funktionen, über welche wir im übrigen keine Kenntnis haben, für die Zeit seiner Abwesenheit von einem Stellvertreter versehen lassen. Er gedachte nach Moskau zurückzukehren.[1]

Die Reise der Gesandtschaft nach Deutschland und Italien währte anderthalb Jahre, von Ende 1672 bis Anfang 1674. Die russischen Akten dieser Gesandtschaftsreise des Majors Meneses sind noch nicht veröffentlicht worden.[2] Über Rinhubers Anteil an den Geschäften, über seine persönlichen Beziehungen zu dem Chef der Gesandtschaft haben wir so gut wie gar keine Nachrichten. Daſs er als „Legati Secretarius" fungierte, unterliegt keinem Zweifel.[3]

Bei Gelegenheit seines Aufenthaltes in Dresden im März 1673 richtete Rinhuber ein längeres, in lateinischer Sprache verfaſstes Schreiben an seinen Landesherrn, den Herzog Ernst von Sachsen. Er bedauert, nicht persönlich vor dem letzteren erscheinen zu können, aber die Eile der Durchreise sei ein unübersteigliches Hindernis. Indem er die politischen Verhältnisse darlegt, welche die Absendung des Meneses nach Deutschland und Italien veranlaſsten, erwähnt er der Audienz, welche Meneses bei Bielefeld in der Burg Sparenberg beim Kurfürsten von Brandenburg gehabt habe; hierauf, fährt er fort, habe sich Meneses nach Dresden begeben, wo er dem Kurfürsten Johann Georg ein Schreiben des Zaren überreicht habe. Sodann geht Rinhuber auf seine eigenen persönlichen Verhältnisse über, erwähnt seiner Kindheit

---

[1] A Domino Artemone Sergeiovitio dimissionem impetravi, alio interim meum supplente locum u. s. w. Relation.

[2] Es hätte dieses in dem 10. Bande der sehr schlecht edierten „Denkmäler der diplomatischen Beziehungen", St. Petersburg 1872 (russ.) geschehen müssen.

[3] Als solcher ist er in einem Verzeichnis des Personals der Gesandtschaft von 1673 im Dresdener Archiv vermerkt.

und Jugend, der Lage seiner Mutter, seiner Erlebnisse in Moskau, seines bei der Mutter lebenden minderjährigen Bruders; zum Schlusse bittet er den Herzog, seiner Mutter eine rückständige Steuer im Betrage von 20 Gulden erlassen zu wollen, und bemerkt, er werde später oder früher in seine Heimat zurückkehren: jetzt eile er im Gefolge des Gesandten nach Wien und Italien. [1]

'   Rinhuber erreichte seinen Zwek. Der Herzog Ernst traf Anstalten, dafs der Mutter des Bittstellers die rückständige Steuer erlassen wurde. Zugleich aber wurde der Agent des Herzogs in Wien, Tobias Sebastian Praun, beauftragt, bei Gelegenheit der Anwesenheit der moskowitischen Gesandtschaft in der Kaiserstadt den Legationssekretär Laurentius Rinhuber zu „explorieren", d. h. ihn soweit auszuforschen, um zu entscheiden, ob man ihn wohl zu „einer und andern Angelegenheit gebrauchen könne". Der Herzog sprach den Wunsch aus, in Moskau einen Agenten anzustellen, welcher über die Lage der evangelischen Kirche daselbst Auskunft geben und welchem man dazwischen einen Auftrag erteilen könnte. Zunächst sollte Rinhuber aufgefordert werden, einen Bericht über den Stand der evangelischen Kirche in Moskau und über „den Statum des Landes in Ecclesiasticis und Politicis kurtz und nervose zu entwerfen". [2]

Aus diesem Schreiben des Herzogs Ernst erfahren wir, dafs Rinhuber von seinem Vorgesetzten, dem Major Meneses, den Auftrag erhielt, nach Wien vorauszureisen. Hier, in Wien, mufste er nun im April 1673 den gewünschten Bericht verfassen. Der als Gelehrter, insbesondere als Geograph bekannte Job Ludolf verfafste ein Aktenstück „Puncta, worauf des Muskovitischen Abgesandten Secretarius Laurentius Rinhuber zu befragen". Dieselben betreffen den Stand der evangelischen Kirche in Moskau, die Streitigkeiten der Parteien innerhalb derselben, das Schulwesen, die Lage des Doktors Blumentrost u. s. w. [3]

---

[1] Relation S. 22—31.
[2] S. das Schreiben an Praun in der Edition „Relation u. s. w." S. 34 bis 36.
[3] S. die „Puncta" S. 39.

Der in lateinischer Sprache abgefaſste und „Wien 15./25. April
1673“ datierte Bericht Rinhubers ist an den Kanzler des Herzogs Ernst, Johann Thomas, gerichtet. [1]) Hier erwähnt er u. a.
des Olearius, als eines bedeutenden Schriftstellers über Ruſsland,
geht auf Einzelheiten der Zwistigkeiten innerhalb der evangelischen
Kirche in Moskau ein [2]) und entwirft eine Schilderung der Sitten-
losigkeit, welche in den Kreisen der Ausländer in Moskau herrschte.
Sehr entrüstet äuſsert sich Rinhuber, daſs die Deutschen den
russischen Gerichten so viele verbrecherische und unsaubere Episoden zur Aburteilung darzubieten pflegten.   Er führt einige
Beispiele von Unzucht und Gewaltthätigkeit an.   Für den Zaren
Alexei hat Rinhuber Worte des Lobes; früher habe man wohl
gesagt, daſs die Macht des Zaren durch drei Umstände bedingt
werde: 1. das Verbot aller Wissenschaft, 2. die Einheit der russischen Kirche, 3. das Verbot des Reisens.   Jetzt aber seien ganz
andere Grundsätze zur Geltung gelangt; nicht aus Furcht vor
Strafe werde der Zar von seinen Unterthanen verehrt, sondern
um seiner Tugenden willen; es herrsche in religiösen Dingen
die gröſste Duldsamkeit.   Am Schlusse seines Berichtes bemerkt
Rinhuber, er beabsichtige, wenn er nach Moskau zurückgekehrt
sein werde, das russische Gesetzbuch, die „Uloshenije“ (vom Jahre
1649), in das Lateinische zu übersetzen und ein Werk „Russia
ecclesiastico-politica“ zu verfassen. [3])

Rinhubers Bericht scheint dem Herzog und dessen Räten gefallen zu haben.   Praun wurde beauftragt, dem Sekretär der
moskowitischen Gesandtschaft noch weitere Dinge zur Beantwortung vorzulegen.   Rinhuber sollte über die Person des Gesandten,
Meneses, Auskunft geben; auch wünschte man zu erfahren, welchen
Bescheid der russische Diplomat in Wien auf seine Vorstellung

---

[1]) S. 41—52.
[2]) Hier finden sich Angaben, welche die vielen Einzelheiten in sehr willkommener Weise
ergänzen, welche Fechner vor einigen Jahren
in seiner „Chronik der evangelischen Gemeinden in Moskau“ zusammenstellte.
[3]) Als besondere Beilage zu dem lateinischen Bericht in deutscher
Sprache die Beantwortung der Fragen, welche Ludolf zusammenstellte.

erhalten habe. Zugleich sandte der Herzog durch Praun an Rinhuber den in herzoglich-sächsischen Landen beim Schulunterricht gebrauchten „Begriff der christlichen Lehre" und verlangte durch Rinhuber zu erfahren, in welcher Weise derselbe Unterricht in Moskau erteilt werde. [1])

Als diese Aufträge in Wien eintrafen, war die russische Gesandtschaft bereits nach Venedig abgereist. Praun schrieb über Meneses: „Der Gesandte ist ein geborner Schotte, katholischer Religion, hat wohl studiert und gereist, ist leutselig und läfst gern mit sich reden und umgehen; redet französisch, welsch, lateinisch, auch etwas (aber nicht gern) deutsch neben der slavonischen Sprach". Die Antwort der kaiserlichen Regierung, meldet Praun weiter, habe in Gemeinplätzen bestanden; übrigens erwarte er, Praun, von Rinhuber Nachrichten aus Venedig. [2])

Von Rinhubers Aufenthalt in Italien, in Venedig und Rom haben wir keinerlei Nachrichten.

Aus den in den Archiven zu Venedig und Rom befindlichen, die Gesandtschaftsreise Meneses' betreffenden Akten erfahren wir, dafs Meneses erst Ende Juni 1673 in Venedig eintraf und nach kurzem Aufenthalt nach Rom weiterreiste. Noch ehe er in der letztern Stadt eintraf, hatte man dort sehr günstige Nachrichten über die Persönlichkeit des Gesandten und sein Gefolge, zu welchem Rinhuber zählte, erhalten. [3]) Das dem Gefolge gespondete Lob wird ja wohl in erster Linie dem Gesandtschaftssekretär, Laurentius Rinhuber, gegolten haben. Im Spätsommer hielt sich die Gesandtschaft in Rom auf; im Oktober weilte sie auf kurze Zeit auf der Rückreise in Venedig. Im November befand sie sich wieder in den sächsischen Landen und bei dieser Gelegenheit bat

---

[1]) S. Relation S. 55—58.

[2]) Das Schreiben Prauns vom 1./11. Juni 1673 in der Relation S. 58—60.

[3]) Der Nuntius Varese schrieb aus Wien: „ha con se famiglia di molta civiltà"; s. Theiner, Monuments historiques u. s. w. Rome 1859 S. 73. Von ihm selbst schreibt der Nuntius aus Venedig, er sei ein „signore di maniere assai suavi e gentili e molto discreto".

15*

Rinhuber seinen Landesherrn um eine Geldunterstützung, welche ihm auch wohl bewilligt worden sein wird.[1])

Wie lange Rinhuber auf der Rückreise nach Moskau in Sachsen geweilt habe, ist annäherungsweise zu bestimmen. Am 27. November / 7. Dezember 1673 meldet der Kanzler des Herzogs Ernst dem letztern, die moskowitische Gesandtschaft werde „übermorgen" nach Dresden reisen. Aus den Akten des Berliner Archiv erfahren wir, dafs dieselbe vom 28. bis 31. Dezember zu „Cölln an der Spree" weilte und sodann über Danzig nach Rufsland reiste.

Nicht sowohl die kurfürstlich sächsische Regierung als der Herzog Ernst gedachte die Reise der moskowitischen Gesandtschaft dazu zu benutzen, um die in Moskau lebenden Deutschen der russischen Regierung zu empfehlen. In der Bibliothek zu Gotha haben sich die Konzepte der Schreiben gefunden, welche der Herzog an den Bojaren Artamon Ssergejewitsch Matwejew und an den Zaren Alexei richtete.

In dem Schreiben an Matwejew (vom 12. Februar 1673) heifst es, der Herzog habe Rinhuber zu sich rufen und sich von demselben die allgemein bekannte Thatsache des Ruhmes und der Weisheit Matwejews bestätigen lassen. Sodann wird die evangelische Gemeinde zu Moskau dem Schutze und dem Wohlwollen des russischen Würdenträgers auf das Angelegentlichste empfohlen. Das Schreiben an den Zaren berührt auch die orientalische Frage. Sodann aber ist wiederum von den Deutschen in Moskau die Rede, von der Duldsamkeit des Zaren und den nützlichen Diensten, welche die Deutschen der moskowitischen Regierung zu leisten vermöchten.[2]) Ein drittes Aktenstück, dessen Überreichung in Moskau dem dorthin zurückreisenden Rinhuber obliegen sollte,

---

[1]) S. das leider ohne Ortsdatum abgedruckte Aktenstück in der Relation S. 61—62. Rinhuber kam nach Altenburg, wo er den Kanzler Thomas aufsuchte, und am 27. November / 7. Dezember nach Gotha, wo er am Hofe des Herzogs Ernst weilte. S. Beck, Ernst der Fromme 1, 602.

[2]) Relation S. 63—68.

war eine an die Ältesten der evangelischen Gemeinde in Moskau gerichtete Ermahnung zur Eintracht. [1])

Diese Schreiben werden Rinhuber nachgeschickt worden sein, da man vermuten darf, dafs er bereits in den ersten Wochen des Jahres 1674 in Moskau eintraf. Die Aufträge seines Landesherrn verliehen ihm bis zu einem gewissen Grade den Charakter eines diplomatischen Agenten. Er berichtete aus der „Teutschen Salobodda vor Moskau" den 9. Juni 1673, dafs er das Schreiben des Herzogs dem Bojaren Matwejew am 30. Mai, das Schreiben an den Zaren am 7. Juni abgegeben habe. In dieser Zeit genofs Matwejew am russischen Hofe das gröfste Ansehen. Zwei Jahre zuvor hatte er die Verheiratung des Zaren Alexei mit Natalja Kirillowna Naryschkin dadurch veranlafst, dafs der seit einiger Zeit verwitwete Herrscher seine künftige Gemahlin im Hause des Bojaren kennen lernte. Matwejew leitete die Angelegenheiten der auswärtigen Politik; er wufste die Vorteile der westeuropäischen Zivilisation zu schätzen, stand in lebhaftem Verkehr mit vielen Ausländern und suchte sich selbst weiter auszubilden. Dafs Rinhuber sich der Gunst dieses Würdenträgers erfreute, mufste den Erfolg seiner diplomatischen Mission verbürgen. Aus den Berichten Rinhubers ersehen wir, dafs es sich bei seinen Unterredungen mit dem Bojaren um sehr wichtige Angelegenheiten handelte.

Rinhuber berichtet, die Überreichung des Schreibens des Herzogs Ernst an den Zaren habe den letzteren in die fröhlichste Stimmung versetzt und er habe sich in verbindlichen Ausdrücken nach der Gesundheit des Herzogs erkundigt. Das Geschenk des letzteren, in verschiedenen Waffen bestehend, sei sehr wohl aufgenommen worden. Matwejew habe sich besonders darüber geäufsert, dafs von so vielen deutschen Fürsten, welche Rufsland gegenüber eine entgegenkommende Haltung beobachten könnten, allein der Herzog Ernst ein so lebhaftes Interesse für eine gedeihliche Entwickelung Rufslands an den Tag lege. Auch von

---

[1]) Relation S. 69—72.

seinen Verhandlungen mit den Vertretern der evangelischen Kirche berichtete Rinhuber: die Ermahnungen des Herzogs, von aller Zwistigkeit abzustehen, hätten einen tiefen Eindruck gemacht.

Sodann bat Rinhuber um eine Geldunterstützung für sich: er müsse über gewisse Mittel verfügen, wenn seine diplomatische Mission Erfolg haben sollte: „Allhier zu Fuß zu erscheinen, ist unmöglich und ungereimt. Moskau ist gantz ein ander Land und Stadt und kann Einer seine Sachen nicht glücklich expedieren; es sei denn, daß er alle Tage vor der Sonnen Aufgang zu drei oder vier grofsen Herren eile und dieselben durch Aufwartung ihm zu Freunden mache." So brauche er denn baldmöglichst 100 Thaler.

In dem Gespräch mit dem Zaren Alexei berührte Rinhuber zwei Fragen, deren Erörterung schon in Sachsen, in der Umgebung des Herzogs Ernst, begonnen hatte: erstens stellte Rinhuber vor, auf welche Weise Rufsland sehr vorteilhafte Handelsverbindungen mit China anknüpfen könne („wegen der Orientalischen Handtelschaft durch Catajam und Sibiriam"); zweitens zeigte er, dafs die Abyssinier im Kampfe mit der Türkei sehr nützliche Bundesgenossen sein könnten, und dafs man es sich angelegen sein lassen müsse, Beziehungen zu Abyssinien anzubahnen.[1]

Diese chinesische und abyssinische Frage, als deren Urheber wir, wie es scheint, den am sächsischen Hofe eine hervorragende Rolle spielenden Geographen Ludolf ansehen müssen, begegnet uns auch in den weiteren Schreiben Rinhubers und in den diplomatischen Verhandlungen zwischen dem Zaren und dem Herzoge von Sachsen. Es ist von hohem Interesse wahrzunehmen, dafs der Anstofs für sehr weitgehende Unternehmungen, welche Moskau wagen sollte, von dem kleinen sächsischen Ländchen ausging, und dafs man in Rufsland sich für dergleichen Anregungen recht empfänglich zeigte.

---

[1] S. das Schreiben Rinhubers in deutscher Übersetzung aus der Bibliothek zu Gotha in der Relation S. 73—77. Über Abyssinien und die Begeisterung des Herzogs für eine Kulturmission in diesem Lande finden sich sehr wertvolle Angaben bei Beck a. a. O. 1, 562 ff.

In welcher Weise Rinhuber diese Fragen zur Sprache brachte, erfahren wir aus seinem an den Herzog Ernst gerichteten, in deutscher Sprache abgefaßsten Schreiben aus Hamburg vom 29. August 1674. Wir ersehen daraus, wie lernbegierig man in Rußland war. Rinhuber schreibt u. a.: „Und als ferner zum Herrn Artemon[1]) ein freierer Zutritt mir eröffnet, bin ich unterschiedene Dinge um Ew. hochfürstl. Durchl. befragt worden, und haben Se. Zarliche Majestät ein verwunderliches Wohlvergnügen gehabt, als Herr Artemon Ew. hochfürstl. Durchl. sonderbaren modum regiminis und höchstlöbliche Landesordnung in statibus theologico, politico und oeconomico, so aus denen mitgegebenen Tabellen und Büchern zu ersehen, ordentlich referieret.[2]) Hierzu habe ich discursive einige Propositiones gethan, als nämlichen von der Konservation des Russischen Reiches, von Eröffnung des Passes durch die nordöstliche Orten in China und Ostindien bevorab, weil Sr. Zarlichen Majestät Länder bis in Catay sich erstrecken, Catay aber an China angrenzet, von Untersuchung der Flüsse selbiger Orte, wie die hieher derivierte ostindianische Handelschaft Sr. Zarlichen Majestät mehr Nutzen schaffen würde als einige Bergwerke, deren doch bisher noch keines erfunden, unangesehen eine unglaubliche Summe Geldes darauf spendiert. Ferner wie das russische Reich Nord-, Nordost- und Ostwärts keine oder doch wenige Feinde hätte, und sofern es auf der Westseite mit der Krone Schweden in gutem Vernehmen stünde, alle Macht desto füglicher wider die Krymschen Tataren so Tauricam Cheronesum, welches der Schlüssel zu Konstantinopel werden, und also die Mittagsgrenzen auch sicher machen könnte; hiebei ist auch berührt worden die in Deutschland übliche Exerzierung und Musterung des Kriegsvolks, und weil vor allen andern Nationen die Moskowiter der Türken abgesagte Feinde, habe ich auch der Abyssiner gedenken wollen, welche ebenso gesinnet und von ihrer (der Moskowiter) Religion nicht sogar weit discrepieren,

---

[1]) d. h. Matwejew.
[2]) Rinhuber hatte also eine Art politisch-pädagogischen Apparats mitgebracht, um in Rußland in der Regierungskunst zu unterrichten.

auch ein sehr reiches Land besitzen, wozu mir dann Anleitung gegeben, dafs Ew. hochfürstl. Durchl., mein gnädigster Herr, wohl ehemals vor diesen von der Abyssiner Nation besondere consilia gehabt, welche noch wohl in künftig, so Gott will ihren Effekt erreichen dürften, mafsen dann Ew. hochfürstl. Durchl. die consilia suggerieren können, der Grofszar aber den Nachdruck hat und sonder Zweifel Legationen senden wird, zumal er ohnedies gern in der ganzen Welt admiriert sein will. Gedachte Propositiones nun habe ich auf Erheisch des Herrn Artemon zu Papier bringen müssen, sind aber also aufgenommen worden, als wenn selbe zu proponieren von Ew. hochfürstl. Durchl. ich in Kommission gehabt. Ich hergegen habe mir nicht viel Bedenkens machen wollen Selbes zu bejahen, um nicht entweder den Herrn Artemon oder auch Se. Zarliche Majestät von der gefafsten Meinung und Inclination einer vertraulichen Freundschaft gegen Ew. hochfürstl. Durchl. zu revocieren" u. s. w. [1]

Wie man sieht: Rinhuber entfaltete einiges diplomatische Talent, ging über die ihm gegebenen Instruktionen hinaus, suchte gesprächsweise in Rufsland anregend zu wirken. Es galt Rufsland zu erziehen, die Richtung der Handelspolitik des in einem Reformprozefs begriffenen Staates zu bestimmen. In ähnlicher Weise haben etwas später, in der Zeit der Regierung Peters des Grofsen, Männer wie Witsen, Leibniz, Lee, Fick u. a. allerlei Entwürfe für grofse politische Unternehmungen Rufslands ersonnen; verhalf man dem aufstrebenden russischen Reiche zu Erfolgen, so machte man sich um das europäische Staatensystem verdient; bahnte man der Kultur und Bildung des Westens einen Weg in den Orient, so war das eine Leistung im Interesse der Menschheit. Damals hatte man noch keine Gelegenheit, Rufslands Übermacht in Europa zu fürchten; neidlos freute man sich an den Fortschritten, welche man in jener Zeit in Rufsland beobachten konnte. Persönliches, vaterländisches und allgemein-menschliches Interesse wirkten bei Männern wie Rinhuber zusammen, um in

---

[1] Relation S. 78 ff.

ihnen den Wunsch zu erregen, als Lehrer Rufslands zu wirken. Dieser Zug ist es vornehmlich, welcher dem Quasi-Gesandten des unscheinbaren sächsischen Ländchens eine gewisse historische Bedeutung verlieh.

Nicht ohne Interesse sind dann auch die Mitteilungen Rinhubers inbetreff der Lage der Kirche in Moskau. Die Streitigkeiten innerhalb der deutschen Gemeinde waren nicht leicht beizulegen. Rinhuber schlug vor, der Herzog solle einen Mann abordnen, welcher in Moskau die Sache genauer untersuchen könne. Er bemerkte, diese leidigen Zwistigkeiten seien insofern als Gottes Werk zu betrachten, als dadurch Veranlassung zu einer diplomatischen Annäherung zwischen dem Zaren und dem Herzog Ernst gegeben worden sei. Sodann aber hatte Rinhuber noch weitere Pläne. Auf eine zwischen dem Staate Moskau und Schweden eingetretene Spannung hinweisend, sprach er die Ansicht aus, dafs der Herzog Ernst als „Mediator" zwischen den beiden Mächten auftreten könne. Es sagte dem patriotischen Ehrgeiz Rinhubers zu, dafs, während von allen deutschen Fürsten nur die Kurfürsten von Sachsen und Brandenburg Beziehungen zu dem Zaren unterhielten, auch der Herzog eine solche „Korrespondenz" pflegte. Er bat um weitere Instruktionen in den Angelegenheiten, „so Artem et Martem konzernieren" u. s. w. [1]

III.

Schon in seinem Schreiben aus Moskau vom 9. Juni hatte Rinhuber bemerkt: „denn kein Geringes, dafs zwischen Sr. Zarischen Majestät und Unserem gnädigsten Herrn vermittelst einer nächstkommenden Gesandtschaft Freundschaft gemacht werden soll". [2]

Die Absendung eines diplomatischen Agenten aus Rufsland an den Herzog Ernst war sowohl für das kleine sächsische Ländchen als auch im Leben Rinhubers ein wichtiges Ereignis. Der letztere

---

[1] Relation S. 84.
[2] Relation S. 76.

hatte wiederum einmal Gelegenheit, aus Moskau eine Reise in den
Westen zu unternehmen. Er befand sich in dem Gefolge des
russischen Quasi-Gesandten, welcher in der That alsbald in Sachsen
erschien. So erklärt sich der Umstand, dafs er sein Schreiben
an den Herzog Ernst im August 1673 aus Hamburg verfafste.
Nach einem etwa halbjährigen Aufenthalte in Moskau unternahm
Rinhuber, welcher Anfang 1673 von der grofsen Reise von
Italien nach Moskau zurückgekehrt war, wieder einen Ausflug.
Er schrieb aus Hamburg, der Zar habe einen Sekretär der Reichs-
kanzlei mit Briefen an den Herzog abgefertigt, „welcher", fährt
Rinhuber fort, „ob er wohl keinen sonderbaren Charakter hat,
doch wie ein Ablegat zu empfangen und im Respekt Sr. Zarlichen
Majestät zu traktieren ist, zumal weil es gedoppelt und mehr
von Sr. Zarlichen Majestät vergolten werden wird, sofern Se. fürst-
liche Durchlaucht einen Mann in Rufsland künftig senden möchten".
Der Empfang des „Envoyé", fährt Rinhuber weiter fort, müsse
in Leipzig statthaben; es müfsten eine Kutsche für den russischen
Diplomaten und Wagen für seine Dienerschaft in Bereitschaft
gehalten werden u. dergl. m.

Derjenige, welcher den Auftrag hatte, ein Schreiben des
Zaren Alexei an den Herzog Ernst zu überbringen, war ein
Beamter des auswärtigen Amtes, Namens Ssemion Protopopow,
von dessen Persönlichkeit, Kenntnissen und Fähigkeiten wir keine
weitere Kunde besitzen. Es ist, so viel wir wissen, in keiner
andern Quelle als in den zahlreichen, diese diplomatische Mission
betreffenden Akten in der Bibliothek zu Gotha von ihm die Rede.
Er scheint keine weiteren Aufträge an andere Höfe als den
herzoglich-sächsischen gehabt zu haben. So war denn sein Erscheinen in der engeren Heimat Rinhubers kein gelegentliches.
Die Verhandlungen mit den Räten des Herzogs Ernst haben
eben deshalb ein besonderes Interesse. Sie können, wie die ganze
weite Reise des zarischen Agenten, als ein Ergebnis der Anregungen gelten, welche der Moskauer Hof dem Laurentius Rinhuber verdankte. Kein Wunder, dafs der letztere dem russischen
diplomatischen Agenten einen günstigen Empfang vorzubereiten

suchte und in seinem an den Herzog Friedrich, den Sohn des Herzogs Ernst, gerichteten Schreiben allerlei guten Rat über die Haltung erteilte, welche man dem russischen Diplomaten gegenüber beobachten sollte. In einem Schreiben vom 8. September 1674 aus Leipzig unterrichtete Rinhuber den Herzog Friedrich von den Motiven dieser diplomatischen Mission. Es handle sich um die orientalischen Angelegenheiten, um die Bildung einer Koalition gegen die Türkei; auch werde von schwedischen und türkischen Sachen die Rede sein. Die Frage von einem Zusammenwirken der Abyssinier mit den Russen gegen die Türken werde zur Sprache kommen. Rinhuber erinnert den Herzog Friedrich daran, wie dessen Vater, der Herzog Ernst, ihm auf Grund geographischer Karten gezeigt habe, daß es ein Leichtes sei, den russischen Handel nach China zur Blüte zu bringen; wie man die Absicht gehabt habe, eine beträchtliche Anzahl von tüchtigen Männern nach Rußland zu senden, welche dort als Lehrer wirken könnten; wie es sich darum handle, die militärischen Kräfte Rußlands durch Übung und Disziplin zu steigern. Was könne wohl, fährt Rinhuber fort, mehr zum Ruhme der sächsischen Fürsten beitragen, als wenn unter ihren Auspizien die Wissenschaften und Künste Eingang fänden in das moskowitische Reich! Welche Unternehmung sei nützlicher, als daß man im Norden und Osten neue Bahnen eröffne! Er, Rinhuber, sei bereit, diese Ziele zur Lebensaufgabe zu machen.

Diesem Schreiben Rinhubers an den Herzog Friedrich ist ein Aktenstück mit der Überschrift „Propositiones" beigefügt. In zwanzig Punkten wird hier der Inhalt der mit dem russischen diplomatischen Agenten zu verhandelnden Fragen dargelegt. Unter den von sächsischer Seite der russischen Regierung zu machenden Vorschlägen sind die wichtigsten folgende: Maßregeln zur Disziplinierung der russischen Truppen nach westeuropäischer Weise, die Absendung einer russischen Gesandtschaft nach China zum Zwecke der Anknüpfung von Handelsverbindungen, in der Absicht, den Holländern, Engländern und Portugiesen ihre kommerziellen Vorteile zu entreißen und Kasan und Sibirien durch den Handel

mit China zur Blüte zu bringen; die Nutzbarmachung der gewaltigen Ströme, welche in Rußland nach Norden fließen, für
den Handel mit China; die Absendung von, der Mathematik und
Geographie kundigen Männern nach Rußland, um durch Orts-
bestimmung einzelner Plätze Anhaltspunkte für eine genauere
geographische Kenntnis des Reiches zu gewinnen; diesen seien
tüchtige Offiziere mitzugeben, welche an geeigneten Orten Be-
festigungen anlegen und die russische Artillerie entwickeln könnten;
ebenso bedürfe Rußland der Metallurgen, der Mechaniker, überhaupt der Handwerker, Gelehrten und Künstler; es seien ohne
Zweifel Silberadern in Rußland vorhanden, nur müßten dieselben
durch Fachleute entdeckt und bloßgelegt werden; eine Annäherung
der Abyssinier an die Küsten sei ins Auge zu fassen, um die
großen Pläne des Herzogs Ernst zu verwirklichen; Abyssinien sei
reich an Edelsteinen, Gold und Silber; es sei nicht so schwierig,
in dieses Land zu gelangen, wenn man nur die Sprache kenne;
es müsse ein stetiger diplomatischer Verkehr zwischen Sachsen
und Rußland hergestellt werden.

In einem weiteren Aktenstücke „Solutiones s. limitationes
propositionum" werden diese Vorschläge des weiteren erörtert.
Da finden sich Bemerkungen, wie etwa folgende: niemand wisse,
wie weit sich die Grenzen des russischen Reiches nach Norden
und Osten erstreckten; den nach Rußland gesendeten Fachmännern
seien gewisse Rechte und Einkünfte zu verbürgen; bisher habe
es in Rußland noch niemals ordentliche Metallurgen, sondern nur
Schwindler und Betrüger auf diesem Gebiete gegeben u. s. w.

Wir können zuversichtlich annehmen, daß Rinhuber an der
Erörterung dieser Fragen thätigen Anteil genommen habe. Er
vermittelte zwischen den politischen Bedürfnissen des russischen
Reiches und der Bereitwilligkeit der sächsischen Regierung, durch
so wesentliche dem Zaren zu erteilende Ratschläge, dem Staate
Moskau zu leistende Dienste Ruhm, Ansehen, Einfluß zu erlangen.
Es zeugt ebensowohl von einer gewissen politischen Naivetät, wie
von einer lobenswerten Strebsamkeit der Staatsmänner des kleinen
sächsischen Ländchens, daß man so große Unternehmungen in

Aussicht nahm. Überall findet man in jener Zeit umfassende, auf internationalen Handel, Kolonialwesen, Machtsteigerung gerichtete Entwürfe. Verfügte das Herzogtum Sachsen selbst über geringe Mittel zur Verwirklichung gröfserer Pläne, so bot sich durch eine Annäherung an Rufsland eine willkommene Gelegenheit dar, deutsche Intelligenz dazu zu verwenden, um dem moskowitischen Reiche zu einem Aufschwunge zu verhelfen. So meinte man der Menschheit nützen und zugleich den eigenen Interessen dienen zu können. [1]

Solcher Art waren die Vorbereitungen auf den Empfang des russischen diplomatischen Agenten Protopopow, in dessen Gefolge Rinhuber sich befand. Es wurden allerlei Mafsregeln getroffen, um die Reisenden mit Speise und Trank zu versehen, ihnen Wohnungen einzurichten. Da Protopopow „keinen Charakter" hatte, d. h. nicht formell als Gesandter kam, so konnte er nicht in der „Residenz", d. h. im Schlosse wohnen, sondern wurde in einem Privathause untergebracht. [2] Man stellte Rinhuber eine kleine Geldsumme zu, um auf der Reise nach Altenburg etwaige Kosten des Unterhalts der Reisenden zu bestreiten. Der Kammerjunker Künholdt erhielt eine Instruktion für die „Abholung und Begleitung" des auf der Reise nach Altenburg und Gotha begriffenen russischen Diplomaten. Rinhuber bat, dafs der letztere an der Grenze „von ansehnlich Abgeordneten und einigen Kompagnien mit fliegenden Fahnen möchte angenommen werden"; indessen liefs sich das nicht bewerkstelligen; man sorgte wenigstens für eine Ehrenwache von zwei Mann, welche vor dem „Logement" des Diplomaten standen.

Über die Reise Protopopows erfahren wir aus Künholdts Berichten einige Einzelheiten. In Altenburg besah er die Schlofs-

---

[1] Relation S. 88. Über das Verweilen Protopopows in Sachsen finden sich auf Grund derselben Akten, welche neuerdings herausgegeben wurden, wertvolle Mitteilungen bei Beck a. a. O. S. 608 ff.

[2] S. die Puncta, so wegen des ankommenden muskowitischen Gesandten d. 4. September 1674 zu betrachten in der Relation S. 97—98 und das Schreiben an den Kanzler Thomas S. 99—100.

kirche, den Altan und einige Prunkgemächer, die Stadtkirche; auf Befehl des Superintendenten mußten die Kantoren dem Gesandten bei der Mahlzeit „mit Vokal- und Instrumentalmusik" aufwarten, was ihm besonders zu gefallen schien. Er schenkte den „Discantisten" einen Thaler und äußerte den Wunsch, einen dieser Knaben nach Moskau mitzunehmen, wozu aber keiner von denselben Lust hatte. Auf der Weiterreise, in Ronneburg, war Protopopow an der Abendtafel sehr gesprächig und erörterte recht eingehend einige theologische Fragen, wobei er aus einer mitgebrachten Bibel verschiedene Zitate und Belegstellen anführte. Er wohnte dem protestantischen Gottesdienste bei, ließ sich vieles erklären und bemerkte, daß ein Christ in dieser Religion selig sterben könne. Seine Haltung machte einen guten Eindruck; er war mäßig, höflich, gab gern Auskunft auf Fragen, welche die Verhältnisse des Staates Moskau betrafen.

Für die in Gotha stattfindende Audienz Protopopows bei dem Herzoge Friedrich, dessen Vater, Herzog Ernst, schwer erkrankt war, wurden besondere Anstalten getroffen: in einer „besten Gutsche" mit sechs Pferden wurde der Gesandte von vier Edelleuten mit Pagen, Trompetern und Lakaien abgeholt; das Zeremoniell des Empfangs war genau vorgeschrieben; bei der Mahlzeit, welche auf die Audienz folgte, gab es „Kapellmusik". Rinhuber fungierte als Sekretär Protopopows. Er wird wohl auch bei den Verhandlungen, welche nun folgten, eine hervorragende Rolle gespielt haben. Das Protokoll dieser Verhandlungen ist vollständig erhalten und gewährt einen Einblick in die Natur der erörterten Fragen. Sächsischerseits wurde hervorgehoben, daß der Herzog Ernst die Absicht gehabt habe, für eine Koalition gegen die Türken zu wirken, daß aber Alter und Krankheit ihn daran verhindert hätten: man müsse hoffen, daß der Kurfürst von Brandenburg etwas ausrichten werde. Auch die von der sächsischen Regierung durch Rinhuber gemachten Vorschläge inbetreff Chinas und Abyssiniens kamen zur Sprache. Als der Haupturheber derselben wurde der Herzog Ernst bezeichnet, welcher indessen jetzt, bei seiner schweren Krankheit, sich nicht genauer über diese seine Entwürfe aussprechen könne. Durch eine Menge an den Herzog Friedrich und dessen Räte gerichtete Fragen suchte Protopopow sich über die allgemeine politische Lage in Europa zu unterrichten. Er erkundigte sich nach den Intentionen Frankreichs, des Kaisers, der Schweden, nach den Verhältnissen im heiligen römischen Reiche, ob das ganze Reiche „mit dem Kaiser hielte", welche Neuigkeiten in den letzten Zeitungen enthalten seien, welche Nachrichten man über den französischen Krieg in den Niederlanden habe u. dgl. m. [1] So hatte denn die Verhandlung mehr den Charakter einer allgemeinen Konversation über allerlei politische Fragen, als denjenigen einer geschäftlichen Erörterung zum Zweck etwa des Abschlusses eines Vertrages. Der russische Diplomat suchte sich über die ganze politische Sachlage zu orientieren. Es fehlte ihm offenbar an eingehenderen Instruktionen für die Erledigung wirklicher politischer Geschäfte. Seine Sendung war eine vorläufige, durch die von Rinhuber in Moskau vorgebrachten Ideen veranlafste Enquête. Die sächsische Regierung, deren Thatkraft durch die schwere Krankheit des Herzogs Ernst gehemmt erscheint, beantwortet die Anfragen des russischen Diplomaten in allgemeinen Ausdrücken, hier und da selbst ausweichend, nicht ohne Zurückhaltung. Man hatte sich mit den von Rinhuber in Moskau gemachten Propositionen auf ein Gebiet gewagt, welches den Mitteln und Fähigkeiten der sächsischen Staatsmänner denn doch nicht entsprach. Rinhuber wird wohl bei dem Verlaufe dieser politischen Unterredungen einigermafsen enttäuscht gewesen sein. Er, der Optimist und Sanguiniker, mochte sich die Verwirklichung der hochfliegenden Entwürfe des Herzogs Ernst leichter gedacht haben. Der Gedanke an eine Reise nach Abyssinien hat ihn auch später noch beschäftigt. Er war bereit, noch viele Reisen zu unternehmen, um die hohen Ziele zu erreichen, auf welche er in Gesprächen mit dem Zaren Alexei und dessen Minister Matwejew hingewiesen hatte. Dafs Protopopow nach Deutschland kam, war sein Werk. Und nun hatte doch diese Reise des russischen Diplo-

---

[1] Actum d. 22. September 1674 mit dem muskowitischen Abgeordneten, in den Obern gemache. In der Relation S. 122—120.

maten keinen eigentlichen Erfolg aufzuweisen. In dem Schreiben des Zaren Alexei an den Herzog Ernst, welches Protopopow mitgebracht und überreicht hatte, war ausdrücklich von den Anregungen die Rede, welche der Zar und Artemon Ssergejewitsch Matwejew von Rinhuber empfangen hatten.[1]) Nun galt es, diesen Fragen einen Abschluß zu geben, von Worten zu Thaten überzugehen, die allgemeinen Entwürfe im Detail auszuarbeiten. Dazu kam es nicht; die Entwürfe blieben Entwürfe. Man hatte es gut gemeint, aber der Verwirklichung so großer Gedanken stellten sich denn doch sehr erhebliche Schwierigkeiten entgegen.

In der Bibliothek zu Gotha haben sich die Konzepte zu der Antwort gefunden, welche man sächsischerseits an den Zaren richtete. Sie ist sehr allgemein gehalten und enthält mancherlei Ratschläge: es wäre gut, die Bewohner der Grenzgebiete in den Waffen zu üben, um die Aktion der Armee gegen die Türken zu unterstützen; „man hielte dafür, daß die Handlung durch die Nordsee, wenn der Weg um Katayen herumb gefunden werden könnte, am füglichsten und zu großem Nutzen der Zarischen Reiche angestellt werden könnte"; man bäte um Auskunft über den Verlauf der Gesandtschaft, welche der Zar ehedem nach China abgesandt habe; man sei bereit, Techniker und Handwerker zu senden, aber man müsse zuvor die Bedingungen kennen lernen, unter denen diese Leute in russische Dienste treten würden. An diesen letzteren Punkt knüpft sich folgende Bemerkung: „Wiewohl, was Mathematici betreffe, hätte man gehört, als ob sie gar in bösem Verdachte wären, weil sie mit Zirkeln, Ziffern und allerhand seltsamen mathematischen Instrumenten umgehen könnten, daß sie Zauberer wären, daran ihnen doch Unrecht geschehe, sintemal es alles natürlich zugehe und Gottes Namen und sein

---

[1]) Das Schreiben Alexeis ist abgedruckt in lateinischer Übersetzung in der Relation S. 142—145. Da heißt es u. a.: „ut, secundum propositos illos articulos, quos explanavit Tzareae Nostrae Maiestatis intimo Ocolnicio et Serpugoviae Locum-tenenti Artemoni Sergiadi Matthaei missus Vester Laur. Rinhuberus, apud Ducalem Vestram Charitatem resciat quo modo et tempore iuxta tenorem illorum articulorum opera danda et ad finem perducenda sit."

Wort dabei ganz nicht mifsbraucht, noch einige böse Künste dabei vorgingen." Es folgen einige Ratschläge inbetreff des Bergbaues in Rufsland. Sodann wird die abyssinische Frage erörtert: der Herzog Ernst habe eine geeignete Person an den König von Abyssinien senden wollen, um den letzteren auf Rufsland aufmerksam zu machen, aber diese Person sei gestorben; ein dahin abzusendender Agent müsse auch die arabische Sprache verstehen. Inbetreff des Türkenkrieges erteilt die sächsische Regierung dem Zaren den Rat, sich zunächst defensiv zu verhalten, sich wegen der Aktion gegen die Türken mit Polen zu verständigen, den Polen Subsidien zu gewähren, auch Schweden durch Subsidien zur Anteilnahme am türkischen Kriege zu veranlassen u. s. w. [1])

So übernahm denn die herzoglich-sächsische Regierung die Rolle eines Lehrmeisters dem Staate Moskau gegenüber, ohne doch die guten Ratschläge durch nachdrückliche Handlungen unterstützen zu können. Es blieb bei einem Austausch von Höflichkeiten. Der Herzog Ernst schrieb wieder einmal an den Minister des Zaren Alexei, Matwejew, dessen Schutze er die evangelischen Gemeinden in Moskau und insbesondere den nach Moskau zurückkehrenden „Doktor der Medizin" Laurentius Rinhuber empfahl. In ähnlichem Tone war ein Schreiben des Herzogs an den Zaren gehalten, in welchem ausdrücklich darauf hingewiesen wird, dafs die schwere Krankheit des Herzogs eine eingehendere Beschäftigung mit diesen Fragen verhindert habe u. dergl. [2])

Von Rinhuber hiefs es ferner in dem an den Bojaren Matwejew gerichteten Schreiben, man erteile ihm keinen weiteren Auftrag; er gehe nach Moskau, um ein bis zwei Jahre dort der Ausübung seiner ärztlichen Kunst obzuliegen und die slawische Sprache zu erlernen (pro se privative), weil er der sächsischen Regierung einst nützlich zu werden hoffe. [3])

Fast scheint es, als habe Rinhuber, indem er in Moskau allzu

---

[1]) Relation S. 131—145.
[2]) Relation S. 146—153.
[3]) Relation S. 148.

Brückner, Rufsland. 16

eifrig von China und Abyssinien gesprochen habe, der sächsischen
Regierung Ungelegenheiten bereitet. Er wird nicht formell des-
avouiert, aber man entkleidet ihn jener Spur eines diplomatischen
Charakters, welche ihm früher angehaftet hatte; man sagt es ausdrücklich, daß er keinerlei Vollmachten, keinerlei Instruktionen
habe, daß er in Moskau nur seine privaten Zwecke verfolgen
werde. Der Herzog Ernst hatte mehr Initiative gehabt, sich
mit grofsen Entwürfen getragen; jetzt, da im Grunde Herzog
Friedrich regierte, trat die sächsische Regierung inbezug auf die
Verhandlungen mit dem Staate Moskau eine Art Rückzug an.
Rinhuber befand sich in einer minder günstigen Lage als früher.

Indessen erhielt er in dem Augenblicke, als er nach Moskau
zurückkehrte, doch noch einen Auftrag. Es wurde ihm für die
evangelische Kirche und Schule in Moskau eine Menge geistlicher
Bücher pädagogischen und geistlichen Inhalts, etwa 200 Bände,
mitgegeben.[1] So war und blieb er denn in gewissem Sinne
Agent der herzoglich-sächsischen Regierung, an welche er denn
auch später noch über mancherlei Vorkommnisse Bericht erstattet.

IV.

Über Rinhubers Rückreise nach Moskau im Herbst 1674
ist uns nichts bekannt. Im April 1675 aber begegnen wir ihm
in Wien, von wo er einen langen Bericht an den Herzog Friedrich
sendet (datiert 4./14. April 1675). Darin ist eines Aufenthaltes
in Schottland erwähnt, welcher dem Aufenthalt in Wien vorher-
gegangen sei: er habe aus Edinburg, wo er wegen kirchlicher
Angelegenheiten eine Zeitlang habe weilen müssen, „neulich" an
den Doktor Ludolf geschrieben.[2] Fast scheint es, als sei Rinhuber in der Zeit von seinem Aufenthalt in Sachsen bis zu seiner
Anwesenheit in Wien nicht in Moskau gewesen.

---

[1] Das Verzeichnis der Bücher mit Angabe der Titel, der Anzahl
der Exemplare und des Kostenpreises s. in der Relation S. 154—156.

[2] Vostro D. Ludolfo scripsi nuper Edinburgo, ubi propter exer-
citium fidei vixi per tempus. Relation S. 157.

Welche Stellung er in Wien einnahm, wissen wir nicht. Damals weilte in der Kaiserstadt eine russische Gesandtschaft, an deren Spitze Peter Potemkin stand. Durch den Dolmetscher dieser Gesandtschaft, Johann Gossens, und auf andern Wegen erfuhr Rinhuber mancherlei über die Verhandlungen Potemkins in Wien. Auch wufste er einiges von den Verhältnissen der evangelischen Kirche in Moskau zu berichten. Er erzählte mancherlei von der schnöden Habsucht des russischen Gesandten Potemkin, welcher, 1668 als Diplomat in Spanien weilend, es verstanden habe, sich auf allerlei Weise zu bereichern. Auch in Wien jage er ähnlichen Vorteilen nach.

Sodann teilt Rinhuber mit, es werde demnächst eine kaiserliche Gesandtschaft unter Franz Hannibal Bottoni nach Moskau reisen. Dieser gedenke er sich anzuschliefsen; Kaiser Leopold sei damit einverstanden und habe geäufsert, dafs Rinhuber seinem Gesandten als Arzt wie auch als Dolmetscher nützlich sein werde; die Reise werde über Prag, Dresden, Hamburg, Lübeck, die Ostsee, Kurland gehen, da man sowohl polnisches als schwedisches Gebiet, also auch Livland, vermeiden müsse.

Sehr instruktiv sind einige Bemerkungen Rinhubers über die Zustände in Moskau. Er erblickt die Hauptursache des Mangels an Erfolg der russischen Politik in der Unlust der russischen Würdenträger, irgend eine Verantwortlichkeit zu übernehmen. Er führt als Beleg einige sehr schlagende Beispiele aus der Geschichte der letzten Jahre an. Ferner erwähnt er der Angelegenheiten in Ungarn, der Ankunft einer türkisch-tatarischen Gesandtschaft in Wien u. s. w. [1]

So vereinigte denn Rinhuber die Stellung eines Berichterstatters der herzoglich-sächsischen Regierung mit derjenigen eines zeitweiligen Arztes und Dolmetschers bei einer nach Rufsland gehenden kaiserlichen Gesandtschaft. In Gemeinschaft mit den österreichischen Diplomaten Bottoni und Guzmann kam er

---

[1] Relation S. 157—163.

16*

nach Moskau und wurde in Kolomenskoje, wo der Zar weilte, bei Hofe vorgestellt.[1]

Jetzt endlich trat Rinhuber in russische Dienste ein; er erhielt ein Gehalt an Geld von 170 Rubeln jährlich und 50 Rubeln in Lebensmitteln monatlich, sowie zum Geschenk einen silbernen Pokal, teure Stoffe u. s. w. Er muſs wohl als Arzt thätig gewesen sein; indessen erfahren wir, daſs es ihm nicht gelungen sei, eine Stelle als Leibarzt des Zaren zu erhalten, und daſs er sich mit einem verhältnismäſsig unbedeutenden Posten begnügen muſste. Seiner eigenen Aussage entsprechend ist er in den Jahren 1675 und 1676 „Zarlicher Hof-Medikus" gewesen. [2]

Es haben sich sonst keine Angaben über Rinhubers Leben in dieser Zeit erhalten. Ein sehr langer Bericht über die Verhältnisse in Moskau, welchen Rinhuber an den Herzog Friedrich sandte, ist vom 29. Dezember 1677 datiert und erst zu Anfang des Jahres 1678 abgesandt worden.

Bald nach Rinhubers Rückkehr in die russische Hauptstadt hatten sich dort sehr wichtige Veränderungen zugetragen. Der Zar Alexei starb. Sein Sohn Feodor bestieg den Thron. Dieser Regierungswechsel bedeutete eine völlige Verschiebung der am russischen Hofe herrschenden Parteien. Der Gönner der Ausländer, der Vertreter des Prinzips einer Solidarität Ruſslands mit Westeuropa, Matwejew, stürzte als ein Opfer der Ränke der Milofslawskys. Die zweite Gemahlin des Zaren Alexei, die geborene Naryschkin, welche ihre Stellung ihrem väterlichen Freunde, dem Bojaren Matwejew, verdankte, sowie ihr Sohn, der 1672 geborene Peter, gerieten in eine bedrängte Lage. Dem Einfluſs der Schwester des jungen Zaren Feodor, der Prinzessin Sophie und deren Verwandter von der mütterlichen Seite, der Milofslawsky, war Thor und Thür geöffnet. Damit ward jene Reihe von Krisen am

---

[1] Über Bottoni und Guzmann s. Adelung, Übersicht der Reisenden in Ruſsland 2, 357.

[2] Adelung 2, 372. Richter, Geschichte der Medizin in Ruſsland, Moskau 1815, 2, 328—330.

russischen Hofe eröffnet, welche erst mit der beginnenden Reife
Peters des Grofsen zu einem gewissen Abschlusse gelangen sollte.
Das inhaltreiche Schreiben Rinhubers an den Herzog Friedrich
beginnt mit dem Hinweise auf die Zeit, da Rinhuber das Glück
gehabt habe, in Gesellschaft des russischen diplomatischen Agenten
Protopopow den Herzog in dessen Residenz Friedenstein zu sehen.
Seitdem habe er sich in der ärztlichen Kunst vervollkommnet:
er hoffe, dafs man ihn werde verwenden können. Auch in anderer
Hinsicht bietet er seine Dienste an. Er sei schon lange abwesend
von der Heimat: jetzt könne er vielerlei über die Angelegenheiten
in Moskau, Polen, Schweden, bei den Kosaken und Türken berichten. Er hoffe seinem Landesherrn damit manch wesentlichen
Dienst leisten zu können.

Sodann kommt Rinhuber auf die in Rufsland stattgehabte
Regierungsveränderung zu reden, auf den Sturz Matwejews. Vielleicht weil er sein Schreiben mit der gewöhnlichen Post ab-
zusenden gedachte, [1]) d. h. darauf gefafst sein mufste, dafs dasselbe erbrochen und gelesen werden würde, hat er kein Wort der
Rechtfertigung für den schmachvoll gestürzten Minister, welcher
ein Opfer der Ränke seiner persönlichen Gegner geworden war.
Er geht so weit, in tadelndem Tone zu bemerken, Matwejew
habe hochmütig und grausam gehandelt, die andern Würdenträger
bedrückt, sich über alle andern erheben und, mit Übergehung
der älteren Kinder des Zaren Alexei, dessen Sohn aus zweiter
Ehe, Peter, zum Thronfolger ernennen lassen wollen. Daher
und wegen anderer Verbrechen sei er nach Pustosero verbannt
worden.

Diese Anschuldigungen sind in einem Tone gehalten, als
seien sie im Hinblick auf die Möglichkeit einer „Perlustration"
dieses Schreibens redigiert worden. Ebenso ist das unein-
geschränkte, dem Zaren Feodor gespendete Lob Rinhubers vielleicht nicht ganz aufrichtig gemeint. Hierauf folgt ein Verzeichnis
der Würdenträger und Generale, ein kurzer Bericht über den

---

[1]) Relation S. 178. „Haec per Postam (quod dicitur) ordinariam
ad vos transmittere quidem poteram u. s. w."

türkischen Krieg, den sog. „Tschigirinschen Feldzug", ohne dafs
irgend eine tadelnde Bemerkung mit unterliefe.   Indem Rinhuber
auf die Beziehungen Rufslands zu den auswärtigen Mächten zu
reden kommt, erzählt er, es werde nächstens eine Gesandtschaft
an den Kaiser abgehen; der Kanzler dieser Gesandtschaft werde
Ssimeon Michailowitsch Protopopow sein.   „Wir werden, so Gott
und der Zar wollen, im nächsten Frühjahr abreisen," fügt Rinhuber hinzu, als sei es selbstverständlich, dafs er, Rinhuber,
abermals die Stellung eines Gesandtschaftssekretärs einnehmen
werde; er erbittet sich für einen solchen Fall die Aufträge des Herzogs. Er werde u. a. eine grofse Menge kostbarer russischer Waren
mitnehmen können, weil die Gesandtschaft die völlig sichere Reise-
route über Kurland, Preufsen und Sachsen einschlagen werde;
nur müsse ein Kaufmann diese Waren formell bestellen.   Rinhuber verweist auf ein ausführlicheres Schreiben, welches er in
dieser Angelegenheit an Ludolf gerichtet habe. Dieses Schreiben
ist nicht bekannt geworden.   „Während ich hier," schliefst Rinhuber seinen Bericht, „als praktischer Arzt lebe, bereite ich ein
neues Werk vor, eine Russia ecclesiastico-politica, welcher seiner
Zeit eine Darstellung der moskowitischen Rechtsverhältnisse beigefügt werden wird."   Dieses Werk verspricht Rinhuber dem
Herzog zu widmen.

   Auf dieses Schreiben folgt sodann ein Postskriptum vom
Februar 1678, in welchem Rinhuber mitteilt, er habe sich entschlossen, sein Schreiben nicht mit der gewöhnlichen Post, sondern
durch den brandenburgischen Agenten Hefs zu senden, welcher
demnächst mit dem verabschiedeten Leibarzt des Zaren, Rosenberg, abreisen werde.   Dann folgt eine sehr beachtenswerte Mitteilung. Rinhuber schreibt: „Jener Ssimeon Michailowitsch Protopopow hat, nach seiner Rückkehr von Ew. Durchlaucht Hofe,
dem Artamon ein christliches Memoire über den Handel mit China
und dem Orient, Catai und Caracatai eingereicht, und Matwejew
hat darüber an den Zaren Alexei Michailowitsch berichtet. Daher wurde denn ein Gesandter an den Kaiser von China geschickt,
Nikolaus Spafari, ein Mann, der viele Sprachen kennt und viel-

erfahren ist; ich hätte sicher auch an dieser Reise teilgenommen, wenn ich nicht damals in Wien gewesen wäre."

Diese Bemerkung zeigt, wie jene von der in Aussicht genommenen Reise nach Wien, daſs Rinhubers medizinische Praxis in Moskau unvergleichlich weniger bedeutete, als seine Befähigung zu allerlei andern Geschäften. Gab es irgend eine Gelegenheit, eine weite Reise zu unternehmen, diplomatisch thätig zu sein, neue Verhältnisse, fremde Länder und Völker kennen zu lernen, so war er gern bei der Hand. Auch mochte er sich für die Stellung eines Reisebegleiters, eines diplomatischen Assistenten sehr wohl eignen. Daſs seine persönlichen Beziehungen zu Protopopow Jahre lang sich unverändert gut erhielten, spricht sowohl für den Charakter des russischen Würdenträgers als für denjenigen Rinhubers. Wir müssen bedauern, daſs der letztere jene Reise nach China im Gefolge Spafaris nicht unternehmen konnte. Er hätte sonst wahrscheinlich höchst anziehende Mitteilungen über Sibirien und China verfaſst. [1]

Aber noch in anderer Beziehung ist Rinhubers, Spafaris Reise nach China betreffende Notiz von Interesse. Wir erfahren, daſs diese Reise eine Frucht gewesen sei der Gesandtschaftsreise Protopopows nach Sachsen. Die Sendung Spafaris ist ein wichtiges Ereignis; dieselbe nimmt in der Geschichte der geographischen Entdeckungen eine bedeutende Stelle ein; zum ersten Mal wird Nordasien in ethnographischer und geographischer Hinsicht von einem hervorragend gebildeten Reisenden beschrieben; Spafari erscheint als der Vorgänger jener berühmten Erforscher Asiens, welche später diese Gegenden kennen lernten. Auch in politischer Hinsicht ist Spafaris Reise von Bedeutung. Die Annäherung Ruſslands an China, die Erschlieſsung neuer Handelswege muſste

---

[1] Spafaris Reisebericht ist erst in der allerletzten Zeit veröffentlicht worden. S. die Memoiren der Geographischen Gesellschaft Bd. 10. Rinhuber berichtet, wie Spafari bei der Rückkehr aus China als Freund und Gesinnungsgenosse des inzwischen gestürzten Machthabers Matwejew verhaftet und aller seiner Habe beraubt wurde. Wir begegnen ihm später, im Jahre 1689, in Neuvilles „Relation curieuse et nouvelle de la Moscovie". A la Haye, 1699.

von der gröfsten Wichtigkeit sein für die Welt. Um so beachtens-
werter ist Rinhubers Bemerkung, dafs der Anstofs für ein solches
Unternehmen von Sachsen ausgegangen sei. Der Herzog Ernst
von Sachsen, Laurentius Rinhuber konnten für sich die Ehre in
Anspruch nehmen, die russische Regierung zu der diplomatischen
Mission Spafaris angeregt zu haben. Vielleicht, dafs in russischen
Archiven sich noch Angaben für einen solchen Kausalzusammen-
hang zwischen Sachsen, Rinhuber und Protopopow einerseits und
Spafaris Reise andererseits entdecken lassen.

In Rinhubers Nachschrift ist noch anderer Ereignisse in
Rufsland erwähnt: des zweiten Tschigirinschen Feldzuges, der
bevorstehenden Heirat des Zaren, der Verhaftung einiger Personen
von dem Gefolge des englischen Gesandten Hebdon. Über alle
diese Angelegenheiten spricht er kurz und vorsichtig, als fürchte
er, dafs auch dann, wenn er sein Schreiben auf privatem Wege
nach Deutschland befördere, dasselbe in die Hände russischer
Beamten fallen und ihm verderblich werden könne.[1]

Es war eine Zeit der Reaktion gegen die Richtung, welche
Matwejew vertreten hatte, indem er dem westeuropäischen Einflufs
mehr Spielraum gestattete. Matwejew, der Gönner der Ausländer, war beseitigt; die Stellung vieler Deutscher, Engländer
u. a., die sich des Schutzes, des Wohlwollens des aufgeklärten
Bojaren erfreut hatten, erschien gefährdet. Auch Rinhubers
Verhältnisse erlitten eine tiefgreifende Veränderung. Noch im
Dezember 1677 hatte er die Hoffnung ausgesprochen, an einer
russischen Gesandtschaftsreise nach Wien teilnehmen zu können.
Wenige Monate später mufste er Rufsland verlassen, weil seine
ganze Stellung dort, gleich derjenigen anderer Ausländer, völlig
unhaltbar geworden war.

Am 23. Mai 1678 schrieb er aus Helsingör an Ludolf über
die kritische Lage der Ausländer in Rufsland. Selbst die billig
denkenden und besonnenen Russen meinten, die Ausländer in aller
Weise bedrücken zu dürfen; die den ausländischen Offizieren und

---

[1] S. die Relation S. 164—182.

andern in russischen Diensten stehenden Personen versprochenen
Summen würden denselben in der willkürlichsten Weise vorenthalten; den ausländischen Kaufleuten sage man, daſs man keiner
holländischen und englischen Waren bedürfe. Viele Obersten
seien entlassen worden, so z. B. der General Staden; ebenso der
Doktor Rosenberg; Doktor Gramann, welcher 300 Rubel zu
fordern gehabt habe, sei froh gewesen, überhaupt nur mit heiler
Haut davonzukommen; so sähen denn viele, deren Laufbahn
unter den Auspizien Matwejews glücklich begonnen habe, alle
ihre Hoffnungen vernichtet. So habe denn auch er selbst, Rinhuber, sich genötigt gesehen, im März 1678 in Gesellschaft des
englischen Gesandten, John Hebdon, Ruſsland zu verlassen und
dabei auf 80 Rubel zu verzichten, welche ihm von seinem Gehalt
noch hätten zukommen müssen. Auch habe er keine Hoffnung,
zu seinem Gelde zu kommen, es sei denn, daſs er bei Gelegenheit
einer Gesandtschaft einst wieder nach Ruſsland reise.

Diesen Bemerkungen und Klagen fügt Rinhuber einige Mitteilungen über die auswärtige Politik Ruſslands hinzu, über die
augenblicklichen Beziehungen des Staates Moskau zum Kaiser,
zu Polen, zur Türkei u. s. w. Dann erwähnt er der Hungersnot
in Livland, welche er bei Gelegenheit seiner Durchreise im April
habe beobachten können. Zum Schluſs spricht er den Wunsch
aus, drei Jahre lang im Auslande zu leben: kein Land gefalle
ihm so gut wie England, dessen Bedeutung in der allgemeinen
europäischen Wage von entscheidendem Gewicht sei, ein Land,
wo die Moral- und Naturwissenschaft, die Medizin blühe, wo die
königliche Gesellschaft so groſsen Erfolg habe, wo es viele ausgezeichnete Männer gebe.[1]

Indem Ludolf dem Herzog Friedrich am 30. Juni 1678 aus
Altenburg meldet, es sei ein solches Schreiben Rinhubers an ihn
angelangt, bemerkt er, man ersehe daraus, daſs die Deutschen in

---

[1] Zum Schluſs noch einige kurze Notizen über Schweden, Norwegen und Dänemark, an deren Küsten Rinhuber soeben vorüber-
gekommen war; s. den „Extrakt aus Dr. Rinhubers Schreiben" von
Ludolfs Hand in der Relation S. 183—186.

Moskau nicht mehr gut behandelt würden; viele suchten mit guter
Manier fort zu kommen; so auch Rinhuber, welcher nun seine
medizinischen Studien in England fortsetzen wolle. [1])

V.

Von Rinhubers ferneren Erlebnissen, sowie von seiner Auffassung des in Rußland erfolgten Umschwunges erfahren wir Um-
ständlicheres aus einem Schreiben, welches er am 26. Februar
1679 aus Livorno an den Herzog Friedrich richtete.

Wie viele andere, schreibt Rinhuber, so habe auch er, da
Rußland jetzt ein Leichengesicht hervorkehre, [2]) sich davon ge-
macht; diejenigen, denen als leichteste Strafe gestellt werde,
Moskau zu verlassen, hielten sich für gerettet; es herrschten dort
jetzt die Schreiber, die Pharisäer mit den Herodianern, welche,
weder das Naturrecht noch das Völkerrecht achtend, jedem das
Seine vorenthielten; sie schimpften alle Nichtrechtgläubigen Hunde.
Hierauf folgt dann bei Rinhuber eine anziehende Charakteristik
des Zaren Feodor, dessen Temperament er lobt. Wie sein Vater
Alexei, so sei auch Feodor milde und gütig. Dagegen läfst sich
Rinhuber sehr ausführlich über die Kränklichkeit des Zaren aus.
Er meint, es werde nicht lange mit ihm dauern; alle die Ge-
brechen Feodors zählt er auf: Magenschwäche und Skorbut,
Krämpfe und andere Zufälle. Iwan, der zweite Bruder, sei blind
von Natur und unfähig. Dagegen sei der jüngste Sohn Alexeis,
von Natalja Kirillowna Naryschkin, Peter, stark an Geist und
Körper. Komme Peter nach Feodors Tode zur Regierung, so
werde natürlich Matwejew sofort aus der Verbannung zurück-
gerufen werden. Jetzt aber stehe Iwan Michailowitsch Miloslawsky
an der Spitze der verrotteten Regierung. Nichts geschehe ohne
seine Zustimmung. Dann schildert Rinhuber die schlechten

---

[1]) Von Matwejew schreibt Ludolf, er müsse nun in Sibirien seines
Unterhalts wegen Zobel schiefsen, wozu er umsomehr Zeit habe, als ihm
die ganze Nacht die Sonne nicht untergehe; s. Relation S. 187.

[2]) Quippe temporum in Russia cadaverosa nunc apparet facies.

Subjekte, deren Iwan Milofslawsky sich bediene, und ruft entrüstet aus: „Die Moskowiter sind Barbaren!" Zum Beweise gibt er dann Skandalgeschichten aus dem Leben einiger russischer Grofsen, Dolgorukijs und Chilkows, zum besten. Den erstern bezeichnet er als „natura porcus et ursus, ebrius et crudelissimus".

Dann kommt Rinhuber auf seine eigenen Erlebnisse seit seiner Abreise aus Rufsland zu reden. In London habe ihm ein gewisser Bernardo Guasconi Empfehlungen nach Italien gegeben, wohin er denn auch über Frankreich gereist sei. In Paris habe er zwanzig Tage geweilt und am 2. September 1678 den König in Fontainebleau gesehen. Hierauf sei er nach Orleans gereist, wo er indessen den dänischen Gesandten Gioë, welcher ihm versprochen gehabt, ihn nach Spanien mitzunehmen, nicht mehr angetroffen habe. Da sei er denn über Lyon und Turin nach Genua gegangen, wo er Gelegenheit gehabt habe, durch Vermittlung Spinolas und Orias in die Dienste der Republik zu treten. Indessen sei er auf einem Kriegsschiffe nach Korsika und von dort nach Livorno und Florenz gereist.

Endlich erörtert Rinhuber seine Pläne für die nächste Zukunft: der „Herzog von Etrurien" habe ihm versprochen, ihn im März mit einem Geschwader (cum triremibus) nach Afrika befördern zu lassen, dann werde er, nachdem er etwa ein halbes Jahr zur See gewesen sein werde, nach Genua zurückgehen und dort seine ärztliche Praxis wieder aufnehmen. Rinhuber erwähnt ferner, Ludolf habe ihm den Vorschlag gemacht, nach Abyssinien zu gehen, was er auch nach einiger Zeit auszuführen gedenke, wenn es sich dabei nur um bestimmte Pflichten, um eine Stellung handle. Daher bringe er sich dem Herzog in Erinnerung; man müsse wissen, wo er sei; seine Feinde sollten ihn nicht für tot ausgeben. Komme er dann einmal, nach vielen Reisen, in sein Vaterland zurück, so hoffe er auf irgend eine Anstellung. Zum Schlusse folgen dann noch einige Bemerkungen über die Zustände in Italien, über die durch einige herzogliche Monopolien in Toskana herrschende Notlage. Indessen bemerkt Rinhuber, dafs man ja wohl aus den Zeitungen über diese Angelegenheiten unterrichtet sei.[1])

Über Rinhubers Erlebnisse vom Februar 1679 bis zum Frühling 1681 sind wir nicht unterrichtet. Wir begegnen ihm im Mai 1681 in Paris, ohne daſs wir wüſsten, wie und wann er hingekommen sei. Ohne Zweifel wird er noch einige Zeit in Italien geblieben sein. Daſs er nach Afrika gekommen sei, erscheint nicht wahrscheinlich. Wenigstens nicht nach Abyssinien, weil er den Plan einer Reise in dieses letztere Land auch später noch wieder aufnimmt.

Bei Gelegenheit seines Aufenthaltes in Paris 1678 wird Rinhuber Beziehungen zu französischen Würdenträgern angeknüpft haben. Ob er damals dem Könige vorgestellt worden sei, wissen wir nicht; er erzählt nur, er habe Ludwig XIV. in Fontainebleau, wo derselbe mit seiner Familie weilte, gesehen. Eine eigentlich offizielle Stellung scheint er auch im Mai 1681, wie wir sogleich sehen werden, nicht eingenommen zu haben. Wie früher so auch jetzt erscheint Rinhuber besonders abhängig von der Gunst des Augenblicks. Er widmet sich keiner regelmäſsigen Thätigkeit; er hat keinen Posten, dessen Geschäfte er längere Zeit hindurch versähe. Seine Leidenschaft ist das Reisen in Verbindung mit diplomatischen Geschäften. Unermüdlich ist er im Entwerfen von Reiseplänen. Mit Spafari wäre er gern nach China, mit Gioë nach Spanien gegangen, wie er denn thatsächlich mit Meneses in Deutschland, Österreich und Italien, mit Protopopow in Sachsen gewesen war. Aus eigener Anschauung kannte er Ruſsland, Skandinavien, England, Schottland, Frankreich. Seine Sprachkenntnisse waren umfassend und vielseitig. Sein krauses Latein zeugt von einer Formgewandtheit, wie sie damals sehr hoch geschätzt wurde. Er muſs im Jahre 1681 gegen 40 Jahre alt gewesen sein. An persönlichen Beziehungen zu hervorragenden Männern in verschiedenen Ländern fehlte es ihm nicht. Am häufigsten hatte er seine Hoffnung auf die Protektion der Herzoge

[1]) Relation S. 189—194.

von Sachsen, zuerst Ernsts, dann Friedrichs gesetzt. Im Jahre 1681 begegnen wir ihm in seinen Beziehungen zum Kurfürsten von Sachsen, Johann Georg, von dessen Gnade er für sich auf weitere Erfolge, auf eine fruchtbare und gedeihliche Thätigkeit zu hoffen geneigt ist.

Diesen Beziehungen Rinhubers zum Kurfürsten von Sachsen verdanken wir einige Kenntnis von seinen Lebensverhältnissen im Jahre 1681.[1]

Nach mehrmaligem und mehrjährigem Aufenthalte in Rufsland war Rinhuber mit den Verhältnissen des Staates Moskau völlig vertraut. Auch die Kenntnis der russischen Sprache hatte er sich angeeignet. In den Formen des diplomatischen Verkehrs hatte er eine gewisse Erfahrung erworben. So konnte er denn auch der französischen Regierung im Jahre 1681 auf diplomatischem Gebiete in folgender Weise nützliche Dienste leisten.

Im Dresdener Staatsarchiv befindet sich ein Aktenstück: „Relation von der Ambassade, so der Moskowische Zar Herr Theodorus Alexejewitsch im Monaten Mai, Juni, Juli und Augusto dieses 1681 Jahres an Kron Frankreich, Spanien und Engeland abgehen lassen, mit ersten gesetzten Zarlichen Schreiben, Konferenzpunkten und Königlich Französischer Antwort." Der Verfasser dieser Relation ist Rinhuber, welcher beim Empfange der russischen Gesandtschaft, an deren Spitze der uns bereits bekannte Peter Potemkin stand, französischerseits als Dolmetscher fungierte. Er meinte dem Kurfürsten von Sachsen durch ausführliche Mitteilungen über diese Episode im diplomatischen Leben Frankreichs und Rufslands einen Dienst leisten zu können. So schrieb

---

[1] Der Herausgeber der „Relation du voyage de L. Rinhuber" bemerkt S. XI der Vorrede: „Que fait Rinhuber de 1679 à 1683? Nous l'ignorons. Il y a cependant lieu de supposer que pendant tout ce temps il est resté en Italie, vu qu'en 1684 il parle l'italien avec facilité." Um das Italienische fliefsend sprechen zu lernen, brauchte Rinhuber nicht volle vier Jahre in Italien zu leben, dazu hätten ebenso viele Monate ausgereicht. Wir sind in der Lage, aus den Akten des Dresdener Archivs diese vierjährige Lücke in der Kenntnis von dem Leben Rinhubers wenigstens zum Teil (1681—1683) ausfüllen zu können.

er denn sehr ausführlich über die Intentionen der russischen
Regierung, über die Audienz der russischen Diplomaten beim
Könige, über die Verhandlungen Potemkins mit dem Minister
Colbert-Croissy. [1]

Wir wissen bereits, dafs Rinhuber von Peter Potemkin keine
hohe Meinung hatte. Schon im Jahre 1675 hatte er in seinem
Schreiben aus Wien sich sehr scharf über die schnöde Habsucht
des russischen Diplomaten geäufsert. Jetzt schilderte er die
unkluge und undiplomatische Haltung Potemkins, welcher durch
kleinliches Gewichtlegen auf die Äufserlichkeiten des Zeremoniells
den Unwillen der französischen Würdenträger erregte. Dafs Rinhuber bei den Verhandlungen nur eine gelegentliche Rolle spielte,
nicht eigentlich ganz als französischer Beamter fungierte, ist aus
folgendem Umstande zu ersehen. Er hatte eine Abschrift des
Antwortschreibens des Königs an den Zaren an sich genommen,
durfte sie aber nicht behalten und mufste sie herausgeben. So
setzte er denn, da er das Aktenstück aus dem Französischen ins
Lateinische und ins Russische übersetzt hatte, den Inhalt desselben aus dem Gedächtnis für den Kurfürsten auf. Indessen
nahm er, wie wir des weiteren aus seinen Mitteilungen erfahren,
an dem Streit der französischen Staatsmänner mit den russischen
über Äufserlichkeiten der Titulatur u. dergl. teil, indem er die
Partei der Franzosen vertrat, obgleich er, wie er an den Kurfürsten schreibt, die ganze Zeit hindurch die Fehler Potemkins,
so gut es ging, bemäntelt hatte. Er fungierte als Vermittler.
Als z. B. Potemkin, zur Audienz abgeholt, sich weigerte, den
ihn Abholenden unten an der Treppe zu empfangen, suchte Rinhuber ihn zum Nachgeben zu bereden und ihn die Treppe hinab
zu führen. Bei der Audienz stockte Potemkin in seiner an den
König gerichteten Anrede, weil Ludwig XIV. bei dem Namen
des Zaren Feodor sich nicht erhoben hatte. Es gab einen
Zwischenfall, in welchem Rinhuber den Gesandten ermahnte, in
seiner Rede fortzufahren, und über welchen er den König, der

---

[1] S. oben d. Abhandlung „Eine russische Gesandtschaft in Paris
1681".

natürlich nicht gleich wufste, worum es sich handelte, da Rinhuber mit Potemkin russisch sprach, orientierte. Bei der Audienz fungierte Rinhuber als Dolmetscher. Nach derselben mufste er in Colbert-Croissys Hause das von Potemkin dem Könige überreichte Schreiben des Zaren Feodor ins Lateinische übersetzen. Wiederholt hatte Rinhuber sich der Mühe zu unterziehen, die Meinungsverschiedenheiten der Russen und Franzosen in Fragen des Zeremoniells auszugleichen.

Dafs Rinhuber indessen eine angesehene Rolle spielte, zeigt seine Äufserung, er habe an der königlichen Tafel mancherlei Aussprüche des russischen Gesandten, welchem die Pracht der Gärten von Versailles einen tiefen Eindruck gemacht hatte, reproduzieren und auf mancherlei die Russen betreffende Anfragen der Madame Dauphine Auskunft geben müssen. [1]

So hatte denn Rinhuber bei Gelegenheit der Anwesenheit des russischen Gesandten in Paris wieder einmal eine Art diplomatischer Rolle gespielt, aber, wie auch früher, so war es auch diesmal nur eine Art Gastrolle gewesen. Er hatte keine eigentliche Berufsarbeit zu verrichten. Alle seine Leistungen waren in gewissem Sinne hors d'œuvre gewesen. Begabt und gebildet, kenntnisreich und leistungsfähig, war er doch nicht zu einer stetigen, ihren Mann nährenden Stellung gelangt. Er fühlte sich abhängig von der Gunst dieses oder jenes Machthabers. Er hatte sehr vielen Herren gedient und war schliefslich nirgends zu Hause.

Dafs in der Rinhuber betreffenden Aktensammlung in der Bibliothek zu Gotha sich keine Spur von Rinhubers Leben in dem Zeitraum von 1679 bis 1683 findet, mag darauf hindeuten, dafs seine Beziehungen zu Herzog Friedrich und dessen Räten in dieser Zeit unterbrochen waren. Man darf vermuten, dafs die herzoglich-sächsische Regierung sich dem aus Livorno eingetroffenen Schreiben Rinhubers gegenüber kühl verhalten haben werde. Dagegen läfst die im Dresdener Archiv befindliche Relation Rinhubers vom Jahre 1681 darauf schliefsen, dafs er, da

---

[1] Aus dem kgl. Staatsarchiv zu Dresden.

von Herzog Friedrich nichts zu erwarten war, seine Hoffnung
auf den Kurfürsten Johann Georg setzte. Diesem trug er nun
seine Dienste an. Diesen suchte er, wie früher den Herzog
Friedrich, für allerlei Unternehmungen zu gewinnen.

Über Rinhubers fernere Absichten im Jahre 1681 findet
sich in seinem Schreiben an den Kurfürsten folgendes. Nach
der Erzählung von den Vorgängen in Paris bei Gelegenheit
der Anwesenheit der russischen Gesandtschaft daselbst fährt Rinhuber fort:

„Bei sothaner Konjunktur nun habe ich die beste Gelegenheit gehabt in Königl. Französische Dienste employiert zu sein,
denn mir Colbert de Croissy mit guten Promessen angeben, entweder mit denen Moscowiten nach Moskau zu reisen und von
daraus fleifsig zu korrespondieren, und par conséquent als Königl.
Agent zu leben, oder auch in Paris zu subsistieren bis ein Königl.
Minister nach Moskau depechiert werden möchte. Aber da mir
das gute Gewissen mein devoir vorstellet, überwiegte die Liebe
des Vaterlandes und der endliche Wille meinen Landesleuten zu
dienen alle fremde Ehre, ob sie auch mit ziemlichem Hab und
Gut vergesellschaftet. Habe dannenhero jene fremde Sachen, und
auch andere Römische, so Frankreich nicht angehen, aber doch
von mir in Moskau praktiziert werden können, alle cessieret, nächst
Gott auf Sr. Churfürstl. Durchl. weltgepriesene Gnade, und
qualem-qualem promotionem in Dero Landen mich verlassend, mit
demütigster Bitte es geruhen Se. Churfürstl. Durchl. mir ein
vacierendes Physikat oder indefs eines Land-Medici Stelle gnädigst
zu konferieren, welche grofse Gnade ich mit gebührendem Ruhm
und Dank zu substinieren, auch meinem Nächsten mit der Praxi
medica so zu dienen verspreche, wie einem christl. Medico wohl
anständig. Habe vor diesem, ohne ungebührenden Ruhm zu
melden, die Ehre gehabt, grofsfürstl. Moskowitischer Leib- und
Staats-Medicus zu sein, wie ich denn zuvor und hernach die
Praxin Medicam gelernet und exerzieret in Teutschland, Engeland,
Italien und Frankreich, auch in ein und andern grofsen Hospitalien
bestallter Medicus gewesen, und etzlich tausend Patienten unter

Händen gehabt, welches alles ich mit denen mir hiervon erteilten
testimonium und actis probatis belegen kann. Auch weifs ich
sonst noch etwas Gutes anzugeben, wie nämlich mit denen Moskowiten eine profitable Handelschaft zu treffen, und ratione hujus
Sr. Churfürstlichen Durchlaucht etzliche Unterthanen guten Nutzen
und Gewinn erhalten können. Sonsten ist zu konsiderieren, dafs
der Moskowitische Zar unterschiedene Gesandten an Seine Chur-
fürstliche Durchlaucht abgeschickt; wofern nun Se. Churfürstl.
Durchl. vor itzo oder auch hernach gnädigst resolvierten Jemanden
dahin zu senden, könnte derjenige zugleich einige Kaufleute mit
ihm nehmen, und selbsten etzliche Waren auch eine konsiderable
Summe Geldes gegen Moskowische Güter anwenden, denn gewifs-
lich dadurch gedoppelter, ja dreifacher Profit zu erhalten ist. Ich
aber wollte bei solcher Gelegenheit in aller Unterthänigkeit und
Treue meine geringe Dienste, wo es erfordert, zu employieren be-
mühet sein. Und weilen ich noch ohnedies entweder bald oder
nach diesem eine Reise nach Moskau thun mufs, um dasjenige,
was zu dem Moscovia Theologico-Politico-Oeconomica (welches
Werk ich vor mir habe) behörig aus denen Moskovischen Archiven
zu konquirieren, könnten Se. Churfürstl. Durchlaucht auch wohl
meiner Wenigkeit einige Kommission oder Kreditive gnädigst
anvertrauen, denn dergleichen negotia legatoria zu administratieren
ich wohl gewohnt und lange Zeit praktizieret habe an denen vornehmsten Höfen von Europa. Gott der Allmächtige aber erhalte
Seine Churfürstl. Durchlaucht bei langem Leben, glücklicher Regierung und allem erwünschten Wohlwesen, dem Vaterlande zu
Troste und Freude, um Christi willen!"

„Durchlauchtigster Churfürst, Gnädigster Herr, Ew. Chur-
fürstl. Durchlauchtigkeit unterthänigster und geringster Knecht
Laurentius Rinhuber Med: Dr.
Dresden, d. 26. Dezember 1681."

Man sieht, der Verfasser dieses Schreibens ist zu gleicher
Zeit Gelehrter und Diplomat, Arzt und Tourist, encyklopädisch
gebildet, Vertreter der mannigfaltigsten Interessen, unternehmend,
strebsam, nicht ohne Ehrgeiz, reich an Erfahrung, vielgewandert,

reiselustig. Nicht ohne Stolz durfte er auf sein Leben zurück-
blicken, wenn es ihm auch keine stetige Existenz, keine dauernde,
gleichmäfsige Berufsarbeit dargeboten hatte. In einem Mafse, wie
dieses nur wenigen Auserwählten beschieden zu sein pflegt, hatte
Rinhuber die Welt gesehen, die heterogensten Kulturstufen kennen
gelernt, im Verkehr mit Vertretern der verschiedensten Völker
Menschenkenntnis und Einsicht in fremdartige Verhältnisse erworben. Er blieb unternehmungslustig, war bereit, auch fernerhin
weite Reisen zu unternehmen, neue Länder kennen zu lernen, als
Vermittler zwischen Orient und Occident zu dienen. Mochte er
dabei auch etwas von einem Glücksritter an sich haben und bei
den von ihm in Vorschlag gebrachten Unternehmungen an seinen
eigenen Vorteil denken, so ist doch in seinem Thun und Trachten
ein gewisser idealer Zug wahrzunehmen, ein Streben nach Bildung und Erweiterung des Gesichtskreises, ein gewisses Gefühl
für einen grofsen Zusammenhang der Kulturarbeit aller Völker
und aller Staaten. Mochte er noch so sehr aufgebracht gewesen
sein über die leidigen Zustände in Rufsland nach dem Jahre 1676,
welche ihn genötigt hatten, auf seine Stellung in Moskau zu verzichten, einen bedeutenden Geldwert als verloren zu betrachten,
so hatte er doch ein dauerndes wissenschaftliches Interesse an
Rufsland behalten, wo er mehrere Jahre verlebt hatte, dessen
Institutionen, Sitten und Anschauungen er zum Gegenstande eingehenden Studiums gemacht hatte. Dort hatte er das Berufsleben in mancherlei Gestalt kennen gelernt, dort hatte er, insbesondere in den Kreisen der Ausländer, wie wir sogleich sehen
werden, Freunde, dorthin war er bereit zurückzukehren, um seine
Studien für ein von ihm über Rufsland zu verfassendes Werk
fortzusetzen und zugleich in diplomatischen und Handelsangelegen-
heiten den sächsischen Fürsten nützliche Dienste zu leisten.

Eine Reihe von Aktenstücken aus den Jahren 1682 und
1683, welche sich im Dresdener Archiv befinden, gewährt uns
einen Einblick in die Art, mit welcher Rinhuber seine Reise nach
Moskau und, wenn möglich, noch weiter vorzubereiten suchte.
Auch erfahren wir daraus, dafs er bei den an sich nicht wesent-

lichen diplomatischen Beziehungen, welche zwischen dem Kurfürsten von Sachsen und der russischen Regierung statthaben sollten, die Initiative hatte. Nicht etwa um besonderer politischer Zwecke des Kurfürstentums, sondern um der Reiselust Rinhubers willen sollte ein diplomatischer Briefwechsel zwischen Johann Georg III. einerseits und den Zaren Iwan und Peter andererseits eingeleitet werden. Beharrlich verfolgte Rinhuber sein Ziel. Es dauerte längere Zeit, ehe er seine Reise antreten konnte. Er setzte seinen Willen durch, aber nicht ohne dafs er Gelegenheit gehabt hätte, Geduld zu üben.

In einem Schreiben an den Kurfürsten vom 8. Januar 1682 aus „Altenburg in Meifsen" weist Rinhuber auf seine Erfahrungen und seine Laufbahn hin: er sei in „vielen moskowitischen Legationen Sekretär und Interpret, auch Grofsfürstl. Hofmedikus gewesen", wolle nach Moskau reisen und bitte den Kurfürsten, ihm ein Schreiben an den Zaren mitzugeben. Er gibt auch den Inhalt des abzufassenden Schreibens an: es sollte darin von den evangelischen Gemeinden, welche dem Wohlwollen der russischen Regierung empfohlen werden müfsten, die Rede sein, sowie von dem Überbringer des Schreibens, Rinhuber. „Und weilen," schreibt er an den Kurfürsten, „Supplikant das Werk Moscovia Ecclesiastico-Politico-Oeconomica noch vor sich und was dazu gehörig aus denen moskowischen Archiven zu kongruieren hat, könnten Churfürstl. Durchlaucht in dem Schreiben auch meiner geringen Person gedenken, dafs der Zar mich seiner gnädigsten Protektion wolle geniefsen lassen, so lange Seiner Churfürstl. Durchl. und der Zarlichen Gnade ich mich würdig verhalten möchte. Ermeldetes Schreiben würde dienen zu der hohen Potentaten guter intelligence, zum Aufnehmen der evangelischen Kirchen und der deutschen in Moskau lebenden Nation, wie dann endlich auch Supplikant noch etwas Gutes anzugeben weifs, auf wes Art und Weise etzliche Seiner Churfürstl. Durchlaucht Unterthanen entweder vor itzo oder hernach von Moskowischer Handlung einigen Profit und Nutzen haben mögen."

Bald darauf trat in Moskau der Regierungswechsel ein. Zar

17*

Feodor starb. Es folgte ihm zunächst sein jüngerer Bruder Peter mit Übergehung des älteren, Iwan (Ende April 1682). Während aber schon im Mai der Kampf zwischen den Anhängern beider Brüder entbrannte, in Moskau ein Aufstand der Strelzy die Thronbesteigung Iwans zur Folge hatte, so daß fortan Iwan und Peter zugleich die Zarenwürde bekleiden und deren Schwester Sophie die Regentschaft führen sollte, scheint man in Sachsen noch im Juli des Jahres 1682 keine genaue Kunde von diesen Vorgängen gehabt zu haben, wie aus folgendem Schreiben Rinhubers zu ersehen ist.

Am 12. Juli 1682 richtete Rinhuber abermals ein Schreiben (datiert Lucca d. h. Lucka in Meißen) an den Kurfürsten, aus welchem wir erfahren, daß der Kurfürst sogleich nach Empfang der früheren Gesuche, dem Wunsche Rinhubers entsprechend, ein Schreiben an den Zaren habe redigieren lassen. Rinhuber bittet nun, da er seine Reise bald antreten wolle, der Kurfürst möge befehlen, daß das Schreiben ihm zugestellt werden möge. Wiederum erwähnt er seiner in Aussicht genommenen Studien: er beabsichtige auch „andere Sachen, so res naturales konzernieren, in Moskau zu konquirieren, auch von daraus nach Asien zu reisen". Sodann bemerkt er, daß die Abfertigung eines kurfürstlichen Schreibens nach Moskau, „bei des jetzigen Zaren Herrn Peter Alexejewitsch angetretener Regierung aus vielen Ursachen allerseits nützlich sein kann". Endlich bittet er, der Kurfürst solle auch ein Schreiben an den „König von Persien" ausfertigen lassen, wobei er, auf eine Beilage hinweisend, hinzufügt: „dessen contenta, weilen es frembde Sachen, ich sub No. II unmaßgeblich anzuführen in aller Submission mich unternommen".

So diktierte denn Rinhuber der kursächsischen Regierung die Schreiben an den Zaren und an den Schah von Persien.

Die Rinhuberschen Konzepte sind erhalten.

In dem an den Zaren gerichteten Schreiben sollte zur Thronbesteigung gratuliert und an die früher stattgehabten freundschaftlichen Beziehungen zwischen Johann Georg II. und Alexei erinnert werden; sodann werden die Deutschen dem Wohlwollen des Zaren empfohlen: derselbe solle, dem Beispiele seines Vaters folgend, der evangelischen Kirche gegenüber Toleranz üben; schliefslich wird Rinhubers erwähnt, welcher ja wohl am Hofe des Zaren bekannt sei und um gewisser Geschäfte halber nach Persien zu reisen gedenke; der Zar wird ersucht, diese Reise zu fördern, Rinhuber nach Astrachan geleiten zu lassen; auch moskowitische Gesandte würden, falls sie durch sächsisches Gebiet reisten, mit Wohlwollen behandelt werden.

Das von Rinhuber entworfene Konzept zu einem Schreiben des Kurfürsten an den Schah von Persien läuft auf einen Empfehlungsbrief hinaus: Rinhuber werde dem Schah erzählen, welche Länder er bereist, wo er seine ärztliche Kunst ausgeübt, welche Höfe er besucht habe; er sei „Archiater" des Zaren gewesen; jetzt reise er nach Persien und Arabien; ganz allgemein wird sodann der Wunsch ausgesprochen, dafs zwischen Persien und dem Kurfürstentum Sachsen ein freundschaftliches Verhältnis bestehen möge. [1]

Monate lang zog sich diese Angelegenheit hin. Im Januar 1682 hatte der Kurfürst das Schreiben an den Zaren entwerfen lassen, im Juli 1682 hatte er dieselbe Verfügung noch einmal getroffen; im Februar 1683 bittet Rinhuber in einem Schreiben an den Baron v. Gersdorff, jetzt endlich die Ausfertigung der Schreiben besorgen zu lassen, wobei er ihm nochmals Konzepte zu denselben übersendet. [2]

In diesen Schreiben Rinhubers finden sich kurze Andeutungen über die Verhältnisse in Moskau. Hatte Rinhuber im Juli 1682 irrtümlicherweise angenommen, dafs der Zar Peter allein in Moskau regiere, während derselbe schon seit Ende Mai die Herrschaft mit seinem Bruder Iwan teilte, so bemerkt er in einem etwas späteren Schreiben an den Kurfürsten, jetzt hätten sich die

---

[1] Die Konzepte als Beilagen zu einem Schreiben Rinhubers an den Baron v. Gersdorff, Geh. Rat und Kammerherr des Kurfürsten, vom 15. Februar 1683, wo darauf hingewiesen wird, dafs diese Konzepte im wesentlichen mit den früher von Rinhuber entworfenen übereinstimmten. Dresdener Archiv.

[2] Das Schreiben an Gersdorff lateinisch im Dresdener Archiv.

„troubles“ in Moskau gelegt und es sei der Zar Iwan zur Regierung gelangt. In dem Schreiben an den Baron v. Gersdorff vom 15. Februar 1683 bemerkt Rinhuber, dafs sowohl aus den öffentlichen Nachrichten, als aus eingetroffenen Schreiben von Freunden zu ersehen sei, dafs in Moskau Ruhe herrsche [1]) und dafs der Zeitpunkt für seine, Rinhubers, Reise nicht günstiger gewählt werden könne. Aber auch im Februar 1683 scheint Rinhuber nicht zu wissen, dafs Iwan und Peter regierten, da er den Kurfürsten in dem Konzept zum Schreiben nach Moskau an den Zaren Iwan allein sich richten läfst. Im Dresdener Archiv befindet sich das Konzept zum Schreiben an den Zaren, in welchem später die Korrektur angebracht wurde, welcher entsprechend von beiden Zaren die Rede ist. Dieser Umstand zeigt, wie wenig selbst diejenigen von den Ereignissen in Rufsland erfuhren, welche, wie Rinhuber, persönliche Beziehungen mit Einwohnern Moskaus unterhielten.

Die sächsische Regierung mochte damals keine grofse Neigung zu lebhafteren diplomatischen Beziehungen mit dem Staate Moskau verspüren. Nur etwa das Interesse, welches nicht blofs die herzogliche, sondern auch wohl die kursächsische Regierung daran haben mochte, dafs die Deutschen in Moskau in ihren Rechten und Vermögensverhältnissen, in der Ausübung des evangelischen Gottesdienstes nicht beschränkt würden, konnte den Kurfürsten Johann Georg III. veranlassen, einigermafsen die Beziehungen zu der moskowitischen Regierung zu unterhalten. Und nun war es nicht einmal so einfach, die Frage zu beantworten, wer denn eigentlich an der Spitze dieser Regierung stände. Man mochte den Eindruck haben, dafs innerhalb weniger Monate mehrere Regierungswechsel stattgefunden hätten. Man hatte von der Soldatenmeuterei und dem furchtbaren Blutvergiefsen in Moskau im Mai 1682, wenn auch sehr spät, Kenntnis erhalten. So z. B. hatte derselbe Gossens, welcher 1675 in Wien dem in der Kaiserstadt weilenden Rinhuber mancherlei Angaben über Potemkins diplomatische Mission mit-

---

[1]) Quandoquidem relationes publicae cum amicorum literis doceant Moscuae nunc omnia esse in tranquillo.

geteilt hatte, nach der grofsen Krisis in Moskau an den Kurfürsten geschrieben und demselben mitgeteilt, dafs Blumentrosts
Leben bei Gelegenheit der Meuterei in der gröfsten Gefahr geschwebt und dafs er seine Rettung nur der Intervention der
Zarewna Sophie verdankt habe, welche den blutdürstigen Rebellen
zugerufen habe, dafs der Doktor Blumentrost als ein Unterthan
des Kurfürsten von Sachsen geschont werden müsse.[1] Im
„Theatrum europaeum" war des dänischen Residenten Butenant
v. Rosenbuschs Relation über die erschütternden Vorgänge im
Mai 1682 zu lesen. Matwejew, der Gönner der Ausländer, war
umgebracht worden. Rufslands Zukunft erschien als völlig
ungewifs.

Indessen Rinhuber hatte recht, wenn er Anfang 1683 behauptete, die „troubles" hätten sich gelegt, in Moskau sei alles
„in tranquillo". Die Regentin Sophie hatte die Ruhe hergestellt.
Jetzt gedachte Rinhuber seine Reise anzutreten.

Am 15. Mai 1683 schrieb Ludolf an den Herzog Friedrich
aus Erfurt, bei ihm sei Rinhuber angekommen; er beabsichtige
nach Moskau und Persien zu reisen, verlange aber, dafs das ihm
an die Zaren mitzugebende Schreiben in einer silbernen Kapsel
verwahrt würde; so habe er denn eine solche anfertigen lassen.
Hierauf fährt Ludolf fort: „Sein Vorhaben betreffend, habe ich
bei ihm eine sonderbare Begierde zu reisen und sowohl sich dadurch in seiner Profession zu perfektionieren, als auch sonst seine
Kuriosität zu erfüllen verspüret, und weil er mir eröffnet, dafs
er auf verhoffte Rekommandation des Königs von England nicht
allein in Persien, sondern noch weiter zu gehen resolviert, so
sind wir auf Abyssinien gekommen, welchen Vorschlag er sich wohl
gefallen lassen, verhoffend, vermittelst seiner Kunst sich an allen
Orten der Welt durchzubringen, könnte auch gar leicht geschehen,
wenn die zarischen Ministri von ihm hören würden, dafs die
Abyssinier in der Religion ihnen am nächsten beikämen, dafs sie
gar eine Abordnung vermittelst der Armenier, die im Lande sehr

---

[1] Gossens' Schreiben befindet sich im Dresdener Archiv.

wohl gelitten und in der Religion mit ihnen allerdings ein-
stimmig, hinein thäten, und da hoffte er wohl mitzukommen.
Alldieweil er nun von Leibesdisposition und anderer Umstände
wegen zum Reisen geboren zu sein scheint, seine Kunst auch in
der ganzen Welt gilt, so habe ich das Vertrauen mit göttlichem
Beistand zu ihm, er dürfte die Reise noch wohl verrichten und
dabei denen Abyssiniern Anleitung geben, wie sie die Christenheit
in Europa besuchen und mit den christlichen Potentaten Freundschaft, zu Erlangung allerhand Künste und Wissenschaften, stiften
möchten. Ich gebe ihm auch dazu alle benötigte Instruktion
und Nachricht, gehe auch gar damit um, wann es mit Ew. Fürstlichen Durchlaucht Erlaubnis geschehen könnte, dafs ich eine Reise
in Niederland und England thun und vermittelst der noch
habenden kaiserlichen und churpfälz. Rekommandationen an den
König und die Herren Staaten, ihm kräftig Befehle und Re-
kommandationsschreiben an die ministros und Direktoren der
Kontoire in Moskau, Persien und in den Seehäfen in Arabien
und des roten Meeres zuwege bringen wollte". In einer Nachschrift bemerkt Ludolf noch: „Dr. Rinhuber erinnert und bittet
gar hoch, dafs dieser Vorschlag der weiteren Reise in guter Geheim
gehalten werden möchte, damit nicht, wenn es vor der Zeit
eklatieren sollte, es allerhand Hindernis, auch vielleicht unzeitige
Präjudizia in der Moskau selbst geben möchte." [1]

Aus diesem Schreiben Ludolfs ist zu ersehen, dafs man in
herzoglich-sächsischen Landen an den Ideen des Herzogs Ernst
inbetreff der grofsen abyssinischen Entwürfe festhielt. Nach den
Anschauungen jener Zeit stand Abyssinien ungefähr auf gleicher
Stufe wie Rufsland. In ähnlicher Weise wie der letztere Staat
mehr und mehr an den Segnungen der europäischen Zivilisation
teilzunehmen vermochte, so hoffte man auch Abyssinien in eine
Art Kolonialgebiet für westeuropäische Sitte, Kunst, Wissenschaft und Staatsweisheit verwandeln zu können. In dieselbe
Kategorie hochfliegender Pläne gehört die Idee eines näheren

---

[1] Relation S. 195—198.

Verkehrs mit China. Als man in Westeuropa zuerst von der Geneigtheit Peters des Grofsen zu allerlei Reformen vernahm, äufserte Leibniz, es sei ein eigentümliches Zusammentreffen, dafs zu gleicher Zeit in China, in Moskau und in Abyssinien Fürsten regierten, deren Streben nach Reformen in allen diesen Ländern eine neue Ära inauguriere. [1]

VI.

So wurde denn die letzte Unternehmung Rinhubers, von welcher wir Kunde haben, eingeleitet. Über diese weite Reise, welche der kühne und unermüdliche Mann nach Rufsland unternahm, sind wir durch seine Schrift „Wahrhafte Relation von der Moskowischen Reise und Okkupation, so ich im Monat April 1684 angetreten und mense September 1684 in Moskau vollzogen, wobei auch zu finden un abbrégé d'Estat de Moscovie" recht genau unterrichtet. Dieses Werk, welches sich in der Bibliothek zu Gotha als Handschrift befindet, hat bereits vor mehreren Jahrzehnten dem verdienstvollen Forscher Friedrich v. Adelung vorgelegen und ist in allerneuester Zeit herausgegeben worden. [2]

Wir entnehmen der Erzählung Rinhubers folgende auf seine Erlebnisse sich beziehende Angaben.

Er berichtet, dafs er schon im April 1683, also noch früher, als jenes Schreiben Ludolfs an den Herzog Friedrich verfafst wurde, die Schreiben erhalten hatte, welche der Kurfürst Johann Georg III. und der Herzog Friedrich durch ihn an die Zaren abzufertigen gedachten; der letztere habe auch ein wertvolles Geschenk für Iwan und Peter beigefügt. Über den Inhalt der Schreiben bemerkt Rinhuber, es sei darin die Aufforderung enthalten gewesen, baldmöglichst etwas gegen die Türken zu unternehmen. Rinhuber sagt ferner, er habe um so schneller reisen

---

[1] Guerrier, Leibniz und seine Beziehungen zu Rufsland und Peter dem Grofsen (St. Petersburg und Leipzig, 1873) S. 15.

[2] S. oben S. 215. Der Titel der Edition, welche, wie wir sahen, eine grofse Anzahl von Akten enthält, ist zu eng.

wollen, als er die Absicht gehabt habe, sich für seine Reise nach
Persien dem schwedischen, dorthin gehenden Gesandten, Oberst
Fabricius, mit welchem er von früherer Zeit her befreundet gewesen sei, anzuschliefsen. So hoffte er denn zum September 1683,
da Fabricius seine Reise antreten wollte, in Moskau und zu Ende
Dezember 1683 schon in Ispahan zu sein. Von dort aus
gedachte er sodann nach Abyssinien zu reisen. Indessen habe
er Aussicht gehabt, sowohl von dem Kurfürsten von der Pfalz
als auch von dem Könige von England Empfehlungsschreiben zu
erhalten; so sei er denn dadurch zu verschiedenen Reisen an
den Rhein, nach England und Holland veranlafst gewesen, ohne
doch diese wichtigen Briefe erhalten zu können, habe die beste
Reisezeit verloren, viel Geld verbraucht, den Anschlufs an die
Reise des Fabricius versäumt und sei somit in seinen eigenen
Interessen und inbetreff der Zwecke seines Unternehmens sehr
erheblich geschädigt worden. Nachdem er im Spätherbst von
den Kreuz- und Querzügen in Frankfurt, Heidelberg, Holland
und England zurückgekehrt sei, wäre es zu spät gewesen, im
Oktober und November noch die Reise über die Ostsee zu unternehmen. So habe er den Winter in Mecklenburg verlebt. Im
April 1684 sei er erst zu Schiffe gegangen, um dieselbe Zeit,
als die kaiserlichen Gesandten Zyrowski und Blumberg ebenfalls
nach Moskau aufbrachen, um die Zaren zu einer energischen
Aktion gegen Türken und Tataren zu bewegen.

Rinhuber teilt den Wortlaut verschiedener Briefe mit, welche
er mit mehreren Würdenträgern inbetreff seiner Reise nach Moskau und den dort zu erlangenden Audienzen bei den Zaren Iwan
und Peter wechselte. Er meldete seine bevorstehende Ankunft
sowohl dem holländischen Gesandten, Baron Keller, dessen Freundschaft er schon früher genossen hatte, als auch dem Statthalter
von Pskow, Bojaren Boris Petrowitsch Scheremetjew; auch schrieb
er, nachdem er im Mai 1684 in Riga eingetroffen war, an die
Zaren, indem er seines früheren Aufenthaltes in Moskau gedachte.
In Pskow, wo Scheremetjew ihn gut aufnahm, erhielt Rinhuber
ein Schreiben vom Baron Keller, welcher für ihn bei dem Minister

der Regentin Sophie, Fürsten Wassilij Wassiljewitsch Golizyn, zu wirken suchte.[1]) Keller schrieb u. a., es weile gerade zur Zeit ein persischer Diplomat in Moskau; es sei für Rinhuber geraten, sich demselben, da er sich zur Reise in die Heimat rüste, anzuschließen.

Keller hatte Rinhubers Ankunft viel früher erwartet. Sein Schreiben ist Moskau den 17. Dezember 1683 datiert. Wiederum hatte Rinhuber Gelegenheit, den Aufschub zu beklagen, welchen die ihm in Aussicht gestellten und später vorenthaltenen Empfehlungsbriefe veranlaßt hatten.

Übrigens gestalteten sich die Verhältnisse für Rinhubers Weiterreise sehr günstig. Scheremetjew stellte ihm, als einem Diplomaten, Wagen, Pferde und Bedienung zur Verfügung. Er erhielt täglich reichliche Lebensmittel für sich und seinen Diener („dem Doktor: ein Weißbrot, für 6 Pf. Semmelbrot, ein Rinderviertel, ein Schöpsenviertel, eine Henne, ein halbes Pfund Butter, zehn Eier, drei Schalen Doppelbranntwein, zwei Krüge Met, vier Krüge Bier; dem Diener: ein Roggenbrot, ein Stück Rindfleisch, ein Stück Schöpsenfleisch, zwei Schalen gemeinen Branntwein, zwei Krüge Bier"); er wurde rasch weiter befördert, in Nowgorod von dem Statthalter Urussow wohlwollend behandelt. Am 4. Juni begegnete er schwedischen Gesandten, welche soeben Moskau verlassen hatten; sie luden Rinhuber zu Tische ein; man trank mit Begleitung von Pauken und Trompeten „etzlicher Potentaten Gesundheit". Am 6. Juni traf er in Moskau ein. Wegen des argen Regenwetters verzichtete er auf einen feierlichen Einzug in die Hauptstadt, auf welchen er, wie er meinte, Anspruch gehabt hätte. Es wurden ihm zwei Beamte der Behörde für auswärtige Angelegenheiten, ein prachtvoll aufgeschirrtes Reitpferd zur Verfügung gestellt.

Einige Zeit schwebte die Frage, ob die Zaren Rinhubern

---

[1]) Über die Persönlichkeit des Baron Keller und dessen gute Beziehungen zu Golizyn finden sich wertvolle Angaben in Posselts Werke über Lefort. Keller gehörte zu den hervorragendsten Bewohnern der deutschen Vorstadt.

eine Audienz bewilligen würden. Den Vorschlag, die Schreiben
der sächsischen Fürsten der Behörde für auswärtige Angelegenheiten zuzustellen, wies er zurück. Er kannte die russischen Verhältnisse zu gut, um nicht zu wissen, daß eine solche, ihm von
Jemelian Ukrainzew, einem sehr erfahrenen, aber kleinliche Mittel
zur Erlangung von persönlichen Vorteilen nicht scheuenden Beamten, gemachte Zumutung eine Intrigue in sich schloß oder
einen Erpressungsversuch bedeutete. Er erklärte, entweder mit
den Schreiben der sächsischen Fürsten wieder abreisen oder dieselben in feierlicher Audienz den Zaren überreichen zu wollen.
Baron Keller stimmte dieser entschlossenen Haltung bei. Inzwischen
machte Rinhuber einige Bestechungsversuche, brachte in Erfahrung,
daß die kaiserlichen Gesandten und andere deutsche Katholiken
ihm und seiner diplomatischen Mission zu schaden suchten, daß
u. a. andere deutsche Ärzte fürchteten, er werde seine Praxis
wieder aufnehmen und ihnen Konkurrenz machen. [1] In den
Kreisen der Katholiken, welche in der „deutschen Vorstadt" eine ·
große Bedeutung hatten, [2] nannte man Rinhuber einen „Ketzer";
man wollte ihn „vexieren", „beschimpfen", seine Audienz bei Hofe
verhindern. Um so energischer mußte Rinhuber auf seinem Stücke
bestehen. Er nennt seine Widersacher „eine canaglia".

So richtete er denn abermals ein Schreiben an die beiden
Zaren, in welchem er um eine Audienz bat und seiner früheren
diplomatischen Leistungen erwähnte, über welche die noch lebenden
Staatsmänner, Meneses und Potemkin, Zeugnis abzulegen ver-

---

[1] Rinhuber schreibt: „Und sind besagte in Moskau lebende exteri
also geartet, daß einer dem andern sein Aufkommen mißgönnt und
verhindert, wo und wie er kann, und eben dieses ist mir auch vor
diesem widerfahren." Er erzählt sodann, wie man ihm im Jahre 1675
infolge der Ränke etlicher Deutscher sein Gehalt von 30 Rubel auf
19 Rubel monatlich geschmälert habe; wie ein diplomatischer Auftrag
zu einer Reise ins Ausland im Jahre 1676 dadurch vereitelt wurde, daß
ein anderer Deutscher, Benignus Ganzland, sich dazu gedrängt habe;
s. die Einzelheiten in der Relation S. 221.

[2] So z. B. war Patrick Gordon, der hervorragendste aller ausländischen Offiziere, eifriger Katholik und fanatischer Vertreter der
Propaganda.

möchten. Er setzte seinen Willen durch. Die Audienz fand am 20. Juni statt. [1]) Es war ein Triumph, den Rinhuber über seine Feinde errungen hatte.

Bemerkenswert sind Rinhubers Äußerungen über die Haltung, welche der jüngere Zar bei der Audienz beobachtete. Als Golizyn das Schreiben des Kurfürsten Johann Georg III. entgegennahm und den Zaren zeigte, besah Peter das Schreiben und lobte „mit lachendem Munde" das schöne Siegel. Von der Zeremonie des Handkusses erzählte Rinhuber: „Hierauf trat ich herzu mit reverence zwischen die Palassen (Schwerthalter) ein, und küssete den Zaren Joann rechte Hand, so der Bojarin Iwan Michailowicz Miloslawski unterstützte; dieser sagte zum Zar (weil Seine Majestät nicht wohl sehen kann): der Doktor; bald küssete ich auch die Rechte des Zaren Peter Alexejewitsch, so mir mit halb lachendem Munde einen freundlichen und gnädigen Blick gab und mich gar eben ansahe et dans un moment Selbsten die Hand darreichte. Ein überaus schöner Herr, an welchem die Natur son pouvoir wohl erwiesen, und wie ich anderswo geschrieben, [2]) le Czar Pierre est né si heureusement et avec tant d'avantages de la nature, qu'une des moindres qualités qu'est en lui est d'estre fils du Roy. Il est une beauté qui gagne le coeur de tous ceux qui le voient, un esprit qui dans les premières annés de son âge ne trouve déjà pas son pareil."

Nach der Audienz erhielt Rinhuber, wie solches üblich war, Speisen und Getränke, welche ihm in seine Wohnung gesandt wurden, und — ein Geldgeschenk im Betrage von drei Rubeln, welche den Wert von sechs Reichsthalern repräsentierten. „Das war," bemerkt er, „das beste von allen Gerichten meo quidem judicio."

Ein paar Tage später stattete Rinhuber dem Fürsten Wassilij Wassiljewitsch Golizyn auf dessen in der Nähe der Hauptstadt

---

[1]) S. manche zum Teil unbedeutende Details über diesen Vorgang in der Relation S. 223 ff.

[2]) Vielleicht findet sich dieser Passus in dem leider bisher noch nicht aufgefundenen Schriftchen Rinhubers „abrégé d'estat de Moscovie".

befindlichen Gute Tschernaja Grjasj einen Besuch ab, wobei er
ihm zwei goldene Medaillen mit dem Bildnis des Kurfürsten von
Sachsen als Geschenk überreichte. [1] Der Minister war hoch-
erfreut, erkundigte sich nach den Details des Instituts des Kur-
fürstenkollegiums und sprach seine Mißbilligung darüber aus, daß
nicht alle deutschen Fürsten dem Kaiser in dessen Kampfe mit der
Türkei beiständen. Dann fragte er nach den Verhältnissen der
sächsischen Lande, nach dem Herzog Friedrich. Zuletzt versprach
Golizyn Rinhuber in dessen beabsichtigter Reise nach Persien in
aller und jeder Weise Vorschub zu leisten. Er war der Meinung,
daß Rinhuber als diplomatischer Agent nach Ispahan gehen werde,
während dieser lediglich als Privatmann die Reise unternehmen
wollte und jetzt, infolge des leidigen Aufschubs, genötigt war,
auf die Ausführung seines Vorhabens zu verzichten und nach
Deutschland zurückzukehren. In diesem Sinne äußerte sich Rinhuber gegen den Fürsten Golizyn.

    Ferner berichtet Rinhuber darüber, daß er bei den kaiser-
lichen Gesandten zu Tische gewesen sei, von den Verhältnissen
der Katholiken in Rußland, von den Zuständen der evangelischen
Gemeinde in der „deutschen Vorstadt". Er hatte Gelegenheit,
dem Fürsten Golizyn Ludolfs „Historia Habessinica", sowie ein
Geschenk von Herzog Friedrich für die Zaren, in allerlei Arzneien
bestehend, zu überreichen. Man blätterte in Ludolfs Werke über
Abyssinien und stieß dabei auf die Abbildung von drei Domini-
kanermönchen, welche dort enthauptet worden sein sollten, wobei
Golizyn mit Lachen zu Rinhuber sagte, auch ihm werde es so
ergehen, wenn er nach Abyssinien reise.

    Dann gab es eine geschäftliche Konferenz Rinhubers mit
Golizyn. Es war von der Türkenfrage, von einem Zusammenwirken Rußlands und Abyssiniens im Kampfe gegen die Pforte
die Rede. Besonders ausführlich verweilte Rinhuber bei der
Darlegung der kirchlichen Verhältnisse der Abyssinier, weil ihm
daran lag, die Russen von der Übereinstimmung der in Abyssinien

---

[1] Vielleicht geschah dieses im Auftrage des Kurfürsten von Sachsen;
s. die Relation S. 232.

und in Rufsland herrschenden Dogmen zu überzeugen. Er machte den Vorschlag, die Zaren sollten einen diplomatischen Agenten nach Abyssinien senden. Als verstünde es sich von selbst, dafs er, Rinhuber, an einer solchen Reise teilnehmen müsse, bemerkte er: „Wir müfsten in diesem Falle nach Persien reisen, sodann einige Armenier mitnehmen" u. s. w. Seine „Propositiones" mit dem Datum „Moskau, den 23. Juni 1684" reichte er in lateinischer Sprache ein; dieselben wurden ins Russische übersetzt und eingehend geprüft.

Aus den die orientalische Frage, die Unternehmung eines Türkenkriegs betreffenden Unterredungen Rinhubers mit Golizyn konnte der erstere entnehmen, dafs die russische Regierung nicht geneigt war, gemeinsame Sache mit den Polen gegen die Türken zu machen, „mafsen die Polen nicht allmächtig werden zu lassen eine von den grofsen Moskowischen Maximen". Rinhuber wollte sogar davon gehört haben, dafs ein Krieg zwischen Moskau und Polen ausbrechen werde; indessen hielt er ein solches Ereignis für unwahrscheinlich, weil die russische Regierung überhaupt eine zuwartende Haltung beobachtete, weil die beiden Zaren nicht einig wären, weil es an Geld fehlte, weil die Armee unzufrieden sei („die Strelizzen malcontents"). Sehr charakteristisch für die Zustände in Moskau sind folgende Bemerkungen Rinhubers: „Kein Moskowischer Bojar oder Reichsrat wird leichtlich zu einiger Entreprise einraten, denn eine Spanne kürzer gemacht zu werden ist in Moskau nun gar nichts Neues. Der Premier-minister, der gute Herr Galizyn stehet in grofser Gefahr; er mufs beider Herren Zaren Partei halten, alle affairs du Royaume debattieren, und ist kaum süffisant denen Sachen länger vor-zustehen." [1])

Rinhuber liefs es sich angelegen sein, die höheren Beamten, welche an den auswärtigen Angelegenheiten Anteil hatten, sich durch Besuche, Schmeicheleien und Geschenke geneigt zu machen. So besuchte er Ukrainzew, den „secrétaire d'estat", Kusma

---

[1]) S. die Relation S. 241. Fünf Jahre später erfolgte Golizyns Sturz; s. meine Biographie G. s. weiter unten.

Nefimonow, den Schreiber Tscheredejew u. a. Er schreibt: „Also hatte ich sie alle zu Freunden." Ferner suchte Rinhuber seine alten Bekannten auf, den holländischen Gesandten, Baron Keller, dessen wohlwollende Haltung er nicht genug rühmen kann, den schwedischen Kommissar, Christoph v. Kochen, welcher Rinhubers Reise nach Persien möglichst zu fördern und zu erleichtern versprach, den dänischen Gesandten u. a.

Man sieht, daſs Rinhuber sich eine angesehene Stellung in den höheren Kreisen der russischen Gesellschaft und auch in den Kreisen der Ausländer erworben hatte. Folgender Umstand trug dazu bei, daſs er in dieser Zeit die besondere Gunst des Fürsten Golizyn erlangte. Der letztere hatte das Unglück, sich bei einem Sturz bedenklich zu verletzen, und Rinhubers gegen diese Verletzungen angewandte Mittel erwiesen sich als sehr wirksam. „Bei dieser Gelegenheit," schreibt Rinhuber, „ward der Herr Galizyn mein groſser Gönner, und ich muſste öfters zu Abend bei ihm essen und auch über Nacht im Vorgemache schlafen. Er versprach mir auch eine gute Expedition vor diesmal und hernach eine gute Gage zu prokurrieren, wofern ich wieder nach Moskau kommen und in Zarlichen Diensten zu sein begehren würde."

Einen Vorschlag des polnischen Grafen Zgursky, welcher nach Persien abreiste, ihn dorthin zu begleiten, muſste Rinhuber ablehnen, erstens weil er das russische auswärtige Amt zu Moskau schon um seine „Demission in Germaniam sollizitieret" hatte, und zweitens weil er im Gefolge des polnischen Diplomaten „wie die Herren Pollacken hätte leben und von ihren Herren Pfaffen die Messe mit anhören" müssen. Immer wieder klagte Rinhuber darüber, daſs er im Jahre 1683 die rechte Zeit versäumt hatte, um in Fabricius' Gesellschaft nach Persien zu reisen. Und bei dieser Gelegenheit erfahren wir denn auch, was ihn besonders nach Persien getrieben hatte. „Fabricius, Swidersky, Zgursky und Termund, ja noch andere waren vor ein 10 Jahren arme Kerle, sind aber durch ein einzig Schreiben, so sie von hoher Hand gehabt an den Perser Schach, aufkommen, und jeder mit 1000 Dukaten regalieret und jetzo gar grofse Herren worden."

Zuletzt gab es noch Widerwärtigkeiten und Streit. Spafari, von dessen „Schelmenstücken" Rinhuber mancherlei zu erzählen wufste, glaubte in den von Rinhuber erreichten Schriftstücken Inkorrektheiten inbetreff der Titel der Zaren entdeckt zu haben. Bei der grofsen Wichtigkeit, welche man damals, besonders in Rufsland, diesen Dingen beilegte, konnte dieser Zwischenfall für Rinhuber die unangenehmsten Folgen haben. Spafari drohte ihm, er werde nach Sibirien verbannt werden. Indessen suchte Rinhuber die Redaktion seiner Aktenstücke zu rechtfertigen, wobei ihm insbesondere Golizyns Gunst zu statten kam. Er schreibt: „Hätte ein anderer russischer Herr an des Herrn Galizyn Officio oder Stelle gesessen, hätte Selbiger mich in grofs malheur gebracht." Es gab eine Art Untersuchung, zugleich eine Art wissenschaftlicher Disputation. Rinhuber und dessen Gegner stritten darüber, ob bei der Übersetzung der Namen und Titel in das Lateinische die eine oder die andere Redaktion dem Geiste der lateinischen Sprache besser entspräche. Die Sache hatte keine weiteren Folgen.

Am 27. August besuchte Rinhuber den Fürsten Golizyn abermals auf dessen Gute. Hier sah er die Prinzessin Sophie, welche nähere Beziehungen zu dem Minister unterhielt, den Zaren Iwan und dessen Gemahlin. Rinhuber speiste bei Golizyn, welcher ihm nach Tische sagte: „Ei, Doktor, du mufst bei uns im Lande bleiben, weil du unsere Sprache reden und schreiben kannst und auch vor diesem der Zarischen Majestät gedienet." Rinhuber erwiderte, er müsse zunächst nach Deutschland reisen und werde später vielleicht wiederkommen.

Am 30. August fand Rinhubers Abschiedsaudienz statt. [1]

---

[1] Die Schreiben der sächsischen Fürsten an den Zaren sind abgedruckt bei Büsching, Magazin für die neue Historie und Geographie, 11, 525—532. Ebendort das Antwortschreiben der beiden Zaren Iwan und Peter vom 30. August 1684. Das Original des Schreibens in russischer

Er erhielt nach derselben ein Geschenk von 100 Rubeln (Dukaten) in Zobeln und erfuhr zu seinem nicht geringen Verdrusse, dafs das Geschenk 140 Rubel betragen sollte, dafs aber 40 Rubel von den Beamten der Kanzlei des Zaren unterschlagen worden seien. Die 100 Rubel schmolzen infolge der schnöden Habsucht anderer Beamten noch auf 75 Rubel zusammen. Es galt als selbstverständlich, dafs dergleichen sich ereignete, und Rinhuber hielt es nicht für angemessen, Klage zu führen.

So trat denn Rinhuber am 8. September seine Rückreise nach Deutschland an. Er hoffte, sich dem nach Dänemark zurück-kehrenden dänischen Gesandten v. Horn anschliefsen und zu diesem Zwecke über Reval reisen zu können. Der Ränkesucht und dem Eigensinn eines Beamten in Nowgorod hatte er es zu danken, dafs sein Reisepafs nicht, wie er wünschte, auf Reval, sondern auf Narva ausgestellt wurde. So mufste denn Rinhuber abermals auf eine bequeme, rasche und sichere Reisegelegenheit verzichten, gegen seinen Willen die viel kostspieligere Reise nach Narva machen, dort mehrere Wochen auf ein nach Lübeck gehendes Schiff warten. Dazu gab es in Narva sehr fatale Mifsverständnisse mit feindselig gesinnten schwedischen Zollbeamten, welche Aufenthalt und Mehrkosten verursachten. Ein Mifsgeschick reihte sich an das andere. Eine in so später Jahreszeit unternommene Seereise — Rinhuber reiste endlich am 28. Oktober von Reval ab — war gefahrvoll. Das Schiff mufste infolge eines Sturmes in den Hafen von Reval einlaufen. Nachdem es wieder in See gegangen war, brach das Unwetter in der Nähe der finnischen „Schären" von neuem los. Rinhuber schreibt: „Die See war ungeheuer und schäumend, wie ein Kessel wallendes und heifs siedendes Wasser, die Wellen hohl und die Wogen hielten das rendez-vous in unserm Schiff und Kammer und schlugen sowohl

Sprache befindet sich im kgl. sächsischen Staatsarchiv. Hier ist ausdrücklich erwähnt, die Zaren hätten dem Laurentius Rinhuber gestattet, nach Persien zu reisen; aber derselbe habe diese Reise nicht unternehmen wollen.

uns als die wohlgeübten Schiffsburschen darnieder, daſs wir des
Aufstehens und unser selbst vergaſsen, und in die achtundvierzig
Stunden nichts erwarteten als den augenblicklichen Tod. Ich
habe diese groſse Not in meinem Journal graphice [1]) beschrieben,
weil ich ein vierzehn Seefahrten in der Ost-, Nord-, Westsee und
Levante gethan, niemals aber dermaſsen die Gewalt der Winde
und des Meeres erfahren als zu der Zeit. Zwei Schiffe, so mit
uns in See gegangen, sahen wir verderben, das dritte aber ist
mitten in der See vergangen, das ist, augenblicklich gesunken."
Auch bei Bornholm und Rügen dauerte die Gefahr fort,
indessen erreichte das Schiff Travemünde am 21. November.
Erst vierzehn Tage später konnte indessen Rinhuber sein Gepäck
erhalten, welches im Schiffsraum verwahrt worden war. Über
Lüneburg und Leipzig reiste er nach Dresden, wo er am 23. Dezember das Antwortschreiben des Zaren an den Kurfürsten übergab und an den folgenden Tagen zur Hoftafel eingeladen wurde.
Hierauf reiste er nach Gotha, um auch dem Herzog Friedrich
das Antwortschreiben der Zaren zu überreichen, aber auch bei
dieser letzten uns bekannt gewordenen Reise Rinhubers gab es,
wegen Hochwasser, Verkehrstörung und eines Miſsverständnisses
inbetreff des Gepäcks, verschiedene Schwierigkeiten und Aufenthalt. [2]) Er hatte schon aus Leipzig an den Herzog geschrieben
und ihm das Geschenk von den Zaren („Zobels und ein weiſs
Fuchsen Werk, so vor ein Winterrock dienen kann") übersandt,
damit der Herzog dasselbe vor Weihnachten erhielte. [3])

Seine „Wahrhafte Relation" schlieſst Rinhuber mit den
Worten: „Und so viel kürzlich von meiner Moskovischen Reise
worauf nun folget der andere Teil, nämlich Relation d'estat de
Moscovie, wobei zu bemerken, daſs zwar nicht alles so gar umständlich ausgeführet, weil ich in einem gewissen Traktat de

---

[1]) Relation S. 273. Leider ist diese Schrift Rinhubers bisher nicht
aufgefunden worden.
[2]) Relation S. 275.
[3]) Relation S. 199—200.

18*

rebus Moscoviticis, plait a Dieu, wohl besser zu schreiben gesonnen."

Rinhubers „Wahrhafte Relation" scheint an den Herzog
Friedrich gerichtet gewesen zu sein. Auf das „Datum, Gotha
den 24. Februar 85" folgt „unterthänigster Laurent Rinhuber.
M. mea".

Daſs weder das „Abrégé d'estat de Moscovie" noch die
andern Schriften, deren Rinhuber erwähnt, sich bisher haben
auffinden lassen, ist sehr zu bedauern. Wir wären um eine Geschichtsquelle für die Vorgänge der siebziger und achtziger Jahre
reicher. Rinhubers Urteil über die Zustände Ruſslands in dieser
Übergangszeit zu erfahren, wäre für uns von dem gröſsten Werte.
Ob er Zeit gefunden hat, sein groſses Werk über Ruſsland, dessen
wiederholt erwähnt ist, zu verfassen, erfahren wir nicht. Jahrelang hat er für dieses, offenbar sehr umfangreich angelegte Werk
das Material gesammelt. Der Titel, welchen er demselben zu
geben gedachte, veranlaſst uns zu der Annahme, daſs er es in
lateinischer Sprache schrieb oder zu schreiben gedachte. Es wäre
ein Seitenstück zu dem berühmten Buche des Olearius geworden,
welches Rinhuber sehr hoch schätzte.

Überhaupt schlieſst leider unsere Kenntnis von dem Leben
und Wirken Rinhubers mit dem Januar 1685 ab. Über seine
ferneren Schicksale haben sich bisher keinerlei Nachrichten auffinden lassen. In dem Jahre 1685 mag er im kräftigsten Mannes-
alter gestanden und nicht viel über 40 Jahre gezählt haben.
Ob er noch lange als Arzt, als diplomatischer Agent, als Reporter und Schriftsteller gewirkt, ob er Reisen unternommen habe,
für die Verwirklichung seiner Entwürfe thätig gewesen sei? Diese
Fragen müssen offen bleiben. Seine Lebensgeschichte bleibt ein
Torso. Er gehörte zu den unternehmenden Reisenden, welche
damals, zum Teil in einer etwas abenteuernden Weise, den Verkehr zwischen Ruſsland und Westeuropa vermittelten und in dieser
internationalen Rolle zur Verbreitung von Kenntnissen über den
fernen Osten beitrugen. Eine kosmopolitische Natur, ein ruhe-

loser Tourist, „zum Reisen geboren", wie Ludolf von ihm sagte, war Rinhuber welterfahren und gebildet genug, um seine Reiseeindrücke und Erlebnisse litterarisch zu verwerten. Sein Name reiht sich würdig denjenigen anderer Schriftsteller an, welche in jenen Zeiten über Rufsland berichteten, wie etwa Olearius, Mayerberg, Witsen, Korb, Perry, Stralenberg u. a. Die Auffindung der bisher unbekannt gebliebenen Schriften Rinhubers wäre dringend zu wünschen.

IX.

Fürst W. W. Golizyn (1643—1714).

Je entscheidender für die Geschichte Rufslands die Reformepoche Peters des Grofsen gewesen ist, von desto gröfserem Interesse ist es, die Genesis jener Reformideen, deren genialer Vertreter der gewaltige Herrscher gewesen ist, in den Jahrzehnten, welche seiner Regierung vorausgingen, zu verfolgen. Auch vor Peter hat es in Rufsland Anhänger der west-europäischen Kultur gegeben, begeisterte Fortschrittsmänner, welche von der Berührung Rufslands mit Europa das Heil erwarteten, strebsame, lernfähige und lernbegierige Schüler höher gebildeter Nichtrussen, liberalgesinnte Patrioten, welche vor durchgreifenden Neuerungen nicht zurückschraken und, im Gegensatze zu der trägen Masse des zäh am Bestehenden festhaltenden Volkes, bereit waren, mit manchen Traditionen zu brechen, neuen Elementen den Zutritt nach Rufsland zu gestatten, ihr Land, ihr Volk der Segnungen des politischen, intellektuellen moralischen und ökonomischen Fortschritts des Westens teilhaftig zu machen.

Zu der nicht grofsen Anzahl solcher Männer gehört der Fürst Wassilij Wassiljewitsch Golizyn, dessen Leben und historische Bedeutung wir in der folgenden biographischen Skizze kurz zu schildern versuchen wollen. Es ist um so anziehender, in ihm einen Geistesverwandten Peters des Grofsen zu erblicken, als er keineswegs zu dem Kreise Peters gehört, ja vielmehr dem letzteren im gewissen Sinne feindlich gegenübersteht. Die politische Rolle

Golizyns und diejenige Peters schlossen einander aus. Zu den
Bedingungen einer erfolgreichen, selbständigen Thätigkeit des
jungen Zaren gehörte der Fall Golizyns. Hatte der letztere
mehrere Jahre hindurch bis 1689 eine Art Regentenrolle gespielt,
so mufste er mit dem Sturze seiner Freundin und Gönnerin, der
Prinzessin Sophie, zu Gunsten Peters das Feld räumen, den
Schauplatz seiner Thätigkeit im Mittelpunkte des Staates, an der
Spitze der russischen Armeen mit der Einsamkeit des im ent-
ferntesten Norden gelegenen Verbannungsortes vertauschen.

Ein solch jäher Wechsel in den persönlichen Schicksalen
russischer Staatsmänner ist im 17. und auch wohl im 18. Jahrhundert an und für sich eine nicht ungewöhnliche Erscheinung.
Golizyn gehört in jene lange Reihe russischer Machthaber, welche
nach schrankenlosem Genusse von Pracht und Glanz, Luxus und
Einflufs, das Wohlleben und die grofsartige historische Rolle ganz
plötzlich aufgeben müssen, um den Rest ihres Lebens in der bescheidenen oder gar kümmerlichen Existenz in menschenleeren,
wüsten, unwirtlichen Gegenden als Verbannte zu vertrauern. In
dem Leben der Matwejew, Golizyn, Tolstoi, Menschikow, Ostermann, Münnich, Biron und anderer wiederholt sich ein solcher
Gegensatz von Glück und Elend, von Reichtum und Armut, von
Höhe und Tiefe nur mit dem Unterschied, dafs es einigen wenigen
von diesen, als politische Verbrecher behandelten Würdenträgern
gelingt, nach kürzerer oder längerer Verbannung heimzukehren,
Freunde und Verwandte wiederzusehen, die unterbrochene politische Thätigkeit wieder aufzunehmen, wenn nicht ganz, so doch
zum Teil die frühere Stellung zu erringen, sich wieder mit dem
früheren Luxus zu umgeben, während die meisten in Schnee und
Kälte, in Kummer, Gram und Entbehrung, bei einer Lebensweise,
wie rohe Bauern oder asketische Mönche sie aus Notwendigkeit
oder Neigung zu führen pflegten, schneller oder langsamer dem
Tode entgegengingen. Letzteres Schicksal ist auch dem Fürsten
Golizyn zuteil geworden. Die Bildungsstufe, welche er einnahm,
mufs ihn dasselbe doppelt schwer haben empfinden lassen, ein
Umstand, welcher nur geeignet sein kann, die dem Andenken an

den Mann und seine Stellung in der Geschichte Rufslands zu
zollende Aufmerksamkeit zu steigern.

Noch bei Lebzeiten, während der Verbannungszeit, ist Golizyn
Gegenstand der Beachtung in der historischen Litteratur geworden.
Es kam ihm zu gute, dafs ein diplomatischer Agent, welcher, fran-
zösisch-polnische Interessen vertretend, sich einige Monate im
Herbst 1689 in Moskau aufhielt, Golizyn persönlich kennen lernte
und voll Bewunderung über die reichen Gaben und die liebens-
würdige Persönlichkeit des Fürsten sich äufserte. Die in den Jahren
1698—1707 in zwei französischen, einer englischen und zwei
holländischen Ausgaben erschienene „Relation curieuse et nouvelle
de la Moscovie“ von Neuville ist die Quelle, auf welche auch die
spätere Geschichtsforschung, so oft sie sich mit W. W. Golizyn
beschäftigte, zurückzugehen pflegte. Hier werden wahre und er-
dichtete Züge aus seinem Leben erzählt. Während die Schilderung
der Eindrücke, welche der Umgang mit dem eine Art Grofsvezier-
stellung einnehmenden Golizyn übte, die Darstellung der Reformentwürfe, mit denen er sich trug und welche er gesprächsweise
dem Verfasser der „Relation curieuse“ mitteilte, von dem gröfsten
Interesse sind und als zuverlässige Geschichtsquelle angesehen
werden können, verdienten von den, zum gröfsten Teil auf Klatsch
beruhenden Angaben über Thatsächliches, z. B. über das persönliche Verhältnis Golizyns zur Regentin Sophie, die wenigsten
Glauben, und man mufs es bedauern, dafs spätere Geschichtsforscher auf dieselben zu viel Gewicht gelegt haben.

Minder Zusammenhängendes, aber durchaus Zuverlässiges
bietet eine Menge von Notizen, welche den Fürsten betreffen, in
dem Tagebuche des Generals Patrick Gordon, welcher jahrelang mit
ihm auf vertrautem Fufse stand, ihn über die Verhältnisse Westeuropas unterrichtete, eine Reihe von Feldzügen mit ihm durch-
machte und unmittelbarer Zeuge seiner Katastrophe war.

Eine nicht unbeträchtliche Anzahl von Aktenstücken, Privat-
briefen und Geschäftspapieren, welche den Fürsten Golizyn be-

treffen, erschien schon zu Ende des 18. Jahrhunderts in Editionen,
wie die altrussische Bibliothek, welche zur Zeit Katharinas II.
von Nowikow herausgegeben wurde, sowie in der neueren Zeit
in der von der „Moskauer Gesellschaft für Geschichte und Altertümer Rufslands" herausgegebenen Zeitschrift „Wremennik", ohne
dafs diese Akten sehr viel Belehrendes enthielten.

Wie man auch noch Jahrzehnte nach dem Tode Golizyns
sein Andenken selbst im Westen würdigte, zeigt eine seltsame,
in den Einzelheiten der mitgeteilten Thatsachen und Urteile eine
wunderliche Mischung von Wahrem und Falschem enthaltende
Flugschrift, welche zur Zeit der Kaiserin Anna, im Jahre 1737,
erschien: „Gespräche im Reiche der Toten; 224. Entrevue
zwischen dem Knees Basilio Golizyn und dem russischen General
B. von Hochmuth, Leipzig 1737". Jahreszahlen, Angaben über
Feldzüge und Schlachten und die dabei verwendete Truppenmenge
geben ein fast komisches Durcheinander von Mifsverständnissen ab.
Durch einen grofsen Teil der Brochüre zieht sich die spafshafte
Verwechselung des Fürsten W. W. Golizyn mit dessen Vetter
Boris Alexejewitsch Golizyn, woraus denn wieder eine Fülle von
Irrtümern erwächst. Immerhin verdienen einzelne Angaben in
diesem Schriftchen Beachtung. Dasselbe zeugt davon, dafs man
im Westen den russischen Angelegenheiten früherer Zeit gern
eine gewisse Aufmerksamkeit schenkte, und dafs der Eindruck,
welchen das Wirken und die Persönlichkeit Golizyns auf seine
Zeitgenossen geübt hatte, kein flüchtig vorübergehender gewesen war.

Genau hundert Jahre später erschienen in Rufsland zwei
Biographien Golizyns. Die eine hatte den dereinstigen Vor-
sitzenden der Moskauer Gesellschaft für Geschichte und Altertümer
Rufslands, A. Malinowskij zum Verfasser und ward gedruckt im
VII. Bande der von diesem gelehrten Verein herausgegebenen
„Studien und Chroniken" (Moskau 1837). In demselben Jahre
erschien in dem zweibändigen Werke A. Tereschtschenkos „Ver-
such der Übersicht des Lebens der Würdenträger, welche die
Auswärtigen Angelegenheiten in Rufsland leiteten" (St. Peters-

burg 1837) ebenfalls eine Biographie Golizyns. Beide Arbeiten enthalten sehr dankenswerte Details, zeugen aber von sehr schwach entwickelter Kritik. So schenkt namentlich Tereschtschenko, welcher übrigens eine sehr bedeutende Belesenheit an den Tag legt, der Schrift Neuvilles unbedingten Glauben. Beide Verfasser ergehen sich, wie das in jener Zeit üblich war, in den stärksten Ausdrücken über die, dem Fürsten Golizyn als Gegner Peters und Anhänger Sophiens zur Last gelegten Verbrechen. Polizei und Censur trugen damals dazu bei, die sittliche Entrüstung zu steigern. An allerlei historischen Ungenauigkeiten und chronologischen Verstöfsen ist in beiden Schriften kein Mangel.

Ustrjalow hat in seiner „Geschichte Peters des Grofsen" neues und wertvolles Material über Golizyn mitgeteilt, Privatbriefe, Gerichtsakten und sonstige Geschäftspapiere, welche insbesondere in die Katastrophe Golizyns einen ungleich tieferen Einblick gestatten, als dies bis dahin möglich war.

Aus allem diesem Material heben wir in der folgenden, keineswegs erschöpfenden Skizze nur das Wesentlichste heraus.

Laufbahn bis 1682.

Wassilij Wassiljewitsch Golizyn, im Jahre 1643 geboren, stammte aus einem hochangesehenen Geschlechte, welches seinen Ursprung auf die ruhmreichen Zeiten Littauens im dreizehnten Jahrhundert zurückführte. Einer seiner Ahnen, Michail Iwanowitsch, hatte bereits in der ersten Hälfte des sechzehnten Jahrhunderts dem Grofsfürsten Wassilij Iwanowitsch in den Kämpfen mit Polen sehr wesentliche Dienste geleistet und seine Treue und Ergebenheit mit achtunddreifsigjähriger Haft in Polen gebüfst; dessen Sohn, Jurij, hatte insbesondere gegen die Tataren ruhmreich gekämpft. Der Enkel Jurijs, Wassilij, wurde mit dem Vater des ersten Zaren aus dem Hause Romanow, dem nachmaligen Patriarchen Philaret, als russischer Gesandter (1611) nach Polen geschickt und hatte, als man 1613 zur Wahl eines Zaren schritt, namentlich unter den Geistlichen eine Partei,

welche ihn gerne auf den Thron erhoben hätte. Er starb kinder-
los in polnischer Gefangenschaft.

Wie alle Golizyns, so bekleidete auch der Vater unseres
Golizyn Wassilij Andrejewitsch, während der Regierung der ersten
Zaren aus dem Hause Romanow verschiedene hohe Posten. Er
starb 1652, als sein Sohn neun Jahre alt war. [1] Geburt und
Stellung hatten dem jungen Manne die Laufbahn vorgezeichnet.
Er widmete sich dem Hofdienste, begleitete den Zaren Alexei im
Jahre 1663 auf einer Wallfahrt zu einem Kloster und spielte
bei Hofe eine hervorragende Rolle.

Golizyns militärische und politische Thätigkeit begann in der
Zeit der Regierung des Zaren Feodor Alexejewitsch (1676—82).
Iu diese Zeit fällt der Abschlufs der klein-russischen Angelegen-
heit. Nachdem in dem Frieden von Andrussow (1667) Rufsland,
nach Jahrzehnte fortgesetztem Kampfe mit Polen, letzteres ge-
nötigt hatte, Klein-Rufsland wenigstens links vom Dnjepr abzu-
treten, war diese neuerworbene Provinz in dem Streite zwischen
Türken und Tataren einerseits und Rufsland andererseits zum
Zankapfel geworden. Der Hetman Doroschenko hatte die Interessen
der Orientalen vertreten. Es entbrannte ein Kampf um die
Festung Tschigirin, welche Doroschenko, nachdem er eine Art
Vasall des Sultans gewesen war, den Russen übergeben hatte.
Der Kampf der Parteien in Klein-Rufsland erforderte eine energische Intervention vonseiten russischer Beamten und Militärs.
An diesem Pazifizierungswerke hat Golizyn teilgenommen. Es
galt ferner, das Land gegen die Einfälle der Tataren zu schützen.
Golizyn befestigte Putiwl und andere Städte. Als die Türken
1677 und 1678 Tschigirin belagerten — es war das erste Mal,
dafs die Pforte und Rufsland unmittelbar miteinander Krieg
führten — befand sich Golizyn beidemal in der Armee, welche
den Belagerten helfen sollte. Es fehlte nicht an Belohnungen;

---

[1] Vgl. Tereschtschenko a. a. O. S. 131 u. ff. Die Genealogie ausführlich in d. Alten Russischen Bibliothek, Bd. 17, S. 211 u. ff., und in
einem besondern Werke von Ssertschewskij, welches 1853 in St. Petersburg erschien.

Golizyn erhielt allerlei neue Ämter und Würden, ward in den Bojarenstand erhoben, empfing kostbare Geschenke an Land und Bauern, wertvollen Gegenständen und Geld, auch den Stab, die sogenannte Bulawà, welche einst dem Hetman Doroschenko gehört hatte. [1]

Schon in dieser Zeit hatte Golizyn Gegner. Wir hören von einer gewissen Spannung zwischen ihm und dem Oberfeldherrn Romodanowskij, wegen eines Rangstreites. Aus Gordons Tagebuch erfahren wir, dafs es gefährlich war, Golizyn einen Besuch zu machen, weil man sich dadurch leicht den Zorn des Oberfeldherrn zuzog. [2] Auch mit dem neuen Hetman Klein-Rufslands, Ssamoilowitsch, haderte Golizyn, weil Ssamoilowitsch bei seinem Streite mit dem Oberfeldherrn die Partei des letzteren ergriffen hatte. [3] Es wird ferner erzählt, dafs Golizyn bei der Wahl eines Sammelpunktes für die Truppen anderer Ansicht gewesen sei, als der Hetman, und endlich, dafs er für seinen Sohn Alexei um die Hand der Tochter Ssamoilowitschs gebeten habe und abschlägig beschieden worden sei. [4]

Dafs er bereits in der Regierungszeit Feodors wesentlichen Einflufs auf die auswärtige Politik Rufslands geübt habe, wie man wohl gemeint hat, [5] ist zu schlecht bezeugt, als dafs man auf solche Nachrichten Gewicht legen dürfte. Dagegen ist sein Verdienst

[1] Vgl. d. Einzelheiten bei Tereschtschenko a. a. O. S. 185 u. ff.
[2] Gordons Tagebuch, herausg. v. Posselt, Bd. I, S. 450.
[3] Gordons Tagebuch, Bd. II, S. 180.
[4] Vgl. Tereschtschenko, S. 135. Wie Golizyn, als er eine Freudenbotschaft an den Zaren befördert, gekränkt wird, indem andere ihm zuvorkommen, so dafs Golizyns Boten keine Belohnung erhalten, erzählt Gordon, I, 433.
[5] In den obenerwähnten Gesprächen im Reiche der Toten, rühmt sich Golizyn in der Entrevue mit dem General Hochmuth, S. 1183, er habe während der Regierung des Zaren Feodor die gröfste Rolle gespielt; der König Ludwig XIV. habe an ihn geschrieben und ihn gebeten, dahin zu wirken, dafs Rufsland nicht mit Schweden breche; so habe denn er, Golizyn, den drohenden Krieg zwischen Rufsland und Schweden verhindert. — Dieser Zug gehört zu den mancherlei gewagten Einzelheiten der Flugschrift, welche allerdings durch dergleichen Ungeheuerlichkeiten an Interesse gewinnt.

bei Abschaffung des zu einem chronischen Übel gewordenen Miſs-
standes der Rangstreitigkeiten (Mestnitschestwo) unzweifelhaft.
Man darf ihn als einen der wichtigsten Urheber dieser heilsamen
Reform ansehen. Es galt ein Stück mittelalterlichen Unwesens
fortzuräumen, um den Interessen des modernen Staates den Sieg
über gewisse Vorurteile der Grofsen, der Beamten und Generale
zu verschaffen. Man wird zugeben müssen, daſs diese, in die
letzte Zeit der Regierung des Zaren Feodor fallende Maſsregel
dem Geiste der Reformepoche Peters des Grofsen entsprach.

Nicht umsonst hat der neueste Geschichtsschreiber Rufslands,
S. Ssolowjew, den Abschnitt seines umfassenden Werkes, welcher
„Rufsland in der Reformepoche" zum Gegenstande hat, mit der
Regierung Feodors begonnen. Die west-europäischen Einflüsse,
insbesondere die Einwirkung polnischer Sprache, Litteratur und
Sitte, wird in dieser Zeit immer stärker. Der überaus kränk-
liche, aber willensstarke und nicht unbegabte Zar denkt an allerlei
Veränderungen im Staatshaushalt. Daſs er den Rangstreitigkeiten
ein Ende machte, ist eine Epoche in der Geschichte des russischen
Heerwesens.

In den Kämpfen mit Polen und Tataren hatte man die völlige
Untauglichkeit der russischen Militärorganisation einsehen gelernt.
Auch aus Gordons Tagebuch erfahren wir, wie schlecht es mit
der Mannszucht stand. Zu den schlimmsten Fehlern der russischen
Offiziere gehörte die Unfähigkeit, sich einem höheren Willen unter-
zuordnen. Jeder Militär hielt sich im Rechte, den Gehorsam
zu verweigern, wenn seine Ernennung für irgend einen Posten
seinen Überzeugungen von den ihm, seiner Vorfahren wegen zu-
kommenden Vorrechten inbetreff der einzunehmenden dienstlichen
Stellung nicht entsprach. Die zahllosen Streitigkeiten, welche
der Anfang eines jeden Feldzugs aufwies, die auf der genau im
einzelnen festgestellten Untersuchung der Geschichte des Dienstes
der Vorfahren begründeten Klagen, Rekriminationen und Denunziationen der Offiziere brachten die Regierung nicht selten schon
während des sechzehnten Jahrhunderts aus der Fassung. Oft
erkannte die Regierung die Berechtigung solcher Klagen und

Bitten an, und ließ auf Grund der in den Archiven befindlichen Dienstbücher diese Personalfragen genau prüfen und entscheiden. Öfter aber sah die Regierung, durch den dabei unvermeidlichen Zeitverlust, durch den Aufenthalt, den Erfolg der Feldzüge in Frage gestellt und half sich dann mit der Erklärung, daß in diesem einzelnen Falle für diesen Feldzug jeder unweigerlich den ihm zugewiesenen Posten bekleiden solle, ohne daß im Prinzip seinen Dienstrechten im Verhältnis zu Kollegen oder Vorgesetzten dabei zu nahe getreten würde. Solche Ernennungen „ohne Präjudiz", die formelle Erklärung, daß es hierbei sich um eine Art von „comment suspendu" handle, waren einerseits eine Anerkennung der Gesetzlichkeit des ganzen Mißstandes solchen endlosen Haders, anderseits ein kümmerlicher Notbehelf. Man mußte weiter gehen und mit dem Prinzip brechen. Das geschah wesentlich durch die Initiative W. W. Golizyns.

Er war Mitglied einer aus Vertretern verschiedener Stände zusammengesetzten Kommission, welche über die Reform des Heerwesens zu beraten hatte, und zu dem Beschlusse kam, daß vor allem jenen Rangstreitigkeiten ein Ende gemacht werden müsse.

Als Berichterstatter der Kommission, in welcher er, wie wir annehmen dürfen, die Hauptrolle wird gespielt haben, teilte Golizyn dem Zaren dieses Ergebnis der Beratungen mit. In einer feierlichen Versammlung der Bojaren und höheren Geistlichkeit erörterte der Zar, nachdem der Kommissionsbericht verlesen war, in einer längeren Rede, deren Wortlaut erhalten ist, die ganze Frage. Nach einer kurzen Beratung beschloß man, das Archiv der Dienstregister zu verbrennen. Die Erkenntnis, daß ein im Prinzip schädliches Institut abgeschafft werden müsse, scheint allgemein gewesen zu sein. Es wird von keinem Widerspruche berichtet, welcher dem Kommissionsvorschlage etwa begegnet sei. Die Reformidee Golizyns entsprach dem Charakter der Zeit, in welcher das Bewußtsein von der Notwendigkeit der Reformen immer klarer hervortrat: Man hat bemerkt, daß Golizyn bei diesem Vorgange eine hochherzige Selbstlosigkeit an den Tag gelegt habe, da seine Ahnen lange Zeit hindurch stets die hervorragendsten Stellen inne hatten, er also bei Rangstreitigkeiten fast ausnahmslos günstiger gestellt war, als andere. Wie dem auch sein möge, sein Name ist an eine Maßregel geknüpft, welche von loyalem Sinne für politischen Fortschritt zeugt. [1]

Kurze Zeit darauf starb Feodor Alexejewitsch. Während der Krankheit des Zaren pflegte ihn seine Schwester Sophie. Es wird berichtet, als habe ganz besonders W. W. Golizyn dahin gewirkt, daß Sophie eine solche Pflicht übernahm. [2] Es mag sich vielleicht in jener Zeit ein mehr oder minder zärtliches Verhältnis zwischen dem Fürsten und der Prinzessin entsponnen haben. Er war 39 Jahre alt, verheiratet und hatte erwachsene Kinder, Sophie zählte 25 Jahr, war hochbegabt, besser gebildet, als russische Prinzessinnen in jener Zeit zu sein pflegten, und von Ehrgeiz und Herrschsucht erfüllt. Manches in den Erzählungen von diesem Verhältnis mag der Wahrheit nicht entsprechen, insbesondere muß vieles hierauf Bezügliche in Neuvilles Schrift als grundloses Gerücht bezeichnet werden, indessen haben die aus den späteren Jahren der Regentschaft Sophiens stammenden zärtlichen Schreiben der Regentin an den Fürsten, welche Ustrjalow den Archiven entnahm und in seinem Werke über Peter den Großen mitteilte, jeden Zweifel an einer glühenden Leidenschaft der Prinzessin für Golizyn beseitigt. Wir werden später diese Aktenstücke mitteilen. Gewiß ist, daß der Verkehr Sophiens mit dem erfahrenen, geschäftskundigen Fürsten sehr wesentlich zu ihrer politischen Ausbildung beitragen mußte. Es war eine Anomalie, daß ein weibliches Mitglied des Zarenhauses in die Staatsgeschäfte eingeführt wurde. Sophie, welche in den Jahren 1682 bis 1689 Rußland regierte, erschien auf ihren Beruf vorbereitet. Man wird nicht leugnen können, daß sie in dieser Zeit Mut und Einsicht, politischen Takt und diplomatische Gewandtheit an den Tag legte, daß sie den an sie durch ihre Stellung gemachten Anforderungen gewachsen war. In ihrem ganzen

---

[1] Vgl. d. Gesch. d. Vorgangs bei Ssolowjew, Gesch. Rußlands Bd. XIII, S. 317—324; Ustrjalow, Gesch. Peter d. Gr. I, S. 290.

[2] Tereschtschenko a. a. O. S. 147.

Wesen ist eine Reife und Entschlossenheit, welche in auffallendem
Gegensatze steht zu der Unmündigkeit, Unwissenheit und Be-
deutungslosigkeit, welche andere Frauen der höheren russischen
Gesellschaft charakterisierten. Wir glauben nicht zu irren, wenn
wir den Umgang mit Golizyn als Sophiens politische Schule bezeichnen. Indem der Gang der gewöhnlichen, hergebrachten Ordnung der Dinge durchbrochen wird, vielleicht durch ein unerlaubtes
Verhältnis, hat sich damals in Rufsland ein Akt der Frauen-
emanzipation vollzogen. Sophiens Name, ihre Rolle in der Geschichte Rufslands ist eng verwachsen mit dem Namen und der
historischen Rolle Golizyns.

Man kennt die Stellung, welche Sophie unmittelbar nach dem
Tode Feodors einnahm. Wir dürfen kaum daran zweifeln, dafs
sie gegen die anfänglich durchgesetzte Thronbesteigung Peters,
mit Ausschlufs des ältern Bruders Iwan, agitiert, dafs sie an den
Bluttagen im Mai (15.—17.) einen wesentlichen Anteil gehabt habe.

Das Ergebnis war, dafs nicht Peter allein, welcher
einen Monat lang den Namen eines Zaren geführt hatte, sondern
Iwan und Peter zusammen regieren sollten, dafs Sophie Regentin wurde.

Wir wissen nicht, welchen Anteil Golizyn an diesen Ereignissen gehabt hat. Dafs unter den Opfern der Schreckenstage im
Mai auch der einstmalige Gegner Golizyns, Romodanowskij, angetroffen wird, darf uns nicht veranlassen, ihm einen besonderen
Anteil an dieser Blutthat zuzuschreiben. Entscheidende, verbrecherische Handlungen waren nicht Sache Golizyns. Nach den
uns vorliegenden Materialien ist er sowohl bei der Krisis des
Jahres 1682, welche ihm neben der Regentin die erste Stelle im
Reiche eintrug, als auch bei der Verschwörung des Jahres 1689,
welche seine Verbannung zur Folge hatte, im Hintergrunde geblieben. Von einer besonderen Initiative seinerseits bei diesen
Ereignissen ist nichts zu spüren. Andere Personen erscheinen
als die wesentlich handelnden. Die Woge der politischen Er-
schütterung erhebt ihn so hoch im Jahre 1683, stürzt ihn tief im

19*

Jahre 1689, ohne daſs er, soweit unsre Kenntnis dieser Ereignisse reicht, seines Glückes Schmied oder seines Falles Urheber gewesen wäre. Vielleicht hat er energischer gehandelt, durchgreifender agitiert, als wir bei dem immerhin nur fragmentarischen Material zu erkennen vermögen; wahrscheinlicher ist es, daſs wir in Golizyn eine Art politischen Hamlets vor uns haben.

Welchen Anteil auch Golizyn an den Vorgängen im Frühling 1682 gehabt haben mag, die Erhebung Iwans auf den Thron, Sophiens Regentschaft machte ihn zum Groſswezir Ruſslands. Der Sieg Sophiens war noch während der Schreckenstage entschieden; erst einige Tage später endete die Alleinherrschaft Peters formell. Erst Ende Mai wird Iwan Zar, wird Sophie Regentin. Aber die Ernennung W. W. Golizyns zum Minister des Auswärtigen erfolgt bereits den 16. Mai. Also unmittelbar nach der Ermordung Matwejews, des hochgebildeten Staatsmannes, welcher bis zum Jahre 1676 diesen Posten innegehabt hatte, ward Golizyn dessen Nachfolger. Erhielt er auch, wie neuerdings Ssolowjew auf Grund von Archivalien berichtet hat, den formellen und hochklingenden Titel eines „Groſssiegelbewahrers und eines Verwalters der groſsen Gesandtschaftsangelegenheiten" erst am 19. Oktober 1683, so wurde ihm doch bereits früher, und zwar während der Schreckenstage im Mai 1682, die Leitung der auswärtigen Angelegenheiten Ruſslands anvertraut.

In einer Zeit, da Ruſsland sich anschickt ein Glied der europäischen Staatenfamilie zu werden, da die diplomatischen Beziehungen zu Westeuropa an Intensität und Umfang zunehmen, da die wichtigsten Angelegenheiten der auswärtigen Politik Ruſslands, die Beziehungen zu Schweden und Polen, zu Türken und Tataren in ein neues Stadium treten sollten, war der Posten eines Leiters der auswärtigen Politik besonders wichtig. Wie Matwejew war auch Golizyn durch Neigung und Geschmack, Bildung und Überzeugung Anhänger der nach Westeuropa gerichteten Politik. Er gehörte zu den sehr wenigen Russen, welche des Lateinischen vollkommen mächtig waren. Er sprach und schrieb lateinisch so flieſsend, daſs er für den Verkehr mit auswärtigen Diplomaten nicht der Vermittelung der Dolmetscher bedurfte. Wir wissen, daſs er noch vor dem Jahre 1682 mit den in Moskau lebenden Ausländern einen lebhaften Verkehr unterhielt. Wenn wir erfahren, daſs seine Schwiegermutter, welche um seine Gesundheit besorgt war, ihm den Rat gab, sich an den Doktor Laurentius Blumentrost zu wenden, wenn wir sehen, wie er sich sehr häufig Gordon zu Tische ladet und mit ihm über die Angelegenheit Westeuropas sich eingehend unterhält, so dürfen wir vermuten, daſs Golizyn in ähnlicher Weise, wie Peter der Groſse einige Jahre später es verstanden habe, durch den Verkehr mit den Ausländern den Kreis seiner Kenntnisse, Interessen und Erfahrungen sehr wesentlich zu erweitern.

Bildung und Lebensweise.

Weisen wir auf einige Züge dieser internationalen Stellung Golizyns hin, welche im Gegensatze zu dem Chinesentum der Altrussen ihn als einen Geistesverwandten Peters erscheinen lassen.

Hier verdient seine Bekanntschaft mit dem General Gordon Beachtung. Gordon war mehr als viele andere, in Ruſsland lebende Ausländer befähigt, als Lehrmeister strebsamer Russen aufzutreten. In den neunziger Jahren ist er als täglicher Gesellschafter des jungen Zaren in höherem Maſse Peters Lehrer geworden. In Gordons Tagebuch spielt W. W. Golizyn, den er meist nur „our Bojar" nennt, eine groſse Rolle. Bald ist einer „geheimen Unterredung" erwähnt, welche Golizyn mit Gordon hatte und in welcher von den Angelegenheiten Kleinruſslands, von den Beziehungen zum Kaiser Leopold und von der orientalischen Frage gesprochen wurde, [1] bald unterhält sich Gordon mit dem Fürsten über die Lage der Katholiken in Ruſsland und sucht durch seine Vermittelung gewisse Rechte und Privilegien für die Katholiken zu erlangen, [2] sehr oft ist Gordon des Fürsten Tisch-

---

[1] Posselts Edition des Tagebuches II, S. 4.
[2] Ebendaselbst II, S. 118.

genosse oder reitet mit ihm auf die Jagd; als Gordon sich im
Jahre 1686 in England aufhält, verschreibt Golizyn, welcher mit
ihm überhaupt einen lebhaften Briefwechsel unterhält, durch
Gordon eine Anzahl von Offizieren, Ingenieuren, Feuerwerkern,
Minierern u. s. w. [1]) Es ist dieselbe Erkenntnis, dafs man der
westeuropäischen Intelligenz, der ausländischen Arbeitskräfte bedürfe, welche wir auch bei Peter dem Grofsen finden. Ähnlich
wie Peter der Grofse sich oft mit Gordon über das Artillerie-
wesen unterhielt, Versuche mit allerlei Geschossen anstellte, mit
ihm im chemischen Laboratorium allerlei pyrotechnische Studien
trieb, so war auch Golizyn zugegen, wenn Gordon neue Kanonen
oder Mörser probierte, und legte ein besonderes Interesse für dergleichen ballistische Übungen an den Tag. [2]) Mehrmals ist in
Gordons Tagebuch von eingehenden Gesprächen mit Golizyn über
England die Rede. [3]) Inbezug auf diesen Gegenstand gingen
die Anschauungen und Interessen beider Männer nicht zusammen.
Während Gordon als eifriger Katholik und fanatischer Anhänger
des Hauses Stuart für Jakob II. schwärmte und bei Gelegenheit
der Revolution von 1688 voll Hafs war gegen Wilhelm III., war
Golizyn geneigt, für den letzteren gegen den ersteren Partei zu
nehmen. Mit dem gröfsten Interesse lauschte Golizyn, wie wir
aus Gordons Tagebuche erfahren, den Nachrichten, welche ihm
Gordon über allerlei Vorkommnisse in Westeuropa zu bringen
pflegte.

Wiederholt erwähnt Gordon, der Fürst Golizyn habe bei
Ausländern, welche in der deutschen Vorstadt wohnten, allerlei
Festen, Hochzeiten u. dergl. beigewohnt, so bei Elias Tabort und
bei Daniel Hartmann. [4]) Golizyns Sohn, Alexei, welcher ebenfalls eine hohe Stellung einnahm und dessen Name auf dem die
Abschaffung der Rangstreitigkeiten verkündenden Aktenstücke
zu sehen ist, gab einst ein Fest, zu welchem auch Gordon —

---

[1]) Vgl. Gordons Tagebuch II, 142.
[2]) Ebendaselbst II, 205.
[3]) Ebendaselbst II, 226, 241.
[4]) Ebendaselbst II, 167 u. 230.

wir dürfen vermuten überhaupt eine Anzahl Ausländer — geladen war. [1])

Den Gesandten der Generalstaaten behandelte Golizyn mit besonderer Aufmerksamkeit. Baron Keller, welcher zu den anziehendsten Illustrationen der deutschen Vorstadt gehörte, berichtet ausführlich über seine persönlichen Beziehungen zu dem Minister. Es war bei der Steifigkeit des russischen Tones im Verkehr mit Ausländern, bei der Unzugänglichkeit der russischen Würdenträger für gewöhnlichen, geselligen Verkehr eine seltsame Erscheinung, dafs Golizyn im Jahre 1683 eine Einladung des Baron Keller zum Diner annahm. Er erschien mit einem Gefolge in vier Karossen, wurde glänzend empfangen und bewirtet, trank auf das Wohl der Niederlande, sprach den Wunsch aus, dafs das gute Einvernehmen Rufslands mit den Generalstaaten fortdauern möge, und unterhielt sich nach aufgehobener Tafel mit dem Residenten über die Miliz, die Wehrkraft und den Staatshaushalt der Generalstaaten. Ein andermal, es war im Jahre 1687, lud er sich selbst zum Baron Keller ein und erschien mit einem grofsen, etwa hundert Personen zählenden Gefolge von Fürsten, Generalen, Offizieren, Edelleuten und Dienern. Nachdem er an der Tafel Platz genommen hatte, bat er sich ein Glas Wein aus, um auf das Wohl und Gedeihen der Generalstaaten zu trinken. Er hielt dabei eine längere Rede. Baron Keller antwortete mit einem Trinkspruche auf die Gesundheit der Zarischen Majestäten. [2])

Auch manche Züge einer wohlwollenden Behandlung des bekannten Schweizers Franz Lefort durch Golizyn werden berichtet. [3]) Nicht umsonst schrieb Lefort nach Genf, man solle von dort aus an Golizyn und dessen Sohn Alexei schreiben und um die Verleihung eines höheren Ranges an ihn, Franz Lefort, bitten: er wurde, als es geschehen war, Oberst. [4]) Um den Fürsten Golizyn

---

[1]) Vgl. Gordons Tagebuch II, 244.
[2]) Vgl. Kellers Bericht in Posselts Werk über Lefort, Bd. I, S. 341 und 370.
[3]) Ebendaselbst S. 376.
[4]) Ustrjalow, II, 15.

geneigt zu machen, Gordon, welcher Rufsland zu verlassen wünschte, nach England zu entlassen, schrieb das Haupt der Familie Gordon, der Herzog Gordon, Gouverneur Edinburgs, einen lateinischen Brief an Golizyn, in welchem er ihn mit Komplimenten überschüttete, [1]) was übrigens Golizyn nicht abhielt, diesmal in der Art eines brutalen türkischen Paschas Gordon recht schlecht zu behandeln, ihn, weil Gordon darauf bestehen wollte, aus russischem Dienste entlassen zu werden, mit Schmähungen zu überhäufen und den verdienten General auf einige Wochen zum Fähnrich zu degradieren.

Wie liebenswürdig und entgegenkommend aber W. W. Golizyn im Verkehr mit Ausländern sein konnte, erfahren wir besonders aus der „Relation curieuse et nouvelle de la Moscovie“, deren Verfasser, Neuville, von den Eindrücken seines Verkehrs mit Golizyn berichtet. Über die Russen im allgemeinen fällt Neuville ein sehr tadelndes Urteil. Er nennt sie Barbaren; sie wüfsten nicht, was Bildung, Anstand und gute Sitte sei; er bemerkt, dafs nur vier Russen des Lateinischen mächtig seien, ein Vorzug, welchen sie polnischen Erziehern zu verdanken hätten; ohne die Ausländer, meint Neuville, deren eine grofse Anzahl in Rufsland lebten, könnten die Russen nichts unternehmen, ausführlich ergeht er sich über die Trunksucht, den Aberglauben, die Unreinlichkeit und Unwissenheit der Russen, er schildert ihren Gesichtskreis als beschränkt, tadelt ihren Mangel an Unternehmungslust, ihr Festhalten am Bestehenden. Selbst über die Naryschkins, die Verwandten Peters des Grofsen, urteilt er sehr abfällig, ebenso wie über den Vetter W. W. Golizyns, Boris Alexejewitsch Golizyn, den er als einen Trunkenbold bezeichnet, welcher jeder Unterhaltung höherer Art unfähig sei. Um so überraschter ist Neuville, in einer solchen Umgebung, in einer solchen Gesellschaft einen Mann zu finden, welcher durch geselligen Anstand, feine Sitte, vielseitige Bildung und spezifisch europäische Lebensweise ausgezeichnet sei. Golizyn erschien dem französisch-polnischen

---

[1]) Gordons Tagebuch, II.

Diplomaten als ein weiser Rabe. Neuville schreibt nach seiner
ersten Begegnung mit dem Minister, dieser habe ihn so empfangen, dafs er, Neuville, geglaubt habe, am Hofe irgend eines
italienischen Fürsten zu sein. Die in lateinischer Sprache geführte
Unterhaltung betraf verschiedene Ereignisse Westeuropas, wobei
Golizyn eine überraschende Sachkenntnis an den Tag legte,
welche er, wie wir wissen, dem Verkehr mit Männern wie
Gordon verdankte; als, der russischen Sitte gemäfs, sogleich nach
Erscheinen des Gastes, demselben Branntwein präsentiert wurde,
beeilte sich der Wirt, Golizyn, seinem Gaste, Neuville, vom Trinken
abzuraten, welche Thatsache denn allerdings auf einen totalen
Bruch mit der in Rufsland herrschenden Tradition schliefsen läfst.
Im Gegensatze hierzu bestand, wie Neuville gleich darauf erzählt,
die ganze Unterhaltung bei Boris Golizyn, als er diesen besuchte,
am Trinken. An einer anderen Stelle seiner Schrift sagt Neuville
von W. W. Golizyn, er sei einer der geistreichsten, der höflichsten
und prachtliebendsten Fürsten seiner Zeit, und sein Haupt-
vergnügen sei die Konversation. Er verachte die russischen
Grofsen wegen ihrer Unfähigkeit und schätze wahres Verdienst
sehr hoch.

Neuville schildert ferner, nachdem er selbst Zeuge der
Katastrophe Golizyns gewesen war, die Verdienste des Fürsten
inbetreff der inneren Verwaltung, namentlich inbetreff der Aufklärung. Er erzählt: Golizyn habe grofse steinerne Häuser aufführen lassen, zwanzig Gelehrte aus Griechenland berufen, schöne
Bücher nach Rufsland importiert, den Grofsen anbefohlen, ihre
Kinder studieren zu lassen, und ihnen anempfohlen, die Erziehung
ihrer Kinder polnischen Lehrern anzuvertrauen. Gegen die Ausländer sei er so liberal gewesen, wie niemand vor ihm, indem er
ihnen gestattete, ins Land zu kommen und dasselbe nach Belieben
wieder zu verlassen. [1]) Auch habe er den Wunsch ausgesprochen,
dafs die russischen Grofsen sich daran gewöhnten, ins Ausland

---

[1]) Die unliebsame Episode mit Gordon, deren wir oben erwähnten,
zeigt, dafs Golizyns Liberalismus gewisse Grenzen hatte, wie denn überhaupt Neuville von einiger Schönfärberei nicht frei zu sprechen ist.

zu reisen. Er habe die Absicht gehabt, eine neue, reguläre
Armee zu bilden, an allen ausländischen Höfen ständige Residenten zu unterhalten, in Rufsland völlige Gewissensfreiheit zu
gestatten. Er trug sich mit den hochfliegendsten Entwürfen: er
wollte Wüsten bevölkern, Bettler reich machen, Wilde zu Menschen
umformen, Feiglinge in tapfere Krieger, Lehmhütten in steinerne
Paläste verwandeln.

Neuville ist, ganz wie auch der bekannte Reisende und
Missionär Avril, in seiner Beurteilung Golizyns von dem Interesse
der katholischen Kirche beeinflufst. Dafs der Fürst die Rechte
der Katholiken auszudehnen geneigt war, liefs ihn in den Augen
der Emissäre der Kirche als das Ideal eines Staatsmannes erscheinen. Ausdrücklich lobt Neuville den Fürsten dafür, dafs er
sich gern mit den Jesuiten unterhalten habe. Die Katholiken
hatten Ursache, Golizyns Katastrophe zu beklagen. Sie waren
entzückt darüber gewesen, dafs er seinem Lande die „Gewissensfreiheit" hatte geben, d. h. den Katholiken freie Religionsübung
hatte bewilligen wollen, und müfsten es nun erleben, dafs nach
dem Sturze Golizyns und Sophiens eine Art Reaktion eintrat
und dafs in der ersten Zeit der eigentlichen Herrschaft Peters,
d. h. unmittelbar nach dem Staatsstreiche von 1689, die Jesuiten
verjagt wurden. Von diesem Standpunkte aus mufste die Katastrophe Golizyns solchen Beurteilern, wie Neuville, als ein Unglück
erscheinen, das die Welt betroffen hatte. Mit ihm schien eine
Epoche der Reform auch in Rufsland eingeleitet zu sein; nach
ihm konnte man, wie Neuville fürchtete, eine Reaktion, eine Rückkehr zum Asiatentum erwarten. Ausdrücklich sagt Neuville, mit
Golizyn habe Moskau alles verloren!

Wenn wir aber auch Neuvilles Urteil als überspannt, befangen und tendenziös anerkennen müssen, so geht doch aus
demselben unzweifelhaft hervor, dafs Golizyn im Verkehr mit
Neuville es verstanden hat, dem erfahrenen Diplomaten, dem gebildeten Vertreter der westeuropäischen Kultur zu imponieren.
Neuville bemerkt ausdrücklich, dafs Golizyn ihm mancherlei von
seinen Absichten und Entwürfen mitgeteilt habe. Steht auch

das, was während der Regentschaft Sophiens auf dem Gebiete
der inneren Reformen geschah, nicht irgendwie im Verhältnis
zu den hochfliegenden Plänen, deren bei Neuville erwähnt wird,
so zeugt es immerhin von einem gewissen geistigen Schwunge,
von einem, in Rufsland damals nicht leicht anzutreffenden politischen Idealismus, dafs Golizyn sein Regierungsprogramm einem
Ausländer gegenüber so beredt und anziehend zu entwickeln
fähig war. Er mochte an die Möglichkeit der Verwirklichung
seiner Pläne glauben; während seiner Unterredungen mit Neuville konnte er nicht ahnen, dafs seiner Thätigkeit als Hauptleiter der russischen Politik schon so bald ein Ziel gesetzt
werden würde.

Neuville war etwa vier Monate in Moskau. Er hatte Gelegenheit, mancherlei selbst zu beobachten. Die Eindrücke, welche er
von dem Wirken Golizyns empfing, sowie den Inhalt seiner
Gespräche mit dem Fürsten teilt er an manchen Stellen seiner
„Relation curieuse" gelegentlich mit.

Wiederholt spricht er von der prachtvollen Ausstattung des
Hauses Golizyns. Es enthalte die kostbarsten Hausgeräte und
Luxusgegenstände; ja, dieses Palais, meint er, sei eins der
schönsten in Europa; es sei mit Kupfer gedeckt, reich möbliert
und mit wertvollen Gemälden geschmückt. Ein ähnliches Haus
lasse der Minister für die Gesandtschaftsbehörden aufführen. Diese
Bauten, erzählt Neuville, hätten auf das Publikum gewirkt; es
sei dadurch Geschmack für schöne und solide Gebäude verbreitet
worden. Während Golizyn an der Spitze der Geschäfte gestanden
habe, erzählt Neuville, seien nicht weniger als 3000 steinerne
Häuser in Moskau aufgeführt worden; auch habe er über die
Moskwa eine steinerne Brücke bauen lassen: es sei die einzige
steinerne Brücke in dem ganzen Lande: der Baumeister sei ein
polnischer Mönch gewesen.

So etwas stand allerdings im schroffen Gegensatze zu allem,
was Neuville in Moskau sonst zu sehen Gelegenheit hatte. Er
bemerkt sehr wegwerfend, indem er der häufigen Feuersbrünste
erwähnt, ein Haus in Moskau sei soviel wert als ein „Schweine-

stall" in Deutschland oder Frankreich, und berichtet dabei mit
Erstaunen, was vor ihm auch andere Reisende mit Verwunderung
beobachtet hatten, dafs man die Hunderte und Tausende von
Häusern, welche alljährlich durch Feuersbrünste zerstört würden,
leicht ersetzen könne, indem auf den Märkten der Hauptstadt
stets roh gezimmerte Häuser zu kaufen seien.

Neuville erwähnt zweier grofser Entwürfe Golizyns, welche
Beachtung verdienen. Er erzählt, Golizyn habe u. a., um Rufs-
land auf die Kulturhöhe anderer Staaten zu erheben, den leibeignen Bauern die Freiheit geben und ihnen die von ihnen bebauten
Grundstücke als Eigentum zuweisen wollen, worauf denn diese
Grundstücke von Staatswegen nur mäfsig besteuert werden sollten.
Er hat ferner die reine Geldwirtschaft statt der bisher vor-
herrschenden Naturalwirtschaft einführen und den Export des in
dem Staatsschatze zum Teil die Stelle des Geldes vertretenden
Pelzwerks, insbesondere der Zobelfelle, zu diesem Zweck fördern
und steigern wollen.

Dafs in den Unterredungen Golizyns mit Neuville von der
Bauernemanzipation gesprochen wurde, ist allerdings eine beachtenswerte Thatsache. Peter hat nie an eine derartige Mafsregel gedacht. Es hat im Gegenteil während seiner Regierung
eine Verschlimmerung der Lage der leibeignen Bauern stattgefunden. Sollte Golizyn in der That sich mit dem Entwurf
einer solchen Reform getragen haben, so wäre dieser Fortschritts-
gedanke, wenn man die Zeitverhältnisse berücksichtigt, besonderer
Anerkennung wert. Wir wissen, dafs zu Ende des siebzehnten
Jahrhunderts in Westeuropa, etwa England und Oberitalien ausgenommen, die Hörigkeit der Bauern noch eine ganz allgemeine
Erscheinung war.

Zur Zeit Golizyns herrschte eine Art Naturalherrschaft in
Rufsland vor. Aus Gordons Tagebuch wissen wir, dafs die ausländischen Militärs einen bedeutenden Teil ihres Gehalts in Zobelfellen erhielten; die Geschichte der Reisen russischer Gesandten
nach Westeuropa lehrt uns, dafs die ihnen mitgegebene Barschaft
grofsenteils aus Fellen bestand. Der Gedanke, durch den ge-

steigerten Export von Pelzwerk bares Geld ins Land zu bringen und so die Geldwirtschaft allgemeiner zu machen, zeugt ebenfalls von einer gewissen Vertrautheit mit den damals im Westen verbreiteten national-ökonomischen Theorien, mit einem Gebiete, auf welchem Peter dem Grofsen Bedeutendes zu leisten vorbehalten war.

Fernere Entwürfe Golizyns waren an den Osten geknüpft. Sibirien sollte zivilisiert werden.

Neuville hatte sogleich bei seinem Erscheinen in Rufsland einen Mann kennen gelernt, dessen Gesichtskreis und Bildung, dessen Weltkenntnis und politische Erfahrung den hochfliegenden Intentionen des Fürsten Golizyn entsprachen. Es war der Grieche Spafari. Bereits in der Zeit Feodor Alexejewitschs hatte dieser durch Sprachkenntnisse und eine etwas abenteuerliche Vergangenheit ausgezeichnete Emigrant in den fortschrittlichen Kreisen der höheren russischen Gesellschaft eine gewisse Rolle gespielt. In der letzten Zeit der Regierung des Zaren Alexei war Spafari als russischer Gesandter in China gewesen. Mit dem Freunde und Vertrauten des Zaren Alexei, dem strebsamen und gebildeten Bojaren Artamon Matwejew, hatte er naturwissenschaftliche Studien betrieben und den Sohn Matwejews in den alten Sprachen unterrichtet.[1] Man wufste von ihm in der Türkei, von wo aus hervorragende Kirchenfürsten mit ihm in Verkehr standen.[2] Mit dem gelehrten Bürgermeister von Amsterdam, Nikolaus Witsen, stand er in einem Briefwechsel.[3] Während der Regentschaft Sophiens nahm er in der Gesandtschaftsbehörde eine bedeutende Stelle ein. Ihm war der Auftrag geworden, den französisch-polnischen Diplomaten Neuville zu empfangen, ihm während des Aufenthalts in Rufsland Gesellschaft zu leisten. Auf die Gespräche Neuvilles mit Spafari lassen sich manche Angaben der „Relation curieuse", z. B. über die Feldzüge Golizyns in der Krim, zurückführen. Spafari war vor kurzem wiederum von einer Reise in den ent-

---

[1] Ssolowjew, Bd. XIII, S. 238.
[2] Ebendaselbst Bd. XIV, S. 222 u. Bd. XV, S. 125.
[3] Guerrier, Leibnitz in seinen Beziehungen zu Peter dem Grofsen, St. Petersburg und Leipzig, 1873 S. 29.

ferntesten Osten zurückgekehrt. Bei dem damals sich lebhaft steigernden Interesse für die Geographie und Ethnographie Asiens war es begreiflich, dafs Neuville mit grofser Spannung den Erzählungen Spafaris über dessen Reisen lauschte. Von ihm erfuhr er nun, dafs inbetreff des Handels und Verkehrs mit China grofse Entwürfe beständen: durch ganz Sibirien sollte ein grofses System von Postanstalten errichtet werden; von je zehn zu zehn „Lieues" sollte ein Posthaus erbaut werden; man hoffte auf den schiffbaren Flüssen Sibiriens eine lebhafte Schiffahrt erstehen zu sehen. Indem Neuville diese Bemerkungen mitteilt, fügt er hinzu, dafs Spafari in seinen Mitteilungen über diesen Gegenstand einigermafsen zurückhaltend gewesen sei und z. B. über die Topographie Sibiriens wenig gesagt habe, weil man den Weg nach China, namentlich vor den Holländern, geheimzuhalten suche.

So hatte denn Neuville den Eindruck, dafs mit dem Ministerium Golizyn für Rufsland eine neue Ära hätte anbrechen können, wenn nicht der im Jahre 1689 zugunsten Peters eingetretene Umschwung wie mit einem Schlage alle die an das Talent und die Strebsamkeit Golizyns geknüpften Hoffnungen vernichtet hätte. [1]

Wir sind in der glücklichen Lage, Neuvilles Angaben inbetreff der geistigen Interessen Golizyns wenigstens zum Teil durch Geschichtsmaterialien unvergleichlich zuverlässigerer Art kontrollieren zu können, und finden allerdings, dafs Golizyns Bildung auf einer überraschenden Höhe gestanden haben müsse. Nicht umsonst sagt ein anderer Zeitgenosse, welcher damals in Moskau lebte, der Sachse Georg Adam Schleusing: Studien, wie Golizyn sie treibe, seien in Rufsland sonst „ein seltenes Wildbret". [2]

In dem Archiv des Justizministeriums findet sich die Schilde-

---

[1] Die Golizyn betreffenden Ausführungen Neuvilles sind in verschiedenen Teilen der „Relation curieuse et nouvelle de la Moscovie" (à la Haye, 1699) verstreut; s. insbesondere S. 16, 55, 175, 215 u. s. w.

[2] Vgl. den Anhang zu Schleusings Buch über die beiden Zaren Iwan und Peter, Kap. 2.

rung des Hauses Golizyn und das Verzeichnis seiner Bücher. Offenbar war beides bei Gelegenheit der Katastrophe im Jahre 1689, als Golizyns Vermögen konfisziert wurde, zusammengestellt worden.

Von der Pracht in dem Hause Golizyns können wir uns aus dem Hinweise folgender Luxusgegenstände einen Begriff machen. In einem Saale hing eine Art Tellurium, d. h. eine Nachbildung der Sonne in Gold, eine des Mondes in Silber in Form eines künstlich gearbeiteten Kronleuchters; da gab es ferner zwanzig Bildnisse von Personen aus der heiligen Geschichte in kunstvoll geschnitzten Rahmen. Vier grofse Bilder aus Deutschland in Rahmen werden noch besonders erwähnt. Golizyn besafs eine Sammlung historischer Porträts: Bildnisse des Grofsfürsten Wladimir von Kijew, des Zaren Iwan IV., Feodor Iwanowitsch, Michail Feodorowitsch, Alexei und der Söhne des letzteren; aufserdem vier Porträts westeuropäischer Fürsten. An den Wänden eines Gemaches hingen fünf hohe Spiegel, deren einer einen Schildpattrahmen hatte. Dieses Gemach hatte nicht weniger als 46 Fenster mit Glasmalereien. Im Schlafzimmer hingen in vergoldeten Holzrahmen auf Leinwand gemalte, deutsche geographische Karten, ferner gab es in demselben Gemache vier Spiegel, zwei Büsten von Mohren, ein überaus kunstvoll aus Nufsholz gearbeitetes Bett, allerlei Statuen, Nachbildungen von Vögeln und Gräsern. Über dem Bett war ein runder Spiegel befestigt. Da standen mit goldgeprefstem Leder überzogene Stühle und mit Samt überzogene Lehnstühle. Ferner schmückten Wand- und Tischuhren mit Schlagwerk in kostbarem Gehäuse von Schildpatt und Fischbein, sowie von rotem Leder die Zimmer. Eine Uhr stellte einen Reiter dar. . Allerlei Schränke oder Kommoden mit unzähligen Schiebladen, Tintenfässer von Bernstein, physikalische Instrumente (Röhren und Schalen mit Quecksilber, woran Kupferplatten mit Inschriften) werden erwähnt. Man sieht, der Minister Sophiens hatte andere Bedürfnisse, andere geistige Interessen, als die gewöhnlichen Bojaren jener Zeit.

Unter den Büchern und Handschriften in der Bibliothek des

Fürsten finden wir historische Schriften aus der byzantinischen
Geschichte, theologische Werke, Grammatiken, ein polnisches Buch,
den Koran, eine Art diplomatischen Handbuchs („Buch vom Gesandten"), vier deutsche Bücher, vier handschriftliche Werke über
die Schauspielkunst; acht Kalender von verschiedenen Jahren;
ein juristisches Werk über Holland; ein deutsches Gesang-
buch; eine Geschichte der polnischen Sprache; ein Werk über
die Kunst, Pferde zu heilen; ein in deutscher Sprache verfaſstes zoologisches Werk, Chroniken und russische Gesetz-
bücher früherer Zeit; ein Handbuch der Feldmeſskunde in deutscher Sprache; eine „Handschrift von Jurij dem Serben". [1])

Die Vielseitigkeit der Lektüre Golizyns ist beachtenswert.
Man sieht freilich, daſs der Zufall an der Zusammensetzung
dieser Bücher- und Handschriftensammlung bedeutenden Anteil
hatte, aber man muſs anerkennen, daſs die Mannigfaltigkeit der
Stoffe und der Sprachen seiner Bücher auf einen sehr ausgedehnten
Kreis von geistigen Interessen schliefsen lassen. Bibliotheken
waren in Ruſsland damals, namentlich in russischen Kreisen, eine
so gut wie völlig unbekannte Sache. Im Palaste des Zaren, in
Klöstern, bei einzelnen aus Polen und Griechenland nach Moskau
eingewanderten Theologen mochte man wohl einige Bücher finden;
von den russischen Adligen mochten in der zweiten Hälfte des
siebzehnten Jahrhunderts wohl nur sehr wenige, etwa nur solche
vereinzelte Pioniere, wie Artamon Matwejew oder Wassilij Golizyn,
überhaupt mehrere Bücher besitzen, welche die verschiedensten
weltlichen Stoffe behandelten. Die geistliche Litteratur war sonst
die allein herrschende.

Besondere Beachtung verdient in dem Katalog die Erwähnung
der „Handschrift des Serben Jurij". Wir dürfen kaum daran
zweifeln, daſs wir es hier mit den wenige Jahre vor der Regentschaft Sophiens in Tobolsk verfaſsten Schriften Jurij Krishanitsche
zu thun haben, welche erst in der allerneuesten Zeit zum
gröſsten Teil durch Bessonow in Moskau herausgegeben wurden.

---

[1]) Ssolowjew, Geschichte Ruſslands Bd. XIV, S. 97, 98.

Diese Schriften stellen eine Art Encyklopädie der Staatswissenschaften dar, enthalten ein grofsartiges Reformprogramm für Rufslands politische und soziale Entwickelung und zeugen von einer allumfassenden Bildung des Verfassers, eines Geistlichen, welcher allerdings seine Lehrzeit in Italien verbrachte, ungemein belesen und kenntnisreich war. Krishanitschs Reformentwürfe entsprechen zum Teil der Richtung, in welcher Peter der Grofse wirkte. Er kann als ein Geistesverwandter und Vorläufer des genialen Zaren betrachtet werden. Seine Schriften bieten eine unerschöpfliche Fülle geistiger Anregung. Wenn Golizyn auch gar nichts anderes gelesen hätte, als Krishanitschs, in der Verbannung zu Tobolsk verfafste Ausführungen, in denen alle den Staat und die Gesellschaft, das internationale Leben, das Recht und die Wirtschaft, den Handel, die Industrie und die Landwirtschaft, die Religion und die Moral, das Heerwesen und die Verwaltung betreffenden Fragen erörtert werden, er wäre der gebildetste Russe seiner Zeit gewesen. Diese Schriften waren damals sonst so gut wie völlig unbekannt, nur eines Exemplars dieser Handschriften wird in den Akten der Palastverwaltung erwähnt, eine zweite Erwähnung ist diese in dem Katalog der Bibliothek des Fürsten Golizyn. [1]

Der Besitzer eines solchen Hauses, einer solchen Büchersammlung, der gewandte Gesellschafter, welcher ohne alle Schwierigkeit in dem kosmopolitischsten aller Idiome sich ausdrücken konnte, der russische Bojar, welcher ausnahmsweise als Europäer mit Europäern verkehrte, mufste den Ausländern imponieren. Mit glänzenden geistigen Mitteln vereinigte er einen wahrhaft fürstlichen Reichtum. Seine Schätze hätten ihm gestattet, einen asiatischen Pomp zu entwickeln, er zog die Alluren eines westeuropäischen Grand Seigneurs vor.

----

[1] Den deutschen Lesern ist Krishanitsch so gut wie ausschliefslich aus einer Abhandlung in Bodenstedts Fragmenten bekannt. Selbst in Rufsland ist die Edition der Schriften Krishanitschs nur wenig beachtet worden. Meine Abhandlung: „Ein Kleiderreformprojekt vor Peter dem Grofsen" behandelt einige Seiten der bändereichen Schriften Krishanitschs, s. oben Nr. 7.

Bei Gelegenheit des Sturzes Golizyns ist ein Verzeichnis
seiner Güter, Häuser u. dergl. angefertigt worden. Im Jahre
1689, als Golizyn sich am Ziele seiner Laufbahn befand, gehörten
ihm eine Menge Dörfer in der Nähe von Moskau, ferner ein
Dorf in der Nähe von Nishnij-Nowgorod. In Moskau besafs er
aufser seinem grofsen Palaste noch ein Haus, ferner in der unmittelbaren Nähe der Hauptstadt zwei Lustschlösser, deren eines
er von einem Ausländer gekauft hatte. Dafs diese letztere Be-
sitzung von Gartenland umgeben war, ist aus dem Umstande zu
ersehen, dafs die Regierung dieses Grundstück dem Apotheker-
Ressort zu dem Zwecke überliefs, damit dort allerlei Apotheker-
gewächse gezogen würden. Von Interesse ist es, dafs dieses Landhaus sich in der unmittelbaren Nähe der deutschen Vorstadt befand.

In dem Verzeichnis der konfiszierten Gegenstände des beweglichen Vermögens Golizyns finden wir: Gold, Silber, Heiligenbilder, Edelsteine, kostbare Kleidungsstücke, Krystallgefäfse;
ferner: Pferde, Equipagen, Zelte, Tischgeräte und Weine; sodann:
Waffen, Orgeln und andere musikalische Instrumente; endlich:
Betten, Atlasdecken u. s. w.

Welchen Wert diese Gegenstände repräsentieren, kann man
daraus ersehen, dafs ein Teil derselben, als nach Golizyns Tode
die Kinder desselben etwas von der konfiszierten beweglichen Habe
zurückerhalten sollten, auf Verfügung der Regierung folgendermafsen geschätzt wurde. Da gab es einen Posten von Silbergeschirr im Gewicht von 5 Pud oder 200 Pfund; silbernes Pferdegeschirr für die Summe von 3541 Rubel, was bei dem Sinken
der Münzeinheit in den letzten zwei Jahrhunderten auf gegen
50000 Rubel nach gegenwärtigem Geldwerte geschätzt werden
mufs. [1]) Es entspricht diesen Angaben, welche sich in Geschäftspapieren finden, wenn Neuville erzählt, dafs Golizyn 400 silberne

---

[1]) Die Berechnung ist folgende: ein Tschetwert Roggen kostete zur
Zeit Golizyns 50 Kopeken; gegenwärtig ungefähr 8 Rubel. Legt man
also den Getreidepreis dem Geldwert zu Grunde, so darf man einen
Rubel von 1689 mit 15—16 multiplizieren, um den heutigen Geldwert
zu ermitteln.

Schüsseln besessen und dafs man in den Kellern seines Hauses 100 000 Dukaten in barem Gelde gefunden habe. — Andere berichten von grofsen Mengen von Louisdor, welche im Besitze Golizyns vorgefunden worden seien. [1]

Aus der Geschichte Golizyns wird ein Zug von grofsartiger Wohlthätigkeit berichtet. Man erzählt, dafs, als die Bewohner der Stadt Tschigirin im J. 1677 infolge der Wirren in Kleinrufsland und der Angriffe der Türken verarmten, Golizyn eines seiner Güter, welches sechzig Bauernhöfe zählte, verkaufte, um diese verarmte Bevölkerung Tschigirins zu unterstützen. [2]

Dafs sich Golizyn aller Wahrscheinlichkeit nach manchen Teil seines kolossalen Vermögens nicht auf rechtmäfsige Weise erworben habe, wird sogar von seinem Bewunderer Neuville zugegeben. Er spricht die Vermutung aus, dafs manche der in Golizyns Besitz gefundenen Gelder und Kostbarkeiten von dem im Sommer 1687 gestürzten Hetman Ssamoilowitsch herstammten, so dafs Golizyn, welcher bei der Katastrophe des Hetmans nicht unbeteiligt war, diese Dinge widerrechtlich an sich gebracht habe. Dafs Golizyn von solchen Ereignissen Nutzen zu ziehen verstand, erfahren wir aus folgendem aktenmäfsig bezeugten Umstande: als unter Golizyns Auspizien an Ssamoilowitschs Stelle Maseppa zum Hetman gewählt wurde, mufste der letztere dem Fürsten Golizyn ein Geschenk von 10 000 Rubeln in Dukaten und Thalern machen, welche er nach dem Sturze Golizyns als ein erprefstes Geschenk zurückerbat und erhielt. [3]

Unzweifelhaft verdankte Golizyn den gröfsten Teil seines Reichtums seiner Günstlingsstellung während der Regentschaft Sophiens. Wir wissen, dafs er bei jeder Gelegenheit, bei Feldzügen, Friedensschlüssen u. s. w. ansehnliche Belohnungen, Dörfer, Geld, wertvolle Gegenstände erhielt. Die Prinzessin, welche ihn liebte, war zur Verschwendung geneigt, wenn es galt, den von ihr verehrten Mann reich und glücklich zu machen.

[1] Schleusing a. a. O. und Gespräche im Reiche der Toten a. a. O.
[2] Tereschtschenko, S. 138.
[3] Ustrjalow, a. a. O. Bd. I. S. 210 und 356.

20*

Man hat über diese persönlichen Beziehungen Golizyns zur
Regentin sehr viel gesprochen und geschrieben. Aber die von
Neuville vorgebrachten Erzählungen scheinen denn doch sehr un-
zuverlässig zu sein.[1]) Nach seinem Sturze ist er beschuldigt
worden, er habe sich durch Vermittelung eines Bauern einen
Liebestrank zu verschaffen gesucht, um das Herz der Prinzessin
zu gewinnen, und hinterdrein, um jede Spur dieser That zu
tilgen, den unglücklichen Bauern verbrennen lassen.[2]) Er selbst
hat diese ganze Geschichte als völlig aus der Luft gegriffen bezeichnet. Auch wissen wir, dafs Golizyn im Grunde keiner
Zaubertränke bedurfte, um der Zuneigung der Prinzessin sicher
zu sein. War Golizyn abergläubisch, so teilte er diese Schwäche
mit vielen Zeitgenossen. Die Prinzessin Sophie, der belesene,
gelehrte Geistliche Medwedjew und andere, glaubten an allerlei
Spuk und Zauber. Ein Wunderdoktor aus Polen, welcher
des Zaren Iwan kranke Augen behandelte, hatte gelegentlich auch
den Fürsten W. W. Golizyn zu behandeln und äufserte, nachdem
er den Patienten betastet hatte, Golizyn liebe das Ausländische,
seine Frau aber liebe er nicht. Derselbe Arzt soll von Medwedjew befragt worden sein, ob die Prinzessin Golizyn heiraten
werde, ob er, Medwedjew, Patriarch werden würde u. dergl. m., worauf er dann das Abenteuerlichste in der Sonne gesehen zu haben
vorgab. Ein Diener Golizyns erkrankte plötzlich an einer Ohn-
macht und band als Heilmittel dagegen etwas Erde in ein Säckchen.
Er wurde beschuldigt, den Fürsten durch Zauberei verderben zu
wollen, weil er die Erde dort aufgelesen hatte, wo Golizyn gegangen war, und weil ein solches „Sammeln der Spur", nach damaligem Volksglauben, den Tod des Betreffenden zur Folge zu haben
pflegte. Der Unglückliche wurde grausam gefoltert und bestraft.[3])

So stellt denn Golizyn eine eigentümliche Mischung von Be-

---

[1]) Neuville behauptet entschieden, S. 159, dafs Sophie Kinder von
Golizyn hatte und ihn habe heiraten wollen.

[2]) Der bekannte Sylvester Medwedjew hatte sich diese Episode von
einem „Zauberer" erzählen lassen. Ustrjalow glaubt daran; s. a. a. O.
II. S. 48—49 u. 344.

[3]) Vgl. Ustrjalow a. a. O. S. 48—49 und Malinowskij a. a. O. S. 82.

schränktheit und Aufklärung, von einer gewissen Gröfse und schmutziger Habgier dar. Betrachten wir seine Thätigkeit während der Regentschaft Sophiens.

Golizyn als Staatsmann.

Charakter und Umfang jener hochfliegenden Entwürfe, deren Golizyn in seinen Unterredungen mit Neuville erwähnte, entsprechen nicht der Thätigkeit Golizyns als Staatsmann, insoweit dieselbe auf die innere Politik gerichtet war. Allerdings währte die Zeit dieser Wirksamkeit Golizyns nur sieben Jahre; allerdings mufste in dieser Zeit seine Hauptaufmerksamkeit den Fragen der auswärtigen Politik gewidmet sein; allerdings sah er sich bei allem, was er unternahm, von Gegnern bedroht, welche darauf sannen, ihm zu schaden — ein Umstand, welcher etwaigen reformatorischen Entwürfen nicht günstig sein konnte — dennoch dürfen wir uns darüber wundern, dafs die Geschichte der Gesetzgebung und Verwaltung keine einzige grundlegende Mafsregel, keine einzige, eine wesentliche Neuerung einleitende organische Verordnung aufweist.

Dafs man unmittelbar nach der Krisis im Mai 1682, also sogleich, nachdem die erschütternden Ereignisse nach dem Tode des Zaren Feodor Sophien und Golizyn an die Spitze der Geschäfte gestellt hatten, zu grofsartigen durchgreifenden Mafsregeln hätte schreiten können, daran war nicht zu denken. Die ersten Monate der Regentschaft Sophiens sind mit angestrengten Versuchen ausgefüllt, nach den Unruhen endlich eine gewisse Stille und Sicherheit in der Hauptstadt und im Reiche herzustellen. Wir dürfen vermuten, dafs Sophie einen Anteil an der politischen Rolle hatte, welche die rebellischen Strelzy im Mai 1682 spielten. Jetzt galt es, den entfesselten Sturm zu beschwören. Es folgten im Sommer des Jahres 1682 die Unruhen der Sektierer, welche die öffentliche Sicherheit bedrohten, das Bestehen der offiziellen Kirche in Frage stellten und durch ihre trotzige Haltung die Regentin zu strengen Mafsregeln nötigten. Über die Haltung

Golizyns bei diesen Ereignissen, welche der Regentin Gelegenheit gaben, männlichen Mut, imponierende Beredsamkeit zu entfalten, haben wir keine Nachrichten. Bald darauf folgte dann jener Versuch des Fürsten Chawanskij, eine Art Militärdiktatur aufzurichten, der Regentin an der Spitze der Armee eine gewisse Konkurrenz zu machen: der Hof rettete sich aus der Hauptstadt fort; durch allerlei Ränke lockte man den Fürsten Chawanskij und dessen Sohn in eine Falle und ließ sie beide enthaupten. Bei der hierauf folgenden Befestigung des Klosters Troiza, wohin Sophie sich begab, hat denn W. W. Golizyn wesentliche Dienste geleistet. Erst nachdem man aus den verschiedenen Teilen des Reiches die Miliz aufgeboten hatte, um nötigenfalls gegen die rebellischen Truppen der Hauptstadt zu kämpfen, konnte die Regierung ihr Dasein als gerettet, sichergestellt betrachten.

So waren denn die Anfänge der Regierung Sophiens allzu stürmisch, als daß man an innere Reformen gedacht hätte. Später mußte man sich sehr eingehend mit der baltischen Frage, mit den Beziehungen zu Polen und den Tataren beschäftigen. Die inneren Erschütterungen hatten dazu beigetragen, das Ansehen des Reiches im Auslande zu mindern. Während man allerlei Symptome einer revolutionären Gährung im Innern des Reiches zu bekämpfen hatte, Strelzy und Raskolniks, Räuber und Kosaken im Zaum hielt, mußte man Anstalten treffen, daß Polen von solchen inneren Krisen keinen Nutzen zog. Polen lauerte nur auf eine Gelegenheit, das verlorene Kleinrußland wieder zu erobern, und agitierte dort durch zahlreiche Emissäre, welche durch Versprechungen und Drohungen auf die Bevölkerung zu wirken suchten. Da mußte es denn als ein großer Vorteil erscheinen, daß Rußland gleich in den ersten Jahren der Regierung Sophiens durch geschickte Verhandlungen mit der Geistlichkeit in Kleinrußland und mit dem Patriarchen von Konstantinopel das Recht erhielt, den Metropoliten von Kijew aus eigener Machtvollkommenheit zu ernennen. Dadurch ward eine Einheit der Kirche hergestellt, welche die Annexion Kleinrußlands vollendete. Ja, man erlangte dadurch, dafs die Orthodoxen in Polen, welche in geistlichen Angelegenheiten von dem Kijewer Metropoliten abhingen, indirekt unter dem Einflusse Moskaus standen. War auch das Hauptverdienst bei diesem wichtigen Ergebnis, wie aus den Einzelheiten dieser Angelegenheit hervorgeht, dem Hetman Ssamoilowitsch zuzuschreiben, so darf man doch annehmen, dafs auch Golizyn, als Leiter der auswärtigen Politik Rufslands, einen wesentlichen Anteil an diesem Erfolge hatte. [1]

Im allgemeinen war die Regierung damals der Überzeugung, dafs man mit Schweden und Polen Frieden halten müsse, um auf dem Gebiete der auswärtigen Politik alle Kraft auf eine aggressive Bewegung gegen die von Süden her das Reich unablässig bedrohenden Tataren zu verwenden.

So hat sich denn die Regierung, und namentlich der Fürst Golizyn, den Vorwurf der Schwäche und allzu grofsen Nachgiebigkeit gegen Schweden zugezogen. In der Zeit Feodors hatte Rufsland um einige Grenzgebiete mit Schweden gestritten. Diese Verhandlungen wurden in Moskau, wo eine schwedische Gesandtschaft erschien, fortgesetzt und von Golizyn persönlich geleitet; sie endeten mit einer Bestätigung des Friedens von Kardis, d. h. mit einer formellen Verzichtleistung auf die streitigen Grenzgebiete vonseiten Rufslands. [2]

Spätere Schriftsteller haben Golizyn für einen solchen Mifserfolg verantwortlich gemacht. Malinowskij geht so weit, zu behaupten, Golizyn hätte, wenn er so klug gewesen wäre, die damaligen Unruhen in Schweden zu benützen, leicht einige Ostseehäfen für Rufsland ertrotzen können, wodurch dann Peter dem Grofsen der nordische Krieg erspart geblieben wäre (!). Andere gehen noch weiter und behaupten, Golizyn sei von den Schweden bestochen worden. [3]

Wichtiger, als die Beziehungen zum Kurfürsten von Branden-

---

[1] Die Geschichte dieser Verhandlungen bei Ustrjalow I. S. 138 u. ff.
[2] Ustrjalow I. S. 117 u. ff.
[3] Tereschtschenko S. 153. Ustrjalow hat keinen Verdacht geäufsert.

burg, welcher sich bei Rußland für französische Emigranten
(Hugenotten) verwandte, oder als die Abfertigung einer russischen
Gesandtschaft (Dolgorukijs) nach Frankreich, welche Voltaire
veranlaßt hat, dem Fürsten Golizyn hohes Lob zu spenden, [1])
war der Abschluß des ewigen Friedens mit Polen, und hier hatte
Golizyn unzweifelhafte Verdienste als Diplomat.

Jahrzehnte hindurch hatte der Krieg zwischen Polen und
Rußland gewährt. Sehr oft hatte Rußland Tataren und Türken
gegen Polen, ebenso oft Polen, Tataren und Türken gegen Rußland gehetzt. Jetzt endlich meinte man gemeinschaftliche Sache
gegen Türken und Tataren machen zu müssen. Auch die Ereignisse in West-Europa hatten das Interesse an der orientalischen
Frage gesteigert. Die Rebellion Tökölys, welcher in ähnlicher
Weise sich mit dem Sultan gegen Österreich verband, wie kurz
zuvor Doroschenko sich mit der Türkei gegen Rußland vereinigt
hatte, die Belagerung Wiens durch die Türken, der hervorragende
Anteil, welchen der König Jan Sobieski an der Rettung der
Kaiserstadt nahm — alles dieses veranlaßte Rußland zu einem
energischen Vorgehen in der orientalischen Frage. In der Allianz
zwischen Leopold und dem Könige von Polen war verabredet
worden die Zaren zum Beitritt zu derselben zu veranlassen; dieser
Wunsch wurde wiederholt, als die Republik Venedig dem Bündnis
sich anschloß. Sobieski schrieb an die Zaren, es sei die Zeit
gekommen, die Türken aus Europa zu verjagen. Rußland mußte
empfinden, daß es in seinem Interesse lag, an der allgemeinen
Bewegung gegen die Pforte teilzunehmen. Siegte die Türkei
über Österreich und Polen, so konnten leicht türkische Armeen
vor den Mauern Kijews erscheinen, siegte Polen, so war für
Rußland das Übergewicht dieses, ohnehin gefährlichen, Nachbar-
staats zu fürchten. Es gab eine Solidarität der Interessen Polens
und Rußlands.

Aber der Gegensatz der beiden Reiche und Völker war
zu andauernd und tiefgehend gewesen, als daß man zu einer

---

[1]) Vgl. dessen Gesch. Peters d. Gr. frz. Ausg. v. 1808, Bd. I. S. 101.

Zeit, wo man inbetreff Kleinrufslands und Kijews nur einen Waffenstillstand geschlossen, nur ein Provisorium kreiert hatte, so leicht zum Abschlufs eines ewigen Friedens gekommen wäre.

Immerhin machte Golizyn seit dem Anfange des Jahres 1684 die energischsten Versuche, eine Einigung mit Polen zustande zu bringen. Die Einzelheiten dieser Verhandlungen sind hier nicht von Interesse. Im Januar 1684 trat in Andrussow ein Kongrefs russischer und polnischer Diplomaten zusammen: die Fragen, wem Kijew gehören sollte und ob man sich entschliefsen mochte, gemeinsam gegen die Türken vorzugehen, bildeten den Gegenstand der Verhandlungen in neununddreifsig Sitzungen. Diese blieben erfolglos.

Golizyn, welcher nicht unmittelbar, persönlich an diesen Verhandlungen teilnahm, beschäftigte sich in Moskau eingehend mit der orientalischen Frage. Er besprach sich u. a. über diesen Gegenstand mit Gordon. Beide, Golizyn und Gordon, hatten Jahrzehnte lang den kleinrussisch-orientalischen Vermittelungen zu folgen Gelegenheit gehabt; beide hatten an den Tschigirin-Feldzügen teilgenommen. Gordon hatte durch längeren Aufenthalt in Klein-Rufsland, namentlich in Kijew, an der Grenze der Steppengegend, über welche hinweg man mit den Feinden der Christenheit zusammenstofsen mufste, eine Fülle von Erfahrungen auf diesem Gebiete erworben. Er war während seines Aufenthaltes in diesen Grenzlanden Zeuge der Verwüstungen gewesen, welche die Tataren, mitten im Frieden in russisches oder polnisches Gebiet einbrechend, anzurichten pflegten. Seine militärische Erfahrung wufste Golizyn zu schätzen.

Als nun Gordon, auf einige Wochen seinen Aufenthalt in Klein-Rufsland unterbrechend, Anfang 1684 in der Hauptstadt weilte, und sehr häufig im Hause des Fürsten Golizyn aus- und einging, veranlafste der letztere Gordon, ein allgemein politisches Memoire über die eventuelle Thunlichkeit eines Feldzuges gegen die Tataren aufzufassen.

Dieses Aktenstück liegt uns vor. Gordon hat es in seinem Tagebuche seinem ganzen Inhalte nach mitgeteilt. Es ist in demselben gewissermafsen das Programm der Geschichte der folgenden Jahre beschlossen. Hat auch Gordon, indem er zuversichtlich an den Erfolg einer Aktion gegen die Tataren glaubte, in der Hauptsache geirrt, so sind manche einzelne Erwägungen, welche er in diesem Memoire vorbringt, geradezu divinatorisch und zwar insbesondere inbetreff Golizyns.

Weisen wir daher auf die wesentlichsten Grundzüge in diesem Aktenstück hin.

Gordon zählt zunächst alle Argumente gegen den Krieg auf. Da heifst es: „Während der Minderjährigkeit der Zaren sind die Reichsverweser jederzeit vorsichtig, behutsam und wenig geneigt gewesen, einen Krieg anzufangen, damit, wenn dieser unglücklich ausschlagen sollte, der Monarch in reiferem Alter denen, welche einen Krieg angeraten oder denselben zum wenigsten nicht gehindert hatten, die Schuld nicht beimessen möchte. — Da gegenwärtig zwei Zaren sind, so wird der Staat dadurch in Parteien geteilt, und die Uneinigkeit, Eifersucht und Zwistigkeiten der Grofsen erzeugen Verwirrung und Unentschlossenheit in ihren Beratschlagungen, welches bei einem Kriege grofse Hindernisse verursachen mufs". Gordon macht ferner auf den Geldmangel in dem Staatsschatze, auf die schlechte Disziplin in der Armee und auf andere Umstände als auf Gründe der Erhaltung des Friedens aufmerksam. — In der zweiten Hälfte seines Memoires entkräftet indessen Gordon alle diese Argumente, zählt einige Beispiele auf, aus denen hervorgehen sollte, dafs auch in Zeiten der Minderjährigkeit mehrerer Könige erfolgreiche Kriege geführt worden seien; die Parteiungen der Grofsen seien ihrem eigenen Interesse zu sehr entgegengesetzt, als dafs sie dieselben nicht selbst überwinden würden; Geld würde man schaffen können; bei der Armee müsse man für strenge Mannszucht sorgen; Belohnungen und Strafen würden entscheidend wirken u. s. w. Gordon zeigt dann, wie die diplomatischen Beziehungen Rufsland zu einer Aktion nötigten und hebt hervor, wie man „Gott einen angenehmen Dienst leisten" werde, wenn man das Räubernest der Tataren zerstöre, d. h. die Krim erobere. Der Marsch durch die Steppe, meint Gordon, biete keine so grofsen Schwierigkeiten dar; der Erfolg sei mit Sicherheit zu erwarten.[1])

In dem letzteren Punkte war Gordon in einem unheilvollen Irrtum befangen! Der Marsch durch die Steppe bot, wie die späteren Feldzüge darthaten, bei den damaligen unvollkommenen Verkehrsmitteln und der mangelhaften Militärverwaltung fast unübersteigliche Hindernisse dar. Daran scheiterten die Unternehmungen Golizyns einige Jahre später. Um so begründeter waren Gordons in der ersten Hälfte seiner Memoiren geäufserten Besorgnisse, welche wesentlich Golizyn betrafen. Die wenige Jahre später eintretenden Ereignisse zeigten, dafs Golizyn als „Reichsverweser" dem minderjährigen Zaren Peter gegenüber mit den Feldzügen in der Krim eine schwere Verantwortlichkeit auf sich geladen hatte; der Mifserfolg der Jahre 1687 und 1689 hat in erster Linie Golizyns Sturz bewirkt; nicht umsonst hatte Gordon mit für jene Zeit erstaunlicher Freimütigkeit von den Parteiungen der Grofsen als von einem Ergebnis des Umstandes, dafs man zwei Zaren habe, und als von einem Hindernisse des Erfolges gesprochen. Später oder früher mufste der Konflikt zwischen den Parteien Iwan und Peter zu einer Krisis führen. Golizyn fiel als ein Opfer derselben. Auch die Mängel der Armeeverwaltung, die Lockerheit der Disziplin hatte Gordon nicht ohne Ursache als bedenklichen Grund gegen eine Aktion bezeichnet. Sie haben wesentlich zum Scheitern der Feldzüge der Jahre 1687 und 1689 beigetragen.

Golizyn scheint auf Gordons Bedenken mehr Gewicht gelegt, als dessen Optimismus geteilt zu haben. Er liefs die Unterhandlungen in Andrussow abbrechen und es kam erst drei Jahre, nachdem Gordon zu einer Aktion gegen die Krim geraten hatte, zu einem Versuche, in dieser Richtung etwas zu unternehmen.

Dagegen liefs Polen nicht nach. Im Mai 1684 erschien eine polnische Gesandtschaft in Moskau, welche die Aufgabe

---

[1]) Gordons Tagebuch, II. S. 4—11.

hatte, Rufsland zu einem Angriff auf die Krim zu bewegen. „Die rechte Hand des Sultans sollte abgehauen werden." So bezeichnete man die gehoffte Eroberung der tatarischen Halbinsel. Golizyn erklärte sich zur Aktion bereit und knüpfte daran nur die Bedingung der definitiven Abtretung Kijews an Rufsland. Die letztere Stadt war in dem Frieden von Andrussow (1667) nur zeitweilig den Russen überlassen worden. Diese Forderung Rufslands sowie einige Mifserfolge der Polen in dem Kampf mit der Türkei hatten zur Folge, dafs die in Moskau gepflogenen Unterhandlungen (1684) zu keinem Abschlufs kamen.

Da erschien Anfang 1686 abermals eine polnische Gesandtschaft in Moskau. Sieben Wochen lang währten die dazwischen mehrmals unterbrochenen Unterhandlungen, an denen Golizyn dieses Mal unmittelbaren und persönlichen Anteil nahm. Hier zeigte er ungewöhnliches diplomatisches Talent. Durch eine gewisse Festigkeit, die so weit ging, dafs man, als die polnischen Gesandten inbetreff Kijews nicht nachgeben wollten, ihnen Pferde und Equipagen für die unverzügliche Abreise zur Verfügung stellte, verstand es Golizyn, die Polen mürbe zu machen. Rufsland erhielt Kijew, wofür es allerdings eine Summe von 146000 Rubel zahlte; die Rechte der Orthodoxen in Polen wurden gemehrt; beide Mächte verpflichteten sich zu einer gemeinsamen Aktion gegen den Orient.

Der Abschlufs dieses „ewigen" Friedens mit Polen galt für ein ungeheures Ereignis. Golizyn meinte, die Regentin habe sich damit ein unermefsliches Verdienst um das Reich erworben. Überreich ist er dafür belohnt worden. „Wir haben," sagte Sophie in einem Manifest, „einen für Rufsland so ruhmreichen Frieden geschlossen. Rufslands Ruhm erschallt laut bis an die äufsersten Grenzen der Welt u. s. w." [1])

Golizyn befand sich auf der Höhe seiner historischen Rolle, seiner glänzenden Stellung. Nicht ohne Genugthuung mochte er

---

[1]) Vgl. Ustrjalow a. a. O. I. S. 152—172.

erfahren haben, dafs der König von Polen thränenden Auges die Ratifikation des Friedens vollzogen habe. Ob er aber imstande sein werde, erfolgreich gegen die Tataren zu kämpfen, war eine Frage. Golizyn, der Diplomat, hatte Gröfseres geleistet, als Golizyn, der Feldherr, zu leisten berufen war.

Golizyn als Feldherr.

Über Golizyns militärische Talente haben wir sehr wenige Nachrichten. Was wir von seinem Anteil an den Feldzügen in Kleinrufsland in den siebziger Jahren wissen, ist kaum der Rede wert. Dafs er in dieser Zeit reich belohnt worden war, ist kein Mafsstab für seine eigentlichen Verdienste als Heerführer.

Jetzt aber, als man nach langem Zögern sich zum Kriege mit den Tataren entschlofs, als man sogleich nach dem Abschlusse des „ewigen" Friedens mit Polen, wobei man sich zur Aktion gegen den Islam verpflichtet hatte, sich mit Vorbereitungen zu dem Feldzuge in die Krim beschäftigte, sollte sich zeigen, was Golizyn als Militär, als Oberfeldherr zu leisten vermöge.

Die Ereignisse haben gelehrt, dafs seine unglückselige Feldherrnrolle seinen Sturz eingeleitet hat. Für Golizyn bot, abgesehen von dem Wagnis einer militärischen Rolle, die Abwesenheit von der Hauptstadt grofse Gefahren dar. Er wufste, dafs er viele Feinde habe. Wer so hoch stand, so viel Macht und Einflufs hatte, sich so unbedingt der Gunst der ersten Person im Reiche, der Prinzessin Sophie, erfreute, wie Golizyn, dem konnte es nicht an Neidern und Gegnern fehlen. Er scheint sich einer solchen Gefahr, welche mit seiner Abreise aus dem Mittelpunkte des Reiches stieg, wohl bewufst gewesen zu sein.

Schon sein hervorragender Anteil an der grofsen Mafsregel der Abschaffung der Rangstreitigkeiten mufste viele Anhänger alter Familieninteressen gegen Golizyn aufbringen. Sehr bald, nachdem er unter dem Zaren Feodor diese Reform durchgesetzt hatte, nahm er als Günstling der Regentin, als erster Beamter im Reiche eine Stellung ein, welche ihm gestattete, alle Ämter,

sowohl bei der Zivilverwaltung als bei der Armee, nach seinem
Gutdünken, ohne Rücksicht auf Familienansehen oder persönliche
Interessen der Bewerber,. besetzen zu können.   Er wird von einer
solchen Machtbefugnis ohne Zweifel sehr ausgedehnten Gebrauch
gemacht haben.   Es wird berichtet, daſs, als Golizyn nach den
Bluttagen des Mai 1682 die Offizierstellen bei den Regimentern
der Strelzy neu und zum Teil durch tüchtige Parvenus besetzte,
er sich dadurch den Unwillen des noch in den Reminiszenzen der
„Mestnitschestwo" (Rangstreit) befangenen Adels zuzog. [1]   Überhaupt brachte er durch Vergebung von Ämtern viele, welche Berücksichtigung zu verdienen meinten, ohne ernannt zu werden,
gegen sich auf.   Daſs er selbst eine Menge Ämter für sich in
Anspruch nahm, in seiner Person eine groſse Anzahl von Funktionen vereinigte, als Chef einer ganzen Reihe von Behörden
thätig war und auch wohl aus einer solchen Stellenkumulierung
materiellen Vorteil für sich zog, mochte dazu beitragen, die Zahl
seiner Gegner zu mehren.   In Verhältnissen, wo öffentliche Moral
und öffentliche Meinung so gut wie nichts galten, persönliche
Macht, Bestechlichkeit und Intrigue das Meiste zu entscheiden
pflegten, konnte es nicht fehlen, daſs Golizyn, schon um seine
Stellung wenigstens zeitweilig zu befestigen, bei der Ämterver-
leihung in erster Linie seine Freunde und Anhänger bedachte.
Selbst sein Bewunderer, Neuville, berichtet, er habe alle Stellen
mit seinen Kreaturen besetzt.   Er war eine Partei; er hatte es
mit entgegengesetzten Parteien zu thun.   Bei solchen Zuständen
ist die persönliche Anwesenheit im Mittelpunkte der Geschäfte,
wo man jede Gefahr eher erkennen, jeden feindlichen Schachzug
erfolgreicher belauern kann, von groſsem Werte.

Es entsteht daher die Frage: wie kam es, daſs Golizyn sich
entschloſs, seine Zukunft an das Hasardspiel eines Feldzugs zu
knüpfen, den Aufenthalt in der Residenz, an der Seite der Regentin, inmitten der Verwaltung, der inneren und auswärtigen
Politik gegen das Lagerleben zu vertauschen? Wenn wohl vermutet

---

[1] Vgl. Malinowsky a. a. O. S. 72.

worden ist, dafs der Durst nach Ruhm, die Sucht nach einem
neuen Titel ihn bestimmte, sich an die Spitze des gegen die Tataren
ausrückenden Heeres zu stellen, so ist für solche Annahme
um so weniger ein Grund vorhanden, als der in diesem Falle
gewifs glaubwürdige Neuville ausdrücklich berichtet, Golizyn habe
den Oberbefehl über die Armee nur ungern übernommen und
hätte sich gern von einer solchen Verpflichtung losgemacht. Wie
dem auch sein mochte: gewifs ist, dafs ein siegreicher Feldherr
an der Spitze der aus der Krim heimkehrenden Truppen ihm
weniger Gefahr bot, als ein Mifserfolg der ganzen Unternehmung,
wenn er als Feldherr die Leitung derselben für sich allein in
Anspruch nahm. Da überdies der Verlauf des Feldzuges eine
gewisse Unfähigkeit Golizyns für die Leitung militärischer Operationen an den Tag legt, so läfst sich kaum vermuten, dafs
Golizyn sich für ein militärisches Genie gehalten und aus per-
sönlicher Neigung die Feldherrnrolle übernommen habe.

Wir müssen es uns versagen, auf die Einzelheiten der militärischen Operationen der beiden Feldzüge in den Jahren 1687 und
1689 einzugehen. Das Ergebnis war in beiden Fällen ein völliges
Scheitern. Statt die Krim zu erobern, kehrte man 1687 um, ehe
man selbst die Landenge von Perekop erreicht hatte und ohne
dafs man auch nur des Feindes ansichtig geworden wäre. Im
Jahre 1689 kam es nach einigen Scharmützeln in der Nähe der
Landenge von Perekop zu Verhandlungen zwischen Golizyn und
den Tataren, welche auf den Feldherrn ein übles Licht werfen.

Beschränken wir uns bei der Darstellung dieser Vorgänge
auf diejenigen Züge, welche Golizyn betreffen.

Schon die Langsamkeit und Unpünktlichkeit des Erscheinens
der Truppenteile an den Sammelpunkten schob den Beginn der
Kampagne hinaus und liefs nichts Gutes erwarten. In manchen
Fällen aber liefs der Mangel an Disziplin auf eine gewisse, direkt
gegen Golizyn gerichtete Animosität der russischen Offiziere
schliefsen. Einen tiefen Einblick in diese Verhältnisse gewähren
Golizyns, während des Feldzuges an Schaklowitij gerichteten
Briefe, welche Ustrjalow mitgeteilt hat. Hier beklagt sich der

Fürst bitter über die Eigenmächtigkeit der Edelleute, welche sich
den Anordnungen nicht fügen wollten; es sei nichts als Un-
gehorsam und Widerspenstigkeit bei den „Rittmeistern". Er bat
um ausgedehnte Vollmachten zur Bestrafung der Störrischen und
berief sich dabei auf Bestimmungen, welche bereits in der Zeit
des Zaren Feodor inbetreff der Disziplin erlassen worden waren.
Er will Macht haben, solche Strenge zu üben, dafs „alle zittern
sollen". Namentlich einige Glieder der alten Geschlechter der
Dolgorukijs und Schtscherbatows brachten ihn auf: er verlangte,
dafs ihnen zur Strafe ihre Güter konfisziert werden sollten. Allerdings hatten sich diese zu einer sehr kecken Demonstration gegen
den Oberfeldherrn hinreifsen lassen. Um zu zeigen, dafs sie an
keinen Erfolg des Feldzuges glaubten, erschienen sie bei der
Armee in einem seltsamen Aufzuge. Sich selbst und ihre Pferde
hatten sie in schwarze Tücher, also in Trauergewänder gehüllt.
Golizyn mufste, wenn anders er der Demoralisation des ganzen
Heeres vorbeugen wollte, Strenge üben. Daher verschaffte er
sich durch Vermittelung Schaklowitijs ausgedehnte Vollmachten;
er war bald in der Lage, so energisch aufzutreten, dafs die
Schuldigen sich vor dem Machthaber beugten und um Verzeihung
baten.[1])

Gordon hatte 1684 in seinem Gutachten die Gefahren, welche
der Marsch durch die wasserlosen Steppen bot, unterschätzt. Bei
dem ungeheuern Trofs, der kolossalen Anzahl von Pferden, welche
die Armee mit sich führte, stellte sich bald entsetzlicher Wassermangel ein. Sowohl in Gordons Tagebuche, als in Leforts Briefen,
welche Posselt mitgeteilt hat, sind die Leiden geschildert, welche
der Marsch mit sich brachte. Lefort macht dem Oberfeldherrn
dabei den Vorwurf, dafs er diese Leiden gemehrt habe, indem
er nicht gestattete, dafs die verschiedenen Truppenteile von dem
einmal vorgeschriebenen Wege abwichen.[2]) Krankheiten und
Sterblichkeit rieben einen Teil der Armee auf. Lefort schreibt:
„Der Seigneur, unser Fürst, war in Verzweiflung, nicht nach

---

[1]) Ustrjalow, I. S. 347—350.
[2]) Posselt, Lefort, I. S. 373.

Perekop gelangen zu können".....,,Unser Generalissimus war aufser sich, und ich kann Euch versichern, er weinte bitterlich".....[1] Das schlimmste war der Steppenbrand, welcher die letzten Wasserreste in der Einöde vernichtete und den Mangel an Futter für die Pferde verursachte. Die Kosaken und auch der Hetman Ssamoilowitsch sind beschuldigt worden, verräterischerweise das Steppengras angezündet zu haben. Dieses hat wesentlich zum Sturze des Hetmans beigetragen, den Golizyn nicht blofs geschehen, sondern, wie man vermuten darf, gerne geschehen liefs. Wir haben keinen Grund an die Schuld Ssamoilowitschs oder der Kosaken zu glauben. Eher könnte man vermuten, dafs Tataren den Steppenbrand verursacht hätten, um das Vorrücken der Russen zu verhindern. Gewissermafsen nur als ein Kuriosum wollen wir anführen, dafs auch wohl der Fürst Golizyn selbst beschuldigt worden ist, den Steppenbrand herbeigeführt zu haben.[2]

Das Ergebnis war, dafs man umkehrte, nachdem man bis zum Karatschokrak (etwa 200 Werst oder 30 Meilen von der Landenge Perekop) vorgedrungen war. Golizyn hatte Eile, nach Hause zu gelangen. In Moskau hatte man während seiner Abwesenheit gegen ihn allerlei Ränke geschmiedet. Kaum hatte er die Hauptstadt verlassen, als sein gefährlichster Gegner, der Fürst Tscherkasskij, gegen ihn zu agitieren begann. Auch den Einflufs des Patriarchen scheint Golizyn gefürchtet zu haben. Nicht umsonst zeugen die zahlreichen, an Schaklowitij gerichteten Briefe Golizyns von einer gewissen Aufregung, Unruhe, Spannung. Stets wiederholt er die Frage, ob es nicht Ränke gebe, ob die Gegner nicht wiederum böse Anschläge ersinnen; oft fragt er, was man von ihm rede; als er einst auf dem Marsche, bei einem Gelage, aufser der Gesundheit des Zaren auch diejenige der Prin-

---

[1] Posselt, Lefort I, S. 878—374.
[2] Vgl. Schleusing a. a. O. „Durch heimliche Korrespondenz mit den Tataren hat er die Heide in Brand stecken lassen. Die meisten von der russischen Armee erstickten im Rauche." In den „Gesprächen im Reiche der Toten" erzählt Golizyn genau die Geschichte dieser Verräterei, S. 1184.

zessin ausgebracht hatte, fragte er, welchen Eindruck dieses in
der Hauptstadt gemacht habe; dazwischen verlangt er, man solle
diese oder jene Persönlichkeit entfernen; er lauscht allerlei Gerüchten über die gegen ihn gesponnenen Ränke, fordert seinen
Freund auf, nur ja wachsam zu sein, und bittet ihn, zur Belohnung
ein bedeutendes Geldgeschenk anzunehmen. Als Schaklowitij im
Auftrage der Regentin zum Heere reiste, welches bereits auf der
Rückkehr begriffen war, äufserte Golizyn seine Unzufriedenheit,
dafs Schaklowitij durch Verlassen der Hauptstadt den Ränken
seiner, Golizyns, Feinde Spielraum gönne.[1]

Fast scheint es, als habe auch die Prinzessin Sophie gefürchtet, dafs Golizyns Feinde siegen würden, wenn er nach einem
solchen Mifserfolge heimkehrte. Sie schickte ihm Schaklowitij
mit der Weisung entgegen, wenn möglich wieder umzukehren,
durch die donischen Kosaken die Krim von der Seeseite anzu-
greifen, die kleinrussischen Kosaken vom Dnjepr aus operieren
zu lassen oder wenigstens durch Errichtung von Forts im Süden
die Grenze zu sichern.[2]

Golizyn konnte nicht daran denken. Er erledigte nur die
Angelegenheit, welche den Sturz Ssamoilowitschs und die Erhebung Maseppas[3] betraf — wobei er, wie oben bereits bemerkt
wurde, auf seinen materiellen Vorteil bedacht war, sich von Maseppa beschenken liefs, vielleicht aus dem konfiszierten Vermögen
Ssamoilowitschs sich einiges, wie man ihm vorwarf, aneignete —
und eilte nach der Hauptstadt.

Die Regentin deckte mit ihrer Gunst den unglücklichen
Feldherrn gegen alle Feinde. Er ward reich belohnt. Er erhielt eine schwere goldene Kette, eine Denkmünze im Werte von
300 Dukaten, 1000 Bauernhöfe und andere reichliche Geschenke.
Die dreistesten offiziellen Lügen sollten den totalen Mifserfolg

---

[1] Vgl. Ustrjalow I, S. 346 u. ff.
[2] Akten, die Angelegenheiten der Krim betreffend, bei Ssolowjew
Bd. XIV, S. 41.
[3] Dafs er die Wahl beeinflufste, s. bei Ustrjalow und Ssolowjew.

beschönigen. In Manifesten sprach man von errungenen Siegen.[1]) Er war vorläufig so mächtig wie zuvor.

Man wollte den Versuch einer Eroberung der Krim wiederholen, aber nicht sogleich. Zunächst errichtete man im Jahre 1688 ein Fort am Ausflusse der Ssamara in den Dnjepr. Der Plan dieses Forts war von einem holländischen Ingenieur entworfen. Auch Gordon mufste bei dieser Gelegenheit sein Urteil abgeben. Man sieht, dafs Golizyn bei der Errichtung von Bogorodizk, in ähnlicher Weise wie Peter bei der Eroberung und Befestigung Asows und der Gründung Taganrogs, westeuropäische Intelligenz zu Rate zog. Die Mafsregel war zweckmäfsig und heilsam. Man bedurfte solcher vorgeschobener Posten im Süden, welche einerseits bei Feldzügen gegen die Tataren als Stützpunkte, Lagerplätze und Niederlagen von Lebensmitteln und Kriegsgerät dienten, anderseits den fortwährend wiederholten Raubzügen der Tataren zu steuern geeignet sein konnten. Noch ehe dieses Fort vollendet war, schleppten die Tataren bei einem in das russische Gebiet unternommenen Raubzuge (im März 1688) nicht weniger als sechzigtausend Menschen als Gefangene fort. Um so lächerlicher ist die, bei Gelegenheit des Sturzes Golizyns gegen ihn im Publikum erhobene Anklage, er habe 1688 die Festung Bogorodizk bauen lassen, um die Truppen, insbesondere die Strelzy, zu Grunde zu richten.[2]) Solche Dinge können als ein Mafsstab für die, im Volke gegen Golizyn herrschende Animosität und zugleich als Warnung inbetreff anderer über ihn in Umlauf gesetzter Gerüchte dienen.

Inzwischen schien die orientalische Frage in eine neue Phase eintreten zu wollen. Es geschah mancherlei, was Rufsland zu

---

[1]) Vgl. die Gesetzsammlung Bd. II, Nr. 1258. Baron Keller übernahm es, in Holland Nachrichten über den angeblichen Sieg Golizyns zu verbreiten; s. Posselt, Lefort I, S. 389. Auch nach Polen sandte man solche lügenhafte Berichte, s. Tereschtschenko a. a. O. S. 163—164. S. ebendort die abenteuerlichen Gerüchte in Wien.

[2]) Vgl. Gordons Tagebuch I, S. 306. Gordon, welcher die Sache beurteilen konnte, bemerkt dazu: „Eine schlechte Erfindung, welche weder Grund noch Wahrscheinlichkeit hatte".

21*

energischerem Vorgehen veranlassen konnte. Die Venetianer und
die Österreicher errangen bedeutende Vorteile im Kampfe mit
den Türken, die ersteren in Morea und Dalmatien, die letzteren
in Ungarn; der ehemalige Patriarch von Konstantinopel, Dionysius,
liefs durch den Archimandriten des Klosters zum heil. Paul
auf dem Berge Athos, Jesajas, melden, jetzt sei die richtige Zeit,
die Christen zu befreien. Alle: Serben, Bulgaren, Moldauer und
Walachen hofften auf Rufsland. Der Hospodar der Walachei,
Schtscherban, sandte ein Schreiben, in welchem er die Hoffnung
aussprach, dafs Rufsland das Türkenjoch brechen werde. Ähnliches schrieb der Patriarch von Serbien, Arsenius. Schtscherban
lud die russische Armee ein, an die Donau zu kommen; er wollte
selbst für ein Hilfskorps von 70 000 Mann sorgen, und stellte
die Wahrscheinlichkeit bedeutender Erfolge in Aussicht. Dabei
schilderte er den Hafs der dortigen Bevölkerung gegen Österreich,
wie denn auch die Geistlichen jener Gegenden in ihren nach
Rufsland gesandten Schreiben vor den Katholiken warnten.

Man sieht: es gab im Jahre 1688 genau dieselbe Veranlassung auf Erfolge zu rechnen, wie im Jahre 1711, wo Kantemir
dem Zaren Peter den Sieg als wahrscheinlich vorstellte. Es war
auch im Jahre 1688 unmöglich, allen solchen Anregungen gegenüber sich gleichgültig zu verhalten. Wir dürfen annehmen, dafs
Golizyn bedeutenden Anteil an dem Schreiben gehabt habe,
welches die beiden Zaren, Iwan und Peter, an den Hospodaren
der Walachei, Schtscherban, richteten, und in welchem sie ihn
aufforderten, mit seinen Truppen gegen die am Dnjepr gelegenen
türkischen Festungen zu ziehen. Doch hatten sich inzwischen
die Verhältnisse geändert; Schtscherban war gestorben, und sein
Neffe, Konstantin, beschränkte sich darauf, das Schreiben der
Zaren mit allgemeinen Redensarten zu beantworten.[1] Schlimmer
noch war es, dafs man erfuhr, der Kaiser und Polen seien im
Begriff, mit der Türkei Frieden zu schliefsen.

Da war es denn, wo die russische Regierung, ihre Macht

---

[1] Nach bisher unbekannten Archivalien Ssolowjew Bd. XIV, S. 54.

und Bedeutung überschätzend, sich zu grofsen Entwürfen hinreifsen liefs. In den die polnischen Angelegenheiten betreffenden
Akten im Hauptarchiv zu Moskau hat sich das Konzept zu einer,
an den russischen Gesandten in Wien, Wosnizyn, abzusendenden
Instruktion gefunden, in welcher, für den Fall eines Friedens-
schlusses mit der Pforte, Rufsland folgende Forderungen macht:
alle Tataren sollen aus der Krim nach Kleinasien übersiedeln
und die Krim soll an Rufsland abgetreten werden; ebenso sollen
alle Türken und Tataren aus der Gegend von Asow entfernt
und Asow selbst soll den Russen abgetreten werden. Ferner
verlangte Rufsland, wenn nicht Abtretung, so doch wenigstens
Schleifung der türkischen Festungen Kasikerman, Otschakow u. a.;
endlich die Freilassung aller russischen Gefangenen und als Ent-
schädigung für die durch tatarische Überfälle verursachten Verluste, die Zahlung von zwei Millionen Dukaten. [1])

Ustrjalow untersucht die Frage nicht, ob eine solche Instruktion
abgesandt wurde, oder ob dieses Aktenstück nur Entwurf war
und Entwurf blieb. Wenn Golizyn an diesem Hirngespinst Anteil hatte, was denn doch sehr wahrscheinlich erscheint, so kompromittieren solche Rodomontaden ihn inbetreff seiner diplomatischen Fähigkeiten noch mehr, als die beiden Feldzüge von
1687 und 1689 ihn als Feldherrn in einem keineswegs heroischen
Lichte erscheinen lassen. Selbst Katharina II. hat nach den
grofsen Erfolgen im ersten türkischen Kriege nicht solche Forderungen an die Pforte zu stellen gewagt. Der Frieden von Ku-
tschuk-Kainardsche zeugt von Mäfsigung im Vergleich mit den
Ansprüchen der Prinzessin Sophie in jenem von Ustrjalow ent-
deckten Aktenstücke. Man denke nur an den Ausgang des kurz
zuvor unternommenen Feldzugs in die Krim!

Trug man sich mit grofsen Entwürfen, so mufste man den
Versuch eines Feldzugs in den Süden wiederholen. So kam es
denn zur Unternehmung im Jahre 1689. Wieder begegnen wir
dem Fürsten Golizyn an der Spitze des russischen Heeres und

---

[1]) Vgl. Ustrjalow I, S. 217.

dem General Gordon an der Seite des Fürsten. Hatte man 1687 den Fehler gemacht, zu spät aufzubrechen und infolgedessen mit der Sonnenglut in der Steppe, als dem schlimmsten Feinde, zu kämpfen gehabt, so eröffnete man 1689 die Operationen bereits im Winter. Man marschierte bei Kälte und Schnee aus der Hauptstadt und hatte dann in der Steppe allerdings nicht mit Wassermangel zu kämpfen. Auch kam es diesmal wirklich zum Zusammenstofs mit den Feinden. Aber auch diesmal gab es keinen Erfolg.

Eine grofse Zahl von Berichten Golizyns an die Zaren und an die Regentin über alle Einzelheiten des Feldzugs, welche Ustrjalow mitgeteilt hat, Gordons Tagebuch, Leforts Briefe, Sophiens Erzählungen an Neuville, Korbs sorgfältig gesammelte Nachrichten und andere Quellen gewähren uns einen Einblick in den Charakter dieser militärischen Unternehmungen. Hiernach gewinnen wir den Eindruck, dafs Golizyn von einer argen Schönfärberei in seinen Berichten nicht freizusprechen ist. Jedes militärische Ereignis wurde zu einer grofsartigen Aktion aufgebauscht. Die Regierung war im Jahre 1689 noch mehr als im Jahre 1687 darauf bedacht, der Mitwelt Sand in die Augen zu streuen und von grofsen Siegen zu reden, wo ein totales Fiasko vorlag.

Am 16. Mai stiefs man mit den Tataren zusammen, und zwar in dem bereits in der Nähe von Perekop gelegenen „Schwarzen Thal". Die russische Artillerie zeigte sich dem Feinde überlegen; dagegen erwies sich die russische Reiterei als durchaus unzulänglich. Im ganzen gab es wohl insofern einen gewissen Erfolg, als die Tataren ebenso schnell verschwanden, wie sie gekommen waren, und zunächst am andern Tage den Angriff nicht zu erneuern wagten. In seinem Bulletin schildert Golizyn dieses Treffen grofssprecherisch als eine gewaltige Schlacht, während doch schon aus seinen Angaben über die Verluste hervorgeht, dafs die ganze Affaire nicht irgendwie als eine wichtige oder entscheidende angesehen werden kann.[1]

---

[1] Vgl. die Bulletins Golizyns bei Ustrjalow I, S. 322 u. ff. und wörtlich im Anhange S. 355—382.

Hatte man schon nach dem ersten Feldzuge in den offiziellen Manifesten von allerlei Siegen gefabelt, so nahm man den Mund jetzt noch voller.[1])

Wie man in offiziellen Berichten russischerseits die Ereignisse des Feldzuges von 1689 darzustellen beliebte, erfahren wir genau aus der Schilderung, welche in einem, durch den russischen diplomatischen Agenten in Venedig, den Griechen Lichuda, von den Schlachten im Mai 1689 überreichten Bericht der russischen Regierung entworfen wurde. Da heifst es u. a.: Aller Welt sei der glorreich errungene Sieg Rufslands über die Tataren bekannt; die ganze Gegend, in welcher die Schlacht stattgefunden habe, sei mit Leichen besäet gewesen, der Chan sei verwundet, eine Menge angesehener Tataren sei gefangen u. s. w.[2])

Dafs die Prinzessin Sophie an die Berichte Golizyns glaubte, ist aus ihrem an den Fürsten gerichteten Briefe zu ersehen. Er hatte ihr geschrieben, sie möge für seine glückliche Rückkehr

---

[1]) Wie man 1687 wenigstens zeitweilig das Publikum irreführte, zeigte der Bericht von den militärischen Ereignissen bei Sandrart: Kurze Beschreibung von Moskowien oder Reufsland, Nürnberg 1711. S. 203—210. Da heifst es u. a.: Perekop sei eingenommen worden, wobei 59 000 Mann Tataren niedergehauen worden und 3000 Kosaken gefallen seien; hierauf sei die Armee nach Otschakow marschiert, wo man 70 000 Tataren niedermetzelte, während nur 400 Russen fielen. (!) Otschakow sei genommen worden, alle Gefangenen, die in der Krim schmachteten, habe man befreit, viele Tausende von Tataren hätten sich der moskowitischen Botmäfsigkeit unterworfen, viele Tausende der schönsten Pferde habe man erbeutet. Der Verfasser, welcher sich denn doch wohl in Moskau aufhielt und unter dem Eindrucke der im Publikum zirkulierenden Gerüchte schrieb, bemerkt S. 200: „Gleich itzo kommt ein Kosak bei mir an, der Alles Obige bestätigt und von noch einer Schlacht erzählt, in welcher 8000 Tataren getötet wurden." Es ist begreiflich, wenn daraus folgender Schlufs gezogen wird: „Dafern der gnädige Gott seinen Segen noch weiter mitteilen wollte, würde der Tatarchan in wenig Zeit zum Vasallen des Moskauer Zaren werden." Wie umständlich die falschen Nachrichten waren, denen man im Publikum Glauben schenkte, zeigt die genaue Spezifizierung der russischen Armee, welche nach Sandrart 527 000 Mann betragen haben soll!!

[2]) Vgl. die Denkmäler der diplomatischen Beziehungen Bd. X, S. 1374.

beten. Sie antwortete: „Mein alles, mein Brüderchen, Wassenka!
sei Du, mein Väterchen, gegrüfst; lebe glücklich viele Jahre!
Und noch einmal sei gegrüfst, nachdem Du mit Gottes Hilfe und
durch die Gnade der heiligen Mutter Gottes und durch Deinen
Verstand und Dein Glück die Nachkommen Hagars besiegt hast!
Möge Gott Dir auch fernerhin verleihen, dafs Du die Feinde
besiegest! Ich aber, mein alles, kann es nicht glauben, dafs Du
zu uns zurückkehren wirst; ich werde es nicht eher glauben, als
wenn ich Dich, mein alles, in meinen Armen halten werde. Wie
kannst Du nur, mein alles, schreiben, ich solle für Dich beten:
bin ich denn so sündlich und unwürdig vor Gott? Und wenn ich
auch sündhaft bin, so wage ich es doch auf seine Gnade zu hoffen.
Glaube mir! Ich bete immer darum, dafs ich Dich, meine Welt,
in Freude wiedersehen möge. Und somit lebe wohl, mein alles,
in Ewigkeit"! [1])

Wie man aber im Volke von diesen angeblich grofsen Siegen
Golizyns sprach, zeigt folgende Ausführung des Bauern Possoschkow, welcher einige Jahre später in einem Schreiben an den
Bojaren Golowin die Mängel der russischen Heeresorganisation
schilderte. Er schreibt: „Es ist allen bekannt, wie der Fürst
Wassilij Wassiljewitsch Golizyn nach Perekop ging und, wie man
sagt, mit ihm 300 000 Mann. Und ihm entgegen kamen alles
in allem etwa 15 000 Tataren; und die Unseren konnten im
Kampfe mit ihnen nicht bestehen. Ist es nicht eine Schmach
für uns, dafs jene Tataren mit einer Handvoll Reiter und Arm-
brustschützen die Unseren schlugen und, wie man sagt, zwanzig
Kanonen fortnahmen? Und die Unseren haben es nicht gewagt,
die Kanonen wiederzunehmen und fürchteten sich vor einer Handvoll Menschen.... Allen ist es bekannt, wie die Tataren die
russischen Verschanzungen anfielen und zerstörten, und die Unseren

---

[1]) Diesen, in Chiffern geschriebenen Brief, sowie den zweiten,
sogleich mitzuteilenden, entdeckte Ustrjalow in den Archiven und ent-
zifferte diese Aktenstücke mit vieler Mühe. Es gab keinen Schlüssel
für die Chifferschrift. Man mufste ihn finden. Auch die Facsimiles
hat Ustrjalow mitgeteilt.

klappern und knallen mit ihren Waffen, aber die Tataren beachten es gar nicht, weil kein Schufs trifft".[1])

Als Golizyn nach den Scharmützeln mit den Tataren den Marsch fortsetzte und am 20. Mai bei Perekop anlangte, stellten sich dieselben Übelstände heraus, welche schon 1687 zur Umkehr genötigt hatten: Wasser- und Futtermangel. Man scheint nicht daran gedacht zu haben, dafs auch jenseits der Landenge, d. h. in der nördlichen Hälfte der Taurischen Halbinsel, dieselbe wasser- und baumlose Öde sich ausdehne, wie auf dem Festlande. Es gab nur salziges, nicht trinkbares Wasser; es fehlte an Lebensmitteln; die Pferde fielen, die Menschen siechten dahin; länger an diesem Orte zu verweilen, war unmöglich. So stellte Golizyn sowohl in seinen offiziellen Berichten, als in einem Schreiben an die Prinzessin die Sachlage dar.[2])

Dazu begannen zwischen dem Chau und Golizyn Unterhandlungen, über deren Beginn verschiedenes berichtet wird. Golizyn meldet, der Chan habe mehrmals zu ihm gesandt und „um Frieden gebeten". Über die Haltung Golizyns inbetreff der Eröffnung der Verhandlungen sind sowohl bei dem Sturze Golizyns im September 1689, als auch ein paar Jahre später während seiner Verbannung Untersuchungen angestellt worden, über welche die Akten vorliegen. Die Sache scheint sich so zugetragen zu haben, dafs ein übergelaufener Tatar den Fürsten glauben machte, der Chan sei geneigt zum Frieden, woraufhin Golizyn, durch ein an einen Pfeil gebundenes und in das feindliche Lager geschleudertes Schreiben, seine Bereitwilligkeit zu Unterhandlungen aussprach; die Tataren drückten anfänglich höchst verwundert, dann in einem ebenfalls mittelst eines Pfeiles übersandten Schreiben ihre Bereitschaft zu kämpfen aus, und machten gleichzeitig noch Vorwürfe wegen des Friedensbruches durch die Russen. In einem ferneren

---

[1]) Vgl. meine Schrift: Iwan Possoschkow. Ideen und Zustände in Rufsland zur Zeit Peters des Grofsen, Leipzig 1878. S. 214 u. 215. Possoschkow gibt die Armee auf 300000 Mann an. Das Heer zählte nicht viel mehr als 100000 Mann.

[2]) Ustrjalow I, S. 222 u. 227.

an den in Golizyns Lager befindlichen Tataren gerichteten Schreiben erklärten die Tataren sich zu Unterhandlungen bereit, und so
kam es denn zu denselben gerade in dem Augenblicke, als, wie
andere ausgesagt haben, das russische Heer des Befehls zur
Schlacht gewärtig war.

So hatte denn Golizyn die Thatsachen entstellt, auch darin,
dafs er in seinem Berichte erzählt, er sei mit Zustimmung der
andern Würdenträger in der Armee zu den Unterhandlungen
geschritten. Der Bojar Schein riet, wie sich später herausstellte,
von den Unterhandlungen ab; Maseppa scheint auch nicht dafür
gewesen zu sein. Die Unterhandlungen wurden formlos geführt.
Noch vor denselben hatte Golizyn die Armee eine Stellung mit
der Tete nach Rufsland einnehmen lassen; während derselben
setzte sich die Armee in Marsch; zum Abschlufs eines förmlichen
Vertrages war es nicht gekommen. Ein solcher Rückzug sah
einer Flucht ähnlich. Schmachbedeckt, noch mehr kompromittiert,
als bei dem Feldzuge des Jahres 1687, kehrte der Fürst Golizyn
nach Moskau zurück.[1]

Golizyn hatte in seinen offiziellen Schreiben an die Zaren
gemeldet, der Chan habe mehrmals um Frieden gebeten, aber er,
Golizyn, habe nach reiflicher Erwägung aller Umstände, wobei
er sich mit allen Führern der Armee beraten habe, das Anerbieten
des Friedens abgelehnt. Ganz ähnlich stellte der Bojar Neplujew
den Vorgang dar.[2] Ferner hatte Golizyn berichtet, in der ganzen
Halbinsel sei bei den Tataren ein so allgemeiner Schrecken verbreitet gewesen, dafs alle Bewohner der Krim bei der Kunde
der Annäherung der Russen mit Hinterlassung des gröfsten Teils
ihrer Habe in die Berge geflohen seien; der Chan aber, entrüstet
über die Feigheit seiner Unterthanen, habe alle verlassenen Ortschaften niederbrennen lassen.[3]

Mit diesen Angaben stand denn der schmachvolle Rückzug der
russischen Armee in Widerspruch. Dafs dieselbe Mangel litt, ist

---

[1] Vgl. d. Einzelheiten bei Ustrjalow XIV, S. 226—234.
[2] Ustrajalow I, S. 372 und 375.
[3] Ebendaselbst I, S. 380.

gewifs. Gordon, dessen Tagebuch eine Lücke vom 15. bis zum 24. Mai aufweist, spricht in einem Brief an den Earl von Errol von der üblen Lage der russischen Armee und dafs man, da die Unterhandlungen zu keinem Ergebnis geführt hätten, zum Rückzuge genötigt gewesen wäre.[1])

Auffallend ist aber dabei, dafs ein Kapitän des Regiments der Strelzy bei Gelegenheit des Prozesses Schaklowitijs im September 1689 aussagte, Golizyn hätte sehr wohl den Krieg fortsetzen können, da die Truppen keinen Mangel gelitten hätten, dagegen habe Golizyn verbreiten lassen, es sei mit den Tataren Frieden geschlossen.[2]) Es kann leicht sein, dafs eine solche Aussage in böswilliger Absicht, um Golizyn zu schaden, gemacht wurde. Anderseits liegen Andeutungen darüber vor, dafs Golizyn dafür zu sorgen bestrebt war, dafs Aussagen gemacht würden, welche seine Angaben bestätigten. Bereits bei Gelegenheit des Feldzuges von 1687 hatte er die Strelzy instruiert: sie sollten inbetreff des Steppenbrandes „übereinstimmende" Aussagen machen.[3]) Ebenso befahl er den Strelzy 1689, als er die Armee auf der Rückreise nach Moskau verliefs, in Moskau zu sagen, sie hätten Not gelitten und hätten zwölf Tage lang weder für sich, noch für die Pferde genügend Wasser erhalten.[4])

Bei den mancherlei falschen, tendenziösen, ränkevollen, Denunziationen ähnlichen Aussagen, an denen jene Zeit so reich ist, müssen wir alle diese Nachrichten mit grofser Vorsicht aufnehmen. Wir gewinnen aus diesem Material kein Urteil über das Mafs von Golizyns Schuld. Golizyn erscheint kompromittiert.

---

[1]) „The 20th we came before the Perecop and lodged as we marched, where we were to enter into a treaty with the Tartars, which took no effect, our demands being too high, and they not condescending to any other thing, as to establish a peace of the former conditions, so that not being able to subsist here for want of water, grass and wood for such numbers as we had, and finding no advantage by taking the Perecop, the next day we returned" etc. Vgl. das Schreiben bei Ustrjalow I, S. 809—311.

[2]) Vgl. Ustrjalow I, S. 311.

[3]) Vgl. Golizyns Schreiben an Schaklowitij bei Ustrjalow I, S. 855.

[4]) Vgl. Ustrjalow I, S. 242.

Seine Schönfärberei in den Bulletins und Manifesten ist tadelns-
wert. Um ihn als Strategen gerecht zu beurteilen, müfsten wir
über ein reicheres Material verfügen. Den Eindruck der Energie,
des Heroismus, einen Eindruck, wie ihn Münnichs Haltung ein
halbes Jahrhundert später genau in derselben Lage, an demselben
Ort auf uns hervorbringt, übt Golizyns Handlungsweise, soweit
wir davon Kenntnis haben, keineswegs. [1])

Ein Russe, welcher in jener Zeit sich in tatarischer Gefangenschaft befand, erzählte: die Tataren der Krim hätten sich über Golizyn nach seinem Rückzug lustig gemacht und gesagt, er sei nach
Kijew gegangen, um dort, in ein Kloster eintretend, sich vor der
zarischen Ungnade zu retten.

Von sehr verschiedenen Seiten sind schwere Anklagen gegen
Golizyn geschleudert worden. Die schwerste lautet dahin, der
Fürst sei von den Tataren bestochen worden. Sie findet sich in
verschiedenen aus jener Zeit stammenden Quellen.

Schleusing erzählt, der Fürst habe sich bei den Feldzügen
in der Krim „durch die französischen Louisdor, so aus der
Türkei an ihn übermacht worden, die Augen verblenden lassen",
und fügt hinzu, es seien bei dem Sturze des Fürsten in dessen
Hause die verräterischen Briefe und 50000 Louisdor gefunden
worden. Auch in der Flugschrift „Gespräche im Reiche der
Toten" läfst der Verfasser den Fürsten dem General Hochmuth
erzählen, wie er in einem heimlichen Vernehmen mit Frankreich
gestanden habe und dafs man bei ihm viel gemünztes fremdes

---

[1]) Von grofsem Interesse, aber nicht unbedingt Zutrauen erweckend
ist die Aussage, welche zwei Jahre später der 1689 in tatarischer Gefangenschaft befindliche Pole aus Smolensk, Poplonskij, machte. Er
erzählte: „Als die russische Armee bei Perekop angelangt war, fragte
der Sohn des Chans diesen, warum er die Russen nicht angreife, und
falls er, der Vater, keinen Ausfall mache, so werde er, der Sohn, gern
etwas unternehmen. Der Chan antwortete, Golizyn habe zu ihm gesandt
und Frieden angeboten, daher befehle er, nicht zum Kampfe zu schreiten.
Käme es nicht zu einem Vergleich, so würden die Tataren Golizyn und
seine ganze Armee nach Perekop hereinlassen und dort gefangen nehmen
und verdursten lassen, da es in Perekop nur drei Brunnen gebe". —
Aus dem Archiv des Justizministeriums, Ssolowjew XIV, S. 61.

Gold gefunden habe, woraus denn geschlossen worden sei, dafs er Geschenke aus dem Auslande angenommen habe.[1]

In den tagebuchartigen Memoiren eines höheren Beamten jener Zeit, des Okolnitschij Sheljabushskij findet sich die Notiz: „Golizyn erhielt, als er bei Perekop stand, zwei Fäfschen mit Goldmünzen, welche sich später bei dem Verkauf in Moskau als kupferne und leicht vergoldete Münzen herausstellten". [2]

Das Gerücht scheint auf die Aussage eines in tatarischer Gefangenschaft gewesenen Russen, Namens Glistin, zurückzuführen zu sein. In dem Prozesse Schaklowitijs sagte er aus: „Als ich in Perekop gefangen war, kam ein Tatar zu dem Chan mit der Nachricht, dafs russische Truppen in der Steppe zu sehen seien. Der Chan erschrak. Den Bewohnern von Perekop wurde befohlen, ihre Familien fortzusenden und ihre Häuser zu verbrennen. In dem Heere des Chans befanden sich einige Verräter von den Unsern, Donische Kosaken, welche ein Jahr früher aus Tscherkask entflohen waren und den Islam angenommen hatten. Sie erzählten mir, dafs kurz vor dem Eintreffen der russischen Armee bei Perekop von dem türkischen Sultan an den Fürsten Wassilij Golizyn zwei grofse Fässer mit Dukaten abgesandt worden seien, damit er die Krim verschone. In den Fässern waren 15 Fäfschen zu 10 Eimern jedes. Der Chan nahm das Gold heraus, befahl die Fäfschen mit Pech zu füllen und nur oben und unten etwas Dukaten zu lassen. So empfing diese Fässer in der Nacht der Okolnitschij Benedikt Smejew (der Genosse Golizyns) und übergab sie dem Fürsten; in derselben Nacht zog Golizyn mit seiner Armee ab und liefs die Werkzeuge, welche bereits für den zu wagenden Sturm angefertigt waren, verbrennen. Nach dem Abzuge Golizyns wurde ich nach Asow geschickt. Dort sah ich, wie der Bei von Asow, welcher der Krim zu Hilfe eilen sollte, in einem Vorratsraume auf seinem Hofe mit drei Agas drei Fäfschen, von je 5 Eimern, mit Pech füllte und nur oben und unten Gold zuschüttete, indem er zu den Agas sagte, dafs sie

---

[1] Bei Neuville findet sich keine derartige Beschuldigung Golizyns.
[2] Memoiren, herausg. v. Jasykow, S. 21.

mit diesen Fälschen ihr Leben retten würden. Dies sahen noch
drei andere Kriegsgefangene, welche in demselben Raume Mehl
mahlten". [1]

Man sieht, dafs diese Aussage, welche nicht einmal von einem
Augenzeugen herrührt und die Wahrscheinlichkeit einer Verwechselung des Vorganges in Asow mit dem angeblichen Bestechungsversuche in Perekop zuläfst, wenig Glauben verdiente. Wenn
schon überhaupt in jener Zeit, zumal bei politischen Prozessen,
unglaublich viel gelogen wurde, so darf man derartigen Erzählungen
von Deserteuren und Apostaten, und auch der Erzählung Glistins,
welcher seinem eignen Geständnis gemäfs den Türken versprochen
hatte, zum Islam überzutreten, keinen Glauben beimessen. Bei
dem Prozesse im Herbst 1689 machte indessen die Aussage Glistins
einen gewissen Eindruck, und sowohl Golizyn als Smejew wurden
darüber befragt, was an der Geschichte mit den Dukatenfälschen
sei. Golizyn sagte, es sei kein Gedanke davon wahr, auch hätte
er ja den Empfang eines solchen Geschenks nicht verheimlichen
können. Ebenso leugnete Smejew die ganze Sache auf das ent-
schiedenste.

Einen Beweis dafür, dafs Golizyn unschuldig war, können
wir auch in dem Umstande erblicken, dafs bei der Verurteilung
und Verbannung Golizyns nicht ein Wort von jener Beschuldigung
erwähnt wurde. Mag Golizyns Haltung bei Perekop als kleinmütig erscheinen, für einen Verräter dürfen wir ihn nicht halten.

Dagegen bleibt der Vorwurf, dafs Golizyn die Thatsachen
des Feldzugs entstellt habe, auch inbetreff des Rückzuges der
Armee an ihm haften. Er berichtete an die Zaren, der Chan
habe es nicht gewagt, ihn zu verfolgen, und sei in Perekop geblieben. Aus anderen, zuverlässigeren Quellen aber wissen wir,
dafs das Heer sehr arg von der Verfolgung durch die Tataren
zu leiden hatte. Ausführlicher schreibt Gordon an den Earl von
Errol über diesen Rückzug und die Drangsale während desselben,
und noch drastischer schildert Lefort, welcher ebenfalls an dem

---

[1] Vgl. Ustrjalow I, S. 25.

Feldzuge teilgenommen hatte, den unheilvollen Ausgang desselben mit wenigen Zahlen. Er schrieb an seine Verwandten: „Die Moskowiter verloren 35 000 Mann (20 000 Mann an Toten und 15 000 an Gefangenen); 70 Kanonen gingen zu Grunde, und ebenso alles Kriegsmaterial". [1]

Die Verlogenheit mancher hervorragender Persönlichkeiten jener Zeit weist ein sehr anschauliches Beispiel in dem Hetman Maseppa auf, welcher Zeuge jener Vorgänge bei Perekop gewesen war und einige Wochen später, unmittelbar vor dem Sturze Golizyns, mit grofser Pracht und Feierlichkeit von der Regentin Sophie in Moskau empfangen wurde. Hier äufserte sich Maseppa, offenbar um dem augenblicklich herrschenden Fürsten Golizyn zu schmeicheln, über den Feldzug nach Perekop: „Noch nie ist ein solcher Sieg über die Krimer erfochten worden; noch nie hat man ihnen einen solchen Schrecken verursacht. Die Festung Perekop zu zertrümmern, war schwer. Ich habe eine Chronik von Darius gelesen, welcher die Krim wegen Wasser- und Futtermangel nicht nehmen konnte und, nachdem er 80 000 Mann verloren hatte, schmachvoll abzog. Jetzt aber haben die russischen Truppen bei Perekop tapfer gekämpft, eine Menge Feinde getötet und kehrten ohne Verluste heim". [2]

Wenige Wochen später hätte Maseppa, welcher, wie oben bemerkt wurde, für sich aus dem konfiszierten Vermögen Golizyns 10 000 Rubel erbat und erhielt, anders gesprochen. Die fable convenue von einem glänzenden Erfolge konnte nur zeitweilig gelten.

Indessen scheint die Regentin selbst an solche Erfolge geglaubt zu haben. Ein Schreiben Golizyns an sie, welches er seinen offiziellen Berichten beigelegt hatte, beantwortete sie folgendermafsen: „Mein alles, mein Väterchen, meine Hoffnung; möge es Dir wohlergehen viele Jahre! Dieser Tag ist mir eine grofse Freude, weil Gott der Herr seinen heiligen Namen ruhmreich gemacht und ebenso den Namen der Mutter Gottes, an Dir, mein

---

[1] Posselt, Lefort I, S. 399.
[2] Ssolowjew Bd. XIV, S. 164.

alles! Von je und je ist eine so grofse Gnade Gottes unerhört
gewesen; unsere Väter haben nie dergleichen erfahren! Ebenso
wie Gott die Israeliten durch Moses aus Ägypten führte, so hat
er euch jetzt durch Dich, meine Seele, geführt! Gott dem Herrn
sei Ruhm, weil er uns an Dir seine Gnade erwiesen hat! Mein
Lieber; wie soll ich Dir Deine mafslose Mühe belohnen? Meine
Freude, Glück meiner Augen! Kann ich es denn wirklich glauben,
mein Herz, dafs ich Dich, meine Welt, wiedersehen soll? Das
wird ein grofser Tag sein, an welchem Du, meine Seele, wieder
bei mir sein wirst. Wäre es möglich, ich würde Dich sogleich
in einem Tage vor mich hinzaubern. Deine Briefe sind, durch
Gottes Hand, alle glücklich angelangt. Der Bericht aus Perekop
kam am 11. Ich pilgerte zu Fufs aus dem Wosdwishenskij-
Kloster; als ich mich dem Kloster des h. Ssergius nähere, kommt
gerade Dein Schlachtenbericht. Ich weifs nicht mehr, wie ich da
ankam; ich ging lesend. Ich weifs nicht, wie ich Gott und der
Gottesmutter und dem allergnädigsten Wunderthäter Ssergius
meinen Dank darbringen soll! Du schreibst, ich solle den Klöstern
Spenden darbringen; alles habe ich erfüllt; bin nach allen Klöstern
zu Fufs gepilgert. Die Medaillen sind noch nicht fertig; betrübt euch
deshalb nicht. Sobald sie fertig werden, sende ich sie. Du schreibst,
ich solle beten. Gott weifs, wie sehr ich mich danach sehne
Dich zu schauen, meine Welt, meine Seele. Ich hoffe auf Gottes
Barmherzigkeit; er wird mir verleihen, Dich, meine Hoffnung, zu
sehen. Wegen des Heeres magst Du alles nach Deinem Ermessen
beschliefsen. Ich aber, Du mein Väterchen, bin, Dank sei es
Deinen Gebeten, gesund; wir alle sind gesund. Wenn Gott mir
verleiht Dich zu sehen, dann werde ich Dir, meine Welt, von
meinem ganzen Leben und Treiben erzählen. Ihr aber säumet
nicht, sondern marschiert, wenn auch langsam; ihr seid müde.
Wie soll man euch für alle Drangsale, wie soll man vor allen
Dir, mein alles, vergelten? Wenn Du Dich nicht so bemüht hättest;
kein anderer hätte das geleistet".

In Moskau gab es Festlichkeiten; es wurden Dankgebete in
allen Kirchen angeordnet; die Klöster erhielten in Veranlassung

der frohen Nachrichten von den Siegen reiche Spenden. An das Heer gingen Boten mit den Äufserungen des Dankes und des besondern Wohlwollens von der Regentin und im Namen der Zaren. Die Urkunde war an Golizyn gerichtet und lautete: „Durch Deine Mühwaltung sind die wütenden und seit undenklicher Zeit ihr Wesen treibenden Feinde des heiligen Kreuzes und der ganzen Christenheit so geschlagen, besiegt und verjagt, dafs sie in Schreck und Verzweiflung selbst ihre heidnischen Wohnungen, alle Dörfer und Flecken in Perekop verbrannten, sich nicht aus Perekop herauswagten und auch bei Deinem Heimzug sich nicht sehen liefsen; Du aber mit allen Deinen Genossen und allen Kriegern bist gesund heimgekehrt; für so in aller Welt Deinen Ruhm verkündende Siege, versichern Wir Dich Unserer Gnade und loben Dich auf das Allergnädigste".

Golizyn erhielt eine Medaille im Werte von 300 Rubel, ein goldenes Deckelglas, ein goldgesticktes Gewand, eine Summe Geldes und ein Landgut. Alle Teilnehmer des Feldzuges wurden belohnt. Die Gefallenen ehrte man durch Einschreibung ihrer Namen in die Verzeichnisse derjenigen, derer in den Kirchengebeten erwähnt wurde.[1] Ausdrücklich wurde dabei bemerkt, dafs solche Belohnungen für Siege verliehen würden, wie sie in der ganzen Welt unerhört seien.

Übrigens merkten die heimkehrenden Krieger sehr bald nach ihrer Ankunft in Moskau, dafs der wahre Sachverhalt in der Hauptstadt nicht unbekannt war. Als Gordon sich am 22. Juli 1689 bemühte, zu erfahren, was es für Belohnungen geben werde, wurde er damit vertröstet, dafs man die Erklärung darüber ein paar Tage später geben werde. Die Sache zog sich hin, weil, wie Gordon erfuhr, „der jüngere Zar seine Einwilligung nicht geben wollte, dafs die Bojaren so viel bekommen sollten, als man ohne ihn beschlossen hatte". Erst am 26. Juli wurde, wie Gordon erzählt, „der jüngere Zar durch vieles Bitten und mit grofser Mühe dahin gebracht, dafs er seine Einwilligung gab".[2]

---

[1] Ustrjalow I. S. 237—243.
[2] Gordons Tagebuch II. S. 265 u. 266.

Man mufste wahrnehmen, dafs neben Sophie und Golizyn noch eine Macht erstand. Die Krisis nahte.

Katastrophe.

Wie Peter sich zu dem Ausgange des Feldzuges im Jahre 1687 verhalten habe, wissen wir nicht. Wenn berichtet worden ist, dafs der junge Zar schon damals den Fürsten Golizyn mit Vorwürfen überhäuft habe, so ist auf eine solche Notiz ohne Quellenangabe kein Gewicht zu legen. [1])

Peter zeigte bei Gelegenheit der Rückkehr Golizyns aus dem zweiten Feldzuge, dafs er mündig zu werden anfange. Er war damals 17 Jahre alt. Bereits ein Jahr zuvor hatte Baron Keller nach den Niederlanden geschrieben, der jüngere Zar ziehe durch seine Klugheit und Kenntnis militärischer Gegenstände die gröfste Aufmerksamkeit auf sich; hohe und mächtige Herren versicherten, dafs dieser junge Fürst bald zur Ausübung der souveränen Macht werde zugelassen werden: trete aber eine solche Veränderung ein, so würden manche Angelegenheiten eine andere Wendung nehmen. [2])

Bereits am 25. Januar 1688 schreibt Gordon, es sei bei Hofe eine Geheimratsversammlung gehalten worden, an welcher Peter zum ersten Male teilgenommen habe. [3]) Damals beschäftigten den jüngeren Zaren die bekannten Soldatenspiele, und diese veranlafsten bei Sophie und dem Fürsten Golizyn mancherlei Verstimmung. Gordon erwähnt im Februar 1688, der jüngere Zar habe verlangt, man solle ihm 5 Pfeifer und 5 Trommelschläger von Gordons Regimente zusenden, und Golizyn sei sehr ungehalten

---

[1]) Vgl. Malinowskij a. a. O. S. 76. Tereschtschenko, S. 169, läfst Golizyn aus Rache für die Demütigung an dem Attentat gegen den Zaren teilnehmen; bei Tereschtschenko gibt es eine entsetzliche Chronologie: die Verschwörung Chawanskijs setzt er ins Jahr 1685 (statt 1682), den zweiten Feldzug in die Krim 1686 (statt 1689).

[2]) Posselt, Lefort I, S. 415.

[3]) Vgl. Gordons Tagebuch, II, S. 209.

darüber gewesen, dafs Gordon den Wunsch Peters erfüllt habe, ohne dafs Golizyn davon wufste. [1])

Mit Sophie war es schon am 9. Juli 1689 zu einem Auftritte gekommen, als die Prinzessin darauf bestand, einer Prozession zugleich mit dem Zaren beizuwohnen und Peter infolgedessen in gröfster Verstimmung die Prozession im Stiche liefs und sich auf sein Landhaus verfügte. [2])

Ein paar Wochen nach diesem Auftritte entstand jener Zwist über die Belohnung Golizyns und der Generale. Peter hatte schliefslich seine Einwilligung gegeben, aber er grollte.

Gordon erzählt, dafs die Generale und Offiziere, welche Belohnungen erhalten hatten, am 27. Juli sich nach Preobrashenskoje begaben, um dem Zaren Peter für seine Gnade zu danken. Sie wurden nicht vorgelassen. Es war eine starke, unheilverkündende Demonstration. Gordon schreibt: „Jeder sah deutlich und wufste, dafs man die Einwilligung des jüngeren Zaren nicht anders als mit dem gröfsten Ungestüm erprefst hatte. Und dieses brachte ihn wider den Generalissimus und die vornehmsten Ratgeber bei Hofe von der andern Partei nur noch mehr auf. Denn jetzt sah man einen öffentlichen Bruch deutlich voraus, welcher wahrscheinlich in die gröfste Erbitterung ausschlagen würde. Indessen wurde alles, so viel wie möglich, vor dem grofsen Haufen geheim gehalten. Doch geschah dieses nicht mit so viel Geschicklichkeit und Verschwiegenheit, dafs nicht beinahe ein jeder hätte wissen sollen, was vorging." [3])

Wenige Tage später kam es zu diesem Bruche. Peter erhielt die Nachricht, dafs man ihm nach dem Leben stelle. Er flüchtete nach Troiza. Man hatte jetzt zwei Höfe, zwei Heerlager, nachdem man schon längere Zeit zwei Parteien bei Hofe gehabt hatte. Der Bürgerkrieg konnte jeden Augenblick ausbrechen.

Golizyns Sturz bei einer solchen Gelegenheit war um so wahr-

---

[1]) Vergl. Gordons Tageb. II. S. 227.
[2]) Ustrjalow II. S. 50.
[3]) Gordons Tagebuch II. S. 267.

22*

scheinlicher, als er sich ohnehin in verschiedenen Kreisen keiner
Popularität erfreute.   Er war verhafst.

Unmittelbar vor dem zweiten Feldzuge in die Krim erfolgte
ein Attentat auf das Leben des Fürsten.   Es hatte jemand ihn,
als er im Schlitten safs, überfallen und töten wollen. Mit Mühe
hatten die Diener Golizyns den Thäter gefafst, welcher hierauf
in aller Stille im Gefängnis hingerichtet wurde. [1]   Über die
Motive dieser That wissen wir nichts.   Ein anderes Mal fand
man, ebenfalls unmittelbar vor dem Feldzuge von 1689, vor der
Thüre des Hauses Golizyns einen Sarg mit einem Zettel, in
welchem gesagt war, dafs wenn der zweite Feldzug ebenso erfolglos sein werde, wie der erste gewesen war, Golizyn zum Lohne
dafür einen Sarg erhalten werde. [2]

Allerdings mögen die Mifserfolge in der orientalischen Frage
die allgemeine Stimmung gegen den Fürsten Golizyn erregt haben.
Baron Keller schrieb im April 1689 an die Generalstaaten: „Wenn
es sich ereignen sollte, — vor welchem Unglücke Gott dieses Land
bewahren möge, — dafs der gegenwärtige zweite Feldzug für die
Russen nicht glücklicher wäre, als der erste, so ist es gar sehr
zu befürchten, dafs ein allgemeiner Aufruhr hier zu Lande aus-
bricht, und zwar aus mehr als einem Grunde, welchen ich gegenwärtig dem Papiere anzuvertrauen nicht wage." [3]

Man sieht aus diesen Vorgängen und Stimmungen, was das
Scheitern der Unternehmungen gegen die Krim für den Fürsten
Golizyn bedeutete.   Auch sind ihm bei seiner Verurteilung diese
Feldzüge zum Vorwurf gemacht worden.   Konnte man ihn auch
noch anderer Vergehen beschuldigen?

Es ist bei dem lückenhaften Material, über welches wir ver-

---

[1] Die Geschichte vom Attentat ist bei Avril, Voyage en divers
états S. 266 erzählt, und ferner in den „Gesprächen im Reiche der
Toten" S. 1190. In der letzteren Flugschrift heifst es, Golizyn sei verhafst gewesen, weil er die Fremden ins Land gerufen habe: 300 Bürger
hätten sich gegen Golizyns Leben verschworen u. dergl.

[2] Auch die Geschichte vom Sarge ist in dem Gespräche m. d.
General Hochmuth.

[3] Posselt, Lefort 1. S. 419.

fügen, nicht leicht, die Absichten der Prinzessin Sophie zu durch-
schauen. Noch schwerer ist es, das Mafs der Mitschuld Golizyns
an diesen Plänen der Regentin festzustellen. Sowohl die Akten
des Prozesses Schaklowitij als die Aufzeichnungen der Zeitgenossen
enthalten hierüber nur unzuverlässige Angaben.

Am abenteuerlichsten sind die Erzählungen Neuvilles; in
ihnen findet sich wohl dasjenige, was in den Kreisen der Ausländer als Gerücht umlief. Da heifst es denn, Sophie habe Golizyn, von dem sie Kinder hatte, auf den Thron bringen wollen,
und dann wieder, Golizyn habe seinem Sohne die Krone verschaffen wollen. Auch von allerlei Ränken gegen den Zaren
Iwan wird erzählt; Golizyn habe die Gemahlin desselben durch
einen italienischen Arzt verführen lassen; es sollte der Beweis
geführt werden, dafs die Kinder der Zarin nicht Iwans Kinder
seien, Iwan sollte dadurch veranlafst werden, seine Gemahlin zu
verstofsen, worauf man ihn dann mit einer andern verheiraten
wollte, von welcher man sicher sei, dafs sie keine Kinder haben
werde, u. dergl. mehr.[1]

Gewifs ist, dafs Sophie und Golizyn zunächst auf Mittel
sinnen mufsten, sich neben Peter zu behaupten.

Es gab ein einfaches Mittel, die Zweiherrschaft in eine Drei-
herrschaft zu verwandeln. Sophie begann in der ersten Hälfte
des Jahres 1686 bei den im Namen der Zaren Iwan und Peter
erlassenen Aktenstücke ihren Namen als „Selbstherrscherin" bei-
zufügen. Es geschah dieses zuerst in dem Augenblicke des
Abschlusses des Friedens mit Polen; Peter selbst schwieg damals,
aber seine Mutter widersprach lebhaft und drohte, ihre Anhänger
würden dieses der Prinzessin nicht so hingehen lassen.[2] Es war
unmöglich, dafs nicht der „erste Minister" Sophiens, wie die Ausländer Golizyn nannten, an der Verantwortlichkeit für diese
Neuerung mittragen mufste. Es war ein in aller Stille und
Gemächlichkeit vollzogener Staatsstreich. Peters Alleinherrschaft,
wenn er mündig war (Iwan zählte kaum mit) war in Frage

---

[1] Relation curieuse S. 159, 162, 165.
[2] Vgl. die Einzelheiten bei Ustrjalow II, S. 35 u. ff.

gestellt. Zu dieser Maßregel die Hand geboten zu haben, ist dem Fürsten Golizyn bei seiner Verurteilung zum Vorwurfe gemacht worden. Er galt nicht blofs für mitschuldig; er war es. Dafs Schaklowitij „der zweite Favorit", wie er wohl genannt wird, Peter und dessen Mutter nach dem Leben getrachtet habe, unterliegt keinem Zweifel. Inwiefern Golizyn an diesen Anschlägen beteiligt war, ist schwer zu ermitteln. Einer der Zeugen, welche in Schaklowitijs Prozefs verhört wurden, sagte aus, Golizyn habe einmal geäufsert: „Es ist schade, dafs man im Jahre 1682 (bei dem ersten Aufstande der Strelzy) nicht auch die Zarin Natalja getötet habe; dann wäre jetzt nichts", d. h. dann hätte man es leichter (im Jahre 1689) Sophiens Straufs mit Peter auszufechten. Auf solche Aussagen ist nicht viel Gewicht zu legen. Auch ist in der Verurteilungsakte keine bezügliche Beschuldigung zu finden. Wenn übrigens in der That, wie man anzunehmen Grund hat, eine formelle Verschwörung gegen Peter bestand, und Sophie und Schaklowitij dabei die Initiative hatten, so ist es im höchsten Grade unwahrscheinlich, dafs Golizyn nicht in solche Entwürfe eingeweiht gewesen sei. Als der Hauptschuldige galt allerdings Schaklowitij. Er wurde hingerichtet. Bei der Untersuchung wurde, offenbar um das Mafs von Golizyns Mitschuld festzustellen, nach dem Grade der Intimität zwischen Golizyn und Schaklowitij geforscht. Der erstere leugnete eine solche Intimität, aber man hatte bei Schaklowitij die vielen Briefe Golizyns an denselben aus dem Jahre 1687 gefunden und hielt sie Golizyn als einen Beweis seiner nahen Beziehungen zu Schaklowitij entgegen. Aber alle diese Einzelheiten der Untersuchung und der Verurteilungsakte geben im Grunde keinen Beweis für das Mafs von Golizyns Mitschuld ab, weil das über ihn gefällte Urteil, wie wir auf Grund der Mitteilungen Gordons annehmen dürfen, durch den Einflufs Boris Golizyns wesentlich gemildert wurde. Ausdrücklich bemerkt Gordon, welcher den Personen der mafsgebenden Kreise nahestand, und von vielen Einzelheiten der Vorgänge während der Krisis wufste, dafs Golizyn „die gröfste Stütze der Partei der Prinzessin und dafür bekannt gewesen sei, dafs er, wenn er nicht selbst der Anstifter war, doch um alles wufste, was man gegen das Leben des jüngeren Zaren im Sinne gehabt hatte." [1])

In dem Prozesse Schaklowitijs wurde ausgesagt, die Prinzessin Sophie habe nächtlicher Weile wiederholt geheime Unterredungen mit den Strelzy gehabt, in denen sie über die Übergriffe der Naryschkinschen Partei Klage geführt und u. a. sich mit Erbitterung auch darüber geäufsert habe, dafs man dem Fürsten Wassilij Wassiljewitsch Golizyn, welcher doch so viel geleistet habe, den Kopf abhauen wolle; an diesen Unterredungen habe Golizyn bisweilen teilgenommen. [2])

Die Einzelheiten der Vorgänge im August und September 1689 können hier für uns nur insoweit von Interesse sein, als sie den Fürsten Golizyn betreffen. Man weifs, wie Peter, nachdem er sich nach Troiza begeben hatte, von dort aus an die verschiedenen Truppenteile die Aufforderung richtete, zu ihm zu kommen, und die in Moskau zurückbleibende Regierung, in dem Mafse, als die Strelzy und die andern Truppenteile jener Aufforderung nachkamen, ihre Sache scheitern sah.

Von der Haltung der Prinzessin in diesen Wochen wissen wir viel mehr, als von derjenigen des Fürsten Golizyn. Er bleibt gewissermafsen im Hintergrunde: er ist mehr Zuschauer, als handelnde Person. Er mufste die Gefahr erkennen, in welcher er sich befand, aber dafs er dieser augenscheinlichen Gefahr gegenüber grofse Energie, Thatkraft an den Tag gelegt habe, kann man nicht sagen. Während von der Regentin berichtet wird, dafs sie auf allerlei Mafsregeln sann, den Streit mit Peter beizulegen, dafs sie mehrere Personen hintereinander nach Troiza sandte, um den erzürnten Bruder zu besänftigen, dafs sie wiederholt sich an die noch in Moskau verbleibenden Truppen mit langen Reden wandte u. s. w., gibt es nur einige wenige Andeutungen über Golizyn, und diese lassen darauf schliefsen, dafs

---

[1]) Gordons Tagebuch II. S. 280.
[2]) Ustrjalow II. S. 53.

er kleinmütig und unentschlossen das Verhängnis an sich heran-
kommen liefs.

Schaklowitij sagte bei dem Verhör in Troiza aus, Golizyn
habe, als schon eines der angesehensten Strelzyregimenter nach
Troiza zu Peter übergegangen war, den Rat gegeben durch Emissäre ein oder zwei Dutzend Strelzy bereden zu lassen, wieder
zurückzukehren; dann würden auch die andern Strelzy Peter verlassen und er selbst werde genötigt sein, nach der Hauptstadt
zu kommen.[1]) Schaklowitij folgte diesem Rate, aber es gelang
nicht, auf die in Troiza befindlichen Strelzy zu wirken.

Peters Anhang wuchs. Anfang September war er bereits
in der Lage, die Auslieferung Schaklowitijs nicht blofs verlangen,
sondern auch durchsetzen zu können. Schaklowitij, welcher —
zu spät — einige Vorbereitungen zur Flucht getroffen hatte,
wurde von der Regentin ausgeliefert, nach Troiza gebracht, gefoltert, hingerichtet.

Inzwischen sollte auch Golizyns Schicksal sich erfüllen.

In Moskau war Golizyn immer noch die erste Person neben
der Regentin. Am 16. August befahl er dem General Gordon
auf das Allerentschiedenste, sich unter keinen Umständen aus
Moskau zu entfernen. Als Gordon und die andern ausländischen
Offiziere Anfang September von Peter die Aufforderung erhielten,
unverzüglich nach Troiza zu kommen, hielt Gordon es für seine
Pflicht, dem Fürsten Golizyn davon mit dem Bemerken Mitteilung
zu machen, dafs sie gehorchen würden. Golizyn ward bestürzt,
suchte seine Unruhe zu verbergen und antwortete, er werde die
Entscheidung der Prinzessin Gordon später mitteilen. Die Entscheidung hing aber nicht mehr von Sophie und Golizyn ab.
Gordon reiste mit allen Ausländern nach Troiza und dieser Umstand trug nicht wenig dazu bei, dafs Peters Partei zum Siege
gelangte.[2])

Inzwischen war in Troiza Golizyns Vetter, Boris Alexejewitsch Golizyn, der Hauptratgeber Peters, dessen Erzieher er die

---

[1]) Vgl. Ustrjalow II. S. 64.
[2]) Gordons Tagebuch II. S. 275—277.

letzten Jahre gewesen war. Boris Golizyn konnte dem Schicksale seines Vetters vielleicht eine relativ günstige Wendung geben. Er schrieb aus Troiza an denselben, Wassilij Wassiljewitsch solle nach Troiza kommen und bei Zeiten um die Gnade des Zaren bitten. Dieses Schreiben kam am 1. September. Am 3. September sandte Wassilij Golizyn die Antwort ab, in welcher er seinen Vetter Boris ersuchte, in dem Streite zwischen Sophie und Peter als Vermittler aufzutreten. So glaubte denn Wassilij Golizyn noch immer an die Möglichkeit der Versöhnung der Parteien. Indessen erhielt er gleich darauf ein zweites Schreiben von Boris Golizyn aus Troiza, worin derselbe seinen Vetter nochmals ermahnte, baldmöglichst nach Troiza zu kommen, und sich die Gnade des Zaren, welcher ihn gut aufnehmen werde, zu erwerben. [1])

Am 6. September erfolgte die Auslieferung Schaklowitijs. Golizyn, welcher die Nacht vom 5. auf den 6. mit einigen Vertrauten auf seinem, in der unmittelbaren Umgebung der Hauptstadt befindlichen Gute Medwedkowo zugebracht hatte, war, als er diese Nachricht erhielt, sehr bestürzt.

Hat er daran gedacht sich durch die Flucht zu retten? In Geschichtsquellen von sehr zweifelhaftem Werte wird allerlei Abenteuerliches über diesen Punkt mitgeteilt. [2]) Die zuverlässigen Materialien enthalten keine Andeutung darüber.

---

[1]) Gordons Tagebuch II. S. 273—274. Sehr anschaulich ist Gordons Bemerkung, welche er der Nachricht, dafs Boris Golizyn an seinen Vetter schrieb, hinzufügt: „Denn kein anderer durfte es wagen, sich in eine so kitzliche Sache zu mischen, als diese anfänglich angesehen wurde".

[2]) So z. B. erzählt Neuville, Golizyn habe noch vor dem Ausbruche der Krisis vorsichtigerweise seinen Sohn mit allerlei Schätzen nach Polen senden wollen, aber die allzugrofse Ungeduld Sophiens habe diese Mafsregel vereitelt. An einer andern Stelle erzählt Neuville (S. 167) Golizyn habe sich bei Zeiten zurückziehen, nach Polen fliehen, seine Schätze ins Ausland retten, sich an die Spitze rebellischer Scharen von Kosaken und Tataren stellen wollen u. dergl. m.; er habe noch im letzten Augenblicke fliehen können, aber seine Familie nicht preisgeben wollen und daher die Flucht unterlassen. — Am abenteuerlichsten ist der Inhalt eines, in der Kaiserlichen Bibliothek zu St. Petersburg befindlichen als Flugblatt gedruckten Schreibens eines Unbekannten aus Moskau vom 5. Oktober

Dagegen haben wir sehr genaue Nachrichten über die Vorgänge beim Sturze Golizyns.

Peter hatte die in Moskau weilenden Bojaren zu sich nach Troiza entboten. Am 7. September kamen einige derselben dorthin. An demselben Tage ward Schaklowitij in Troiza verhört und gefoltert. Gegen 5 Uhr nachmittags kamen Wassilij Golizyn und einige Personen seiner Umgebung vor dem Thore des Klosters an. Sie mufsten, ehe man ihnen Einlafs gewährte, eine Viertelstunde warten, worauf ihnen befohlen wurde, in den von ihnen bezogenen Wohnungen zu verbleiben. Es war also Hausarrest vorgeschrieben. Peter behandelte Golizyn und dessen Genossen, Neplujew, Smejew u. s. w. als Staatsverbrecher, wenn auch zunächst mit der gröfsten Milde. [1]

Am Abend desselben Tages besuchte Gordon den Fürsten in dessen Wohnung, und fand ihn, wie er bemerkt, „etwas tiefsinnig, wozu er auch Ursache hatte".

Der 8. September verging, ohne dafs etwas Entscheidendes geschehen wäre.

1689 (Copia litterarum ex Stolicza Metropoli Moschorum Imperii de proditione archistrategi Galliczin scriptarum — eine Seite, ohne Druckort), wo es heifst, Peter sei wegen der Feldzüge in die Krim so aufgebracht über Golizyn gewesen, dafs er, der Zar, mit 12000 Mann die Hauptstadt verlassen habe und entschlossen sei, nicht eher dahin zurückzukehren, als bis Golizyn mit seinem Anhange gefangen vor ihn gebracht würde; Golizyn sei entflohen; Peter habe ihm „veloces Jaculatores et Strelicios" nachgeschickt; Golizyn habe sich auf seinem Gute verschanzt und sich daselbst mit 1000 Mann verteidigt. — Übrigens bemerkt der Verfasser des Schreibens und zeigt damit, dafs alle solche Erzählungen nur das Ergebnis des Stadtklatsches waren, man erzähle diese Vorgänge sehr verschieden. Einige sagten, Golizyn sei an dem Orte seines Asyls getötet worden. Andere, er sei gebunden nach Moskau gebracht worden, wo über die Art seiner Hinrichtung beraten werde. Inzwischen sei zwischen den beiden Zaren eine „ingens contentio" eingetreten, der „jüngere" Zar Iwan (sic) wolle mit Sophie in ein Kloster gehen, der gröfsere Teil der Bojaren und der Strelzy hänge Peter an. Was weiter geschehen werde, schliefst das Schreiben, müsse die Zeit lehren. „Datum in Stolicza Moscoviae, die 5. Oct. 1689".

[1] Ganz unbegründet ist die Erzählung Schleusings, Golizyn sei „auf Torturart geknutet" worden. Gordon weifs nichts davon.

Am 9. endlich folgte die Entscheidung. Es wurde nach dem Fürsten Golizyn und dessen Sohne geschickt. Als sie an der Treppe des Hauses, in welchem Peter wohnte, anlangten, trat ihnen ein Beamter mit einer Papierrolle entgegen und verlas das Urteil. [1])

Es war inbetreff Golizyns keine eigentliche Untersuchung vorausgegangen. Man hatte ihn nicht verhört. Man strafte kein eigentliches Verbrechen. Man machte ihm keinen Vorwurf der Mitschuld an Schaklowitijs Anschlägen. Man stürzte ihn wegen der Mifsregierung. Er unterlag keiner eigentlich juristischen, sondern nur mehr einer politischen Ministerverantwortlichkeit. In orientalischen Staaten pflegen Ministerkrisen mit einer gewissen Härte und Strenge verbunden zu sein. Die Entfernung eines Staatsmannes von seinem Posten erscheint als ein Strafakt, ohne es im Grunde zu sein. Die Entfernung pflegt sich oft zur Verbannung zu steigern. Der mifsliebige Beamte, welcher entlassen wird, gilt leicht als Staatsverbrecher.

Golizyn hatte, da er wohl von den Vorwürfen, welche ihm gemacht werden sollten, erfahren hatte, eine Rechtfertigungsschrift vorbereitet. In 17 Punkten hatte er die Verdienste beleuchtet, welche er sich um das Staatswesen erworben habe. Er kam nicht dazu, dieses Dokument vorzulegen. Schweigend mufste er die Anklageschrift vernehmen. Sie lautete dahin, dafs Golizyn und sein Sohn des Bojarenranges verlustig gehen, ihr Vermögen verlieren und verbannt werden sollten, weil sie, als Sophie sich zum Nachteil der Rechte ihrer Brüder allerlei Übergriffe angemafst habe, ihr ohne Wissen der Zaren über allerlei Staatsgeschäfte Bericht erstattet und den Namen der Prinzessin zugleich mit den beiden Zaren geschrieben hätten, auch habe der Fürst Wassilij Golizyn, als er 1689 in die Krim geschickt wurde, bei Perekop keine geeigneten Mafsregeln ergriffen und sei schnell wieder von Perekop abgezogen, wodurch den Zaren ein arger Verlust an Geld und Menschen zugefügt worden sei. Zum Verbannungsort wurde Kargopol bestimmt.

[1]) Vgl. Gordons Tagebuch II. S. 278 u. 279.

Also keine Erwähnung eines eigentlichen Verbrechens, kein
Wort davon, dafs der Fürst Golizyn sein Bedauern darüber geäufsert habe, dafs man im Jahre 1682 Peters Mutter am Leben
gelassen habe, keine Silbe von einem etwaigen Verdachte der Bestechung Golizyns durch die Tataren!

Kargopol als Verbannungsort konnte als ein leidlicher Aufenthalt gelten. Diese Stadt befand sich auf dem Wege nach Archangelsk, also an der wichtigsten und belebtesten Handelsstrafse
Rufslands, nicht im äufsersten Norden.

Dafs Golizyns Schicksal sich so milde gestalten sollte, über-
raschte die Zeitgenossen.

Gordon bemerkt, dafs Golizyn, welcher doch schon darum
des Hochverrats schuldig gewesen sei, weil er die Anschläge
anderer verhehlt hatte, nicht zu schlimmeren Strafen verurteilt wurde, weil sein Vetter, Boris Golizyn, sich für ihn
verwendet habe, um von seiner Familie eine solche Schmach
abzuwenden.

Boris Golizyn hatte Feinde. Man sprengte, als Golizyn mit
seinem Sohne fortgeritten war, aus, die beiden seien entflohen.
Boris Golizyn hatte ihnen das Geleite gegeben. Als ferner
Schaklowitij noch am Vorabend seiner Hinrichtung eine Schrift
über die ganze Angelegenheit verfafst hatte, und Boris Golizyn, wegen der allzuvorgerückten Abendstunde, dieses Aktenstück erst am andern Morgen dem Zaren übergab, zog er
sich den Verdacht zu, er habe an der Schrift, welche seinen
Vetter zu kompromittieren geeignet sein konnte, etwas geändert oder unterschlagen. Es gelang ihm, sich zu rechtfertigen. [1]

---

[1] Vgl. Gordons Tagebuch II. S. 280—287. Neuerdings sind Zweifel
darüber geäufsert worden, dafs Boris Golizyn seinem Vetter habe helfen
können und wollen. Es ist aktenmäfsig bezeugt, dafs Boris Golizyn
am 7. Januar 1691 bei Hofe erschienen sei und erklärt habe: es sei ein
Mönch bei ihm erschienen und habe gesagt: „Schütze nur deinen Vetter,
den Fürsten Wassilij, noch ein Jahr; man wird seiner bedürfen; der
Zar Peter hat doch nur noch ein Jahr zu leben." Dieses hatte den
Befehl zur Folge, dafs (s. weiter unten) die Golizyns nach Pustosersk

Verbannung und Tod.

So stand denn Golizyn am Ziele seiner politischen Laufbahn. Bei der Gefahr, in welcher er sich befunden hatte, konnte es als eine Art Wunder gelten, daſs er den Schrecken der peinlichen Untersuchung, wie sie in Ruſsland auch bei politischen Prozessen üblich war, entging.

Allerdings war er, im Vergleich mit seiner früheren materiellen Lage, ein Bettler. Man hatte ihm von seinem ganzen Vermögen, von allen Gütern, dem baren Gelde und allem Besitz an Luxusgegenständen nur 2000 Rubel gelassen. Alles andere war konfisziert worden.

Alsbald befand sich der Fürst mit seiner Familie auf dem Wege nach Kargopol.

Inzwischen hatte aber sein Schicksal eine wesentliche Verschlimmerung erfahren. Man beschäftigte sich in Troiza mit Golizyn auch nach seiner Abreise. Am 15. September, also wenige Tage nach der Verurteilung Golizyns, erfolgte der Befehl, die Golizyns nicht nach Kargopol, sondern viel weiter nördlich, nach Pustosersk zu bringen: drei Tage später wurde endlich der Flecken Jarensk zum Aufenthaltsort der Golizyns bestimmt (im Archangelschen Gouvernemont). Es war dies ein elendes, aus etwa dreiſsig Hütten bestehendes, von Syrjanen bewohntes, hundert Meilen von Wologda gelegenes Dorf, welches indessen immerhin besser war, als das unwirtliche Pustosersk, wo der Vorgänger Golizyns, der ausgezeichnete Staatsmann Matwejew, während der Regierung des Zaren Feodor dorthin verbannt, der Gefahr des Verhungerns ausgesetzt gewesen war.

Man hatte zuerst den Golizyns ein gröſseres Gefolge gestattet; jetzt sollte die Dienerschaft der Familie fünfzehn Köpfe nicht übersteigen. Auch die Habseligkeiten, welche die Golizyns

---

gebracht werden sollten. S. d. Aktensammlung: „Der Prozeſs des Theodor Schaklowitij und Genossen", herausgegeben von der Archeographischen Kommission (russisch). St. Petersburg 1884. S. VII. der Vorrede.

mitgenommen hatten, bares Geld, Schmucksachen u. s. w., alles
sollte konfisziert werden. Auf das strengste sollten die Gefangenen
von allem Umgange mit andern Menschen abgesperrt bleiben.
Aller briefliche und mündliche Verkehr war verboten.

Der Beamte, welcher mit solchen Instruktionen den Reisenden nachgeeilt war, traf sie in Jarofslaw, wo die Golizyns ein
Verhör zu bestehen hatten. Einige der Aussagen, welche Schaklowitij gemacht hatte, sollten dadurch geklärt werden. Golizyn
stellte die Wahrheit der von Schaklowitij inbetreff seiner, Golizyns,
gemachten Aussagen in Abrede. Man drohte ihm mit der Folter.
Er blieb fest beim Leugnen. Es kam nicht zu so extremen Mafsregeln. Offenbar hatte der verhörende Beamte Instruktionen, von
äufserster Strenge abzusehen. [1]

Trotz der strengen Aufsicht erhielt Golizyn auf der Reise
ein Schreiben und Geld von der ehemaligen, jetzt gestürzten
Regentin. Sophie machte ihm Hoffnungen: er werde, Dank der
Fürbitte des Zaren Iwan, bald seine Freiheit erlangen. Die
Prinzessin hatte einen, auf sein Gut reisenden Landedelmann
durch Drohungen willig gemacht, diese Botschaft zu übernehmen.
In Wologda, wo die Reisenden rasteten, schlich er sich durch
Gemüsefelder leise zum Hause der Gefangenen und übergab den
Brief sowie das Geldpäckchen, welches 2—300 Dukaten enthalten
mochte. Golizyn gab ihm ein Antwortschreiben an Sophie,
welches der Bote, aus Furcht damit betroffen zu werden, ver-
brannte.

Monatelang währte die Reise in den Norden. Hinter Wologda
wurden die Wege immer schlechter. Man konnte die Wasser-
strafsen nicht benutzen. Zuerst gab es Mangel an Wasser, dann
bedeckten sich die Flüsse mit Eis. Auf den Flüssen brachen die
Reisenden wiederholt durchs Eis. Die Frauen und Kinder (Alexei
Golizyn wurde von seiner Familie begleitet) wurden nur mit
äufserster Gefahr gerettet. Die Gemahlin Alexei Golizyns gebar
unterwegs Zwillinge, deren einer sogleich starb. Endlich langten

---

[1] Vgl. die Einzelheiten bei Ustrjalow II. S. 85 u. ff. und S. 455 u. ff.

die Reisenden im Januar 1690 in Jarensk an, wo sie, wie wir
aus den Berichten des sie begleitenden Beamten, sowie aus den
an die Zaren gerichteten Bittschriften der Golizyns wissen, Mangel
an dem Notwendigsten litten, mit der elendesten Behausung und
kärglicher Nahrung sich begnügen mufsten.

Inzwischen wurde in Moskau die politische Untersuchung
gegen mehrere Anhänger der Prinzessin fortgesetzt. Dabei kam
denn wieder manches den Fürsten Golizyn Kompromittierende zum
Vorschein. Er war der Zauberei beschuldigt worden, ja sogar
der Vorwurf, er habe sich von den Tataren bei Perekop bestechen
lassen, wurde jetzt erhoben, man erfuhr von seinem, aus Wologda
an die Prinzessin gerichteten Schreiben; ein Mönch kam angeblich
aus Jarensk und wollte dort aus dem Munde des Fürsten die
Äufserung gehört haben, man werde in Moskau bald seiner bedürfen, da Peter nur etwa noch ein Jahr leben werde.

So gab es denn alsbald in Jarensk, wohin ein besonderer
Beamter geschickt wurde, ein neues Verhör. Es gelang Golizyn,
alle Anklagen zurückzuweisen. Insbesondere wurde es klar, dafs
jene von dem Mönche ausgehende Anklage rein aus der Luft gegriffen war. Es stellte sich heraus, dafs der Mönch nie in Jarensk
gewesen war und den Fürsten nie gesehen hatte.[1]

Gleichwohl trat wiederum eine Verschlimmerung des Schicksals der Verbannten ein. Golizyn hatte sich doch nicht völlig
von dem Verdachte, die ihm schuldgegebenen Dinge begangen
zu haben, reinigen können. Er wurde nach Pustosersk verbannt.
Es trat das schlimmste Stadium der Strafe ein.[2] Zuerst weilten
die Golizyns in Mesen, dann vielleicht in Pustosersk, endlich im

---

[1] Er wurde natürlich bestraft; vgl. d. Verurteilungsakte, welche
den ganzen Vorgang enthält und in derartige Kriminalgeschichten einen
tiefen Einblick gewährt, bei Tumanskij, Materialien z. Gesch. Peters d. Gr.
Bd. II. (St. Petersburg 1787) S. 328 u. ff.

[2] Vgl. d. Aktenstück der Verurteilung mit ausführlicher Reproduktion des Verhörs bei Tumanskij a. a. O. und in der vollständigen
Gesetzsammlung Bd. III. Nr. 1395.

Pineshskij Wolok, d. h. im heutigen Pinega (Kreisstadt im Gouv. Archangelsk). [1])

Mehrere Aktenstücke, namentlich eine Reihe von Begnadigungsgesuchen, welche Golizyn an die beiden Zaren richtete, sind in einer Abhandlung von Wostokow, „der Aufenthalt der verbannten Fürsten W. W. und A. W. Golizyn in Mesen" in der Zeitschrift „Istoritscheskij Wjestnik", 1886, Augustheft, abgedruckt; hier werden Zweifel daran geäufsert, ob die Verbannten in Pustosersk gewesen seien, wohin sie zur See gebracht werden sollten. Hier finden sich Details über die Leiden und Entbehrungen der unglücklichen Familie, welche wohl nur ausnahmsweise von Verwandten Unterstützungen an Geld und verschiedenen Gegenständen, insbesondere an Kleidungsstücken erhielt.

Fast ein volles Vierteljahrhundert hat der Fürst Wassilij Wassiljewitsch, der an materiellen und geistigen Luxus gewöhnte Zögling Westeuropas, in der unwirtlichen Einöde im nördlichsten Teile des europäischen Rufslands die Wirkungen des furchtbaren Wechsels von Glück und Unglück, von Macht und Elend an sich und den Seinigen erfahren. Dafs noch mehrere Jahre nach seiner Katastrophe sein Name, welcher während der Regentschaft Sophiens neben denen der Zaren und der Prinzessin oft und oft genannt worden war, eine gewisse Macht repräsentierte, dafs man Grund hatte, ihn zu fürchten, ist aus dem Umstande zu ersehen, dafs in dem letzten Aufstande der Strelzy, in dem verzweifelten Kampfe der erbitterten Gegner Peters mit dem Zaren, der Name Golizyns gewissermafsen als derjenige eines Prätendenten genannt wurde.

Als Peter auf seiner weltgeschichtlich bedeutsamen Reise in England weilte (Anfang 1698), erhielt er die Nachricht, in Wien werde erzählt, dafs in Moskau ein Aufstand ausgebrochen sei: die Prinzessin Sophie habe den Thron bestiegen und der Fürst Golizyn leite wiederum, wie ehemals, die Staatsgeschäfte. [2])

---

[1]) Vgl. Ustrjalow II. S. 84—94. — Es ist nicht ohne Interesse, dafs bereits Voltaire in s. Gesch. P. d. Gr. die Frage v. d. Aufenthaltsort Golizyns untersuchte, vgl. d. Ausgabe v. 1803, I. S. 113.

[2]) Vgl. Ustrjalow III. S. 98—99.

Wenige Monate später brach der Aufstand der Strelzy aus. In dem Programme der Rebellen fand sich auch der Wunsch, die Prinzessin Sophie auf den Thron zu erheben; und „falls sie sich weigere, werde man den Fürsten Wassilij Golizyn zum Zaren machen, weil er gegen die Strelzy stets gnädig und wohlwollend gewesen sei".[1]

Über die letzte Zeit seines Lebens haben sich einige Aktenstücke erhalten.[2] Wir erfahren aus diesen Berichten des Vize-Gouverneurs von Archangel, Kurbatow, dafs Golizyn und seine Leidensgenossen (so viel bekannt ist, in den Jahren 1709 bis 1714, fünf Personen) jährlich 365 Rubel, also täglich einen Rubel zum Unterhalte empfingen,[3] und dafs Wassilij Golizyn in Pinega am 21. April 1715 gestorben sei.[4] Er wurde im Krafsnojarskischen Kloster in der Nähe von Cholomogory bestattet. — Die Prinzessin Sophie, welche ihn schwärmerisch geliebt hatte,[5] war ebenfalls als politische Gefangene bereits im J. 1706 gestorben. Golizyns Gattin und Sohn erhielten sogleich nach seinem Tode die Freiheit und einen Teil der konfiszierten Habe.[6]

Es gab keine eigentlichen politischen Parteien in Rufsland. Als es den Dunkelmännern, den durch Peters an das Volk gestellte Anforderungen aufs äufserste erbitterten Strelzy, im Jahre 1689 einfiel, Golizyn als Thronkandidaten aufzustellen, dachten sie, in deren Programm der Krieg gegen alles Fremdländische, die Vernichtung der deutschen Vorstadt uns als eine Art Glaubens-

---

[1] Vgl. Ssolowjew, Bd. XIV. S. 241.

[2] Vgl. d. Abhdlg. v. Petrowskij in d. Zeitschrift: „Rufskaja Starina" 1877. Maiheft. S. 133—134.

[3] Dem Urteilsspruche des J. 1691 zufolge (vgl. Tumanskij a. a. O.) sollten sie alle zusammen 40 Kopeken täglich erhalten.

[4] Bisher galt 1713 für das Todesjahr Golizyns, vgl. Malinowskij, Tereschtschenko u. s. w. Der Bericht Kurbatows an Peter, Apraxins an den Senat u. s. w. löst jeden Zweifel.

[5] Malinowskij führt, u. a. O. S. 84, Verse an, welche Sophie auf Golizyns Wappen gedichtet haben soll.

[6] Vgl. d. Akten bei Ustrjalow II. S. 315 und bei Petrowskij a. a. O.

Brückner, Rufsland. 23

bekenntnis begegnet, nicht daran, dafs ja Golizyn, wie wir gesehen haben, in ganz ähnlicher Weise wie Peter bei dem Westen
in die Schule gegangen war.   Es gab keinen Parteigegensatz
zwischen Peter einerseits und Sophie und Golizyn anderseits.
Die Richtung nach Westen war durch die Geschicke Rufslands
der ferneren Entwickelung dieses Staates vorgeschrieben.   Beide,
Golizyn wie Peter, hingen dieser Richtung an.   In welchem
Mafse dieses bei Golizyn der Fall war, zeigt die Äufserung Neuvilles, dafs jetzt, wo Golizyn, der Reformer Rufslands, gestürzt
sei, die Weiterentwickelung des Landes in Frage stehe.

Darin liegt die geschichtliche Bedeutung Golizyns, dafs der
unglückliche Mann, der von mancher Schuld nicht freizusprechen
ist, als Vorgänger Peters, ein Geistesverwandter des grofsen
Zaren war; sein Handeln nicht sowohl, als seine Bildung und
Lebensweise bis zum Jahre 1689 sind ein Symptom des An-
brechens einer neuen Epoche für Rufsland.

X.

Patrick Gordon (1635—1699).

Die Geschichte der Reformen in der Zeit der Regierung Peters des Grofsen ist viel häufiger der Gegenstand eingehender Forschung geworden als die Genesis jener Wandlungen, deren Ergebnis die umgestaltende Thätigkeit des genialen Autokraten war. Die bahnbrechenden Neuerungen, welche im 18. Jahrhundert auf den Gebieten der Verwaltung und Gesetzgebung sich vollzogen, waren zum gröfsten Teil die Frucht der Eindrücke und Anregungen, welche Peter bereits im 17. Jahrhundert empfangen hatte. Ja noch mehr: auch schon die Zeit vor Peter dem Grofsen, die Regierungen Feodors und Alexeis weisen einzelne Symptome der grofsen Veränderung auf, welchen Rufsland damals entgegenging. Die Jahrzehnte, welche der eigentlichen Regierung Peters vorausgingen, sind eine Zeit der Vorbereitung auf die Epoche des aufgeklärten Despotismus Peters; vieles vereinigte sich, um Rufsland für die Aufnahme abendländischer Kulturelemente empfänglicher zu machen. Bereits vor Peter dem Grofsen machte der russische Staat, ein Teil des russischen Volkes Anstalt, bei dem Westen in die Schule zu gehen. Namentlich waren es die in Rufsland lebenden Ausländer, welche mannigfaltige Keime zu Reformen der verschiedensten Art ausstreuten. Die Kolonie von Westeuropäern der verschiedensten Nationalität, Konfession und Berufsstellung, welche im 17. Jahrhundert unmittelbar vor den Thoren Moskaus sich zu bedeutender Blüte entwickelte und eine grofse historische Rolle zu spielen berufen war, jene von der Masse des russischen Volkes, von der Geistlichkeit und insbe-

sondere von dem Pöbel vielfach angefeindete „deutsche Vorstadt"
Moskaus war einem Sauerteig zu vergleichen, welcher der trägen
Masse des in byzantinisch-tatarischen Reminiszenzen verharrenden
russischen Staates neue Lebenskeime zuführte, in dem kolossalen
Organismus der russischen Gesellschaft eine heilsame Gärung zuwege brachte und damit eine neue Epoche der Geschichte Rußlands einleitete.

Die folgenden Blätter sind dem Andenken eines der Haupt-
vertreter der „Deutschen Sloboda", eines der thätigsten und
energischsten Vermittler zwischen Rußland und Europa im
17. Jahrhundert, gewidmet. Kaum ein anderer unter den in
Rußland lebenden Ausländern jener Zeit, den bekannten Franz
Lefort nicht ausgenommen, hat so viel Anspruch an die Aufmerksamkeit der Geschichtsforschung wie Patrick Gordon. Seine
Bildung und Erfahrung, seine hervorragende Stellung in Staat
und Gesellschaft, die lange Dauer seines Aufenthalts in Rußland
(1660—99), seine Anteilnahme an den wichtigsten Begebenheiten
der zweiten Hälfte des 17. Jahrhunderts, seine persönlichen
Beziehungen zu den Würdenträgern in Rußland einerseits, wie
zu den hervorragendsten Anhängern der Stuarts im Westen, vor
allem aber sein intimes Verhältnis zu Peter dem Großen in
den Jahren 1689—99 — alles dieses verleiht dem General
Patrick Gordon eine Bedeutung, welche weitaus diejenige anderer
in Rußland lebender und wirkender Westeuropäer überragt.

Und nicht bloß ist es von Interesse, den Lebensschicksalen
Gordons zu folgen: er hat uns auch eine der wichtigsten Geschichts-
quellen für die Erforschung jener Zeit geliefert. Gehört Gordons
Leben zu den anziehendsten Illustrationen der Zeit, welche den
Reformen Peters vorausging, so ist sein Tagebuch überreich an
Aufschlüssen über die Geschichte jener Jahrzehnte von der Zeit
der russisch-polnischen Kriege in der Regierungsepoche Alexeis
bis zu dem denkwürdigen Zeitraum, welcher mit der Rückkehr
Peters von dessen erster Reise ins Ausland für Rußland anbrach.
Gordons Wirksamkeit in Rußland begann mehr als ein Jahrzehnt
vor der Geburt Peters des Großen, zu einer Zeit, wo Rußland

Europa gegenüber als ein völlig Fremdes, dem Abendlande Ent-
gegengesetztes, aufserhalb der Kultur des Westens Stehendes
erschien; Gordon schlofs die Augen am Vorabend des Nordischen
Krieges, welcher Rufsland in das europäische Staatensystem ein-
reihte und während dessen Peter ein „neuverändertes“ Rufsland
schuf. Seine historische Rolle fällt in die Zeit der Genesis der
Reformen Peters; sein Tagebuch schildert uns viele Züge des
ancien régime Rufslands, welches jenen Reformen vorausging; er
selbst erlebte nur die Anfänge der welthistorischen Wandlung
Rufslands; an diesen Anfängen hatte er einen erheblichen Anteil.
Als väterlicher Freund und Lehrer Peters in der Zeit, wo dieser
der Anregung und des Rates bedurfte, hat Gordon sich unsterb-
liche Verdienste um die Förderung Rufslands auf der Bahn des
Fortschritts erworben; in den höheren Kreisen der russischen
Gesellschaft wirkte er als Vertreter der politischen, militärwissen-
schaftlichen und allgemein-sozialen Bildung jener Zeit; in der
Militärgeschichte Rufslands gebührt ihm eine der ersten Stellen;
in der Deutschen Sloboda spielte er eine Zeitlang die ange-
sehenste Rolle. Seine Kenntnisse und Fähigkeiten, sein Mut
und seine Arbeitskraft haben Rufsland wesentlichen Nutzen gebracht, ohne dafs er selbst irgendwie der Verrussung ausgesetzt
gewesen wäre. Er diente Rufsland mit Gewissenhaftigkeit und
Treue, aber er bewahrte dabei seine westeuropäische Eigentümlichkeit, sein nationales und sein konfessionelles Bewufstsein. Der
Umstand, dafs Gordon, obgleich er in Rufsland seine zweite
Heimat gefunden hatte, eine glänzende Laufbahn verfolgte, zu
grofsem Wohlstande gelangte, Ehre und Ansehen genofs, täglich
mit Russen verkehrte, dennoch zeitlebens sich in Rufsland als ein
Fremder fühlte, bis in die letzten Jahre seines Lebens die Hoffnung, in sein Vaterland zurückzukehren, nicht fahren liefs, zeigt
den weiten Abstand Rufslands von Westeuropa in jener Zeit, die
Kluft, welche durch die Reformen Peters zum Teil überbrückt
werden sollte. Indem wir den Wechselfällen des Lebens Gordons
folgen, erfahren wir mancherlei über die wichtigsten Ereignisse
in Rufsland, lernen wir die Zustände und Verhältnisse in den

Kreisen der Russen und der Ausländer kennen. Ja noch mehr:
das Tagebuch Gordons gewährt uns einen tiefen Einblick in das
Privatleben jener Zeit; selbst an Stimmungsbildern ist kein
Mangel. Keine Quelle gibt uns in dem Maße wie Gordons Tage-
buch Aufschluß über das Alltagstreiben gewisser Kreise der
Gesellschaft und insbesondere derjenigen, in denen Peter einen
Teil seiner Jugend verbrachte.

Jugend, Wanderjahre.

Das Geschlecht der Gordons nahm seit langer Zeit in Schott-
land eine angesehene Stellung ein. Die Nachrichten über dasselbe gehen bis in das 15. Jahrhundert zurück. Ein Alexander
Gordon wurde 1449 in den Grafenstand erhoben. Zur Zeit der
ersten Englischen Revolution gehörten die Gordons zu den treuesten
Anhängern Karls I. Einer der eifrigsten dieser Royalisten,
George Gordon, wurde 1649 hingerichtet. Bei der Restauration
Karls II., 1660, erhielten verschiedene Glieder der Familie allerlei
Belohnungen und Würden. Eines „Herzogs von Gordon" erwähnt
unser Gordon sehr oft in seinem Tagebuche; mit ihm stand der
letztere in lebhaftem Briefwechsel; er galt als das Haupt der
Familie und nahm sehr hervorragende Stellungen ein. Im Jahre
1686 war er Gouverneur von Edingburgh.[1] Nach dem Sturze
Jakobs II. hielten die Gordons, unter ihnen auch der Herzog,
treu zu dem Entthronten. Daher wanderten manche von den
Gordons nach dem Jahre 1688 aus ihrem Vaterlande aus.

Es waren sowohl politische als religiöse Gründe, welche im
17. Jahrhundert die Gordons nötigten, ihr Vaterland zu meiden.
Als fanatische Papisten waren sie in England und Schottland
mancherlei Konflikten ausgesetzt. So erklärt es sich, daß der
Name Gordon sich in der zweiten Hälfte des 17. Jahrhunderts
unter anderem in den schwedischen, polnischen, russischen, preußi-
schen, österreichischen und französischen Armeen findet. Auch

---

[1] Macaulay erwähnt dieses „Duke of Gordon" als eine „great
roman catholik"; vgl. (Tauchnitz' Edition), II. 350; III. 395.

Kaufleuten Namens Gordon begegnen wir in verschiedenen Städten, z. B. in Königsberg, in allerlei Gegenden Polens, in Rotterdam. Übrigens mögen von den vierzig Gordons, deren im Tagebuche Patrick Gordons erwähnt wird, einige nicht mit ihm verwandt gewesen sein.

Patrick Gordon, am 31. März 1635 in Schottland, auf dem Gute seines Vaters, Achluichries, in der Grafschaft Aberdeen geboren,[1]) gehörte der jüngern Linie der Gordons, also nicht der mit der Herzogswürde bekleideten, an. Seine Mutter entstammte dem in der Geschichte Schottlands bekannten Geschlechte der Ogilvys. Seines Wappens: drei Schweinsköpfe mit einem kleinen halben Monde in der Mitte, wodurch selbige getrennt werden, und oben mit einer Perlenkrone bedeckt, erwähnt er ausführlich in einem seiner Briefe aus dem Jahre 1693 (III. 334).[2]) Als jüngerer Sohn hatte nicht er, sondern sein Bruder Alexander die Aussicht, das Gut des Vaters zu erben. Indessen starb Alexander im Jahre 1665. Im Jahre 1685 waren auch Patricks Eltern beide nicht mehr am Leben, wie aus einer an die russische Regierung gerichteten Bittschrift unsers Gordon zu ersehen ist (II. 85).

Von seiner Kindheit wissen wir nur, daſs er eine Dorfschule besuchte. Mit 16 Jahren entschloſs er sich auszuwandern, zum Teil, weil es ihm als einem Katholiken gerade in der Zeit der Herrschaft Cromwells unmöglich war, eine englische Hochschule zu besuchen, zum Teil, weil eine unglückliche Liebesgeschichte, deren er im Anfange seines Tagebuchs erwähnt, die Entfernung aus der Heimat gebot. Freiheitsdrang, Reiselust, ein Hang zum Abenteurerleben mögen ebenfalls stark bei dem Entschlusse mit-

---

[1]) In allen Biographien findet sich fälschlich der 31. Mai als der Geburtstag Gordons. Auch Posselt, der Herausgeber des Tagebuchs Gordons, macht (I. XXXII) diesen Fehler, indem er sich auf die Grabschrift beruft. Auf dieser indessen ist von dem 31. März die Rede (I. LVIII). Oft erwähnt Gordon in seinem Tagebuche am 31. März seines Geburtstags.

[2]) Wir citieren so, der Kürze halber, die drei Bände der Posseltschen Edition des Tagebuchs.

gewirkt haben. Sein Oheim beredete die Eltern, den Sohn ziehen zu lassen. So verliefs er denn Schottland im Juni 1651.

Zwei Jahre verlebte er im Jesuitenkollegium zu Braunsberg. Er lobt diese Schule, hat auch später einen seiner Söhne dort erziehen lassen; aber das eingezogene Leben sagte ihm nicht zu. Er bewerkstelligte eine Art Flucht aus Braunsberg. Mit einigen Thalern, seiner geistlichen Tracht, etwas Wäsche und einigen Büchern versehen, gedachte er zuerst nach Schottland zurückzukehren, war aber sehr bald in der Lage, sich dem Kriegshandwerk widmen zu müssen. Der Söldnerberuf stand damals in Blüte. Hier konnten gerade solche junge Leute Beschäftigung finden, welchen, wie Gordon von sich sagt, „zu dienen oder zu arbeiten als eine Entbehrung schien und zu betteln eine noch gröfsere". Recht lebhaft schildert er selbst die mancherlei Wechselfälle, welche ihm in den Jahren 1653—55 widerfuhren. Dazwischen war er in Gefahr, um seine letzte Habe geplündert zu werden. Hier und da traf er auf schottische Kaufleute, welche ihn beredeten, sich dem Handelsstande zu widmen. Dann fafste er wohl den Plan, in polnische Kriegsdienste zu treten. Endlich, nach längerem Aufenthalte in Kulm, Posen, Hamburg, nachdem er an dem letztern Orte die Bekanntschaft einiger schwedischer Werbeoffiziere gemacht hatte, trat er als Reiter in die schwedische Armee ein. Es war gerade die Zeit (1655), als der polnischschwedische Krieg ausbrach.

Bald fühlte er sich in dem neuen Berufe völlig heimisch. Obgleich als Gemeiner dienend, suchte er sich doch in den allgemeinen Gang der militärischen Aktion Einsicht zu verschaffen und allerlei Einzelheiten über den Verlauf der damals gepflogenen diplomatischen Verhandlungen in Erfahrung zu bringen. In seinem Tagebuche notierte er so viel über diese Vorgänge, dafs dasselbe als willkommener Beitrag zu den Quellen der Geschichte dieses polnisch-schwedischen Konflikts gelten kann.

In verschiedenen Scharmützeln, an denen Gordon teilnahm, wurde er mehrmals verwundet (I. 18, 24, 29). Im Dezember 1655 geriet er in polnische Gefangenschaft, aus welcher er sich

durch die Flucht rettete. Nachdem er zum zweiten Male von den
Polen gefangen genommen worden war und 17 Wochen in enger
Haft hatte verbringen müssen, entschlofs er sich den schwedischen
Kriegsdienst gegen den polnischen zu vertauschen. So war nun
einmal die Art der damaligen Reisläuferei, dafs man sich solchen
Wechsel, welcher heutzutage als Verrat gelten würde, nicht
übelnahm.

So trat Gordon denn in die Dragonerkompanie des Starosten
von Sandetz, Konstantin Lubomirskij, ein. Bald war er des
Polnischen mächtig und erzählt recht unterhaltend, wie eine
hübsche junge Polin, welche ihn gern geheiratet hätte, ihm mit
allerlei Scherzen, durch Rätsel und Liederchen die polnische
Sprache beibrachte. Gewifs war das Erlernen der polnischen
Sprache für Gordon eine gute Vorübung für das Erlernen der
russischen, deren er später bedürfen sollte. In Polen nahm er,
insbesondere vor und nach der Schlacht bei Warschau, an allerlei
minder bedeutenden militärischen Operationen teil, wobei er nicht
ohne Genugthuung bemerkt, dafs er jede Gelegenheit, den Kreis
seiner Erfahrungen und Kenntnisse zu erweitern, benutzt habe
(I. 63). Seinen Körper suchte er durch Strapazen abzuhärten.
Für seine Tasche sorgte er bei den Plünderungszügen der polnischen
Söldner.

Im Jahre 1656 wurde er von brandenburgischen Soldaten
gefangen genommen und beredet, wiederum in schwedische Dienste
zu treten. Hier verstand er es, indem er Beute machte, einen
gewissen Wohlstand zu erwerben. Er hielt sich einen Bedienten,
besafs mehrere Pferde, nahm an allerlei einträglichen Plünderungszügen teil, verlor dazwischen seine ganze Habe, um dieselbe
durch neue Unternehmungen raschmöglichst wieder zu ersetzen.
Es war eben eine Zeit, wo das Soldaten- und Räuberleben einander zum Teil deckten, wo man gewissermafsen als Privatmann
Krieg führen durfte, eine Zeit, wo eine Art Kaperei zu Lande
in Blüte stand. Eine Zeitlang stand Gordon weder in polnischen
noch in schwedischen Diensten, weil er, wie er bemerkt, „an der
freien Lebensart Geschmack gewonnen hatte, dabei seinen Vorteil

fand und keine Lust verspürte, sich durch ein neues Engagement
fesseln zu lassen" (I. 155). Indessen trat er doch wieder in
schwedische Dienste, wo er ein gewisses Ansehen genofs, wie wir
aus dem Umstande schliefsen können, dafs die Schweden, als
Gordon abermals in polnische Gefangenschaft geriet, grofse An-
strengungen machten, seine Auslieferung zu bewirken (I. 169).

Da die Polen ihn indessen doch nicht freigaben, entschlofs
er sich schnell, zum zweiten Male in polnische Dienste zu treten,
wo der Feldherr Lubomirskij unter anderem bei der Einnahme
von Graudenz Gordons Ratschlägen folgte und wo sein Ansehen,
sein Rang, seine Geldmittel rasch stiegen.

Von grofsem Interesse ist Gordons Anteilnahme an den Ereignissen des um den Besitz Kleinrufslands zwischen Polen und
Moskau entbrannten Krieges. Er kämpfte auf polnischer Seite
im Herbst 1660 in den Schlachten bei Ljubar und Tschudnow
und war Augenzeuge der furchtbaren Niederlage Scheremetjews,
infolge deren dieser russische Feldherr auf lange Zeit in die Gefangenschaft der krimschen Tataren geriet. Noch im Jahre 1690
erwähnte Gordon in einem Briefe an seinen Sohn der Schlacht
bei Tschudnow (III. 256).

In demselben Jahre 1660 hatte Karl II. in England den
Thron seiner Ahnen bestiegen. Bei so veränderter Sachlage
wünschte Gordon nach Hause zurückzukehren, erhielt indessen
alsbald von seinem Vater ein abmahnendes Schreiben und hatte
nun, da er doch nicht in Polen zu bleiben gedachte, die Wahl
zwischen Österreich und Rufsland. Von beiden Seiten wurden
ihm Anträge gemacht.

Der römisch-kaiserliche Gesandte Baron d'Isola beredete
Gordon, als Werbeoffizier in österreichische Dienste zu treten. Er
hatte bereits zugesagt, wufste aber die übernommene Verpflichtung
wieder von sich abzuschütteln, als er die ihm russischerseits durch
den diplomatischen Agenten Leontjew gemachten Vorschläge, auf
drei Jahre mit dem Range eines Majors in die Dienste des Zaren
zu treten, für vorteilbringender anzusehen geneigt wurde. Schon
nach einem Jahre sollte Gordon in Rufsland Oberstleutnant werden.

Er hatte sich durch humane Behandlung russischer Gefangener bei den Russen beliebt gemacht. Man kam ihm freundlich und zuvorkommend mit allerlei Versprechungen entgegen. Rufsland bedurfte vieler erfahrener und gebildeter Militärs, wenn es in dem heifsen Kampfe um Kleinrufsland seinem Gegner, Polen, gewachsen sein sollte. Im russischen Heere dienten bereits mehrere Schotten. Einer dieser Landsleute Gordons, der Oberst Crawfuird, beredete ihn nach Rufsland zu gehen. Sein Entschlufs war gefafst. Damit hatte er über seine ganze Zukunft entschieden. [1]

Gordon befand sich, 26 Jahre alt, an einem Wendepunkte seines Lebens. In wenigen Jahren hatte er einigermafsen eine militärische Karriere gemacht, sich durch Tapferkeit und Umsicht ein gewisses Ansehen erworben, Ersparnisse gemacht. Noch im Jahre 1655 war er fast ein Bettler gewesen. Nach Rufsland ging er mit Ersparnissen im Betrage von mehreren hundert Dukaten, als ein tüchtiger, kriegserfahrener, in höherm Range stehender Offizier. Er hatte den Stolz eines selfmade man. Seiner Kühnheit und Energie verdankte er alles. Auch in Zukunft hoffte er sein Schicksal völlig selbständig gestalten zu können. Hierin war er im Irrtume.

Erste Dienstzeit in Rufsland.

Schon zu Ende des 16. Jahrhunderts gab es in der russischen Armee einige tausend Ausländer. Doch waren es meist Klein-

---

[1] Die falsche Nachricht bei Korb, Diarium itineris in Moscoviam (Wien 1699), S. 216, als sei Gordon in russische Gefangenschaft geraten und infolgedessen genötigt worden, in russische Dienste zu treten, ist in viele spätere Bücher übergegangen; z. B. Weber, Verändertes Rufsland, III. 143, wo Gordon mit Joseph in Ägypten verglichen wird. Auch Gordons Schwiegersohn, Alexander Gordon, erzählt in seiner „Geschichte Peters des Grofsen" (deutsche Ausgabe, S. 145) manches Unrichtige über den Eintritt Gordons in russische Dienste. Ebenso entbehrt die Erzählung G. F. Müllers, dafs Gordon infolge des Friedens von Oliva seinen Abschied erhalten habe und daher in russische Dienste habe treten müssen (vgl. Petersburger Journal, April 1778, S. 258), der Grundlage.

russen und Polen. Die eigentlichen Repräsentanten Westeuropas waren nur spärlich vertreten. Dagegen stieg während der Regierungen Boris Godunows, des Demetrius, insbesondere aber während der Regierung Michails die Zahl der im russischen Heere dienenden Deutschen, Schotten, Holländer u. s. w. sehr beträchtlich. Einem französischen Militär, Margeret, verdanken wir ein sehr wertvolles Buch über Rufsland zu Anfang des 17. Jahrhunderts.

Insbesondere die Konflikte mit Polen nötigten die russische Regierung zu einer Reorganisation der russischen Armee. Dazu bedurfte man der Ausländer. Daher sehen wir sowohl in den dreifsiger Jahren, da Smolensk von den Russen belagert wurde, als auch in der Zeit des Zaren Alexei bei dem Kampfe um Kleinrufsland die Zahl der ausländischen Offiziere sich sehr rasch vermehren. Die politischen und religiösen Krisen im westlichen Europa, der Dreifsigjährige Krieg, die englische Revolution lieferten das Material für die Ergänzung und Vervollständigung des russischen Offizierkorps; zu solchen losen Elementen, welche, wanderlustig und beutegierig, ihre Dienste bald hier, bald dort anboten, ihre Haut in den verschiedenen Staaten zu Markte trugen, gehörten im 17. Jahrhundert ganz besonders viele Schotten. Infolge der beiden englischen Revolutionen erschienen die Schotten in hellen Haufen in Polen, in Schweden und in Rufsland. Auf die Zahl derselben können wir aus einigen Angaben in Gordons Tagebuche schliefsen. So traf er 1657 in Preufsisch-Holland bei Königsberg 43 Schotten an, welche sich zur Reise nach Riga anschickten, um in schwedische Dienste zu treten. Vieler im kaiserlichen Heere dienender Schotten erwähnt Gordon. In Polen begegnete er häufig allerlei Bekannten, wohl auch Verwandten aus der Heimat. Bei den Schweden bestand eine ganze Kompagnie aus lauter Schotten.

Auch die Reise nach Rufsland machte Gordon in Begleitung vieler Landsleute, welche zum Teil ihre Frauen mit in die neue Heimat führten. Es gab, wie Gordon selbst gesteht, manche schlechte Elemente unter diesen Reisläufern, so dafs er nicht

selten die Begegnung mit denselben zu vermeiden suchte. Aber
er selbst hat während seiner langen Dienste in Rufsland manchen
Landsmann und Verwandten veranlafst, in russische Dienste zu
treten.

Überraschend beträchtlich ist die Zahl der in russischen
Diensten stehenden Gordons. Von einem Kapitän William Gordon
wissen wir aus einer 1631 an den Zaren Michail gerichteten Bitt-
schrift desselben (I. 610). Im Jahre 1634 erhielt ein Oberst
Alexander Gordon ein ansehnliches Geldgeschenk aus dem zarischen
Schatze (I. 611). Eines Andreas Gordon ist wiederholt in der
vollständigen Gesetzsammlung erwähnt. [1] Mehrere Gordons dienten
in der polnischen Armee (I. 133, 183, 289, 405 u. a.). In
Rufsland stieg die Zahl der Gordons besonders nach dem Sturze
Jakobs II. Ein John Gordon war schon etwas früher nach Rufs-
land gekommen, um seinen Verwandten Patrick zu besuchen
(I. 225, 238, 641). Er blieb drei Monate in Rufsland und trat
nicht in russische Dienste. Dagegen traten andere Verwandte
Patricks, Andreas, Harry, Alexander, Franz, George, Thomas,
sowie die Söhne Patricks, John, James und Theodor, in russische
Dienste. Vielleicht war auch ein Taschenspieler Gordon, dessen
Korb als den Helden einer Kriminalgeschichte erwähnt, [2] ein
Verwandter unsers Gordon. In dem Nordischen Kriege begegnen
wir nicht selten dem Namen Gordon. Ein Nachkomme Gordons,
welchem die Handschrift des von dem letztern geführten Tagebuchs
gehörte, war Translateur in der diplomatischen Kanzlei zur Zeit
Katharinas II. u. s. w.

Man darf sich darüber wundern, dafs so viele Ausländer in
russische Dienste zu treten bereit waren, weil, wie die Erfahrung
lehrte, der Austritt aus russischen Diensten so gut wie unmöglich
war. Als Margeret 1605 seinen Abschied erhielt, bemerkte er,
er sei der erste, welchem eine solche Gunst zuteil werde. [3] Vergeblich hat sich wiederholt die englische Regierung für mehrere

---

[1] Bd. IV. S. 619, 647.
[2] Diarium itineris, p. 100.
[3] Estat de l'empire de Russie, p. 38.

in Rufsland dienende Engländer verwandt: sie wurden nicht entlassen. [1]) Selbst die in Handschreiben englischer Könige an die Zaren in solchen Angelegenheiten gerichteten Bitten blieben unberücksichtigt. Gordon selbst sollte an sich diesen Mifsstand erfahren.

Fast scheint es, als haben die russischen Agenten, welche Gordon 1661 anwarben, ihn über diesen Punkt getäuscht. Er meinte sich nur auf drei Jahre gebunden zu haben und mufste sich sehr bald nach seiner Ankunft in Rufsland davon überzeugen, dafs er über sein ganzes Leben entschieden habe. Jahrzehnte hindurch hat er an der Hoffnung festgehalten, sich aus Rufsland freimachen und sein Dasein in seinem Vaterlande beschliefsen zu können. Erst von dem Jahre 1692 an scheint er sich in sein Schicksal gefunden, alle Hoffnung, je Rufsland endgültig verlassen zu können, aufgegeben zu haben. Er war bis zum Jahre 1661 an häufigen Wechsel gewöhnt gewesen. Im Laufe von sechs Jahren hatte er fünfmal seinen Dienst gewechselt, sich also in vollem Mafse der freien Selbstbestimmung erfreut. Jetzt sollte es anders kommen. Für die in russische Dienste Tretenden gab es kein Zurück.

Ahnungslos ging Gordon einer solchen Zukunft entgegen.

Mochte Gordon aber später noch so oft den ihm angethanen Zwang, der ihn an Rufsland schmiedete, bitter empfinden, mochte er auch dazwischen ingrimmig an der Kette rütteln, mit welcher das der Intelligenz, des Mutes, der militärischen Erfahrung der Ausländer bedürfende Zarenreich ihn festhielt, er hat im Grunde in Rufsland ein glückliches Leben verbracht. Ohne sich völlig akklimatisieren zu können, ist er in Rufsland denn doch bis zu einem gewissen Grade heimisch geworden. An eigentlichem Heimweh hat er nie gelitten: er war keine sentimentale Natur. Aber er hat nie für Rufsland Begeisterung empfunden, da er als politischer und religiöser Schwärmer, als fanatischer Royalist und Katholik bis zu seinem Tode den Stuarts anhing. Dafs er in

---

[1]) Vgl. unter anderem die Affaire Aston bei Ssolowjew, Geschichte Rufslands, IX. 119.

Rufsland sehr bald Ehre, Ansehen, Vermögen, einen grofsen Wir-
kungskreis erwarb, dafs er dort an hochwichtigen Ereignissen Anteil nahm und dabei ungewöhnliche Tüchtigkeit bewährte, dafs
er die ihm anvertrauten Stellungen völlig auszufüllen im stande
war, dafs er, freilich erst in den letzten Jahren seines Lebens,
Peters Genosse und Lehrer sein konnte, mufs ihm zu sehr wesentlicher Genugthuung gereicht haben. Auch mufste es ihn befrie-
digen, dafs seine neue Stellung in Rufsland ihm sehr bald schon
die Möglichkeit gab, ein Haus zu gründen. Nach mehreren
Jahren ziellosen, abenteuernden Herumvagierens wurde er endlich
sefshaft, Gatte, Vater. Aus dem Glücksritter wurde eine respektable,
allgemein geachtete Persönlichkeit. Hatte er, da er dem väterlichen Herd den Rücken wandte, auf eine glänzende Laufbahn
gehofft, so war dieses Ziel erreicht. Mehr durfte er nicht wollen.

Doch fehlte es auf dem Wege zu diesem Ziele nicht an
peinlichen Eindrücken, unangenehmen Zwischenfällen, gefährlichen
Konflikten, harten Kämpfen.

Sehr bald schon, nachdem Gordon am 26. Juli 1661 seine
Reise nach Rufsland angetreten hatte (I. 283), bereute er, ebenso
wie sein Freund und Genosse Meneses, den gefasten Entschlufs.
Er erfuhr, dafs der nicht allzuhohe Sold in Rufsland unregelmäfsig
ausgezahlt werde. Die Soldaten der russischen Garnison in Koken-
husen, welche Gordon auf der Reise von Riga sah, machten auf
ihn keinen guten Eindruck. Ein Vergleich, welchen er zwischen
den Polen und Russen anstellte, fiel nicht zu gunsten der letztern
aus. Pskow mit seinem Schmutze und seinen, wie Gordon wahrzunehmen glaubte, mürrischen Einwohnern mifsfiel ihm ausnehmend. Seine Verstimmung steigerte sich, als er die Erfahrung
machte, dafs infolge der Emission leichten Kupfergeldes durch
eine der leichtfertigsten und gefährlichsten Münzverschlechterungen,
welche je vorgekommen sind, alle Preise sehr rasch in die Höhe
gingen und schliefslich Teuerung und Hungersnot eintrat. [1]

---

[1] Vgl. in meiner Schrift: Finanzgeschichtliche Studien, die erste
Abhandlung: Das Kupfergeld in Rufsland 1656—63.

Am 2. September 1661 traf Gordon in der russischen Hauptstadt ein und siedelte sich sogleich in der deutschen Vorstadt an. Dieselbe, eine Art Ghetto, wo die Ausländer, die Ketzer, gesondert von den rechtgläubigen Russen lebten, Kirchen bauten, ihre Eigentümlichkeit bewahrten, hatte bereits im 16. Jahrhundert bestanden und war dann in der Zeit der polnisch-russischen Wirren während des Interregnums eingeäschert worden. Ein Edikt des Zaren Alexei rief sie 1652 wieder ins Leben. Eine Abbildung, welche der Gesandte Kaiser Leopolds I., Meyerberg, von dieser Deutschen Sloboda gerade in demselben Jahre anfertigen liefs, als Gordon sich dort niederliefs, zeigt uns einen dorfartigen, aus hölzernen, mit Gemüsegärten umgebenen, ärmlich aussehenden Häusern bestehenden Flecken. [1]) Hier sollte Gordon den gröfsten Teil seines Lebens verbringen und an dem Emporblühen, der materiellen und geistigen Entwickelung dieses vorgeschobenen Postens westeuropäischer Kultur hervorragenden Anteil nehmen. Die deutsche Vorstadt war für Rufsland was Naukratis für das alte Ägypten oder Nangasaki für das neuere Japan. Hier lebten zum Teil in einem gewissen Wohlstande deutsche, englische, französische, holländische, schottische Kaufleute, Industrielle, Geistliche, Ärzte, Apotheker, Militärs, welche dem ungeheuern russischen Staats- und Gesellschaftskörper gegenüber eine kleine, aber kompakte Masse, die Intelligenz und Unternehmungslust, die Bildung und Arbeitskraft des auf einer unvergleichlich höhern Kulturstufe befindlichen westlichen Europa vertraten und im 17. Jahrhundert in ähnlicher Weise ein förderndes, treibendes, anregendes, gewissermafsen erziehendes Element für das weite Reich abgaben wie die Ausländer in Petersburg im 18. Jahrhundert. Die Bewohner dieser Vorstadt, von den Russen oft verspottet und verachtet, blieben meist in dem lebhaftesten Verkehr mit ihren Heimatländern und konnten ebendarum um so erfolgreicher zwischen der Zivilisation Europas und dem der Reformen auf allen Gebieten dringend bedürftigen, bis

---

[1]) Vgl. die Tafel Nr. 52 in dem Bilderatlas zu Adelungs Buche über Meyerberg.

dahin in chinesischer Abgeschlossenheit verharrenden Zarenreiche vermitteln.

Gordon ist vielleicht der interessanteste Repräsentant, der sprechendste Typus der in Rufsland lebenden und wirkenden Ausländer geworden. Ihm war es beschieden, zu den anziehendsten Illustrationen der Bewohner der Sloboda zu gehören. Sein Tagebuch ist die wichtigste Quelle für die Geschichte der Ausländer in Rufsland im 17. Jahrhundert. [1]

Der erste Empfang, welchen der Zar dem neuen Ankömmling bot, war günstig. Alexei dankte Gordon in einer Audienz für die humane Behandlung russischer Gefangener in Polen (I. 289). Dagegen berührte es Gordon unangenehm, dafs der Schwiegervater des Zaren, Ilga Danilowitsch Miloslawskij, ihn einer Art Prüfung unterwarf, d. h. dafs er Gordon veranlafste, an einzelnen Handgriffen bei Spiefs, Flinte und Säbel seine militärische Tüchtigkeit zu zeigen, während Gordon ihm vorstellte, dafs von einem Offizier in erster Linie nicht diese untergeordneten Manipulationen, sondern strategische und taktische Fähigkeiten verlangt werden müfsten (I. 290). Eine fatale Episode war folgende: Gordon sollte beim Dienstantritt Geschenke an Geld, Zobeln und Geweben erhalten, wufste aber nicht, dafs man, um in den Besitz dieser Dinge zu gelangen, den Schreiber der betreffenden Behörde bestechen müsse. Er wurde klagbar: es gab allerlei Reden und Gegenreden, wobei Gordon sich zur Äufserung hinreifsen liefs, er wolle nicht in einem Lande bleiben, das seinen Erwartungen so wenig entspreche. Nicht wenig entrüstet war er ferner, als die Regierung sich nicht entblödete, ihm den ausbedungenen Sold, der gemeinsamen Übereinkunft zuwider, nicht in Silbermünze, sondern in dem entwerteten Kupfergelde auszuzahlen, wodurch Gordon einen so grofsen Teil seiner zu erwartenden Einkünfte einbüfste, dafs er für seine in Polen gemachten Ersparnisse fürchten mufste.

---

[1] Vgl. in meiner Schrift: Kulturhistorische Studien (Riga 1878), die zweite Abhandlung, S. 71 fg.

24*

Zaren Alexei zum Vorwande, den Engländern ihre Vorrechte zu
nehmen. Nach seiner Restauration hatte Karl II. mancherlei
Schritte zur Wiedererlangung dieser Privilegien gethan. Im
Jahre 1664 erschien der Graf Carlisle mit glänzendem Gefolge
als englischer Gesandter in Rufsland, aber seine Mission hatte
keinen Erfolg und der Gesandte reiste sehr mifsgestimmt ab. Der
unmittelbar hierauf nach England gesandte russische Diplomat
Daschkow wurde sehr kühl empfangen. Karl II. verlangte, Rufsland solle den Niederländern die Ausfuhr von Materialien für den
Schiffbau aus Rufsland verbieten, dagegen dieselbe ausschliefslich
den Engländern vorbehalten. Die ausweichende Antwort auf diese
Forderungen nun sollte Gordon dem Könige überreichen. Er
bemerkt, es habe sich kein Russe zur Ausführung dieses Auftrags bereitwillig finden lassen, weil alle fürchteten, ebenso kühl
empfangen zu werden wie Daschkow; er fügt hinzu, die Regierung habe gehofft, dafs Gordon, ein Unterthan Karls II., erfolgreicher als Diplomat wirken werde (I. 368).

Gordon reiste über Nowgorod nach Riga, hierauf zur See
nach Lübeck, dann über Hamburg und Hannover nach Brügge,
wo er die Nachricht von der furchtbaren Feuersbrunst in London
erhielt, welche damals einen grofsen Teil der englischen Hauptstadt in Asche gelegt hatte. Die Überfahrt nach England war
nicht ohne Gefahr, weil der Krieg zwischen England und Holland
fortdauerte. In London trat Gordon äufserlich nicht als Diplomat
auf. Er lebte vielmehr als Privatmann, verhandelte indessen fleifsig
mit den englischen Ministern und hatte einige Audienzen bei dem
Könige, welcher ihn sehr wohlwollend empfing, ihm jederzeit den
Zutritt in den Palast und in den königlichen Park gestattete und
sich bei ihm nach den Verhältnissen des Reiches Moskovien erkundigte. Von dem Verlauf seiner mit dem Lordkanzler und
andern englischen Würdenträgern gepflogenen Unterhandlungen
spricht Gordon in dem Tagebuche leider nur ganz kurz, wobei
er auf seinen Gesandtschaftsbericht verweist. Dieser ist uns nicht
zugänglich gewesen. Dagegen teilt er in seinem Tagebuche das
Schreiben Karls II. an den Zaren Alexei mit. Aus demselben

ist zu ersehen, dafs Rufsland nur zum Teil Konzessionen gemacht
hatte. Namentlich die Frage von den Privilegien der englischen
Kaufleute blieb offen.

Gordon verweilte einige Wochen in London, wo er viele
Bekannte hatte, sich einer heitern Geselligkeit hingab und mancherlei Einkäufe an Luxusgegenständen machte. Auch den Verwandten
des Königs, Ruprecht von der Pfalz, lernte Gordon kennen. Am
meisten und liebsten verweilte er im Hause und in der Familie
John Hebdons, welcher später als englischer Gesandter sich längere
Zeit in Moskau aufhielt. Diejenigen englischen Kaufleute, welche
Handelsbeziehungen mit Rufsland unterhielten, machten in London
Gordon den Hof. Auch gaben sie ihm bei seiner Abreise das
Geleite.

Auf der Rückreise besuchte Gordon in Hamburg die ehemalige Königin Schwedens, Christine. Er hatte gehofft, einen
Ball, welchen die Tochter Gustav Adolfs gab, mitzumachen, kam
aber zu spät in Hamburg an. Er hörte bei der Königin die Messe.

Seine eigentliche Heimat, Schottland, hatte Gordon nicht
besucht. In seiner Instruktion stand der gemessene Befehl, sogleich, ohne Aufenthalt, aus England zurückzukehren. Nach
nahezu einjähriger Abwesenheit erschien er, von seinem inzwischen
aus der polnischen Gefangenschaft befreiten Schwiegervater
empfangen, in der deutschen Vorstadt. Aus der Hauptstadt
erhielt er den Befehl, zunächst in der Vorstadt zu verweilen und
erst später über seine Reise Bericht zu erstatten. Vielleicht war
dies eine Quarantänemafsregel, weil man in Rufsland die damals
in England herrschende Pest fürchtete.

Seine Besorgnis, dafs man ihm die Reisekosten nicht so bald
zurückerstatten werde, erwies sich als gegründet. Jahrelang hat
er in dieser Angelegenheit petitionieren müssen. Erst im Jahre
1681 erhielt er den Rest seiner Auslagen. Vielleicht war die
russische Regierung mit dem Erfolge von Gordons Reise unzufrieden.
Nirgends ist einer Belohnung erwähnt, welche Gordon für seine
diplomatische Reise erhalten hätte. Indessen ist auch das Quellenmaterial in der auf diese Reise folgenden Zeit unvollständig. Am

6. Juni 1667 war Gordon von seiner Reise zurückgekehrt. Am
25. Juni reifst das Tagebuch, soweit es erhalten ist, ab und die
Fortsetzung beginnt erst mit dem Januar 1677.

Man hat vermutet, Gordon sei unmittelbar nach seiner Rückkehr aus England in Ungnade gefallen. Darauf könne man aus
dem Befehl schliefsen, er solle in der Sloboda verbleiben. Dafs
er sodann in Kleinrufsland habe dienen müssen, sei als eine Art
Verbannung aufzufassen. Solche Behauptungen entbehren jeder
Begründung. In dem Tagebuche findet sich keinerlei Bestätigung
dieser Annahme. [1])

In Kleinrufsland. Tschigirin 1677 und 1678.

Von dem auf die Reise nach England folgenden Jahrzehnt
in Gordons Leben wissen wir nur wenig. Er befand sich den
gröfsten Teil dieser Zeit in Kleinrufsland, wo partielle Rebellionen
der Kosaken fortwährend eine gewisse militärische Aktion seitens
Rufslands erforderten. Gordon hielt sich mit seinem Regiment
in verschiedenen Städten auf, wie Trubtschewsk, Brjansk, Nowyi-
Oskol. Sein Hauptaufenthalt aber war die Stadt Sajewsk. Hier
hatte er den Schmerz, seine erste Frau, die geborne Bockhoven,
zu verlieren. Hier heiratete er zum zweitenmal, und zwar die
Tochter eines Obersten Roonaer. Aus der ersten Ehe blieben
vier Kinder am Leben; aus der zweiten nur ein Sohn, dessen
Geschwister alle im zarten Alter starben. Von hier unternahm
er im Jahre 1669—70 abermals eine Reise nach Grofsbritannien,
über welche uns indessen keinerlei Einzelheiten bekannt sind,
so dafs wir nur vermuten können, dafs er bei dieser Gelegenheit
nach fünfzehnjähriger Abwesenheit von der Heimat seine Eltern
besucht haben werde.

Von dieser Reise spricht Gordon in einer 1685 an die Regierung gerichteten Bittschrift: er habe, als er 1670 aus seinem

---

[1]) Vgl. Bergmann, Peter der Grofse, VI. 180, und Posselts Ausführungen und Hypothesen in der Edition des Tagebuchs, I. XLI.

Vaterlande nach Rufsland zurückgekehrt sei, den Sold der Offiziere auf den dritten Teil herabgesetzt gefunden, daher um seinen Abschied gebeten, aber denselben nicht erhalten. [1]

Eine unliebsame Episode ereignete sich Anfang 1677. Gordon war nach Moskau gereist, wo er einige Wochen bis März verblieb. Inzwischen war der Zar Feodor Alexejewitsch auf den Thron gelangt. Es gab bei Hofe neue Personen, neue Verhältnisse. Gordons frühere Gönner spielten keine Rolle mehr. Um so bedenklicher war es, dafs einige Soldaten von Gordons Regiment gegen ihn Klage führten. Aus Gordons Tagebuche ist zu ersehen, dafs er sich für nichtschuldig hielt und dafs er in der Handlungsweise der Soldaten eine von dem Obersten Trauernicht angestiftete Intrige erblickte. Als Gordon mit dem Obersten in dem Hause des Fürsten Trubezkoi zusammentraf, überschüttete er ihn mit Vorwürfen, welche Trauernicht schweigend hinnahm. Auf die in jenen Kreisen herrschende Moral kann man aus dem Umstande schliefsen, dafs Trauernicht durch seinen Schwager Gordon ein Kompromifs anbieten liefs: gegen die Auszahlung einer Summe von 300 Pfd. St. sollten die Soldaten vermocht werden, von ihrer gegen Gordon erhobenen Klage abzustehen. Gordons Antwort war, er werde lieber für einige Heller Stricke kaufen, um seine Gegner daran aufknüpfen zu lassen. Er hatte erfahren, dafs eine gewisse Strenge, welche er in der Disziplin hatte walten lassen, die Soldaten gegen ihn aufgebracht hatte, und konnte ein Papier vorweisen, in welchem die Bewohner von zwanzig kleinrussischen Dörfern über das Wohlverhalten der Truppen Gordons sich in Lobeserhebungen ergingen. Der Regierung konnte es nur lieb sein, wenn die Offiziere Mannszucht hielten. Der Fürst Romodanowskij dankte Gordon ausdrücklich für dessen dem Zaren geleisteten Dienste. Die ganze Angelegenheit hatte den Charakter ränkevoller Kleinlichkeit. Sogleich nachdem die Sache im Sande verlaufen war, reiste Gordon nach Ssjewsk zurück. Wir dürfen

---

[1] Dafs in der That damals der Sold herabgesetzt wurde, wissen wir auch aus Fechners Chronik der evangelischen Gemeinden in Moskau (Moskau 1876), I. 347.

vermuten, dafs diese leidige Angelegenheit die Veranlassung zur Reise in die Hauptstadt gewesen war.

Das Tagebuch enthält manche Einzelheiten über Gordons Leben und Treiben in Ssjewsk. Wir erfahren daraus, dafs er in lebhaftem Verkehr mit hochgestellten Russen stand, dafs er sie nicht selten bei sich bewirtete. Seine Tüchtigkeit und fachmännische Bedeutung verliehen ihm ein bedeutendes Ansehen, machten ihn aber zugleich unentbehrlich. Daher blieben seine Bitten um Entlassung unberücksichtigt. Mehr als je früher bedurfte man seiner, als 1677 der Krieg mit der Türkei ausbrach.

Kleinrufsland war lange Zeit in dem Kampfe zwischen Rufsland und Polen das Streitobjekt gewesen. Kleinrufsland wurde die Veranlassung zu dem Konflikt mit der Türkei. In dem Frieden von Andrussow hatte Polen 1667 das linke Dnjeprufer den Russen abgetreten. Während der darauffolgenden Unruhen aber hatte der Hetman Doroschenko sich unter den Schutz der Türken und Tataren begeben, war sodann von der Türkei wieder abgefallen und hatte die wichtige Festung Tschigirin den Russen überantwortet.

In dem Kampfe nun, welcher in den Jahren 1677 und 1678 zwischen den Türken und Russen um den Besitz der Festung Tschigirin entbrannte, sollte Gordon eine hervorragende Rolle spielen. Es war der erste Konflikt Rufslands mit der Pforte. Bis dahin hatte es nur mit den Quasivasallen der letzteren, den Tataren, zu thun gehabt.

In seinem Tagebuche berichtet Gordon vielerlei von den Vorbereitungen auf den Feldzug im Frühling 1677. Er selbst setzte sich mit seinem Regiment von Sajewsk aus erst im Juni in Marsch. Manche seiner Vorschläge mifsfielen, wie wir erfahren, den russischen Offizieren, welche dazwischen sogar sich weigerten, an den von ihm in Vorschlag gebrachten Unternehmungen teilzunehmen. Es gab infolge einer solchen nationalen Rivalität manche peinliche Momente, wohl auch Gefahren für die persönliche Sicherheit Gordons. Ein Glück noch, dafs die russischen Oberbefehlshaber, Romodanowskij und Golizyn, ihm volles Vertrauen schenkten, in

380 Patrick Gordon (1635—1699).

schwierigen Fällen seinen Rat hörten und seine Beharrlichkeit
in allen Widerwärtigkeiten, welche ihm die russischen Offiziere
und Soldaten bereiteten, priesen (I. 422 fg.).

Der Feldzug des Jahres 1677 verlief ohne besonders wichtige
Ergebnisse. In Tschigirin, dessen Verteidigung der Oberst
Trauernicht leitete, war Gordon nicht; er erzählt aber recht ein-
gehend die Geschichte der Belagerung dieser Festung durch die
Türken. Auch in Tschigirin begegnen wir dem Gegensatze zwischen
Russen und Ausländern. Es fehlte nicht an Reibereien zwischen
dem Kommandanten der Festung und den russischen Befehlshabern
der Strelzyregimenter.

Der Feldzug endete damit, dafs die Annäherung des Armee-
korps, bei welchem Gordon sich befand, die Türken zum Rückzuge nötigte. Im Spätherbst folgten sodann Beratungen zwischen
dem Oberfeldherrn Romodanowskij, dem Hetman Kleinrufslands
Ssamoilowitsch und Gordon über die Art, wie in dem nächsten
Jahre der Feldzug wieder aufgenommen werden sollte. Wir
sehen somit, dafs Gordon im Kriegsrate zu den ersten Leuten
zählte.

Dennoch hörte er nicht auf, an die Rückkehr in die Heimat
zu denken. Schon während des ersten Tschigirin-Feldzuges hatte
er deshalb Schritte gethan und erfahren, dafs einige Aussicht
auf Erfüllung seines Wunsches vorhanden sei. Da liefs ihn eines
Tages der Fürst Romodanowskij rufen und eröffnete ihm mit
dürren Worten, dafs er seinerseits nie in eine Entlassung Gordons
willigen werde (I. 450).

Inzwischen suchte man von anderer Seite zu gunsten Gordons
zu wirken. Der bereits oben erwähnte John Hebdon überreichte
als englischer Gesandter eine Note, in welcher Karl II. um die
Entlassung Gordons bat. Als Gordon davon erfuhr, eilte er selbst
nach der Hauptstadt, besuchte eine grofse Anzahl von Beamten
und Magnaten, erfuhr aber, dafs der Zar seiner Dienste in dem
zweiten Tschigirin-Feldzuge bedürfe, ja dafs ihm ein sehr wichtiger
und verantwortlicher Posten vorbehalten sei. So entschlofs er sich
denn, zunächst nicht mehr auf seiner Entlassung zu bestehen.

Fast scheint es, als habe man ihm den Posten eines Kommandanten der Festung Tschigirin geben wollen; indessen wurde nicht er, sondern ein Russe, Rshewskij, ernannt. Neben diesem wirkte nun Gordon 1678 als thatsächlicher Oberbefehlshaber der von den Türken belagerten Festung. Im Jahre 1677 hatte Gordon ganz besonders bei der Anlegung von Schanzwerken Erfahrung und Umsicht gezeigt. In einigen Papieren wurde er „Oberst und Ingenieur" tituliert. Er verbat sich die letztere Bezeichnung, weil er das Geniefach nicht kenne und der Titel eines Ingenieurs demjenigen eines Obersten nichts an Ehren hinzufüge. Man erwiderte, dafs man bei Gelegenheit der zweiten Belagerung Tschigirins gerade auf diesem Gebiete auf seinen Eifer und seine Erfahrung rechne, in Zukunft aber ihn mit der Verwendung in dieser Spezialität nicht belästigen werde.

Die Verteidigung Tschigirins ist vielleicht die hervorragendste Leistung Gordons. Hier handelte er am selbständigsten. Weder früher noch später hat sein Leben in solcher Gefahr geschwebt wie bei den Kämpfen des Jahres 1678. Niemals bedurften die Russen seiner in dem Grade, wie bei dieser Gelegenheit. Nie haben sie so unumwunden seine Überlegenheit, seinen Mut, seine militärische Bildung anerkannt wie bei dieser denkwürdigen Belagerung, deren Geschichte uns in allen Einzelheiten vorwiegend durch Gordons Tagebuch bekannt geworden ist.

Schon bei der Anlegung von Befestigungswerken bei Baturin, der Residenz des kleinrussischen Hetmans, fiel sein Rat sehr bedeutend ins Gewicht. In Tschigirin spielte er durchaus die erste Rolle. Von seinen persönlichen Beziehungen zu dem Kommandanten Rshewskij ist wenig die Rede. Es gab Meinungsverschiedenheiten zwischen beiden. Rshewskij verlangte die Beseitigung eines Walles; Gordon suchte die Notwendigkeit der Belassung und sogar der Verstärkung desselben darzuthun (I. 481). Diesmal entschied der Wille Rshewskijs. Sonst scheinen alle Dispositionen wesentlich von Gordon ausgegangen zu sein. Er sandte dem Fürsten Golizyn den Plan der Festung; er leitete alle Befestigungsarbeiten; er erfand eine neue Art Mühlsteine für die Handmühlen, besondere Karren für die zum Schanzen nötige Erde, eine neue Art von Schanzkörben.

Sehr oft hatte er mit der Animosität seiner russischen Kollegen, mit der Widerspenstigkeit seiner Untergebenen zu kämpfen. Der Geist der russischen Truppen liefs viel zu wünschen übrig. Gordon selbst arbeitete unablässig, setzte sich den allergröfsten Gefahren aus. Gleiches verlangte er von den andern. In entscheidenden Augenblicken schonte er die Soldaten nicht. Er mag als Chef streng gewesen sein; man kann ihn in dieser Hinsicht mit Münnich vergleichen. Aber die Schwierigkeiten, denen er begegnete, hätten auch den Geduldigsten aus der Fassung gebracht. Als Gordon einst einen tiefen Graben ziehen lassen wollte, weigerten sich die Kosaken zu arbeiten; Gordon mufste seinen Plan aufgeben. Als er, dank sei es seiner technischen Geschicklichkeit, bei einer andern Gelegenheit die auf seinen Anteil entfallende Arbeit rascher vollendete als seine russischen Kollegen, waren die letzteren unzufrieden und in gereizter Stimmung. Oft stiefsen seine Ratschläge inbetreff der anzulegenden Befestigungswerke auf Widerspruch. Selbst seine Anhänger mufsten bisweilen, wenn sie ihm zustimmten, mit ihrer Meinung zurückhalten. Die russischen Offiziere, welche mit der Fortifikation unbekannt waren, äufserten nicht selten Zweifel an der Zweckmäfsigkeit der Anordnungen Gordons. Dennoch bedurfte man seiner bei jeder Gelegenheit, wenn Kanonen geprüft, wenn die Quantitäten der Vorräte kontrolliert wurden u. s. w. Seine Bedeutung stieg mit der Gefahr.

Am 8. Juli erschienen die Türken vor der Festung. Am 9. machte Gordon einen Ausfall, mufste sich aber zurückziehen. Als an dem folgenden Tage der Ausfall mit verstärkter Truppenzahl wiederholt werden sollte und Gordon die Leitung des Unternehmens für sich in Anspruch nahm, protestierten alle Mitglieder des Kriegsrates dagegen, dafs Gordon sich einer solchen Gefahr aussetze. Als Gordon seinen Willen durchzusetzen suchte, berief sich Rshewskij auf eine besondere Instruktion des Zaren Feodor, der zufolge Gordon nie bei Ausfällen verwendet werden dürfe. Wiederholt klagt Gordon in seinem Tagebuche über den Mangel an Eifer und Mut bei den Offizieren und Soldaten. Die Nachlässigkeit der Strelzy machte es den Türken möglich, ihre Laufgräben der Festung zu nähern. Indem Gordon aus seiner Tasche jedem, der eine türkische Fahne oder einen Gefangenen einbringen werde, eine Belohnung von 5 Rubeln versprach, bemerkt er, dafs er damit sehr wenig riskiert habe. Einst hatte er Ursache, in den heftigsten Äufserungen die russischen Obersten zu tadeln, dafs sie nachts eine ihnen anvertraute Kontreskarpe verlassen hatten; es kostete ihm grofse Mühe, sie zu veranlassen, in der folgenden Nacht auf ihrem Posten auszuharren.

Als die Türken die Festung immer härter bedrängten und die Gefahr stieg, erzählt Gordon, wufste niemand, was er zu thun habe. Alle kamen zu Gordon und flehten ihn an, er solle irgend ein Mittel ersinnen, die Feinde fern zu halten. Alle bauten auf seine Erfindungsgabe, aber niemand wollte sich einer Gefahr aussetzen, weil man zu glauben schien, dafs Gordon und die andern Ausländer Wunder zu thun vermöchten. Er hielt es indessen für angemessen, die Belagerten nicht mit falschen Hoffnungen zu täuschen, und erklärte geradeaus, dafs die Gefahr nur dadurch verringert werden könne, dafs jeder auf dem ihm anvertrauten Posten aushalte (I. 500). Überall, an den der Gefahr am meisten ausgesetzten Punkten, war Gordons Anwesenheit erforderlich. Einst, als die Türken eine Bresche gemacht hatten, stürzte Gordon ihnen entgegen, aber nur ein Major und etwa sieben bis acht Gemeine folgten ihm.

Weniger heroisch verfuhr er in folgendem Falle. Indem er eine besonders bedrohte Stelle verteidigte, erkannte Gordon die Unmöglichkeit, dieselbe noch länger zu behaupten. Da er nun, wie er naiv erzählt, nicht wünschte, dafs diese Brustwehr „sozusagen in seinen Händen starb", verlangte er bei Sonnenaufgang abgelöst zu werden. Die Russen lehnten es ab und verlangten, Gordon solle noch einen ganzen Tag auf dem Posten

verbleiben. Rahewskij entschied zu gunsten Gordons. Eine
Stunde später hatten die Türken die Position inne (I. 499). Wir
wissen nicht, ob Gordon nicht ein gewisses Recht hatte, auf Ab-
lösung zu bestehen.

Gordons Tapferkeit war über allen Zweifel erhaben. Er
wurde mehrmals verwundet. Am 10. Juli beschädigte ein durch
eine Kanonenkugel abgesprengtes Stück Holz seine Hand. Zwei
Tage später verletzte ihm eine Bombe drei Finger der linken
Hand „bis zu den Knochen". Am 15. Juli erhielt er einen
Schufs in die Nase und in das Kinn; am 28. Juli verwundete ihn
eine Handgranate am linken Fufse. Am 30. Juli wurde er dreimal
durch Handgranaten am rechten Beine verletzt (I. 491—503).

Schon drei Wochen währte die Belagerung, ohne dafs die
russische Armee unter Romodanowskijs Leitung zum Entsatze
derselben erschienen wäre. An demselben Tage, an welchem man
endlich die heranrückenden Russen erblickte (3. August), wurde
der Kommandant von Tschigirin, Rahewskij, durch eine Granate
getötet. Gleich darauf erschienen alle Obersten und andern
Offiziere bei Gordon mit der Bitte, den Oberbefehl in der Festung
zu übernehmen. Es geschah, ohne dafs an der Sachlage dadurch
viel geändert war, weil Gordon thatsächlich auch früher schon
der eigentliche Leiter der Verteidigung gewesen war.

Die Hoffnung, dafs man von Romodanowskij Hilfe erhalten
werde, erwies sich als eitel. Ja, der letztere ging so weit, zur
Verstärkung seiner Armee einige Regimenter, welche sich in der
Festung befanden, zu verlangen, was Gordon mit Entschiedenheit
ablehnte, während viele der in Tschigirin befindlichen Offiziere
in das Lager Romodanowskijs überzugehen wünschten, weil man
dort seines Lebens sicherer war als in dem hart bedrängten
Tschigirin.

Gordon hatte Ursache, über seine Offiziere Klage zu führen.
Auch die Soldaten, insbesondere die Kosaken, erfüllten nur ungern
ihre Pflicht bei Herstellung der von den türkischen Geschossen
beschädigten Festungswerke. Gordon baute so wenig auf den
Geist seiner Truppen, dafs er dem Feldherrn Romodanoswkij,

welcher verlangte, daſs aus der belagerten Festung ein Ausfall gemacht werde, folgenden Beweis von der Unmöglichkeit eines solchen Unternehmens lieferte. In Gegenwart des von Romodanowskij abgeordneten Obersten Gribojedow wählte er 150 der besten Soldaten und 10—15 der besten Offiziere aus allen Regimentern aus, liefs sie reichlich mit Branntwein bewirten und stellte sich selbst an die Spitze dieser Abteilung, um dieselbe aus dem Retranchement des mittlern Bollwerks den Türken entgegenzuführen. Nur der fünfte Teil der Mannschaft folgte: die andern konnte man auf keine Weise dazu vermögen, den das Retranchement umgebenden Graben zu verlassen. Als türkischerseits Handgranaten geworfen wurden, wandte sich alles zur Flucht: Gordon suchte die Fliehenden aufzuhalten, geriet aber dadurch in die gröſste Gefahr: ein Soldat stach mit der Pike nach ihm; andere bedrohten ihn.

Die Lage wurde dadurch immer bedenklicher, daſs Romodanowskijs Evolutionen den Intentionen Gordons keineswegs entsprachen und daſs die Belagerten mit dem Hauptheere nur mit gröſster Schwierigkeit in Verkehr blieben. Die Türken stürmten von allen Seiten; mehrere Gebäude in der Festung gerieten in Brand; an mehreren Stellen wurde man mit den Türken handgemein. Die Besatzung begann auf ihre Rettung zu denken.

Während Gordon selbst unablässig bemüht war, die am meisten bedrohten Punkte zu behaupten, erfuhr er am Abend des 11. August, daſs viele Offiziere bereits ihr Gepäck in das Lager Romodanowskijs hinüberzuschaffen begonnen hätten. Er überhäufte sie mit Vorwürfen. Ein Offizier behauptete, es sei ein mündlicher Befehl angelangt, die Festung zu verlassen. Gordon erklärte, er werde ohne einen schriftlichen Befehl keinen Schritt zurückweichen. Eine solche schriftliche Weisung erhielt er denn auch um 3 Uhr nachts, nachdem manche Obersten die Festung bereits eigenmächtig verlassen hatten. Gordon traf nun Anstalten, daſs die in der Festung befindlichen Kanonen entweder mitgenommen oder eingegraben würden, und erzählt, daſs die russischen Offiziere sich geweigert hätten, seinen Befehlen nachzukommen, während einige

Brückner, Ruſsland. 25

Ausländer ans Werk gingen. Indessen fehlte es an Leuten, und
Gordon mußte die Kanonen ihrem Schicksale überlassen. Um
die Soldaten möglichst lange zum Verbleiben in der Festung zu
vermögen, hatte Gordon sein silbernes Service auf den Tisch
stellen lassen: er wollte zeigen, daß die Gefahr nicht so aufs
äußerste gestiegen sei und daß man noch Zeit habe, den Rückzug in geordneter Weise zu regeln. Indessen war kein Halten
mehr. Alles rettete sich. Zuletzt blieb Gordon nur mit wenigen
Soldaten in der Festung. Er befahl zwei Soldaten, Feuer an
die hölzernen Bastionen zu legen. Sie gehorchten nicht. Eigenhändig hat dann Gordon selbst das Munitionshaus in Brand
gesteckt.

Außerordentlich drastisch, spannend, romanhaft ist Gordons
einfache, schmucklose Erzählung, wie er als der letzte die
Festung verließ, die Wälle überkletterte, von dem Dunkel der
Nacht begünstigt durch die dichten Haufen der Feinde kam und
nach mancherlei Gefahren völlig erschöpft im Lager der Bojaren
erschien, welche, ohne eine Schlacht gewagt zu haben, über den
Rückzug der ganzen Armee berieten. Es gab dabei noch einige
Scharmützel mit Türken und Tataren, bei denen Gordon wesentliche Dienste leistete.

Seine Erzählung von der Belagerung Tschigirins beschließt
Gordon mit den Worten: „So wurde Tschigirin verlassen und
verloren, nicht erobert" (I. 540). Er konnte mit Genugthuung
seiner Anteilnahme an diesen Ereignissen gedenken: er hatte in
ausgedehntestem Umfange seine Pflicht gethan. Der Mißerfolg
war dem Mangel an Disziplin und der zaudernden Handlungsweise
Romodanowskijs zuzuschreiben. Hätten alle ihre Pflicht so eifrig
erfüllt wie Gordon, so wäre Tschigirin nicht verlassen worden.
Es war ein harter Schlag für Rußland. Gordon selbst, welcher
jahrelang in Kleinrußland lebte, konnte den Umfang dieses Ver-
lustes am besten ermessen. Tschigirin war einst die Residenz
des berühmten Hetmans Bogdan Chmelnizki gewesen.

Die Regierung lohnte die Verdienste Gordons mit Verleihung
des Ranges eines Generalmajors (II. 363), was übrigens Gordon

nicht hindern konnte, seine Entlassungsaogelegenheit weiter zu betreiben. Da das Tagebuch vom September 1678 bis zum Januar 1684 eine Lücke aufweist, so wissen wir nur aus einzelnen in andern Teilen desselben verstreuten Anmerkungen, dafs seine nach Beendigung der Tschigirin-Feldzüge wiederholte Bitte um Entlassung abermals kein Gehör fand. Man bedurfte seiner in Kijew, weil ein Angriff der Türken auf diese Stadt erwartet wurde. In Kijew verblieb er bis zum Jahre 1686.

Dafs Gordon während der Unruhen der Strelzy bei Gelegenheit des Thronwechsels 1682 nicht in Moskau war, kann als ein Glück für ihn gelten. Er hätte leicht das Los mancher hochgestellter Beamten und Militärs teilen können, welche damals unter den Händen des Soldatenpöbels ihr Leben aushauchten. Auch Romodanowskij war ein Opfer dieser Exzesse geworden. Gordons Streben, Mannszucht zu üben, konnte leicht dazu führen, dafs die Soldateska ihn hafste. Überdies war er ein Ausländer, ein Ketzer.

Der Kampf um Kleinrufsland, welcher 27 Jahre gewährt hatte, schlofs mit dem Frieden, den Rufsland mit der Türkei 1681 vereinbarte. Der Waffenstillstand mit Polen (der Vertrag von Andrussow war kein eigentlicher Friedenstraktat gewesen, sondern hatte nur eine Art Provisorium geschaffen) wurde 1678 auf 13 Jahre erneuert. Der endgültige Friede mit Polen kam 1686 zustande.

Das Ergebnis war, dafs Kijew in Rufslands Händen verblieb. Dagegen gab es um der Saporoger Kosaken willen, welche sich unter der Oberhoheit beider Mächte befinden sollten, mancherlei Konflikte mit Polen, über deren Verlauf der verloren gegangene Teil von Gordons Tagebuch unzweifelhaft viel instruktive Angaben enthielt.

Gordons Stellung in dieser Zeit war angesehen und ehrenvoll. Er folgte mit Umsicht den politischen Ereignissen; er beriet häufig mit dem Hetman Kleinrufslands, Ssamoilowitsch; er liefs allerlei Befestigungsarbeiten ausführen. Indessen gab es für ihn, soweit uns das Tagebuch der Jahre 1684 und 1685

25*

darüber unterrichtet, eine Art Stillleben. Es ist viel von ge-
selligen Freuden, von Bällen, Maskeraden, Jagdpartien und
Picknicken die Rede, welche insbesondere in den Kreisen der
Ausländer stattfanden.

Eine wichtige Episode war ein kurzer Aufenthalt in Moskau,
Anfang 1684. Dort spielte als hervorragendster Minister der
Regentin Sophie der Fürst Wassilij Wassiljewitsch Golizyn die
Hauptrolle. Mit diesem war Gordon bereits früher oft zusammen-
gekommen. Jetzt fanden längere Unterredungen zwischen Gordon und Golizyn statt; man beriet über die Lage Kleinrußlands,
die Beziehungen zu Kaiser Leopold, die Orientalische Frage.
Golizyn war zu einer gröfsern Unternehmung gegen die Tataren
geneigt, hegte aber kein Vertrauen zu Polen und erkannte die
Schwierigkeiten eines Feldzugs in dem heutigen Südrufsland.
Gordon dagegen hoffte zuversichtlich auf Erfolg. Von Golizyn
aufgefordert, verfafste er ein recht umfangreiches Memoire über
die Möglichkeit des Gelingens einer aggressiven Bewegung gegen
die Krim. [1])

Das Aktenstück ist im Tagebuche mitgeteilt. Gordon geht
diesmal, was sonst nicht leicht vorkommt, über das Militär-
technische hinaus und bringt allerlei politische Erwägungen vor.
Unter den gegen ein solches Unternehmen geltend zu machenden
Gründen führt er die Minderjährigkeit der Zaren an. ,,Die
Regentschaft,“ meint er, ,,könne leicht im Falle des Mifserfolgs
sich den Zorn des bald mündig werdenden Zaren zuziehen: bei
der Zweiherrschaft könnte leicht in den höchsten Kreisen Zwie-
tracht und Hader entstehen, es gäbe dann Parteiung unter den
Bojaren, allerlei Gefahren für den Staat.“ Auch auf den Geldmangel, die Mifslichkeit eines Angriffskriegs vom Standpunkte
des Völkerrechts, die Unzuverlässigkeit Polens wies Gordon in
seinem Gutachten hin. Indessen sucht er alle diese Bedenken
zu zerstreuen: er zählt einige Fälle auf, in denen während der
Minderjährigkeit vom Fürsten erfolgreiche Kriege geführt wurden.

---

[1]) S. d. vorhergehende Abhandlung über den Fürsten Golizyn.

Parteiungen der Bojaren entsprächen dem Interesse der letzteren
nicht. Das Heer müsse man durch Belohnungen und Strafen
willig machen; gegenüber den treubrüchigen Tataren sei ein
Angriffskrieg gestattet; auf Polen könne man bauen; ja um
Polens willen müsse man Krieg führen, weil Polen sonst Rufsland zuvorkommen und mit den Tataren Krieg führen werde,
was Rufsland keinesfalls wünschen dürfe. Ein siegreiches Polen
werde ein unbequemer Nachbar; ein besiegtes, am Ende gar in
einen Vasallenstaat der Türkei verwandeltes Polen werde die
Sicherheit Rufslands kompromittieren. Auch allgemeine ideale
Gesichtspunkte, welche an die Zeit der Kreuzzüge erinnern,
macht Gordon geltend. Er meint, es heifse „Gott einen wesentlichen Dienst leisten", wenn man viele Christen aus der Gefangenschaft befreie und den Tataren, dieser Ausgeburt der Hölle, die
Krim entreifse. Die technischen Schwierigkeiten des Feldzugs,
die Verpflegung der Truppen in der Steppe, erörtert Gordon
ebenfalls, kommt aber zu dem Ergebnis, dafs an einem günstigen
Erfolge kaum gezweifelt werden dürfe.

Es ist anziehend, wie in diesem Schriftstück Richtiges und
Verkehrtes sich beisammenfinden. Die Besorgnis, dafs ein Mifserfolg in der auswärtigen Politik die Grundlage des Staates
erschüttern werde, sollte sich als durchaus gegründet erweisen.
Peters Unwille über die fehlgeschlagenen Feldzüge in der Krim,
1687 und 1689, war Hauptveranlassung zu dem Sturze der
Regentin und Golizyns. Die Bojaren traten in zwei Parteien
auseinander. — Anderseits hatte Gordon in der Hauptsache
unrecht. Er glaubte an einen Erfolg; er hielt die Einnahme der
Krim für möglich. Darin täuschte er sich. Einen solchen grund-
losen Optimismus teilte er mit dem serbischen Publizisten Jurij
Krishanitsch, welcher ein Jahrzehnt vor Gordon in einem ausführlichen Memoire ebenfalls die Eroberung der Krim als ein
sehr wohl zu bewerkstelligendes Unternehmen empfohlen hatte. [1]

---

[1] Vgl. meine Abhandlung: Jurij Krishanitsch und die Orientalische
Frage in der Zeitschrift: Das alte und neue Rufsland (russisch), De-
zemberheft 1876.

Darüber, wie Golizyn Gordons Gutachten aufgenommen habe, wissen wir nichts. Gewifs ist, dafs die Unternehmung gegen die Krim erst drei Jahre später begann.

Gordon verblieb Anfang 1684 nur wenige Wochen in Moskau. Sein Wunsch, überhaupt in die Hauptstadt übersiedeln zu dürfen, blieb unerfüllt. Die Regentin Sophie, welche ihn empfing, befahl ihm ausdrücklich, nach Kijew zurückzukehren. Es half kein Widerspruch: er mufste sich fügen.

Um so eifriger bat Gordon von Kijew aus, wohin er zurückgekehrt war, wenigstens um einen Urlaub zu einer Reise nach Schottland. Aus den zahlreichen Angaben über diese Angelegenheit in dem Tagebuche ersehen wir wiederum, dafs der König Karl II. versprochen hatte, sich für Gordon bei den Zaren Iwan und Peter zu verwenden. Gordon korrespondierte mit einer grofsen Zahl von Personen über diese Frage; er legte eine grofse Zähigkeit bei Verfolgung seines Ziels an den Tag. In einer umfassenden Klageschrift schilderte er seine Verhältnisse und zeigte, wie dringend er seine Rückkehr nach der Heimat wünschen müsse: seine Eltern waren 1684 gestorben; es galt jetzt seine Vermögensverhältnisse zu ordnen, ein bedeutendes Erbe anzutreten. Er klagt über die Nichterfüllung der ihm in Rufsland gemachten Zusagen, über Geldmangel, über seine geschwächte Gesundheit, darüber, dafs den Katholiken der Gottesdienst nicht gestattet sei u. s. w. Nicht ohne Bitterkeit sagt er, dafs man ihn nicht gekauft habe wie eine Ware, dafs er nicht als Kriegsgefangner, sondern als freier Mann ins Land gekommen sei. Zum Schlusse droht er, seine Familie werde, im Falle seines Todes, dem Staate zur Last fallen (II. 83—91).

Wie ganz anders empfand Gordon als Franz Lefort, mit welchem er in dieser Zeit viel verkehrte! Leforts Gattin war eine Nichte des Obersten Bockhoven, Gordons Schwiegervater. Lefort lebte in Kijew längere Zeit in Gordons Hause. Auch wenn Gordon in Moskau anwesend war, besuchte er Lefort häufig. Später sollten beide, in den neunziger Jahren, in dem Verkehr mit dem jungen Zaren Peter als Rivalen auftreten. Inbezug auf Anlagen und Temperament unterschieden sie sich sehr wesentlich voneinander. Gordon war zu allererst Geschäftsmann, technischer Militär; Lefort vor allem leichtlebiger Gesellschafter. An Kriegserfahrung, politischer Bildung war Gordon seinem jüngern Genossen weit überlegen; Lefort blieb als Militär stets Dilettant. Durch seine sympathische Persönlichkeit, durch seine liebenswürdigen geselligen Talente war Lefort für die Rolle eines Günstlings wie geschaffen. Gordon, bei welchem der Ernst der Geschäfte die Genufssucht überwog, die Energie des Charakters mehr bedeutete als angebornes Talent, die Selbständigkeit des Willens stärker war als die Fügsamkeit der Laune andern gegenüber — trachtete mehr danach, dem Staate, dem er diente, zu nützen, als die Rolle eines dem Fürsten befreundeten Höflings zu spielen.

Beide, Gordon wie Lefort, dachten damals daran, Rufsland zu verlassen. Bei Lefort war es ein vorübergehender Wunsch; bei Gordon eine Art System, ein Lebensplan. Lefort erscheint als gesinnungsloser Kosmopolit, als eine Art Zigeunernatur neben dem konsequenten, als Katholik und Royalist starr an der Partei der Stuarts festhaltenden Gordon. Als Lefort während seines Aufenthaltes in der Schweiz beredet wurde, nicht wieder nach Rufsland zurückzukehren, sondern etwa in Deutschland oder Frankreich, oder England, oder Holland Dienste zu nehmen, bestand er darauf, in Rufsland Karriere machen zu wollen. [1]) Gordon dagegen hatte jedesmal, wenn er zeitweilig in seiner Heimat war, mehr und mehr das Gefühl davon, dafs er allein dorthin und nicht nach Rufsland gehöre. Selbst als mit dem Umschwunge des Jahres 1689 Gordons Stellung durch seine persönlichen Beziehungen zu dem Zaren Peter eine grofse Bedeutung gewonnen hatte, hörte er nicht auf an die Rückkehr in die Heimat zu denken. Gordon und Lefort befanden sich auch nicht in gleichen Verhältnissen. Lefort war ohne Vermögen, genofs kein Ansehen im westlichen Europa, hatte keine Verbindungen, gehörte keiner Partei an; in Rufsland eher als anderswo konnte er auf eine

---

[1]) Posselt 1. 312.

glänzende Laufbahn rechnen. Gordon dagegen war in Schottland
ein angesehener Grundbesitzer, Mitglied der königlichen Partei,
persönlich bekannt mit den Königen Karl II. und Jakob II.,
reich an Beziehungen zu hervorragenden Personen in verschiedenen
Ländern; er konnte stets sicher darauf rechnen, am Hofe der
Stuarts eine ehrenvolle Stellung einzunehmen. Namentlich die
erschütternden Ereignisse des Jahres 1688 in England liefsen
ihn auf das lebhafteste wünschen, seine ganze Kraft, sein Leben,
sein Vermögen dem Kampfe für die Stuarts zu weihen. Lefort
war aller Politik gegenüber mehr oder weniger gleichgültig, er
hatte seine Sache auf nichts gestellt; er huldigte dem Grund-
satze „Ubi bene, ibi patria“; der Augenblick war ihm alles, die
Zukunft wenig. Mit warmem Herzen und inniger Freundschaft
hing er seit dem Jahre 1689 Peter an. Gordon verlor dagegen
keinen Augenblick seine Pflichten gegen England und Schottland,
gegen die Stuarts, gegen die Kirche, gegen seine Familie und
gegen sich selbst aus den Augen.

Gordon erreichte sein Ziel nicht. Er mufste sich im Jahre
1686 mit einer Urlaubsreise nach Schottland begnügen. Es war
das letzte Mal, dafs er sein Vaterland sah.

Nach mancherlei Verhandlungen erlangte er durch die Gunst
des Bojaren Golizyn die Erlaubnis zur Reise. Doch mufste er
seine Gattin und seine Kinder, gewissermafsen als Geiseln, in
Rufsland zurücklassen. Bei der Abschiedsaudienz empfahl ihm
die Regentin Sophie scharf und dringend baldige Rückkehr. Als
er sich bei Golizyn verabschiedete, bat ihn dieser ebenfalls auf
das dringendste, nur ja zurückzukehren, weil er, der Fürst, für
Gordons Rückkehr Bürgschaft leisten müsse, demnach sich der
allergröfsten Gefahr aussetze, wenn Gordon ausbleibe (II. 119—120.)[1])

---

[1]) Was im 17. Jahrhundert ein solches Bürgschaftleisten in Rufsland bedeutete, erfahren wir aus Kotoschichins Schrift über Rufsland
in der Zeit des Zaren Alexei, Kapitel IV. §. 24. Kehrte jemand nicht
rechtzeitig aus dem Auslande zurück, so wurden dessen Bürgen und
Verwandten gefänglich eingezogen, der Folter, der Vermögenseinziehung
u. s. w. unterworfen.

Es wurde Gordon zur Pflicht gemacht, an jedem Posttage an Golizyn zu schreiben. So mochte der Fürst leichter instand gesetzt sein, der Reise Gordons zu folgen.

Reise nach Schottland 1686. Degradation.

Gordons Reise nach England im Jahre 1666 hatte einen durchaus offiziellen Charakter gehabt. Er hatte damals keine Gelegenheit, seine Heimat zu besuchen, seine Verwandten zu sehen. Von der 1669—70 unternommenen Reise dürfen wir annehmen, daß Gordon dieselbe als Privatmann gemacht habe. Mit Gewißheit kann man dieses von der Reise im Jahre 1686 sagen.

Gordon berichtet in seinem Tagebuche sehr ausführlich über die Einzelheiten seines Aufenthalts in der Heimat, ohne daß wir Veranlassung hätten, auf dieselben hinzuweisen. Wir fassen den Reisebericht ganz kurz in den Hauptpunkten zusammen. Gordon reiste Anfang Februar aus Moskau ab, über Nowgorod und Riga nach Memel; in Braunsberg bei Königsberg besuchte er seinen Sohn James, welcher sich in dem dort befindlichen Jesuitenkollegium aufhielt. Dann reiste er über Holland nach London, wo er unter anderm den Lord Melfort besuchte[1]) und einigemal bei Hofe erschien. Der König Jakob II., welcher Gordon als eifrigen Anhänger des Hauses Stuart kannte, behandelte ihn mit Wohlwollen, ja, fast kann man sagen, mit Auszeichnung.

In London fühlte sich Gordon so recht in seinem Element. Seine Partei war am Ruder. Hatte er doch Cromwell einst als „Erzverräter" bezeichnet, und, als 1657 einige seiner Landsleute einen diplomatischen Agenten Cromwells, Bradshaw, umbringen wollten, das Unternehmen gelobt (I. 146 und 154). Alljährlich pflegte er während seines Aufenthaltes in Rußland am 29. Mai den Geburtstag des Königs Karl II. im Kreise von Landsleuten zu feiern. Selbst in Tschigirin fand eine solche Feier statt. Mit

---

[1]) Über diesen vgl. Macaulay (Tauchnitz' Edition), VI. 428; nach der Revolution von 1688 hielt sich Melfort in Rom auf, wo er für Jakob II. wirkte.

Schmerz vernahm er die Nachricht von dem Tode Karls II.; auch
später wird in Gordons Hause der 29. Mai als ein Tag des Ge-
dächtnisses gefeiert. Mit Spannung erfuhr Gordon von den Ereignissen nach der Thronbesteigung Jakobs II., von der Verschwörung Monmouths und der Hinrichtung desselben (II. 107).
Bald darauf erschien er selbst am Hofe Jakobs, welcher sich von
ihm über die Lage in Moskau berichten liefs. Auch dem Schwieger-
sohne des Königs, dem Prinzen Georg von Dänemark, wurde
Gordon vorgestellt. Im Garten des Palastes von Saint-James
traf er auf seinen Spaziergängen ein paarmal mit dem Könige
zusammen, und nahm an einem Ausfluge teil, welchen Jakob II.
nebst seinem Gefolge auf der Themse unternahm. Bei dieser
Gelegenheit mufste Gordon, welcher dem Könige mancherlei
Einzelheiten über die Belagerung von Tschigirin erzählt hatte,
seine Ansicht inbetreff einiger in der Nähe der englischen Hauptstadt anzulegenden Festungswerke mitteilen. Er traf ferner mit
dem Könige bei dem katholischen Gottesdienste im Palast, bei
einer Theatervorstellung — es wurde „Hamlet" gegeben — zusammen. Als Gordon vor seiner Abreise nach Schottland sich
bei dem Könige verabschiedete, unterhielt sich Jakob II. noch
einmal ausführlich mit Gordon über Rufsland und schlofs mit dem
Vorschlage, Gordon solle nicht länger in Rufsland bleiben, sondern
baldmöglichst ganz nach England kommen. Der König bemerkte,
Gordon könne in allen Stücken auf seinen Schutz rechnen; er,
Jakob, werde selbst an den Zaren schreiben.

In London, wo es eine Menge von Bekannten zu besuchen
gab, verweilte Gordon drei Wochen. In Edinburgh erhielt er ein
Schreiben von dem Fürsten Golizyn mit dem Auftrage, eine Anzahl Ingenieure, Feuerwerker und Sappeure in russische Dienste
zu nehmen. Das also, was Peter bei Gelegenheit seiner Reise in
den Westen 1697 und 1698 in grofsem Mafsstabe that, hatte auch
der Minister Sophiens, der aufgeklärte Golizyn, im Auge: die
Heranziehung intelligenter Arbeitskräfte für militärische Zwecke.

Nach einem längern Aufenthalt in seiner engern Heimat bei
Aberdeen, wo Gordon mit Regelung seiner Familien- und Ver-

mögensverhältnisse beschäftigt war, reiste er im Juni zu Schiffe direkt aus Schottland nach Rufsland zurück. Seine Abwesenheit von Moskau hatte sieben Monate gewährt.

Die Eindrücke, welche er in England und Schottland empfangen hatte, das Wiedersehen mit Freunden, Verwandten und Parteigenossen, der ganze Zuschnitt des Lebens in Westeuropa auf einer höhern Kulturstufe, der Zauber eines regen politischen Wirkens, anregende soziale Verhältnisse — alles dieses mufste den längstgehegten Wunsch Gordons, mit Rufsland abzurechnen, steigern.

Aber dem Wunsche Gordons entsprach das Interesse der russischen Regierung keineswegs. Während Gordons Abwesenheit hatte man den endgültigen Frieden mit Polen geschlossen: derselbe bedeutete die gemeinsame aggressive Aktion gegen die Tataren. Entschlossen zu einem Feldzuge in die Krim, konnte die Regierung jetzt weniger als sonst jenen Gordon entbehren, welcher wenige Jahre zuvor bei Tschigirin so wesentliche Dienste geleistet und ein ausführliches Gutachten über einen Feldzug gegen die Tataren verfalst hatte. So konnte es, wenn Gordon auf seiner Entlassung bestand, leicht zu einer bedenklichen Krisis kommen.

Unmittelbar nach seiner Rückkehr verkehrte Gordon, ohne etwas über sein Vorhaben zu äufsern, ungezwungen, ja fast freundschaftlich mit dem Hauptleiter der Staatsgeschäfte, dem Fürsten Golizyn; er war oft bei demselben zu Tisch, plauderte mit ihm von seiner Reise, von England, von allerlei Vorkommnissen in Westeuropa überhaupt, fuhr mit dem Fürsten auf die Jagd. Bei einer Audienz, welche die Regentin Gordon bewilligte, dankte sie ihm, dafs er sein Wort gehalten habe und zurückgekehrt sei (II. 158—159).

Bald sollte der wunde Punkt, die Frage von der Verabschiedung Gordons, zur Erörterung kommen. Der König Jakob II. hatte sein Versprechen, in dieser Angelegenheit an die beiden Zaren schreiben zu wollen, gehalten. Schon während seines Aufenthalts in England hatte Gordon sich eine Abschrift dieses

Schreibens verschafft. Auch der Herzog Gordon hatte an den Fürsten Golizyn geschrieben und denselben in allgemeinen Ausdrücken mit vielen höflichen Redensarten um eine wohlwollende Behandlung seines Verwandten, Patrick Gordon, ersucht. [1]

Mitte September langte das Schreiben Jakobs in Moskau an und wurde, da es keinen eigentlichen Residenten in der russischen Hauptstadt gab, von dem niederländischen Gesandten Baron Keller den Zaren eingehändigt. Der holländische Gesandte in London, Citters, hatte ausdrücklich den Baron Keller ersucht, in dieser Angelegenheit, welche somit gewissermafsen die Bedeutung eines internationalen Völkerrechtsfalles erhielt, die Vermittlerrolle zu übernehmen.

Das Schreiben wurde von einem Holländer, welcher des Englischen nur unvollkommen mächtig war, ins Russische übersetzt. Gleichzeitig setzte Gordon seinerseits ein Memoire über die Angelegenheit auf. Dieses alles geschah bis zum 15. September. Da das Tagebuch eine Lücke vom 15. September bis zum 24. Oktober aufweist, wissen wir kaum etwas anderes von den Ereignissen in dieser Zeit, als dafs Gordon sein Memoire bei der betreffenden Behörde einreichte.

Als Gordon am 5. November sich mit der Bitte an den Bojaren Golizyn wendete, seine Familie aus Kijew nach Moskau kommen lassen zu dürfen, erhielt er „eine zweideutige Antwort". Da erfuhr er, nachdem er am 9. bereits Pferde und Dienerschaft nach Kijew gesandt hatte, um die Seinigen nach Moskau schaffen zu lassen, am 16. durch einige seiner russischen Bekannten, die Regierung sei entschlossen, falls Gordon nicht um Verzeihung bitte, ihn und seine Familie in eine entfernte Gegend zu verbannen. Gordon hatte sich die äufserste Ungnade zugezogen.

In der gröfsten Bestürzung eilte Gordon zum holländischen Gesandten, welcher es indessen sehr entschieden ablehnte, ein

---

[1] Vgl. diese beiden Schreiben in dem Tagebuche II. 150—151. Als Grund von Gordons wünschenswerter Rückkehr wird der Antritt des ererbten Vermögens bezeichnet. Seine Entlassung werde für viele ein Sporn sein, in russische Dienste zu treten u. s. w.

gutes Wort für Gordon einzulegen, und hinzufügte, die Russen seien aufgebracht über Jakob II., indem sie aus den Zeitungen erfahren hatten, der König von England sei nicht abgeneigt, als Bundesgenosse der Türkei aufzutreten (II. 161). Wir wissen allerdings, dafs König Jakob sich keiner Beliebtheit bei der russischen Regierung erfreute. Golizyn sagte etwas später einmal zu Gordon: „Mit dem Vater und Bruder eures Königs konnten wir uns so ziemlich vertragen, aber mit dem jetzigen Könige können wir auf keine Art zurechtkommen, denn er ist über die Mafsen stolz" (II. 226). Als Jakob bald darauf stürzte, war die russische Regierung sehr zufrieden mit dieser Veränderung.

Gordon suchte sich die Fürsprache anderer Gönner zu sichern. Aber überall erfuhr er, die Regentin sei über Gordons Eigensinn höchlichst erzürnt und wolle ihn exemplarisch bestrafen. Man sagte ihm, es drohe ihm und seiner Familie das schlimmste Unheil, wenn er nicht schnell um Verzeihung bitte. In einer so bedenklichen Angelegenheit konnte er auf niemandes Hilfe rechnen. Er bemerkt in seinem Tagebuche, er habe die ganze Nacht nicht schlafen können, und fügt hinzu, das Schlimmste sei, dafs er niemand habe, dem er seine Gedanken mitteilen könne, da er überall nur auf Eigennutz oder Gleichgültigkeit stofse und auch in der That vielleicht niemand im stande sei ihm zu helfen.

Am 22. November begab er sich nach Ismailowskoje, einem Lustschlosse in der Nähe der Hauptstadt, wo der Hof weilte. Dort empfing ihn Golizyn sehr ungnädig, überhäufte ihn mit Vorwürfen und liefs sogleich ein Dekret ausfertigen, demzufolge Gordon, zum Fähnrich degradiert, sogleich verbannt werden sollte. Die anwesenden russischen Grofsen thaten das Ihrige, dem Fürsten Golizyn beizustehen und Gordon auch ihrerseits mit Vorwürfen zu überhäufen, indem sie bemerkten, nur durch die unverzügliche Bitte um Vergebung könne Gordon sein Schicksal mildern.

Wohl oder übel mufste Gordon in Rücksicht auf seine Familie sich entschliefsen, ein an die Regierung gerichtetes Papier aufzusetzen, in welchem er, übrigens mit einiger Zurückhaltung, um Entschuldigung dafür bat, dafs er mit seiner Bitte um Entlassung

den Unwillen der Zaren erregt habe, und ferner zu dienen versprach. In den mafsgebenden Kreisen wurde dieses Schreiben
nicht devot genug befunden. Man drohte Gordon nochmals mit
der Strafe der Verbannung. Da erklärte er, man möge den Entwurf einer Bittschrift aufsetzen lassen: er werde alles unter-
schreiben. Ein paar Tage später erhielt er dann auch einen
solchen Entwurf, welchen er, mit Weglassung einiger „unschick-
licher Stellen", abschrieb und überreichen liefs. „Als das Papier,"
erzählt er in seinem Tagebuche, „in dem Geheimen Rate vor-
gelesen wurde, herrschte ein tiefes Stillschweigen; auch die Prinzessin sagte nicht ein Wort, da jedermann wufste, dafs Gordon
durch Gewalt und Drohungen dazu war gezwungen worden."

So kam es denn nicht zu einer Verbannung Gordons. Am
11. Dezember erhielt er Verzeihung. Er war nominell einige
Tage hindurch Fähnrich gewesen.

Inzwischen ereignete sich noch ein seltsamer Zwischenfall.
In England wufste man von Gordons Mifsgeschick nichts; man
bedurfte aber einer diplomatischen Vertretung in Rufsland. Indem
man Gordon zum englischen Residenten ernannte, meinte man
gleichzeitig seine Befreiung aus russischem Kriegsdienste bewirken
zu können.

Am 29. November, also noch während der Zeit der Ungnade,
empfing Gordon von dem Grafen Middleton und den Staatssekre-
tären des Königs von England offizielle Schreiben mit der Nachricht, er sei zum aufserordentlichen englischen Gesandten am
russischen Hofe ernannt: die Beglaubigungsschreiben sowie eine
ausführliche Instruktion seien bereits unterwegs. In England
meinte man, Gordon sei noch in Riga, und wies ihn an, bis auf
weiteres dort zu verbleiben.

Gordon war sehr angenehm überrascht, machte dem holländischen Residenten sowie einigen höheren Beamten des Auswärtigen
Amtes vorläufige Mitteilung von dem Geschehenen und begab sich
mit dem Schreiben des Grafen Middleton zum Fürsten Golizyn.

Alsbald erfolgte die Entscheidung. Die Regierung erklärte
sehr kühl, Gordon könne nicht englischer Gesandter werden, da

man seiner Dienste in dem bevorstehenden Kriege bedürfe; wolle der König einen andern Gesandten ernennen, so werde ein solcher sehr wohl aufgenommen werden.

So endete diese Episode. Gordon bemerkt bitter, Gerechtigkeit und Billigkeit seien auf seiner Seite gewesen, aber alle seine Vorstellungen seien als Fabeln und Märchen behandelt worden.

Selbst Gordons Bitte, man möge ihm aus dem Auswärtigen Amte eine Abschrift der Entscheidung geben, damit er dieselbe an den König Jakob II. senden könne, wurde abschlägig beschieden. Umgekehrt verlangte man, dafs Gordon das von ihm im Auftrage der Regierung als Antwort auf das Schreiben des Grafen Middleton verfafste Aktenstück vor Absendung desselben vorweise. Man darf annehmen, dafs Gordon in andern Briefen nach England mit seinen persönlichen Ansichten über die ganze Angelegenheit nicht werde zurückgehalten haben.

Gordons Verbannung in entferntere Gegenden des Reiches sowie eine Degradierung zum Fähnrich waren ebenso unthunlich wie seine Entlassung aus russischem Dienste. Man bedurfte seiner: man bedurfte nicht eines Fähnrichs Gordon, sondern eines Generals Gordon. Am 2. Januar 1687 erhielt er den Rang eines Generals. Seine Beziehungen zu dem Fürsten Golizyn waren wie zuvor. [1] Inzwischen war seine Familie in Moskau eingetroffen. Gordon richtete sich abermals in der deutschen Vorstadt zu bleibendem Aufenthalte ein, ohne den Gedanken an eine Rückkehr in die Heimat, dem wir in zahlreichen Briefen aus den Jahren 1690 und 1691 begegnen, aufzugeben.

Bald sollten indessen andere Unternehmungen und der in Rufsland erfolgte Umschwung (1689) einen Wendepunkt in seinem Leben abgeben.

---

[1] Korb, Diarium itineris, S. 216, bemerkt, Golizyn habe einen Hafs auf Gordon geworfen, und stellt die Sache so dar, als sei Gordon erst nach dem Jahre 1689 durch Peter rehabilitiert worden. Dafs Gordon bei den Ereignissen des Jahres 1689 sich durch ein Rachegefühl gegen Golizyn habe leiten lassen, wie Posselt, II. 665, meint, scheint uns nicht zu begründen zu sein.

Feldzüge in die Krim 1687 und 1689. Umschwung 1689.

Aus den zahlreichen und wichtigen Angaben über die Vorbereitungen zu dem Feldzuge in die Krim 1687 in Gordons Tagebuche ist zu ersehen, daſs er das Vertrauen des ersten Ministers W. Golizyn, welcher zugleich in der Armee den Oberbefehl führte, in hohem Grade genoſs. Bei Besichtigung der Truppen dankte der Fürst dem General in den verbindlichsten Ausdrücken für die musterhafte Ordnung in denjenigen Truppenteilen, welche Gordon befehligte.

Nun sollte sich zeigen, ob Gordons Optimismus inbetreff eines gegen die Tataren zu unternehmenden Feldzuges berechtigt war oder nicht. Leider weist das Tagebuch wiederum eine Lücke vom 23. Februar bis zum 3. Mai auf, und in diese Zeit fiel gerade die Mobilmachung der Truppen, welche, wie wir aus andern Quellen wissen, mit nur zweifelhaftem Erfolge durchgeführt wurde. Die verschiedenen Teile der Armee sammelten sich nur langsam und unvollständig. Auch Fälle von Widerspenstigkeit und mangelhafter Mannszucht kamen vor. Nicht umsonst hatte sich Gordon über diese Miſsstände während der Tschigirin-Feldzüge beklagt. Auch Golizyn muſste es jetzt erfahren, wieviel der Geist und die Organisation der Armee zu wünschen übrig lieſsen.

Soweit Gordons Tagebuch erhalten ist, — es weist abermals vom 20. Mai bis zum 12. Juni eine Lücke auf — dient es als Hauptquelle für die Geschichte des Feldzuges, welcher bekanntlich sehr kläglich verlief. Eine maſsgebende Rolle scheint Gordon, welcher übrigens an den Beratungen der Offiziere teilnahm, nicht gespielt zu haben. Am 17. Juli beschloſs man, weil die Verpflegung des Heeres allzugroſse Schwierigkeiten darbot und dazu der Steppenbrand groſsen Schaden anrichtete, umzukehren, ohne den Feind auch nur gesehen zu haben.

Trotz dieses Miſserfolgs, den man hinter prahlerischen Manifesten zu verbergen suchte, gab es Belohnungen für die Befehlshaber. Aus der Abstufung derselben kann man auf die Stellung Gordons in der Arme schlieſsen. Golizyn erhielt eine Denk-

münze nebst Kette im Werte von 300 Dukaten; die andern Bo-
jaren, welche als Generale dienten, Medaillen im Werte von 9
Dukaten; Gordon erhielt eine solche von 5 Dukaten; noch andere
Personen erhielten geringere Medaillen (II. 195).

Auf dem Rückwege fiel Gordon die Ausführung eines peinlichen Auftrags zu. Der Hetman Kleinrußlands, Ssamoilowitsch,
mit welchem Gordon während seines Aufenthaltes in Sajewsk und
Kijew in lebhaftestem und, wie es scheint, freundschaftlichstem
Verkehr gestanden hatte, war — denn doch wohl infolge einer
Intrige, ohne Schuld seinerseits — des Hochverrats angeklagt
und seines Amtes entsetzt worden. Die ganze Familie wurde
gerichtlich verfolgt. Gordon hatte nun den ebenfalls verhafteten
Sohn des gestürzten Hetmans bis Sajewsk zu eskortieren.

Nach siebenmonatlicher Abwesenheit kehrte Gordon nach
Moskau zurück, wo er das durch den Feldzug unterbrochene, an
geselligen und Familienfreuden reiche Leben wieder aufnahm.
Als die Regierung an der Mündung der Ssamara (Nebenfluß des
Dnjepr) ein starkes Fort, Bogorodizk, erbauen ließ, wurde
Gordon bei Entwerfung des Planes als Sachverständiger zugezogen.
Auch in andern militärisch-technischen Fragen hatte er Rat zu
erteilen und wohnte allerlei Versuchen mit neuen Geschützen bei.
Beachtenswert ist der Umstand, daß im Jahre 1688 die klein-
russischen Kosaken den Wunsch äußerten, daß Gordon wiederum
als Befehlshaber nach Kleinrußland kommen möge, ein Zug,
welcher auf eine gewisse Popularität Gordons schließen läßt.

Auch eine Auszeichnung wurde ihm zu teil. Zu dem Titel
eines vollen Generals wurde ihm das Recht verliehen, sich mit
einem „witsch" zu schreiben, d. h. seinem Namen denjenigen
seines Vaters mit der Endung „witsch" hinzuzufügen. Er bemerkt
in seinem Tagebuche, daß er dieses Recht nur darum so spät
erhalten habe, weil er nicht früher darum nachgesucht habe.

In das Jahr 1688 fallen die ersten Beziehungen Gordons zu
dem jungen Zaren Peter. Diese waren nicht so sehr persön-
licher als offizieller Natur. Peter war in dieser Zeit gerade mit
seinen Spielregimentern beschäftigt und wandte sich dazwischen,

wenn er Soldaten oder Waffen oder Regimentsmusik brauchte, an Gordon.

In das Jahr 1688 fällt dann auch die englische Revolution. Gordon hatte den Schmerz, den Thron seines Königs zusammenbrechen zu sehen. Die Vorbereitungen zu dem zweiten, für das Jahr 1689 in Aussicht genommenen Feldzug mochten dazu beitragen, den Kummer um die vom Standpunkte Gordons aus zu beklagenden Ereignisse in Grofsbritannien zu zerstreuen. An diesen Vorbereitungen nahm Gordon regen Anteil, ohne dafs er dabei eine hervorragende Rolle gespielt hätte. Im Jahre 1684 hatte er ein Memoire über die orientalische Frage abfassen müssen. Jetzt wandte sich die Regierung in dieser Angelegenheit an den neuen Hetman Kleinrufslands, Maseppa.

Übrigens ersehen wir, dafs Gordon in dieser Zeit in den höchsten Kreisen, am Hofe, einflufsreiche Gegner hatte. Als einst Beratungen über den bevorstehenden Feldzug gepflogen wurden, erging sich der Patriarch in starken Ausdrücken über Gordon und bemerkte, man dürfe nicht auf Erfolg rechnen, wenn man einem Ketzer das Kommando über Bestandteile der Armee anvertraue. Gordon bemerkt, indem er von dieser Episode erzählt, dafs die Bojaren gelächelt und die Einwendungen des Kirchenfürsten nicht weiter beachtet hätten (II. 233).

Als der Feldzug (diesmal etwas früher als 1687) im Februar 1689 begann, hatte Gordon ein militär-technisches Gutachten über die Art, wie marschiert und wie die Armee verpflegt werden sollte, auszuarbeiten. Hier betonte er die Notwendigkeit der Errichtung von Forts, in denen Munition und Lebensmittelvorräte angehäuft werden sollten. Indessen hielt Golizyn es nicht für angemessen, Gordons Ratschlägen zu folgen. Die Errichtung der Forts unterblieb.

In der Schilderung der Einzelheiten des Feldzuges ist von Gordon selbst so gut wie gar nicht die Rede. Nur eines von Gordon verfafsten Gutachtens über die Operationen des linken Flügels der Armee ist erwähnt.

Auch der zweite Feldzug verlief kläglich. Die Hoffnungen,

welche Gordon 1684 gehegt hatte, erwiesen sich abermals als eitel. Die Unternehmung scheiterte an der schlechten Organisation der Armee, an dem Kleinmute des Feldherrn Golizyn, welcher sogar in Verdacht blieb, sich von den Feinden habe bestechen zu lassen. Übrigens ist Gordons Tagebuch in dieser Hinsicht fragmentarisch und bietet über die wichtige, das Verhalten Golizyns betreffende Frage keinerlei Aufschlufs. — Insofern Gordon die Nachhut befehligte, welche von den verfolgenden Tataren umschwärmt wurde, hatte er bei dem Rückzuge von 1689 Gelegenheit, sehr wesentliche Dienste zu leisten.

Der zweite Mifserfolg war von grofser Bedeutung für die Stellung der Parteien bei Hofe. Diesmal, wo man wenigstens in verschiedenen Scharmützeln mit den Tataren gekämpft hatte, bauschte die Regentin Sophie in ihren Manifesten diese Ereignisse zu angeblichen Siegen auf. Dieser Schönfärberei entsprechend, sollten auch die Belohnungen an die Generale recht splendid ausfallen.

Da brach denn bei dieser Gelegenheit zwischen dem Zaren Peter und dessen Stiefschwester der Konflikt aus. In Moskau täuschte man sich nicht über den eigentlichen Verlauf des Feldzuges. Alle Symptome der steigenden Unzufriedenheit Peters, welcher die den Militärs zu verleihenden Belohnungen mifsbilligte, finden sich in Gordons Tagebuche. Am 26. Juli erzählt er, man habe den jungen Zaren mit Mühe überredet, die Belohnungen zu gestatten. Demgemäfs erhielt Gordon einen Monatssold, 20 Paar Zobel, einen silbernen Becher, reiche Stoffe und eine Medaille im Werte von 30 Dukaten. Denselben Tag aber kam Peters Zorn in der Weise zum Ausdruck, dafs er die Belohnten, welche dem Zaren ihren Dank darbringen wollten, nicht empfing. Dies wurde Gegenstand lebhafter Gespräche im Publikum. Alle erwarteten eine Katastrophe, doch drückte sich jedermann möglichst vorsichtig und zurückhaltend aus. Es war gefährlich, für irgend jemand Partei zu ergreifen. Die gespannte Lage bei Hofe blieb Gegenstand allgemeiner Aufmerksamkeit in den folgenden Tagen. Die Vorgänge spitzten sich zu einem totalen Bruche zwischen

26*

Peter und der Regentin zu. Am 7. August verbreitete sich
das Gerücht, Peter sei aus Preobrashenskoje in das Troizakloster
übergesiedelt.

Diese Nachricht regte alle auf. Gordon folgte allen Einzelheiten der Vorgänge und fuhr inzwischen mit seinen gewohnten
Arbeiten, dem Exerzieren der Truppen, dem Führen seiner ausgedehnten Privatkorrespondenz u. s. w. fort. Er vernahm, daſs
mehrere Strelzyregimenter auf den Ruf Peters nach Troiza gegangen seien, selbst aber dachte er zunächst nicht daran, der
Regentin Sophie untreu zu werden und in Peters Lager überzugehen. Indessen wurde die Lage der ausländischen Militärs
mit jeder Stunde peinlicher. Der Moment nahte heran, wo sie
zwischen Sophie und Peter wählen muſsten. Vorläufig hatte die
erstere noch die Macht in Händen; Peter spielte gewissermaſsen
die Rolle eines Prätendenten. Aber seine Rechte waren sehr
wohl begründet, und sehr bald schon muſsten alle Zweifel
darüber schwinden, wem der Sieg zufallen werde. Ein gewisses
Gefühl der Pflicht und Treue, der Gehorsam gegen die unmittelbare Obrigkeit, welche Gordon in Sophie und Golizyn zu erblicken gewöhnt war, fesselten ihn an die bestehende Gewalt.
Formell waren Peters und Iwans Rechte gleich, und Iwan befand sich auf der Seite Sophiens. Dagegen wuſste man genug
von den Fähigkeiten, von der Bedeutung Peters, um die Entfernung Sophiens aus dem Mittelpunkte der Staatsgeschäfte nur
für eine Frage der Zeit zu halten, genug von Peters Charakter,
um seinen Zorn fürchten zu müssen, falls man nicht zeitig sich
zu seinen gunsten entschied. Gordon muſste erkennen, daſs die
Zukunft dem jungen Zaren gehörte; aber sein Gewissen nötigte
ihn, sich lange zu besinnen, ehe er seinen bisherigen Chefs
den Gehorsam kündigte. Augenblicklich hatte man zwei Obrig-
keiten. Welche hatte ein gröſseres Recht? Welche eine gröſsere
Macht?

Am Hofe in Moskau fand eine Beratung statt, nach deren
Beendigung die Regentin alle die Militärs rufen lieſs und in
einer an sie gerichteten Ansprache ihnen zur Pflicht machte,

sich nicht in den zwischen ihr und ihrem Bruder schwebenden
Zwist einzumischen, unter keiner Bedingung aber nach Troiza
zu Peter zu gehen. Als einige der Obersten der Strelzyregimenter einige Einwendungen machten, sprach Sophie die Drohung
aus, jeden, der beim Übergange nach. Troiza ergriffen werde,
hinrichten zu lassen. Was speziell Gordon anbetraf, so erteilte
ihm der Fürst Golizyn den gemessenen Befehl, keinesfalls die
Hauptstadt zu verlassen. Gleichzeitig aber erfuhr man, dafs
der Zar Peter seiner Schwester habe verbieten lassen, irgend
jemand an dem Übergange nach Troiza zu hindern (II. 270),
und dafs der Fürst Prosorowskij nach Troiza abgeordnet war,
um über Sophiens Verhalten inbetreff der Truppen Erklärungen
abzugeben. Die Moskauer Regierung suchte das Gerücht zu
verbreiten: die Aufforderung Peters an alle Truppen, nach
Troiza zu kommen, sei ohne Wissen des Zaren erlassen worden.
Es ist kein Zweifel, dafs Gordon diesem Märchen keinen Glauben
schenkte. Nichtsdestoweniger verblieb er noch immer in Moskau.

Leider findet sich im Tagebuche Gordons abermals eine
Lücke: vom 18. August bis zum 1. September. In dieser Zeit
entsandte Sophie den Patriarchen zum Unterhandeln nach Troiza.
Es war bedeutsam, dafs der Kirchenfürst es vorzog, in Troiza
zu bleiben, statt in Moskau über den Erfolg oder Mifserfolg seiner
Mission zu berichten. Am 27. August erschien ein Manifest
Peters, in welchem die Strelzy formell aufgefordert wurden, zu
ihm überzugehen. Es geschah fast durchgängig. Sophie selbst
gedachte persönlich sich mit Peter auseinanderzusetzen, und
machte sich nach dem etwa 70 Werst von der Hauptstadt entfernten Kloster auf; aber schon unterwegs begegnete ihr ein
Bote Peters, der sie zur schleunigen Rückkehr in die Hauptstadt
ermahnte, wenn anders sie einer schlimmen Behandlung ausweichen
wolle. Sie kehrte zurück und liefs die noch in der Hauptstadt
weilenden Strelzy einen Eid leisten, dafs sie nicht nach Troiza
gehen würden. [1] So neigte sich Peters Schale immer tiefer.

---

[1] Ssolowjew XIV. 127.

Gordon stand unmittelbar vor der Entscheidung. Er hatte mit manchen andern bislang eine Art von Neutralität beobachtet. Er folgte den Ereignissen mit gesteigerter Spannung.

Sehr ausführlich berichtet er von dem Eindrucke, den Peters Forderung, Sophie solle.ihm ihre Hauptanhänger, den Chef der Strelzyregimenter Schaklowityi und den Mönch Medwedjew, ausliefern, auf alle machte. Am 1. September nahm er in der Nähe des Kremls die Truppen der Strelzy wahr, welche darauf achten sollten, daſs gewisse angeklagte Personen nicht zu entkommen vermöchten. Er hörte die langen Reden, mit denen sich die Prinzessin an die noch in Moskau befindlichen Truppen wandte, und bewunderte ihre Energie und Beredsamkeit.

Da verbreitete sich das Gerücht, es sei ein besonderes an Gordon gerichtetes Schreiben aus Troiza angelangt. Er wurde gefragt, und konnte der Wahrheit gemäſs antworten, daſs er nichts erhalten habe. „Man war damit zufrieden", bemerkt er, offenbar mit Hinweis auf die Regentin und deren Anhänger, in seinem Tagebuche.

Indessen hielt Gordon seine Lage für nicht ungefährlich. Als er erfuhr, daſs einige Bewohner der deutschen Vorstadt sich nach Troiza aufmachten, trug er ihnen auf, dem Zaren zu melden, die ausländischen Militärs seien bisher nur darum nicht nach Troiza gekommen, weil sie nicht wüſsten, ob ihre Ankunft dem Zaren auch genehm sein werde. Dies geschah am 2. September. Gordon hatte somit gewissermaſsen dem Zaren seine Dienste angeboten. Offenbar war er von den Ereignissen und Stimmungen in Troiza sehr wohl unterrichtet. Wenigstens berichtet er am 3. September, das Hauptregiment der Strelzy habe in Troiza sich bereit erklärt, nach Moskau zu marschieren und an den Gegnern des Zaren Gewalt zu üben. Man stand unmittelbar vor dem Bürgerkriege. Gordon schreibt: „Es war wahrscheinlich, daſs es bald zu einem Bruche kommen würde, und alles vereinigte sich zur Beschleunigung einer Hauptveränderung" (I. 275).

Da wurden denn endlich die Ausländer zur Entscheidung gedrängt. Am 4. September wurde in die Sloboda eine im Namen des Zaren an alle „Generalspersonen, Obristen und übrigen Offiziere gerichtete Ordre" gebracht, in welcher die Vorfälle der letzten Wochen erzählt und an die ausländischen Militärs die gemessensten Befehle erteilt wurden, sofort völlig beritten und bewaffnet in Troiza zu erscheinen.

Hier zeigte sich, dafs Gordon gewissermafsen als der Patriarch der deutschen Vorstadt galt. Das Schreiben wurde von einem Obersten, Ridder, welcher es erhalten hatte, zu Gordon gebracht, welcher sogleich alle ausländischen Militärs bei sich versammelte und in ihrer Gegenwart das Schreiben entsiegelte und vorlas. Man beschlofs zunächst den Fürsten Golizyn von dem Empfange dieses Aktenstückes in Kenntnis zu setzen. Man sieht daraus, dafs die ausländischen Militärs nicht leicht zu einem endgültigen Entschlusse gelangten. Statt sogleich die bisherige Obrigkeit in Stich zu lassen und in das entgegengesetzte Lager zu eilen, hielten sie es loyalerweise für ihre Pflicht, ihren obersten Chef von dem Vorgefallenen zu unterrichten, indem sie sich übrigens die Freiheit der Aktion vorbehielten.

Es war nicht ungefährlich, Golizyn eine solche Mitteilung zu machen. Da niemand von den Anwesenden einen so heikeln Auftrag übernehmen mochte, war Gordon bereit, zu Golizyn zu gehen. Er that es, indem er sich von einigen Obersten begleiten liefs. Als man dem Fürsten das Schreiben zeigte, war er sehr bestürzt, suchte sich zu fassen und bemerkte, er werde das Schreiben dem ältern Zaren und der Regentin zeigen und dann den ausländischen Militärs die Weisung geben, wie sie zu verfahren hätten. Gordon entgegnete, sie müfsten gehorchen oder sie wagten ihr Leben. Golizyn versprach die Entscheidung nicht später als abends mitzuteilen.

Sie sollte nicht mehr von ihm oder der Regentin abhängen. Gordons Entschlufs war gefafst. In die deutsche Vorstadt zurückkehrend, rüstete er alles zur Abreise nach Troiza. Den zur Beratung kommenden Militärs eröffnete er, dafs er seinerseits, ohne auf weitere Befehle zu warten, sogleich, d. h. noch desselben Tages, nach Troiza aufbrechen werde.

Da zeigte es sich, was Gordon in der Sloboda bedeutete. Kaum
hatte man von dessen Entschlusse Kenntnis, als sich alle, „Vornehme und Geringe“, gleichfalls zur Abreise nach Troiza rüsteten.

Gordon schrieb dieser Handlungsweise der Ausländer eine
grofse Bedeutung in der Geschichte der ganzen Krisis zu. Er
bemerkte in seinem Tagebuche: „Die Abreise der ausländischen
Offiziere nach Troiza gab der Sache den Ausschlag. Denn nun
sprach ein jeder öffentlich zum Besten des jüngern Zaren“ (II. 277).

Die spätern Geschichtsforscher sind nur zum Teil geneigt
dieser Darstellung Glauben zu schenken. Während Ssolowjew
es für sehr wahrscheinlich hält, dafs in einer Zeit allgemeinen
Schreckens, gespannter Erwartung, peinlicher Unentschlossenheit
jede Bewegung nach der einen oder nach der andern Richtung
hin entscheidend habe wirken können,[1] weist Ustrjalow darauf
hin, dafs im Grunde schon vor dem Aufbruche der Engländer
aus der Sloboda alles zu gunsten Peters entschieden war, welcher
bereits über nicht unbedeutende Truppenmassen verfügte, den
Patriarchen, viele Magnaten und Würdenträger auf seiner Seite
hatte. Es sei, meint Ustrjalow, den Ausländern nicht als Verdienst anzurechnen, und hätte, wenn es früher geschehen wäre,
eine bedeutende That gewesen sein können, während es nur ein
Akt der Selbsterhaltung gewesen sei, da sie so spät kamen.[2]

Allerdings waren die Ausländer, falls sie nicht jetzt sich entschlossen, verloren. Dafs sie aber Golizyn und Sophie nicht früher
verliefsen, darf man nicht tadeln. Dafs der Eindruck des Über-
gehens der ausländischen Militärs in Peters Lager auf die Bewohner Moskaus ein starker gewesen sein müsse, liegt unter allen
Umständen auf der Hand. Mochten die Ausländer bei den Russen
auch zum Teil verhafst sein, so war doch ihre Stellung, ihr
Einflufs, ihre Bedeutung in Staat und Gesellschaft so augenfällig,
dafs eine solche Bewegung sehr wohl Peters Wagschale zum
Sinken bringen konnte. Wir wissen nicht, wie grofs die Zahl
der Ausländer war, welche mit Gordon nach Troiza gingen; aber

[1] Ssolowjew XIV. 130.
[2] Ustrjalow, Gesch. Peters des Grofsen II. 74.

die Ausdrucksweise Gordons im Tagebuche läfst auf den Aufbruch einer sehr beträchtlichen Menge von Bewohnern der Sloboda schliefsen.

In Troiza wurden die Ausländer gut aufgenommen. Peter selbst reichte jedem eine Schale Branntwein und hiefs sie willkommen. Zwei Tage später erschien auch Golizyn in Troiza. Sein Schicksal war bald entschieden. Am Tage seines Eintreffens in Troiza besuchte ihn Gordon und fand ihn, wie er sich im Tagebuch ausdrückt, „etwas tiefsinnig, wozu er, der Fürst, auch Ursache hatte" (II. 279). Andern Tags ward Golizyn in den äufsersten Norden verbannt.

In Troiza scheint Gordon keine hervorragende Rolle gespielt zu haben. Indessen ward er bald mit Lieferung bedeutenderer Quantitäten von Lebensmitteln, also durch eine Art Solderhöhung belohnt. Bald entspann sich ein näheres Verhältnis zwischen Gordon und dem jüngeren Zaren.

Peter der Grofse und Gordon.

Bisher hatten Gordons Beziehungen zu Peter einen nur mehr offiziellen Charakter gehabt. In feierlichen Audienzen hatte Gordon Gelegenheit gehabt, den muntern, frischen, gesunden, jüngern Zaren mit dem fast blödsinnigen nnd halbblinden, kränkelnden Iwan zu vergleichen (II. 227). Ohne sich in den Kampf der Parteien, welcher schon vor der Krisis des Jahres 1689 entbrannte, einzumengen, benutzte Gordon jede Gelegenheit, sich dem jungen Peter gefällig zu erzeigen, und stellte, auf Verlangen, die besten Flötenspieler und Trommler für Peters Spielregimenter zur Verfügung. Aufmerksam verfolgte Gordon die Entwickelung des Konflikts, dessen Symptome auch ferner stehenden Kreisen nicht entgehen konnten. Jetzt konnte er, nachdem alles entschieden war, nur von Peter Befehle erwarten.

Am 17. September zum erstenmal und in der darauffolgenden Woche täglich wohnte Peter den Übungen bei, welche Gordon mit den Truppen anstellte. Namentlich die Evolutionen der

Reiterei, das Schiefsen in Salven u. dgl. m. gefiel dem Zaren ausnehmend. Als Gordon einst vom Pferde stürzte, wobei er sich die Hand verletzte, trat Peter zu ihm heran und fragte teilnehmend nach seinem Befinden. Dafs Gordon in Peters Gunst stieg, bewiesen auch die häufigen Besuche, welche Boris Golizyn (Vetter des gestürzten Wassilij Golizyn) ihm abstattete. Bald wurde Peter das Zusammensein mit Gordon zum Bedürfnis. Er schickte sehr häufig nach dem General und unterhielt sich mit ihm; Gordon mufste oft bei dem Zaren oder mit demselben bei einem der russischen Magnaten speisen.

Man darf sagen, dafs Peter nicht so sehr durch Vermittelung des bekannten Schweizers Franz Lefort, als vielmehr zu allererst durch seine Beziehungen zu Gordon ständiger Gast wurde in der deutschen Vorstadt, sich in die Kulturgeheimnisse Europas einweihen liefs, empfänglich wurde für die Bildungselemente des Wissens.

Unmittelbar nach der Krisis 1689 widmete sich Peter mit Eifer militärischen Übungen. In der Alexandrowskaja Sloboda (173 Werst von Moskau) wurden Reiter und Fufssoldaten gedrillt, allerlei Versuche mit Kanonen angestellt. Gordon leitete alles dieses. Er wurde dabei Peters Lehrer. Von Lefort war noch keine Rede. Auch als Peter in der deutschen Vorstadt erschien, besuchte er zuerst Gordons Haus und dann erst dasjenige Leforts.

Übrigens befand sich Peter gerade in den auf die Krisis des August und September 1689 folgenden Monaten inbezug auf die Ausländer in einem Gegensatze zu andern einflufsreichen Persönlichkeiten. Der Patriarch wufste im Oktober 1689 Mafsregeln durchzusetzen, welche den Eintritt der Ausländer in russische Dienste erschwerten. Als Gordon bei Gelegenheit der Geburt des Zarewitsch Alexei zu einem Festessen bei Hofe eingeladen ward (Februar 1690), durfte er nicht bei Tische erscheinen, weil der Patriarch die Teilnahme von Ausländern an der Hoftafel bei solchen Gelegenheiten für unangemessen hielt. Fast scheint es, als habe der junge Zar den General für die ihm zugefügte Kränkung schadlos halten wollen, indem er ihn sogleich andern Tages

auf einem seiner Lustschlösser zu Tische lud (II. 297). Man
kann sich vorstellen, daſs Peter, welcher, wie wir aus Gordons
Tagebuche wissen, vom September an monatelang fast täglich in
Gordons Gesellschaft war, eine solche Ausschlieſsung der Ausländer als eine chinesische Maſsregel peinlich empfand. Um so
aufgeregter war der Hüter des Bestehenden, der Patriarch Joachim,
in Veranlassung der steigenden Vorliebe Peters für die Ausländer.
In seinem Testament (er starb im Frühling 1690) wies er darauf
hin, wie er bereits die Regentin vor der Verwendung der ausländischen Ketzer in der Armee gewarnt habe, und wie die Nicht-
beachtung dieser Warnung mit dem Scheitern der Feldzüge
Golizyns bestraft worden sei. [1])

Auch Peters Mutter scheint den Ausländern abgeneigt gewesen zu sein. Als an ihrem Namenstage die Vertreter der verschiedenen Stände erschienen, um ihren Glückwunsch darzubringen,
wurden erst alle andern, d. h. Geistliche, Kaufleute, russische
Militärs, zu der Zarin-Witwe beschieden und dann erst die ausländischen Militärs, was, wie Gordon schreibt, „für eine groſse
Beleidigung angesehen wurde“. Während die ·obenerwähnten
Russen zur Tafel gezogen wurden, unterblieb dies inbetreff Gordons und seiner Kollegen (II. 316). Von Peters Gemahlin,
Eudoxia Lopuchin, ist es bekannt, daſs sie die Ausländer haſste
und verachtete. [2]) Peter lieſs sich durch diese Opposition in
diesen maſsgebenden Kreisen nicht irre machen. Aber vorläufig
war sein Einfluſs beschränkt, wie aus folgender beachtenswerten
und in das Verhältnis Gordons zu Peter einen tiefen Einblick ge-
währenden Äuſserung in Gordons Briefe an den Kaufmann Meverell
in London vom 29. Juli 1690 hervorgeht: „Ich bin immer
noch bei Hofe, was mir groſse Unkosten und Unruhe verursacht.
Man hat mir groſse Belohnungen versprochen, ich habe aber
noch wenig erhalten. Wenn der Zar selbst die Regierung übernehmen wird, so zweifle ich nicht, daſs ich werde befriedigt
werden“ (III. 259). Also auch nach des Patriarchen Tode (er

---

[1]) Ustrjalow 116.
[2]) Ebenda 119.

starb am 17. März 1690) gab es neben dem Zaren noch andere
einflufsreiche Personen, welche die eigentlichen Zügel der Regierung führten. Peter blieb auch nach der Krisis des Jahres 1689
in gewissem Sinn seinem Privatleben, seinen Neigungen überlassen, während die Staatsgeschäfte in andern Händen ruhten.
Er hatte noch viel zu lernen, ehe er persönlich die Leitung
übernahm.

Da bedurfte er denn eines Lehrmeisters, wie Gordon einer war.
Gordon war kein Gelehrter, aber in der damaligen Litteratur
der Militärwissenschaft wohl bewandert. Auch durch seine allgemein politische Bildung konnte er Peter manche Anregung
bieten. Er kannte Europa, hatte viele Länder bereist, folgte
unaufhörlich den Weltereignissen. Die Unterhaltung mit Gordon
konnte dem jungen Zaren das sein, was die Lektüre von Zeitungen zu bieten pflegt. Gordon erhielt oft Briefe und periodische
Blätter, Bücher und Broschüren, Instrumente, Waffen und allerlei
Luxusgegenstände aus dem Auslande. Seine Mitteilungen über
alle diese Dinge mufsten Peter viele Belehrung bieten.

Wir erwähnten schon des Unterschiedes zwischen Gordon und
Lefort. Der letztere war 21 Jahre jünger als Gordon, 16 Jahre
älter als Peter. Seinem Temperament nach blieb Lefort bis an
seinen Tod ein Jüngling, während Gordon schon in seiner Jugend durch tiefen Ernst, strenges Pflichtgefühl, angestrengte Arbeit,
kühle Überlegung und eine gewisse Nüchternheit den Eindruck
der Männlichkeit und Reife macht. Lefort war durch seine geselligen Talente wie geschaffen für die Freuden des Hoflebens ;
Gordon, welcher sich nur ungern von seinen Arbeiten, von seinen
militärischen Geschäften und seinem Schreibtische trennte, empfand
bei seinem gesetzten und vielleicht etwas pedantischen Wesen,
bei vorgerückten Jahren und sich stets steigernder Kränklichkeit
die Beschwerden der Hoffestlichkeiten sehr schwer. Schon die
stete Aufgelegtheit zu Genufs und Scherz bei Lefort mufste eher
eine gewisse Intimität zwischen ihm und Peter, dem Typus der
Kraft und Gesundheit, zur Folge haben; aber Gordon hatte ihm
mehr geistige Nahrung zu bieten, hatte mehr als Lefort das

Zeug, Peters Horizont zu erweitern, ihn in den Ernst der Geschäfte einzuführen, ihm die Technik des Militärwesens beizubringen. Zuerst gab es Trinkgelage und Feuerwerke, dann militärische Manöver in gröfserm Umfange, bei denen die eigentliche Leitung in Gordons Händen ruhte; endlich kam es zu den Feldzügen nach Asow.

Weisen wir auf einige Züge in dem Verkehr Peters mit Gordon hin. Bald speist er bei dem Zaren, bald arbeitet er im Laboratorium mit ihm an pyrotechnischen Kunststücken, bald gibt es allerlei Beratungen, an denen Gordon teilnimmt, bald erscheint Peter in Gordons Gesellschaft bei Scheremetjew oder Naryschkin oder Romodanowskij. Heute unterhält sich Gordon mit Peter über die Rechte der Katholiken in Rufsland; morgen prüft er mit ihm neue Kanonen oder unternimmt mit dem jungen Zaren eine Wasserfahrt. Die Belohnungen häuften sich: Gordon erhielt mehrere Ellen Samt; bald darauf 1000 Rubel; sein Schwiegersohn wurde ebenfalls reich beschenkt; Peter schenkte dem General ein bedeutendes Grundstück; Gordons Sold wurde erhöht.

Alsbald erschien Peter selbst als Gast in der deutschen Vorstadt. Am 30. April 1690 speiste er mit den Bojaren und Höflingen bei Gordon zu Abend. Solche Besuche, bei denen die Zahl der Gäste nicht selten mehrere Dutzend Personen betrug, wurden immer häufiger. Als Gordons Tochter heiratete, war Peter unter den Hochzeitsgästen, als Gordons Schwiegersohn bestattet wurde, unter den Leidtragenden im Trauerzuge. Am 2. Januar 1691 kündigte Peter dem General seinen Besuch zu Tische an und bemerkte zugleich, er werde auch zur Nacht bleiben. So hatte Gordon 85 Gäste mit gegen 100 Dienern etwa 24 Stunden lang zu beherbergen, worauf die ganze Gesellschaft zu Lefort ging und dort mit Schmausen und Zechen fortfuhr. So geschah es nicht selten, dafs Peter ganze Tage hindurch bei Gordon verweilte. Dazwischen scheint er auch ohne Gefolge bei Gordon gespeist zu haben. Manche Züge lassen auf eine gewisse Ungezwungenheit des Verkehrs zwischen beiden schliefsen. Als

Gordon einmal infolge eines zu lukullischen Mahles bei Boris Golizyn erkrankte, liefs Peter sich nach seinem Befinden erkundigen und schickte ihm Arzneien. Bisweilen erschien der Zar ganz unerwartet in Gordons Hause. Es geschah dies zu den verschiedensten Tageszeiten, morgens, mittags, abends. Bei einem solchen Besuche nahm Peter drei die Artillerie betreffende Bücher mit sich. Ebenso entlieh Gordon bisweilen Bücher bei dem Zaren. Auch verschrieb er durch die ihm bekannten Kaufleute allerlei Bücher, Instrumente u. dergl. aus dem Auslande. Bald treffen wir Peter und Gordon beim Besichtigen einer neuen Art von Ladestöcken an, welche Gordon soeben erhalten, bald unterhalten sich die beiden, da bedeutende militärische Übungen in Aussicht genommen wurden, über allerlei Maschinen, welche Gordon beim Angriff auf eine belagerte Festung zu verwenden vorschlug.

Nicht selten erschien Gordon auch — der Patriarch war gestorben — an der Hoftafel und beschrieb dann solche sehr ermüdende offizielle Schmäuse sehr genau in seinem Tagebuche. Sehr häufig arbeiteten Gordon und dessen Sohn, wie der Schwiegersohn mit dem Zaren im Laboratorium an der Anfertigung von Feuerwerken, wobei es nicht ohne Explosionen abging. Einst wurden Peter und Gordon dabei verletzt. — Auch bei den Manövern wurde Gordon mehrmals nicht unerheblich verwundet. Gordon gehörte zu dem Kreise von Personen, in welchem sich Peter stets bewegte. Einst besuchte Peter in Gesellschaft seines Oheims Lew Naryschkin, der gewissermafsen Minister des Auswärtigen war, und Gordons den persischen Gesandten.

Als Peters Übungen auf dem Wasser begannen, mufste Gordon so oft zum Perejaſlawschen See reisen, wo Peter seine Werft hatte, dafs er sich dort ein Häuschen kaufte und eine Wohnung einrichtete. Es war Peter eine grofse Freude, dem General seine neuen Fahrzeuge zeigen oder mit ihm manche Fahrt über den See unternehmen zu können.

Als Peter Ende 1691 gefährlich erkrankte, notierte Gordon alle Einzelheiten des Verlaufes der Krankheit. Man begreift, was für Gordon dabei auf dem Spiele stand. Aus einer andern

Quelle wissen wir, dafs einige Personen der nächsten Umgebung
des Zaren, unter denen Gordon allerdings nicht genannt wird,
Pferde bereit hielten, um, falls Peter starb, schleunigst ins Ausland entfliehen zu können. Die Gegnerpartei war nur zeitweilig
zurückgedrängt; ein Umschwung konnte jeden Augenblick eintreten; in Zeiten der Reaktion gegen Peter hatten Lefort und
Gordon keinen Raum in Moskau.

An Peters Reise nach Archangelsk im Jahre 1693 nahm
Gordon keinen Teil. Er konnte in dieser Zeit, ruhig daheim
bleibend, sich von den Strapazen des Hoflebens erholen, über
welche er in seinen Briefen an Freunde und Verwandte nicht
selten Klage führte. Unmittelbar nach seiner Rückkehr aus
Archangelsk speiste der Zar bei Gordon, wobei sie einen Artillerie-
quadranten und einen besondern Apparat für die Anfertigung
von Granaten in Augenschein nahmen.

Im Januar 1694 starb Peters Mutter. Der Zar sprach
wiederholt mit Gordon über die Krankheit derselben. Man erwartete ihr Ende nicht so bald. Am Abende ihres Todestages
sollte in Gordons Hause ein Ball stattfinden, an welchem Peter
teilzunehmen gedachte. Gordon befand sich gerade beim Zaren,
als er die Nachricht von dem Ableben der Zarin-Witwe erhielt.

Da die Liebhaberei Peters für das Seewesen sich steigerte
und 1694 auf dem Weifsen Meere gröfsere Fahrten unternommen
werden sollten, erhielt Gordon den Rang eines Kontreadmirals
und mufste den Zaren nach Archangelsk begleiten. Diese Reise
ist sehr ausführlich in dem Tagebuche erzählt. In Archangel
lebte Gordons Tochter Mary, welche den Kapitän Snevins geheiratet hatte. An der gefährlichen Fahrt nach dem Ssolowezkoi-
Kloster, bei welcher Peter dem Untergange nahe war, nahm
Gordon keinen Anteil. Dagegen brachte er die Zeit in dem
Verkehr mit englischen Schiffskapitänen hin, welche inzwischen
angelangt waren. Man schob Kegel, veranstaltete allerlei Ausflüge
auf die Inseln der Dwina, schmauste und zechte wacker; an allem
diesem nahm Peter nach seiner Rückkehr aus Ssolowezkoi lebhaften Anteil. Dazwischen gab es Geschäfte. Gordon übersetzte

ein Seereglement aus dem Englischen, mufste mancherlei für die
Seemanöver vorbereiten und schliefslich, auf der Jacht „Der heilige
Peter" die Arrieregarde des russischen Geschwaders befehligend,
an einer längern Fahrt an der Küste des Weifsen Meeres teilnehmen. Gordon war kein Seemann. Er hatte schon bei frühern
Reisen nach England wiederholt an der Seekrankheit gelitten.
Jetzt hatte er auf dem Weifsen Meere ernstliche Gefahren zu bestehen. Die Jacht, auf welcher sich Gordon befand, wurde durch
einen Sturm von den andern Schiffen getrennt und hätte leicht
an den Klippen des Ufers stranden können.

Über die beabsichtigten Manöver mit den Landtruppen, welche
hierauf stattfinden sollten, verfafste Gordon noch in Archangel
ein ausführliches Gutachten. Bei diesen unter dem Namen des
Koshuchowschen Feldzuges bekannten militärischen Übungen fiel
ebenso wie bei frühern Gelegenheiten dieser Art die Leitung derselben Gordon zu.

Solcher Art waren Gordons Beziehungen zu Peter in der
Zeit von 1689—95. Die Jahre von dem Umschwunge, welcher
der Regentschaft Sophiens ein Ende macht, bis zu den Feldzügen
nach Asow sind nicht reich an politischen Ereignissen. Peter
befafste sich kaum mit Staatsgeschäften. Er bereitete sich vor;
er lernte. Diese Lehrjahre verbrachte er zum Teil in der deutschen Vorstadt. Hier war Gordon Peters vorzüglichster Lehrer.

Feldzüge nach Asow 1695—1697.

Gordon sehnte sich nach einer Thätigkeit, welche seine
Kräfte in einer andern Richtung in Anspruch nahm. Das Hof-
leben bot ihm keine Befriedigung. Es war denn doch Müfsig-
gang. Dafs die Regierung mehrere Jahre nichts gegen den
Orient unternahm, wollte ihm nicht gefallen. In seinen Briefen,
unter andern an den Herzog Gordon, an den Hetman Maseppa,
beklagte er es, dafs Rufsland aufser stande sei, etwas gegen
die Türken oder Tataren zu unternehmen. Aus andern Schreiben,
z. B. an den Pater Schmidt, ersehen wir, dafs Gordon es

für eine Art Pflicht Rufslands hielt, den Kampf gegen den Islam baldmöglichst wieder aufzunehmen. Dies sollte denn auch bald geschehen.

Die Genesis des Krieges von 1695—99 entzieht sich der Beobachtung. Wer zuerst den Gedanken erfaste, einen Angriff auf Asow zu unternehmen, wissen wir nicht. Es ist nur Vermutung, wenn, wie z. B. Ssolowjew thut, dem Schweizer Lefort die Urheberschaft an diesen Feldzügen zugeschrieben wird. Während dieser Zeit stand er allerdings dem Zaren ganz besonders nahe. Im Volke war man geneigt, ihn für die schweren Opfer verantwortlich zu machen, welche diese Kriege den Massen auferlegten.

Über die Vorbereitungen zu dem Feldzuge des Jahres 1695 und diesen selbst teilt Gordon sehr Ausführliches im Tagebuche mit. Er gehörte zu dem Triumvirat (Golowin, Lefort und Gordon), welches den Oberbefehl führte. Die entscheidende Stimme bei allen Beratungen hatte indessen der „Bombardier des Regiments Preobrashensk, Peter Alexejew", d. h. der Zar selbst, welcher übrigens in dieser Zeit mehr geneigt war, den Ratschlägen Leforts als denjenigen Gordons Gehör zu schenken. Hier treten die beiden Ausländer als entschiedene Rivalen auf. Ihr Verhältnis war nicht ein gespanntes, aber doch kein freundschaftliches. Sehr oft hatte Gordon Leforts Einflus zu beklagen, dessen geringe militärische Erfahrung und Bildung ihn allerdings kaum befähigen konnten, dem Zaren als Autorität in Kriegssachen zur Seite zu stehen.

Gewifs ist, dafs Lefort eine gröfsere Rolle spielte als Gordon, dessen Unzufriedenheit inbetreff des raschen Avancements Leforts schon bei früherer Gelegenheit zum Ausdruck gelangt war.[1]) Jetzt, im Jahre 1695, befand sich Lefort stets in Peters Gesellschaft. In einem Schreiben an seine Verwandten nennt sich Lefort „den ersten General".[2]) Die Vorgänge bei Asow zeigten, dafs er ein Recht hatte, die Bezeichnung zu gebrauchen.

---

[1]) Posselt II. 152.
[2]) Ebendaselbst II. 235.

Brückner, Rufsland. 27

Bei den Beratungen, welche dem Kriege vorausgingen, scheint Gordon die Hauptrolle gespielt zu haben. Seine Ansicht, daſs man es auf eine totale Blokade Asows absehen müsse, leuchtete ein. — An den Vorbereitungen zum Feldzuge nahm er hervorragenden Anteil. Es fehlte namentlich an Pferden, deren Ankauf Gordon leitete. Mit der Avantgarde brach er bereits Anfang März aus Moskau auf, verweilte einige Wochen in Tambow und setzte dann den Marsch nach Asow weiter fort. Hierbei hatte er mit dem Widerstande der donischen Kosaken zu kämpfen, welche ungern in den Krieg zogen und Gordon in dessen Bewegungen zu hemmen suchten. Ebenso wie die Kleinrussen oft zum Verrat geneigt waren, wie Gordon bei Tschigirin die Lässigkeit der Soldaten und Offiziere als Hauptursache des Miſserfolgs bezeichnete, so muſste er hier· fürchten, daſs von seiten der Kosaken manches geschähe, um den Erfolg des Feldzuges in Frage zu stellen. Seine Festigkeit und Ruhe, die Bestimmtheit, mit welcher er den Weitermarsch verlangte, brachten die Widerspenstigen zum Schweigen. Erst Ende Juni langte er nach mancherlei Schwierigkeiten vor Asow an. Zwei Tage darauf erschien Peter, welcher mit den beiden andern Feldherren bei Gordon speiste.

Die Truppen wurden so disponiert, daſs Gordon im Zentrum, Lefort auf dem linken, Golowin auf dem rechten Flügel den Oberbefehl führte. Als man der zu belagernden Festung sich unmittelbar nähern muſste, äuſserte sich abermals hartnäckiger Widerspruch der Offiziere, und Gordon muſste seine ganze Überredungskunst aufbieten, um die Opposition zum Gehorsam zu nötigen und zu beweisen, daſs vorläufig niemand unmittelbar Gefahr drohe.

Bald stellten sich, als man zu den Belagerungsarbeiten schritt, Meinungsverschiedenheiten zwischen den Obergeneralen heraus. Gordons Vorschläge wurden nicht durchgesetzt. Seine Bemühungen, den Fortgang der Arbeiten zu beschleunigen, hatten keinen Erfolg. Auch traf ihn selbst das Miſsgeschick, daſs die Türken bei einem Ausfalle insbesondere über die ihm anvertraute Position einige

Vorteile errangen. Fast wäre er selbst in Gefangenschaft ge-
raten. Eine Redoute mit Kanonen verblieb in den Händen der
Feinde. Es scheint, dafs auch hierbei wiederum der schlechte
Geist der Truppen das Mifsgeschick wesentlich verschuldet hat.
Er klagt wiederholt über den Mangel an Eifer und Energie im
russischen Lager.

Als von anderer Seite der Vorschlag gemacht wurde, die
Festung zu stürmen, widersprach Gordon auf das lebhafteste.
Er bemerkt in seinem Tagebuche, dafs niemand einen Begriff
von dem Ernst und der Schwierigkeit eines solchen Unternehmens hatte. Er wies bei den Beratungen auf den Mangel
an Erfahrung bei den Offizieren, auf den schlechten Geist der
Truppen hin und sagte mit Entschiedenheit voraus, der Sturm
werde mifslingen. Es war alles vergebens; er mufste, wie er
sagt, „mit dem Strom schwimmen oder die Verantwortlichkeit
für eine sich in die Länge ziehende Belagerung allein übernehmen“.
Sehr eingehend schildert er, wie er immer wieder seine Bedenken
geltend gemacht und wie er noch in der letzten Stunde auf Peter
zu wirken versucht habe, wie aber die Opposition gegen ihn so
stark gewesen sei, dafs er „zuletzt geredet habe wie die andern,
obgleich er auf keinen Erfolg rechnete“ (II. 584—586).

Man sieht, dafs Gordon keinen Einflufs hatte. Man darf
vermuten, dafs insbesondere Lefort den Sturm befürwortete.
Wenigstens wissen wir aus den Briefen des letztern an dessen
Verwandte in der Schweiz, dafs Lefort sicher auf den Erfolg
beim Sturm gerechnet hatte. [1]

Gordons Erwartungen erfüllten sich. Der Sturm mifslang.
Es gab sehr schwere Verluste. Die Stimmung war eine gedrückte.
Jetzt wurde Gordons Rat, die beiden den Türken entrissenen
Türme (Kolantschi) zu befestigen, befolgt, und er selbst leitete
die Arbeiten; aber auch hierbei stellte der Widerspruch der beiden andern Obergenerale seine Geduld auf die Probe, so dafs er
sich bei den Besprechungen über diesen Gegenstand zu etwas

[1] Posselt II. 247.

27*

starken Äufserungen hinreifsen liefs und wiederum die Verstimmung mehrte.

Auch aus den Berichten des österreichischen diplomatischen
Agenten Pleyer wissen wir, dafs Gordon insbesondere mit Lefort
unzufrieden war, weil der letztere es unterliefs, die Verbindung
zwischen seinem linken Flügel und Gordons Zentrum zu gegen-
seitigem Schutze zu unterhalten. Gordon und Lefort glaubten
beide Ursache zu gegenseitiger Unzufriedenheit zu haben.[1] Dafs
die Türken Gordon besonders fürchteten, mag man aus folgendem
Umstande schliefsen: es verbreitete sich bei ihnen das Gerücht,
Gordon sei tödlich verwundet; ein Kosak, welcher in Gefangenschaft geraten war, ist von den Türken gefoltert worden, weil er
behauptete, Gordon sei frisch und gesund (II. 599).

Auch dem Zaren widersprach Gordon bisweilen. So tadelte
er es, dafs Peter eine schriftliche Aufforderung an die Bewohner
Asows mittels eines Pfeiles in die Stadt befördern wollte. Er
war in trüber Stimmung: es fehlte an Munition; die Beratungen
zeugten von Mangel an Einsicht seitens der andern Offiziere.
Es sollte eine Mine angelegt werden; der Techniker, welcher
diese Arbeit leitete, war unwissend; Gordon warnte vor dem
Unternehmen. Man beachtete seine Warnung nicht, und die
Sprengung mifslang vollkommen. Statt den Türken zu schaden,
verlor man eine ganze Menge eigne Leute. Der Mut der Be-
lagerungsarmee schwand mehr und mehr.

Wieder begann man von einem Sturme zu reden; wieder erhob
— auch diesmal vergebens — Gordon seine Kassandrastimme.
Seine persönliche Beratung mit Lefort belehrte ihn darüber, dafs
dem letztern die Fähigkeit, dergleichen Fragen zu beurteilen,
fehle (II. 605). Als Peter mit einem neuen Plane herausrückte
und Gordon seine Bedenken inbetreff desselben äufserte, konnte
niemand etwas gegen Gordons Ausführungen vorbringen; aber
Golowin und Lefort gaben ihm zu verstehen, es habe den An-
schein, als wünsche er gar nicht, dafs die Festung genommen

---

[1] Ustrjalow II. 572.

werde. Zu einem offenen Hader kam es nicht. Täglich speisten die drei Obergenerale mit dem Zaren zusammen.[1]

Der Sturm am 25. September mißlang ebenfalls. Wiederum wurden viele Leute zwecklos geopfert. Gordon that sein möglichstes und klagt wiederum darüber, daß Lefort und Golowin ihn mit ihren Truppen nicht hinreichend unterstützt hätten.

So endete die erste Belagerung Asows. Am 27. September beschloß man die Rückkehr nach Moskau. Der Marsch im Herbst durch die Steppe, wobei Gordon die Nachhut deckte, erforderte wiederum sehr schwere Opfer. Menschen und Pferde fielen, eine Beute des Hungers und der Kälte. In dichten Haufen umschwärmten die Tataren das abziehende russische Heer. Pleyer schildert den Eindruck, den die auf einer Ausdehnung von 800 Werst (über 100 Meilen) umherliegenden Menschen- und Pferdeleichen auf ihn übten, als er, durch eine Krankheit in Tscherkasak aufgehalten, einen Monat später durch diese Gegenden reiste. Man darf vermuten, daß Gordon, welcher sich in seinem Tagebuche inbetreff des Rückzuges recht kurz faßt, bei dieser Gelegenheit der Armee wesentliche Dienste geleistet haben werde.

Am 22. November fand, trotz des Mißlingens des Feldzuges, ein feierlicher Einzug in die Residenz statt. Ein Zeitgenosse schreibt: „Zuerst kam der General Peter Iwanowitsch Gordon, dann der Zar und sein ganzes Gefolge."[2]

Den Winter über war man mit Vorbereitungen zu dem zweiten Asowschen Feldzuge beschäftigt, wobei wir Gordon sehr häufig in Peters Gesellschaft antreffen. Diesmal sollte ein Generalissimus ernannt werden. Der Bojar Schein erhielt diesen Posten. — Da man die Wintermonate dazu benutzte, schnellmöglichst eine Galeerenflotte herzustellen, so mußte ein Admiral ernannt werden. Diesen Posten erhielt Lefort. Wir wissen nicht, ob Gordon sich gekränkt fühlte, daß man ihn bei diesen zwei Ernennungen über-

---

[1]) Posselt, II. 241—250, ist von der Grundlosigkeit der Klagen Gordons überzeugt, ohne daß seine Beweisführung in dieser Hinsicht uns irgendwie zu überzeugen vermocht hätte.

[2]) Sheljabuskskij, Memoiren 58.

gangen hatte. Er war diese Zeit sehr eifrig mit dem Entwurf
zu einer Brücke über den Don beschäftigt, deren man für den
Feldzug bedurfte. In seinem Tagebuche schildert er den zweiten
Feldzug sehr kurz. Er erzählt, wie die Truppen zu Wasser auf
dem Don bis Asow befördert wurden, und aus seinen Mitteilungen
ist zu ersehen, daſs die Disposition der Truppen auch bei der
zweiten Belagerung Asows hauptsächlich von Gordon ausging.

Die Belagerung ging mit mehr Erfolg von statten als im
Jahre 1695. An einen Sturm dachte man, nach den groſsen
Verlusten bei den zwei Versuchen, die man gegen den Rat Gordons gewagt hatte, nicht. Das Artilleriefeuer vermochte der
Festung inzwischen nicht viel zu schaden. Namentlich eine Eck-
bastion blieb unversehrt, bis österreichische Ingenieure eintrafen
und ein wohlgezieltes Feuer auf diesen Teil der Festung eröffneten.
Im Juni kränkelte Gordon und muſste in seinem Zelte das Bett
hüten. Anfang Juli war er völlig wiederhergestellt.

Am 22. Juli bereits ging von den russischen Soldaten der
Vorschlag aus, einen hohen Wall um die Festung aufzurichten
und, denselben allmählich der feindlichen Mauer nähernd, so die
Belagerten zu nötigen, sich zu ergeben. Gordon griff diese Idee
auf und führte sie aus. Über die Technik dieses Unternehmens
finden sich in seinem Tagebuch einige Angaben, welche für Mili-
tärtechniker von Interesse sein mögen.

Dieser Wall, die tapfern Angriffe der Saporoger Kosaken,
die Kunst der ausländischen Techniker, welche während der Belagerung eingetroffen waren, endlich das Gerücht von einem
Sturm, den die Russen vorbereiteten — alles dieses veranlaſste
die Türken zu kapitulieren.

Es hat sich die Tradition erhalten, daſs Peter die Einnahme
Asows für das Werk der Tapferkeit und militärischen Tüchtigkeit
Gordons gehalten habe. Der Anekdotensammler Nartow, ein Zeitgenosse Peters, erzählt, Peter habe bei Gordons Bestattung, als
er eine Handvoll Erde auf den Sarg schüttete, gesagt: „Ich
gebe ihm eine Handvoll Erde: er schenkte mir ein ganzes Reich
mit Asow". Wir sind nicht geneigt, in dieser Erzählung eine

historische Thatsache zu erblicken. Gordon hatte bei der Belagerung und Einnahme Asows grofse Verdienste. Selbst wenn er, wie manche erzählen,[1]) der Erfinder jenes Walles gewesen wäre, könnte man nicht eigentlich Gordon als den Helden von Asow bezeichnen. Indirekt verdankt Peter Asow dem General, insofern er in den der Belagerung vorausgehenden Jahren der Schüler Gordons gewesen war.

In Asow fanden Feste und Trinkgelage statt. An diesen wie an Peters Fahrten am Ufer des Asowschen Meeres nahm Gordon Anteil. Er leitete ferner die Herstellung der beschädigten Festungswerke Asows.

Auf dem Rückwege begrüfste Gordons Sohn, Theodor, den siegreichen Zaren mit einer Rede. Am 30. September fand der diesmal durch die Ereignisse gerechtfertigte feierliche Einmarsch der Truppen in die Residenz statt, wobei Lefort die Hauptrolle gespielt zu haben scheint. Gordon erschien mit seinem Stabe ziemlich weit hinten im Zuge. Peter ging zu Fufs in der Uniform eines Kapitäns.

Über Gordons Stellung gibt uns die Abstufung der Belohnungen Auskunft. Schein erhielt eine Medaille im Werte von 13 Dukaten, einen Becher, ein Kleid, 150 Rubel und 305 Bauernhöfe; Lefort eine Medaille im Werte von 7 Dukaten, einen Becher, ein Kleid und 140 Bauernhöfe; Gordon und Golowin je eine Medaille von 6 Dukaten an Wert, einen Becher, ein Kleid und 100 Bauernhöfe.

Gordons Dörfer lagen im jetzigen Rjäsanschen Gouvernement. Ein Dorf, welches er zuerst erhalten sollte, erhielt Lefort, und Gordon erhielt ein anderes. Ob der Tausch nachteilbringend war, wissen wir nicht.[2])

---

[1]) Alexander Gordon, Geschichte Peters des Grofsen, S. 114—115 (deutsche Ausgabe). Ebenso Posselt in seinem Buche über Lefort, II. 339.
[2]) Das Aktenstück über die Verleihung dieser Güter s. in der Edition des Tagebuchs, III. 388 fg.

Letzte Dienstzeit.

Während Peter Anfang 1697 mit Lefort und grofsem Gefolge, oder, besser gesagt, im Gefolge einer russischen Gesandtschaft ins Ausland reiste, bereitete sich Gordon zu einem dritten Feldzuge nach Asow vor. In Gemeinschaft mit dem Bojaren Schein leitete er in dieser Zeit das ganze Militärverwaltungswesen des Reiches. Seine Beziehungen zu Peter änderten sich nicht. Er war fast täglich in lebhaftem Verkehr mit dem Zaren. An demselben Tage, als die Urheber des Attentats auf Peter: Zykler, Ssokownin und Puschkin, hingerichtet wurden (März 1697), sollte Peter bei Gordon zu Abend speisen, war aber durch die Beerdigung eines Verwandten, welcher er beiwohnen mufste, daran verhindert.

Korb, der Sekretär der kaiserlichen Gesandtschaft, welche sich in den Jahren 1698 und 1699 in Moskau aufhielt, erzählt, Peter habe auf Gordons Rat die Führung der Staatsgeschäfte während seiner Abwesenheit einem Triumvirat, den Bojaren Naryschkin, Golizyn und Prosorowskij, die Verwaltung der Residenz aber dem Fürsten Romodanowskij übertragen, wobei Gordon von dem Gedanken geleitet worden sei, dafs eine gewisse Rivalität unter den vier Machthabern ihren Eifer spornen und mancherlei Gefahren abwenden werde. [1])

Der Feldzug nach Asow im Jahre 1697, dessen Einzelheiten Gordon recht ausführlich schildert, ist von keiner besondern Bedeutung. Es handelte sich darum, die eroberte Stadt noch stärker zu befestigen und die Südgrenzen Rufslands durch verschiedene Mafsregeln gegen die Angriffe der Türken und Tataren sicherzustellen. Gordon beriet während des Feldzuges oft mit Schein und Maseppa. Seine Beziehungen zu den Vertretern der Moskauer Regierung waren rein offizieller Natur. Er hatte durchaus keinen politischen Einflufs. Seine Thätigkeit beschränkte sich auf Militärisch-Technisches, und auch hierin hatte er sich nach

---

[1]) Diarium itineris, p. 217.

den Instruktionen der Triumvirn zu richten, von deren Gesamtheit er stets den Ausdruck „Majestät" braucht.

Wiederholt schrieb er in dieser Zeit an Peter. Diese Briefe, welche leider nicht erhalten sind, werden nach seiner Rückkehr im Spätherbst 1697 noch häufiger als während des Feldzuges.

Wir erinnern uns, daſs Gordon sehr bald nach seinem Eintritt in russische Dienste Gelegenheit hatte, an der Bekämpfung innerer Unruhen teilzunehmen (1662). Jetzt, am Abend seines Lebens, kurz vor dem Abschlusse seines Wirkens, hatte er sehr groſse Verdienste um die Bekämpfung der gefährlichsten Feinde Peters, der Strelzy.

Gordon kannte den Geist des russischen Heeres und die Mängel desselben. Sehr oft klagte er über die lockere Mannszucht, das Desertieren, die Trunksucht und das Räuberleben der Strelzy. Auch bei Asow hatten diese letztern in entscheidenden Augenblicken es an Gehorsam und Pflichtgefühl fehlen lassen und sich Peters Zorn zugezogen.

Peter verlangte unbedingte Unterordnung von diesen Soldaten, deren früheres bequemes Leben durch furchtbare, nie enden wollende Strapazen ersetzt war. Es entstand, da den Strelzy die Geduld riſs, jene Rebellion, in welcher die letzte Allianz dieser gefährlichen Elemente mit der ehemaligen Regentin einen Krieg bedeutete gegen Peter, gegen die Ausländer, gegen die deutsche Vorstadt, gegen die abendländische Kultur.

Gordons Tagebuch ist Hauptquelle für die Geschichte dieses Aufstandes. Insofern Korb seine Nachrichten unzweifelhaft groſsenteils den mündlichen Mitteilungen Gordons verdankte, ist auch Korbs Tagebuch, ebenfalls eine Hauptquelle über dieses Ereignis, auf Gordon zurückzuführen. Gordon, welchem bei der Niederwerfung des Aufstandes die Hauptrolle zugefallen war, konnte am allerbesten über die Einzelheiten dieser Vorgänge Auskunft geben.

Er berichtet ausführlich über die Bestürzung, welche in den maſsgebenden Kreisen der Residenz infolge der ersten Nachrichten

von der in den Strelzyregimentern herrschenden Gärung durch
das Gefühl der schweren Verantwortlichkeit dem abwesenden
Zaren gegenüber noch gesteigert wurde. Gordon selbst war zuerst
geneigt, diesen Unruhen keine besondere Bedeutung beizumessen.
Er suchte die Machthaber zu beruhigen, traf indessen einige Mafsregeln, um etwaigen Unruhen der in Moskau weilenden Truppenteile vorzubeugen.

Nachdem indessen im Frühling 1698 die ersten Symptome
einer gröfsern Meuterei, wie es schien, keine weitern Folgen
hatten, und mehrere Wochen ruhig vergingen, erfuhr man Anfang
Juni von der Meuterei mehrerer Regimenter, welche, auf dem
Marsche von Asow nach der polnischen Grenze begriffen, ihrer
Obrigkeit direkt den Gehorsam aufkündigten und nach Moskau
aufbrachen.

Jetzt galt es diesen Rebellen zu begegnen. Gordon wurde
von der Regierung beauftragt, mit 2000 Mann Truppen sich
marschbereit zu halten. Am 12. Juni speiste er noch mit dem
kaiserlichen Gesandten Guarient und dem dänischen Residenten
bei dem polnischen Botschafter, mufste aber, während man tafelte,
sich entfernen, um mit seinen Truppen auszurücken. [1]) Nominell
war auch diesmal der Generalissimus Schein der Oberbefehlshaber,
thatsächlich aber scheinen im wesentlichen alle Anordnungen von
Gordon ausgegangen zu sein.

Am 13. Juni rückte Gordon aus, am 16. Schein. Am 17.
erfuhr man, dafs die Rebellen das stark befestigte Woskressens-
kische Kloster zu besetzen beabsichtigten. Es galt zu verhindern, dafs ein verhältnismäfsig wichtig strategischer Punkt
in ihre Hände fiel. In der Nähe des Klosters traf Gordon die
Rebellen.

Gordon suchte zuerst durch Überredung auf die Strelzy zu
wirken. Er begab sich in ihr Lager und stellte ihnen das Un-
sinnige ihres Beginnens vor. Es mufs als ein recht waghalsiges
Unternehmen erscheinen, dafs er, welcher zu den verhafsten Aus-

---

[1]) Korb, Diarium itineris p. 59.

ländern gehörte, der Verwandte und Kollege Leforts, in welchem die Strelzy den Haupturheber ihres Elends anklagten, sich in die Mitte der Meuterer begab, welche sich sehr leicht seiner Person bemächtigen konnten. [1])

Gordons Beredsamkeit hatte keinen Erfolg. Er eilte zu seinen Truppen zurück und disponierte sie zu einem Angriffe. Hierauf ritt er noch einmal in das Lager der Rebellen, suchte von neuem durch Reden auf sie zu wirken, und erst dann, als er sich von der Nutzlosigkeit fernerer Verhandlungen überzeugt hatte, erwog er im einzelnen alle Chancen eines den Rebellen zu liefernden Gefechts, wobei er darauf bedacht war, alle Vorteile des Terrains zu seinen gunsten auszunutzen und seine Truppen demgemäfs zu verteilen.

Zum drittenmal erschien Gordon am Morgen des 18. Juni in dem Lager der Rebellen: die Antwort derselben auf alle Ermahnungen Gordons war, dafs sie nach Moskau wollten, und erst wenn sie zwei bis drei Tage in der Hauptstadt geweilt haben würden, wieder zum Gehorsam zurückzukehren gesonnen seien. Zuletzt gab ihnen Gordon nach manchem Hin- und Herreden eine Viertelstunde Bedenkzeit. Nachdem dieselbe verstrichen war, ordnete er alles zum Kampfe an und liefs zuerst über die Köpfe der Rebellen hinweg, dann in die dichten Haufen derselben feuern. Nach einstündigem Kampfe war alles beendet. Wer von den Meuterern nicht gefallen war, wurde gefangen. Einige der Hauptunruhestifter wurden hingerichtet. Über die andern sollte Peters Richterspruch entscheiden. Am 24. Juni schrieb Gordon ausführlich an den Zaren über alles Vorgefallene und kehrte sodann am 4. Juli in die Hauptstadt zurück.

Im August reiste Gordon auf seine Güter, wo er sich mit der Verwaltung derselben beschäftigte. Inzwischen traf Peter, durch die Nachricht von der Rebellion der Strelzy zur Unterbrechung seiner Reise veranlafst, ganz schnell und unerwartet in der Hauptstadt ein. Seiner Gewohnheit nach eilte er sogleich

---

[1]) Die Reden Gordons wörtlich bei Korb. Wir folgen der Erzählung Korbs und dem Tagebuche Gordons.

nach der Ankunft in Moskau in die deutsche Vorstadt, wo er
erfuhr, dafs Gordon verreist sei.

Letzterer, von Peters Rückkehr unterrichtet, eilte sofort
nach Moskau, wo er am 8. September eintraf und sich bei dem
Zaren, welchen er in grofser Gesellschaft bei dem Obersten Krahe
antraf, wegen seiner Abwesenheit entschuldigte. Peter küfste
den General.

Bei dem furchtbaren Prozesse der Strelzy spielte Gordon
keine hervorragende Rolle. Manche Einzelheiten der mit aus-
gesuchten Foltern und der unerbittlichsten Strenge geführten
Untersuchung erfuhr Gordon aus dem Munde Peters, welcher den
General in dieser Zeit häufig besuchte. Der Folterung einzelner
Angeklagter wohnte Gordon bei. Dagegen scheint er den Massen-
hinrichtungen nicht beigewohnt zu haben.

Ob Gordon, was wahrscheinlich der Fall war, auch in den
letzten Monaten seines Lebens, während des Jahres 1699, sein
Tagebuch geführt habe, wissen wir nicht. Das erhaltene Manuskript
bricht am 31. Dezember ab. Dagegen verdanken wir dem Werke
Korbs einige Angaben über die letzte Lebenszeit Gordons. Wir
ersehen, dafs Gordon im Januar 1699 krank war, dafs Peter,
als er nach Woronesh eilte, um dort den Bau von Kriegsschiffen
zu leiten, sich mit Gordon über die orientalischen Angelegenheiten
unterhielt und dafs Gordon bei dieser Gelegenheit die Wichtigkeit
der Anlegung eines Kriegshafens zum Schutze der neuen Flotte
betonte. Korb erzählt ferner, dafs das Recht der Verleihung
von Offiziersgraden von Schein auf Gordon überging, weil der
erstere dabei Mifsbrauch getrieben hatte. Auch dafs Peter am
3. Februar, nachdem er der Hinrichtung von 137 Rebellen beigewohnt hatte, bei Gordon speiste und diesem von der bis an
den Tod fortgesetzten Halsstarrigkeit der Verbrecher erzählte,
erfahren wir aus Korbs Tagebuche, sowie, dafs Peter beim Ab-
schiede von Gordon, als er, der Zar, in den Süden aufbrach, dem
General gesagt haben sollte: „Ich überlasse alles dir und deiner
bewährten Treue".

Betrachten wir, ehe wir zur Darstellung von Gordons Ende

gelangen, seine Lebensstellung, seine persönlichen Verhältnisse, sein inneres Leben.

Familie, Lebensstellung, Charakter.

Gordon hatte ein reiches Leben hinter sich. Aus bescheidenen Anfängen hatte er, ein mittelloser Emigrant, sich zu einer ehrenvollen Lebensstellung, zu einem lohnenden Wirkungskreise hinaufgearbeitet. Er war, was man einen selfmade man nennt. Er hatte so gut wie alles seiner persönlichen Tüchtigkeit zu verdanken, manche Widerwärtigkeiten des Lebens gekostet, im ganzen viel irdisches Glück genossen.

Aus seinem Tagebuche lernen wir Gordon als Gatten und Vater kennen. Er war zweimal verheiratet. Wann er seine erste Gattin, die geborne Bockhoven, verloren, können wir annäherungsweise bestimmen. Der Todestag der „teuern Geliebten", wie Gordon noch im Jahre 1696 von ihr schreibt, war, wie wir aus der alljährlich wiederkehrenden Notiz im Tagebuche wissen, der 10. Oktober. Er hatte sie am 26. Januar 1665 geheiratet, und aus dieser Ehe stammten vier Kinder. Aus der Feier des silbernen Hochzeitstages mit der zweiten Frau am 3. Februar 1698 ersehen wir, dafs die zweite Ehe Anfang 1673 geschlossen wurde. So mag denn Gordons erste Gattin am 10. Oktober 1671 gestorben sein. Während er der ersten Frau mehrmals mit Zärtlichkeit erwähnt, fehlen derartige Ausdrücke inbetreff der zweiten in dem Tagebuche.

Der älteste Sohn, John, zum Teil in einer Jesuitenschule bei London erzogen, lebte ganz in Schottland, wo er die Güter des Vaters verwaltete. Aus zahlreichen Briefen Patrick Gordons an diesen Sohn ersehen wir, dafs der Vater mit John häufig unzufrieden war. Auch bei der Wahl einer Gattin erfreute sich John nicht des Beifalls seines Vaters. Oft waren Vater und Sohn einem völligen Bruche nahe, weil der letztere es an Pünktlichkeit und Fleifs bei Führung der Geschäfte fehlen liefs. Später gab es dann wieder freundliche Beziehungen, und im Jahre 1698 besuchte John mit seiner ganzen Familie den Vater in Moskau.

Der zweite Sohn, James, in einem Jesuitenkollegium bei Danzig erzogen, sollte zuerst in Schottland eine Juristenlaufbahn verfolgen, trat aber 1690 in russische Dienste. Er wurde 1700 bei Narwa gefangen genommen.

Die älteste Tochter, Katharina, heiratete in erster Ehe den Obersten Strassburg, dann ihren Vetter Alexander Gordon, mit welchem sie nach Schottland übersiedelte. Die zweite, Mary, war in erster Linie mit dem Obersten Crawfuird, in zweiter mit dem Obersten Snevins verheiratet, und war 1698 zum zweitenmal Witwe.

Aus der zweiten Ehe blieb nur Theodor am Leben, die andern Kinder starben alle in zartem Alter. Theodor diente ebenfalls in der russischen Armee. Seiner wird bisweilen bei Gelegenheit mancher Vorfälle des Nordischen Krieges in den Quellen erwähnt.

Diese fünf Kinder überlebten den Vater. Wie sein in Russland erworbenes Vermögen unter ihnen verteilt wurde, erfahren wir aus einigen Aktenstücken, welche der Herausgeber des Tagebuches seiner Edition beigegeben hat (III. 394—395). Sie waren, scheint es, weniger gute Haushalter als Patrick, und blieben nicht lange in dem Besitz der Güter, welche Peter der Grosse dem General verliehen hatte.

Nur bis zu einem gewissen Grade hatte Gordon sich in Russland akklimatisiert. Das Gefühl, in der Fremde zu sein, scheint ihn nie verlassen zu haben. Die Russen selbst verhielten sich grossenteils ablehnend und feindlich gegen die Ausländer. Wie mochten die letztern sich da recht eigentlich heimisch fühlen lernen? Auch in Polen hatte Gordon die Erfahrung gemacht, dass man dort die Ausländer im Grunde hasste und verachtete. In seinem Tagebuche begegnen wir allerdings keinen Urteilen über Russland und die Russen, dagegen finden sich in Gordons Briefen manche tadelnde Äusserungen. Es gab zu viele peinliche Eindrücke, so oft Gordon es mit den Beamten in Russland zu thun hatte, als dafs er seinem Unmute darüber nicht hätte Luft machen müssen.

Trotz alledem aber stand Gordon mit vielen Russen in dem lebhaftesten persönlichen Verkehr. Er schmauste und zechte mit ihnen häufiger, als seine schwache Gesundheit vertrug. Sehr oft begegnen wir den Klagen über „Katzenjammer" (sick of pochmelja) in Gordons Tagebuche. Wir dürfen nicht daran zweifeln, dafs Gordon nicht blofs russisch sprechen, sondern sogar russisch schreiben lernte. Namentlich in Kleinrufsland war er zum gröfsten Teil auf den Verkehr mit Russen angewiesen. Selbst mit den Geistlichen der Kirchen und Klöster in Kijew stand er in einem freundlichen Verkehr. Einmal gab er den Kindern der Kosaken, welche bei dieser Gelegenheit mit ihren Hofmeistern erschienen, ein Fest in seinem Hause. In der Zeit seiner persöulichen Beziehungen zu Peter war er fast täglich in der Gesellschaft der vornehmen Russen, welche den Zaren umgaben. Er begann russische Worte seinem schottischen Englisch im Tagebuche beizumengen (drotikes — Piken, tesma — Band, nowosella — Festlichkeit in einer neuen Wohnung, weczerinka — Abendgesellschaft u. dergl. m.).

Indessen bestand der Kreis von Gordons Bekannten denn doch zu einem weitaus gröfsern Teile aus Ausländern. Auch auf seinen Reisen traf er überall Bekannte, zum Teil Landsleute. Die Militärs in der deutschen Vorstadt hielten eng zusammen, viele dieser Familien waren verschwägert. Alle hatten gemeinsame Interessen, gleiche Lebensstellung, gleiche Bildung. In lebhaftem Verkehr stand Gordon, welcher stets auf seine Gesundheit bedacht war, mit allerlei Ärzten und Apothekern, welche unter den Bewohnern der deutschen Vorstadt eine angesehene Stellung behaupteten. Über die Doktoren Collins, den Leibarzt des Zaren Alexei, welcher in England ein sehr anziehendes Buch über Rufsland herausgab, Wilson, van der Hulst, Carbonari u. a. finden sich in Gordons Tagebuche sehr zahlreiche und zum Teil wichtige Angaben. — In dem Mafse als gerade die englischen Kaufleute in Rufslands Handel eine bedeutende Rolle gespielt hatten, war

es selbstverständlich, daſs auch diese Gordon sehr zuvorkommend
behandelten, durch seine Vermittelung allerlei Vorteile zu erlangen
suchten.   Unter Gordons Korrespondenten findet sich eine Zahl
angesehener Kaufleute in Riga, Danzig, London u. s. w. Es kam
vor, daſs die englischen Kaufleute zu Ehren Gordons Festessen
veranstalteten.   Durch ihn lieſsen sie dem Zaren Peter allerlei
Geschenke überreichen.   Sehr lebhaft war ferner der Verkehr
Gordons mit den in Moskau weilenden, meist in der deutschen
Vorstadt domizilierenden Diplomaten, den Gesandten, Residenten
und Konsuln.   So ist denn Carlisles, Hebdons, Butenants, Kellers,
Guarients, Kurtz' und anderer Diplomaten in Gordons Tagebuche
unzähligemal erwähnt.   Namentlich mit den Gesandten des Kaisers
Leopold und der Republik Polen verknüpfte Gordon ein gemein-
sames Interesse, das Streben, für die katholische Kirche in Ruſsland zu wirken.

Die Ausländer in Ruſsland lebten sehr gesellig.   An dieser
Geselligkeit nahmen regelmäſsig die Frauen teil. Dadurch unterschieden sich die russischen Gesellschaften von denen der Fremden,
daſs bei den erstern keine Frauen erschienen.   Es herrschte dem-
gemäſs bei den geselligen Freuden der Ausländer ein feinerer
Ton ; man war mäſsiger.   Es wurde getanzt, auch wohl Musik
gemacht.   Nicht selten wird der Landpartien, welche mehrere
Familien gemeinsam unternehmen, gedacht.

Ein sehr beträchtlicher Teil der Zeit war der Geselligkeit
gewidmet.   Die Zahl der Besuche, welche Gordon machte und
empfing, ist geradezu erstaunlich.   Die Hochzeitsfeierlichkeiten
währten nicht selten zwei bis drei Tage.   Es läſst sich berechnen,
daſs Gordon in Moskau mehr als hundert Hochzeiten beigewohnt
hat.   Die Zahl der Taufen, Bestattungen u. s. w., deren im
Tagebuche erwähnt wird, ist entsprechend.

Je mehr in Gordons Umgangskreise das Element der Ausländer, der Vertreter westeuropäischer Kultur überwog, desto
weniger war er der Gefahr der Verrussung ausgesetzt, desto
treuer konnte er an seinen nationalen und konfessionellen Grund-
sätzen festhalten.   In Moskau wie auf Reisen finden wir ihn stets

in Gesellschaft von Schotten und Engländern, und vorzüglich in regem Verkehr mit Katholiken und Royalisten. Schon der Umstand, dafs Gordons Söhne in spezifisch katholischen Lehranstalten in Westeuropa erzogen wurden, veranlafste ihn die lebhaftesten Beziehungen zu allerlei geistlichen Herren zu unterhalten. Sein Briefwechsel mit denselben ist eine wichtige Quelle für die Geschichte des Katholizismus in Rufsland.

Der Umfang von Gordons Briefwechsel ist staunenerregend. Auch hier entwickelte er eine merkwürdige Arbeitskraft. Er schrieb gern viel, wie schon sein Tausende von Seiten umfassendes Tagebuch beweist. Vierzehn oder sechzehn Briefe an einem Posttage zu schreiben, war für Gordon nichts Seltenes. An einem Tage ist erwähnt, Gordon habe 25 Briefe geschrieben. Diese Thätigkeit wurde auch auf Reisen und während der Feldzüge fortgesetzt, wobei Gordon ein besonderes Geschick an den Tag legte, genau zu berechnen, an welchen Haltepunkten und wann etwa die Antworten auf seine Briefe eintreffen konnten und mufsten. Er wufste genau, wie lange ein Brief von Moskau nach Hamburg oder nach Danzig unterwegs zu sein pflegte u. dergl. m. Von den abzusendenden Briefen pflegte er nicht selten Abschriften zu nehmen oder für abzusendende Briefe Konzepte zu entwerfen. Diesem Umstande verdanken wir die Kenntnis von 112 Briefen Gordons an eine grofse Anzahl von Personen aus den Jahren 1691—95. Aus Gordons Tagebuche können wir eine Menge von Angaben für die Geschichte des Postwesens jener Zeit entnehmen. Auch ist es diesen Korrespondenzen zu verdanken, dafs Gordons Tagebuch an vielen Stellen, insofern darin der Inhalt der aus Westeuropa eintreffenden Schreiben reproduziert wird, einen zeitungsartigen Eindruck macht und als Geschichtsquelle für manche Vorgänge jener Zeit zu dienen vermag. Das Porto der Briefe betrug keine geringe Summe. Im Jahre 1666 gab Gordon während seiner englischen Reise nicht weniger als 74 Rubel aus, was nach damaligen Kornpreisen dem Werte von 150 Tschetwert Roggen gleichkäme; dieses Quantum Getreide würde man heutzutage mit gegen 1000 Rubel bezahlen.

Gordon war wohlhabend. Er befand sich in sehr günstiger materieller Lage. Als er Braunsberg verließ (1655), hatte er nur $7\frac{1}{2}$ Thaler. Schon in Polen verstand er es, ein gut Stück Geld zu verdienen und Ersparnisse zu machen. Er kam mit einer Barschaft von 600 Dukaten nach Rußland. Gleich anfangs betrug sein Sold 300 Rubel, eine Summe, welche etwa 600 Tschetwert Roggen entsprach, und diese würden heutzutage gegen 4000 Rubel kosten. So war er denn sehr wohl im stande, größere Quantitäten Wein sowie andere Luxusgegenstände aus dem Auslande zu verschreiben und überhaupt einigen Aufwand zu machen.

Indessen hatte er sehr häufig Ursache Klage zu führen, daß der Sold in Rußland sehr unregelmäßig ausgezahlt wurde. Nicht selten mußte man mehrere Wochen auf die fällige Zahlung warten. Ein anderer Übelstand lag darin, daß ein Teil des Soldes nicht in Geld, sondern in Naturalien, vorzüglich in Zobeln ausgezahlt wurde. Dadurch war Gordon stets zu kaufmännischen Geschäften genötigt. Es galt die Zobel abzusetzen, sie in Geld zu verwandeln. In dem Tagebuche, welches zugleich in einem gewissen Grade als Kassabuch diente, finden sich auf diese Weise eine Menge von Preisangaben und andern Notizen, welche für den Wirtschaftshistoriker von dem allergrößten Werte sind. — Gordons Budget stieg in der Zeit seiner hohen Stellung am Hofe Peters. In den letzten Lebensjahren bezog er ein Jahrgehalt von 952 Rubel (etwa 13 000 Rubel heute), und erhielt außerdem allerlei Geschenke an kostbaren Stoffen, silbernen Gegenständen, Weinen u. dergl. Die Dörfer, welche er 1697 erhalten hatte, lieferten ihm beträchtliche Quantitäten an Lebensmitteln: die Bauern zahlten ihm Tribut (Obrok). Bald war er in der Lage, seine Grundstücke durch Ankauf benachbarter Parzellen zu arrondieren. — Erinnern wir uns endlich, daß Gordon in Schottland ein Gut besaß, welches gegen 1000 Thaler Revenuen abwarf, und daß er diese ganze Einnahme zum Kapital zu schlagen pflegte, so werden wir nicht irren, wenn wir Gordon, nach damaligem Maßstabe gemessen, als einen reichen Mann bezeichnen. Er war ein sehr geschickter Haushalter, verstand sich sehr wohl auf Buchhalterei, war stets

in der Lage Geld ausleihen zu können, und hatte mit einer
grofsen Anzahl von Personen laufende Rechnungen. Stand auch
sein Reichtum demjenigen seines Freundes Meneses nach, dessen
Gattin, die Witwe des reichen Marselis, ihm ein Vermögen von
7000 Rubel als Mitgift zubrachte, machte er auch keinen so grofsen
Aufwand wie Lefort, in dessen Kellern stets Weine für mehrere
tausend Rubel vorrätig waren und dessen Jahresausgabe 12 bis
15000 Thaler zu betragen pflegte, so gehörte er doch zu den best-
situierten Ausländern in Moskau.

So lange Zeit hindurch Gordon auch in Rufsland lebte, man
kann kaum sagen, dafs er für die russische Politik ein besonderes
Interesse gehabt habe. Eine staatsmännische Thätigkeit lag ihm
fern. Nur einmal (1684) ausnahmsweise hatte er ein politisches
Memoire über die orientalische Frage entworfen.

Dagegen war und blieb er stets erfüllt von dem Interesse
für die Stuarts und den Royalismus sowie den Katholizismus in
England. Als er 1686 England besuchte, nahm er wahr, dafs
die Stellung des Königs Jakob II. gewisse Gefahren darbot. Wir
wissen aus den Berichten des holländischen Residenten Keller,
dafs Gordon kurz vor dem Ausbruche der Revolution nach England reisen wollte, um den Thron des Königs und den Papismus
stützen zu helfen. [1]) Allen Einzelheiten der Katastrophe des
Jahres 1688 folgte er mit Spannung. Er reproduziert teilweise
Gespräche in Kreisen von Russen und Ausländern über dieses
Ereignis, wobei er Gelegenheit hatte, seine Meinung geradeheraus
zu sagen. Am Vorabend der Revolution war noch in Gordons
Hause der Geburtstag des Königs Jakob II. gefeiert worden,
wobei der holländische Gesandte bemerkt hatte: glücklich sei der
König zu preisen, dessen Unterthanen sogar in der Fremde soviel Anhänglichkeit an ihn kundthäten (II. 231). Als die Nachricht von der Landung Oraniens in England eingetroffen war,
suchte Gordon allerlei Erkundigungen einzuziehen. Er erhielt
die Deklaration Wilhelms; die Privatschreiben, welche er empfing,

---

[1]) Posselt I. 441.

28*

liefs er, insofern sie von den Vorgängen in England berichteten, ins Russische übersetzen und der Regierung mitteilen, wobei er wahrnahm, dafs die letztere alle diese Nachrichten mit Freude begrüfste. Auch der Jubel der Holländer mufste Gordons Unwillen erregen. Nicht selten mufste er an der Tafel für Jakob II. eintreten und seine Meinung, wie er sagt, „hitzig" verfechten. Als einst auf die Gesundheit des Königs Wilhelm getrunken wurde, weigerte sich Gordon zu trinken. Die Nachricht von der Flucht Jakobs nach Frankreich bekümmerte ihn tief.

Insbesondere der Briefwechsel Gordons in den Jahren 1690 fg. setzt uns in den Stand, die Intensität der fern von England weilenden Royalisten zu beobachten. An den Grafen Aberdeen schreibt Gordon (1690), wie sehr die Ereignisse in England ihn mit Schmerz erfüllten. Dem Kaufmann Meverell klagt er, dafs alle seine Freunde von der Teilnahme an der Regierung ausgeschlossen seien und gar keinen Einflufs mehr hätten. Dem Grafen Melfort drückte er den Wunsch aus, irgendwie für Jakob II. wirken zu können, und erklärte sich bereit, alles zu thun, was der König etwa von ihm verlangen werde. Die Hoffnung auf eine zweite Restauration der Stuarts verliefs ihn lange Zeit nicht. An seinen Sohn James, welcher in russische Dienste treten wollte, schrieb er: er, der Sohn, könne so lange in Rufsland bleiben, bis die Verhältnisse in dem Vaterlande sich änderten, da man unmöglich annehmen könne, dafs die Regierung Wilhelms sich lange werde halten können. Dieselben Ansichten entwickelt er in einem Schreiben an den Herzog Gordon. — Er empfand sehr peinlich den Mifsstand, dafs man in Rufsland oft verspätete und unzuverlässige Nachrichten über die Vorgänge im Westen erhielt.

Seine Gesinnungsgenossen und Landsleute versammelte Gordon nicht selten in seinem Hause und trank dann mit ihnen auf das Wohl des vertriebenen Königs. Er hoffte, dafs Rufsland bewogen werden könnte, etwas für Jakob II. zu thun, wenn etwa Ludwig XIV. durch eine nach Rufsland abzusendende Gesandtschaft die Zaren zu beeinflussen vermöchte. Sehr froh war er, als eine Note Wilhelms III. an die russische Regierung in Moskau, wegen

nicht ganz entsprechender Formalien, zuerst nicht acceptiert wurde,
mufste es aber erleben, dafs der niederländische Gesandte alle
Schwierigkeiten ganz rasch zu beseitigen verstand, so dafs die
russische Regierung das Schreiben des Königs von England nicht
blofs entgegennahm, sondern auch beantwortete.

Nach der Revolution erschienen zahlreiche Flugschriften für
und gegen Jakob. Gordon suchte sich dieselben in möglichster
Vollständigkeit zu verschaffen. Die Herrschaft Wilhelms erschien
ihm als ein Schandfleck Englands, und daher hoffte er, dafs das
Volk sich „der Schmach einer so unwürdigen Knechtschaft all-
mählich bewufst werden müsse" (III. 280). Er suchte sich genaue
Verzeichnisse derjenigen Familien in England und Schottland zu
verschaffen, welche der gestürzten Dynastie treu geblieben waren
und welche eine gewisse Neutralität beobachteten. Auch Gordons
Sohn, James, war, wie wir bei dieser Gelegenheit erfahren, fanatischer Royalist. Gordon wufste die ganze Zeit über von den
Parlamentsverhandlungen, den Dimensionen des Budgets und der
Armee in England. Den König Wilhelm nennt er in seinem
Tagebuche nie anders als den „Prinzen von Oranien". Es scheint,
dafs die in Moskau weilenden Engländer und Schotten fast ausnahmslos Gordons Ansichten teilten.

So war denn in dieser Hinsicht Gordon, wie die Emigranten
oft zu sein pflegen, ein kurzsichtiger Politiker. Indem er an
der Hoffnung festhielt, dafs Wilhelm sehr bald gestürzt werden
würde, irrte er. Diese Beschränktheit auf politischem Gebiete
stand in sehr engem Zusammenhange mit seinem religiösen Glaubens-
bekenntnis.

Gordon war sehr eifriger Katholik. Er dachte nie daran,
seinen Glauben zu wechseln, obgleich es nicht an Beispielen fehlte,
dafs auch wohl Engländer zu der griechisch-katholischen Kirche
übergingen. Ja noch mehr. Er war und blieb ein Werkzeug
der katholischen Propaganda in Rufsland. Unablässig war er
bemüht, auf eine Besserung der ungünstigen Lage hinzuarbeiten,
in welcher sich die Katholiken in Rufsland befanden. Als er
nach Rufsland kam, gab es keine katholischen Gotteshäuser. Er

mufste sich von dem holländischen Pastor trauen lassen; ja noch
seine Tochter Mary wurde von einem reformierten Prediger ge-
traut. Dagegen benutzte er die zuweilen vorkommende Durchreise katholischer Geistlicher, um dem Gottesdienste in deren
Hause beizuwohnen. Im Jahre 1684 suchte er durch den Fürsten
Wassilij Golizyn allerlei Rechte für die Katholiken zu erlangen.
Der Minister Sophiens erwies sich als sehr entgegenkommend.
Die in Rufsland lebenden Katholiken erklärten sich bereit, für
den Bau einer Kirche und den Unterhalt des Klerus beträchtliche
Geldopfer zu bringen. Gordon leitete die Agitation mit dem
gröfsten Eifer. Aber man begegnete dem Widerspruche des Patri-
archen und drang nicht durch.

Der Kaiser Leopold wirkte in derselben Richtung. Sehr
häufig begegnen wir in Moskau den Emissären aus Österreich.
Der diplomatische Agent Kurtz kaufte in Moskau ein Haus für
die Jesuiten. Der nominelle Besitzer desselben war der angebliche Kaufmann Guasconi, Gordons vertrauter Freund, welcher
sich als Agent des Jesuitenordens in Moskau aufhielt. Sehr oft
erschienen allerlei Geistliche und Ordensbrüder, mit welchen Gordon in sehr lebhaftem Verkehr stand. Über alle diese Vorgänge
ist sein Tagebuch die Hauptquelle. [1])

Alle in Rufsland erscheinenden katholischen Geistlichen fanden
bei Gordon die freundlichste Aufnahme. Er wufste es durchzusetzen, dafs man ihnen, wenigstens zeitweilig, die Übung geistlicher Funktionen gestattete. Insbesondere mit einem Pater
Schmidt, welcher bald wieder abreisen mufste, unterhielt Gordon
einen lebhaften Briefwechsel. Durch ihn suchte er Lehrer und
Geistliche aus dem Auslande zu verschreiben. Von protestantischer
Seite ist sogar gegen Gordon der Vorwurf erhoben worden, er
habe die Protestanten bei der russischen Regierung anzuschwärzen
gesucht. Indessen blieb die Regierung, insbesondere nach der
Krisis des Jahres 1689, den Katholiken abgeneigt und verbot

---

[1]) Der gegenwärtige Minister des Innern, Graf D. Tolstoi, hat in
seinem Werk „Le catholicisme romain" Gordons Tagebuch sehr gründ-
lich benutzt.

den Jesuiten den Aufenthalt in Rufsland. Aus Gordons Tagebuche erfahren wir, mit welcher Hartnäckigkeit unter anderm
ein Jesuit Terpilowskij, welcher sich Gordons Gunst erfreute,
monatelang einem solchen Gebote trotzte, bis er schliefslich auf-
gegriffen und mit Gewalt an die Grenze gebracht wurde (II. 210).
Wir haben Grund zu vermuten, dafs Gordon auch mit der Regierung des Kaisers Leopold ein Einverständnis unterhielt, um
für den Katholizismus zu wirken. Er steckte fortwährend mit
den aus Österreich kommenden diplomatischen Agenten Pleyer,
Kurtz u. s. w. zusammen. Er stand mit geistlichen Herren in
verschiedenen Ländern in brieflichem Verkehr. So gab er dem
bekannten Reisenden Isbrand ein Empfehlungsschreiben an die
Jesuiten in China mit, in welchem mit Genugthuung berichtet
wird, dafs die Lage der Katholiken in Rufsland sich gebessert
habe. Allerdings hatten sie, wenn auch keine eigentliche Kirche,
so doch ein Bethaus, dessen Instandsetzung Gordon vielfach
beschäftigte. Alsbald begann er den Bau einer steinernen Kirche
vorzubereiten, Gelder für diesen Zweck zu sammeln und im Ver-
eine mit Guasconi auf die Regierung zu wirken.

Aus andern Quellen erfahren wir, dafs es bei dieser Gelegenheit nicht ohne jesuitische Kunstgriffe herging. Unter dem Vorwande, ein Mausoleum für die Familie Gordon zu errichten, wurde
ein Grundstück angekauft. Der Bau begann und wurde möglichst
beschleunigt. Es war die Zeit des ersten Asowschen Feldzuges.
Während Gordons Anwesenheit, als der Bau vorrückte, schöpfte
die Regierung Verdacht und befahl die Arbeit an dem Gebäude
einzustellen. Gordon bemühte sich, die Unternehmung wieder in
Flufs zu bringen, doch ist uns der weitere Verlauf dieser Angelegenheit nicht bekannt. Indessen dürfen wir vermuten, dafs
Gordon mit seinen Absichten durchgedrungen sein werde. Allerdings entstand in Moskau ein katholisches Gotteshaus und Gordon
ist in demselben bestattet worden. [1]

---

[1] Tolstoi, „Le catholicisme romain", I. 127 fg. Eine genaue Darstellung dieses Vorganges findet sich bei Zwjetajew, Aus d. Gesch. d.
ausländischen Konfessionen in Rufsland, S. 429 ff.

Auch im Kreise seiner nächsten Verwandten suchte Gordon
für den katholischen Glauben zu wirken. Er fürchtete sehr, dafs
sein Sohn James in Deutschland von reformierten Ketzern ver-
leitet werden würde, der Kirche untreu zu werden (II. 128);
seinen Schwiegersohn Strafsburg, einen Lutheraner, vermochte er
katholisch zu werden (III. 265). In seinen letzten Lebensjahren
umgab sich Gordon gern mit Geistlichen und erwähnt sehr oft
der gottesdienstlichen Handlungen, denen er viel Zeit widmete.
Bei der Durchreise des Erzbischofs von Ancyra unterzog er sich
der Zeremonie der Firmelung, wobei er den Namen „Leopold"
erhielt und der kaiserliche Gesandte Guarient Patenstelle vertrat. Korb erwähnt noch im Jahre 1699 einer Konferenz der
eifrigsten Katholiken in Moskau über die Angelegenheiten der
Kirche, an welcher Gordon teilgenommen habe. [1])

Gordon verdankte seine Bildung gutenteils der Jesuitenschule
zu Braunsberg. Er war des Lateinischen vollkommen mächtig,
führte einen Teil seiner Korrespondenz (mit Maseppa, Kurtz,
Almas Iwanow, Andrei Matwejew) in lateinischer Sprache und
liebte es, in seinen Briefen lateinische Klassiker zu citieren. Auch
hielt er darauf, dafs seine Söhne bei ihrer Ausbildung auf das
Lateinische Gewicht legten. Sehr häufig ist in dem Tagebuche
und in den Briefen Gordons verschiedener Bücher erwähnt, so dafs
wir uns über die Art und den Umfang der Belesenheit Gordons
zu unterrichten vermögen. Noch als Jüngling verbrachte er auf
einer Reise zu Wasser auf der Weichsel die Zeit mit Lesen.
Als er in Gefangenschaft geriet, beklagte er besonders den Verlust seines Thomas a Kempis, der ihm mit andern Gegenständen
seiner Habe weggenommen worden war. Als er in Polen die
Plünderung regelmäfsig betrieb, suchte er sich bei dieser Gelegenheit auch Bücher in grofser Zahl zu verschaffen. Dem holländischen Gesandten schickte er aus Kijew eine „Beschreibung der
Donau". Als einst ein Bekannter Gordons ins Ausland reiste,
gab er ihm den Auftrag, in Westeuropa allerlei Bücher für ihn

---

[1]) Diarium, 18. Mai 1699.

zu kaufen. Aufserdem pflegte er durch den Kaufmann Munter in Moskau und den Kaufmann Frazer in Riga und andere Bücher zu verschreiben. Vaubans Schriften schickte er seinem Sohne nach Tambow. Peter gab er allerlei Werke über Fortifikation u. dergl. zu lesen. Für ein in Nürnberg erschienenes archäologisches Werk über alte Waffen gab er 9 Thaler aus. Er kannte manche die russische Geschichte betreffende Werke, wie z. B. den Petrejus. In seinem Tagebuche ist französischer, lateinischer und deutscher, sogar türkischer Bücher erwähnt. Durch Gordons Vermittelung verschrieben die englischen Damen der deutschen Vorstadt allerlei Romane aus dem Auslande. Ihn interessierte ein Werk über die Heraldik und Genealogie Ungarns. Man darf annehmen, dafs Gordon zu den gebildetsten Leuten der deutschen Vorstadt gehörte, was ihn allerdings nicht hinderte, das Schottische sehr unorthographisch zu schreiben. Das Deutsche konnte er anfangs gar nicht, lernte es aber später, wie wir aus einem allerdings in gebrochenem Deutsch geschriebenen Briefe Gordons an seinen Sohn Theodor ersehen. In Polen hatte er das Polnische, in Rufsland das Russische gelernt. Seinem Sohne Theodor schärfte er ein, nur ja recht fleifsig russisch zu lernen, und besoldete in Braunsberg einen Mönch, welcher diese Sprache lehrte.

Stets suchte Gordon den Fortschritten der Militärwissenschaft, der Mechanik, der Physik u. s. w. in Westeuropa zu folgen. Er bat den Kaufmann Meverell in London, an welchen er sehr oft schrieb, ihm über alle bedeutenderen, in der Royal Society zur Sprache kommenden Entdeckungen Mitteilung zu machen. Aus den Briefen an den Sohn in Schottland ersehen wir, dafs er das Gebiet der Gartenbaukunst völlig beherrschte. Hier und da legt er mathematische, astronomische Kenntnisse an den Tag. Dagegen wird er auf dem Gebiete der schönen Litteratur und der Musik nicht sehr bewandert gewesen sein. So war der Horizont von Gordons Intelligenz immerhin sehr ausgedehnt, wenn er auch in keinem Fache eine Spezialität vertrat und nicht mit wahrhaft wissenschaftlichen Kenntnissen glänzen konnte. Seine Fähigkeiten mögen nicht über ein gewisses Mittelmafs hinausgegangen sein.

Eine gewisse Tüchtigkeit und Solidität in seinem Können und Wissen wird man ihm nicht absprechen können.

Was Gordons Charakter, Gordons Sittlichkeit anbetrifft, so mufs man bei deren Beurteilung den Mafsstab jener Zeit anlegen und die Zeitverhältnisse berücksichtigen. Dafs er als Zögling einer Jesuitenschule und als im Dienste einer despotischen Macht stehend sich nicht besonders günstiger Bedingungen für die Entwickelung einer höhern Moral erfreute, wird man zugeben. Seine Mannestugend, die physische Tapferkeit Gordons ist über allen Zweifel erhaben. An seinem bürgerlichen Mute hatte er es nicht selten fehlen lassen. Nicht immer gestatteten es die Verhältnisse, dafs Gordon mit seinen Ansichten und Überzeugungen frei herausrücken konnte. Öfter mufste er seine Ideen verschweigen, sogar in entgegengesetztem Sinne reden, weil es galt, den Zorn Mächtiger nicht zu reizen. In seiner Charakteristik Gordons geht Korb so weit, ihn einen Meister in der Kunst der Verstellung zu nennen, welcher, „dem Rate des Aristoteles folgend, Peter nach dem Munde zu sprechen pflegte". [1])

Es war eines Jesuitenzöglings würdig, wenn Gordon 1661, um sich der Verpflichtung des Eintritts in österreichische Dienste zu entledigen, wie er selbst erzählt, zwei Briefe verfaſste, in denen die Fabel von einer angeblichen Krankheit recht breit ausgesponnen war; wenn er, nachdem er einen Kapitän thätlich miſshandelt hatte, vor Gericht hartnäckig leugnete, da, wie er bemerkt, „keine Zeugen waren"; wenn er, allerdings auf den Rat eines russischen Beamten, einmal durch Bestechung bewirkte, dafs ein Papier in einer Behörde durch ein anderes ersetzt wurde; wenn er seinen Sohn, als dieser in Gesellschaft eines Jesuiten nach Rufsland kommen sollte, förmlich im Lügen unterrichtete, d. h. ihm ein System von allerlei falschen Aussagen diktierte, welche der Sohn an der Grenze machen sollte. Recht naiv bemerkt er bei dieser Gelegenheit, dafs eine Lüge, wenn sehr umständlich, weniger sündhaft sei (III. 256).

---

[1]) Korb, p. 217.

Bei alledem wird immerhin die allgemeine Verehrung, welche
Gordon insbesondere in der deutschen Vorstadt genofs, auch als
ein Mafsstab für seinen Charakter gelten können. Auch die
Russen ehrten seinen treuen Pflichteifer, seine Zuverlässigkeit und
Arbeitskraft, die Pünktlichkeit bei der Erfüllung aller dienstlichen
Obliegenheiten, die stete Bereitheit, im Interesse anderer zu wirken,
die Vorteile anderer zu wahren. Nicht umsonst hatte er unzählige-
mal Patenstelle vertreten, sehr oft das Vermögen Unmündiger
zu verwalten, als Schiedsrichter bei Vermögensstreitigkeiten zu
fungieren. Er galt für durchaus unbestechlich und grundehrlich.
Obgleich er, wie wir wissen, in seiner Jugend in Polen durch
Plündern den Grund zu seinem Wohlstand gelegt hatte, meinte
er doch ein reines Gewissen haben zu können, und schrieb seinem
Sohne einmal mit gutem Glauben, in seinem ganzen Vermögen
sei kein Heller, welcher etwa auf unerlaubte Weise erworben sei
(III. 233). Gewifs ist, dafs ihm in russischen Diensten nicht
das geringste Vergehen nachgewiesen werden konnte. Russen wie
Deutsche sind voll Lobes über ihn.

Krankheit und Tod.

Gordon hatte ein an Erfahrungen und Eindrücken reiches
Leben hinter sich. Aber dieses Leben hatte an seinen Körper
hohe Anforderungen gestellt. Er war unzähligemal verwundet
worden, hatte die anstrengendsten Feldzüge mitgemacht und in
vorgerückten Jahren als Gesellschafter Peters bei Schmausereien
und Zechgelagen seine Gesundheit aufs Spiel setzen müssen.

Die Wunden scheinen nicht eigentlich den Kern seiner Gesundheit angegriffen zu haben. In dem polnisch-schwedischen
Kriege war er durch Flintenschüsse in der Seite, an den Füfsen,
an der Schulter und am Kopf verletzt worden. In Tschigirin
hatte er von Granaten und Säbeln an Händen und Füfsen und
im Gesicht allerlei Wunden davongetragen. Bei den Feuerwerken
und Manövern hatte er durch Explosionen gelitten. Doch scheinen
alle diese Wunden nicht lebensgefährlich gewesen zu sein. Dabei

kränkelte er aber oft. In den Jahren 1653 und 1655 scheint er eine Art Typhus durchgemacht zu haben; während des schwedisch-polnischen Krieges erkrankte er an der Pest u. s. w. Aufserdem scheint Gordon zur Hypochondrie geneigt gewesen zu sein. Der Beschreibung seiner Leiden ist ein nicht unbeträchtlicher Teil seiner Tagebuchnotizen gewidmet. Er liebte es, sich mit allerlei Medikamenten zu umgeben, Ärzte und Apotheker zu konsultieren. Auf Grund der überreichlichen Angaben über die ihn jahrelang peinigenden Krankheitssymptome können wir mit Gewifsheit annehmen, dafs er an einem chronischen Magenkatarrh litt. An diesem wird er zu Grunde gegangen sein. Schon am 31. Dezember 1698 schrieb er in sein Tagebuch: „In diesem Jahre habe ich eine merkliche Abnahme meiner Kräfte wahrgenommen. Dein Wille geschehe, o Gott!" Von seiner Krankheit im Jahre 1699 haben wir keine Nachrichten. Er starb am 19. November. Korb erzählt, Peter habe den Sterbenden während dessen letzter Krankheit mehrmals täglich besucht, sei noch in der letzten Nacht zweimal bei ihm gewesen und habe ihm, als er verschieden, die Augen zugedrückt. [1])

Wenige Monate früher war Lefort verschieden, und der Zar hatte das Andenken seines Freundes durch eine überaus prunkvolle Bestattung gefeiert. Nach demselben Zeremoniell ist auch Gordon bestattet worden. Peter folgte dem Zuge inmitten der Soldaten. Ein katholischer Geistlicher hielt die Grabrede. Am Vorabend wohnten der Zarewitsch Alexei und die Lieblingsschwester Peters der Messe in der katholischen Kirche bei. [2]) In derselben ist auch Gordons Asche beigesetzt worden. Dort war noch bis vor nicht langer Zeit die Grabschrift zu lesen, bis dann in den letzten Jahren das ganze Gebäude verschwand und die Platte mit der Inschrift in das Rumjanzowsche Museum gebracht wurde.

Der wichtigste Abschnitt in Gordons Leben und Wirken

---

[1]) Korb, p. 218.
[2]) Pleyers Relation bei Ustrjalow, III. 646, und Posselt in der Edition des Tagebuchs, I. V—VIII.

fällt in jene Zeit der historischen Entwickelung Rufslands, da Peter sich zur Lösung der Aufgabe rüstete, den asiatischen Staat in einen europäischen zu verwandeln. Dafs Gordon an einer solchen Vorbereitung einen wesentlichen Anteil nahm, dafs er dem Zaren, mit welchem eine neue Epoche angeht, in dessen Lehrjahren treu zur Seite stand und ihn förderte, dafs er zu den wichtigsten Vermittlern der Kultur des Abendlandes und dem der historischen Entwickelung bedürfenden Osten gehörte, sichert ihm eine ehrenvolle Stellung in der Geschichte Rufslands.

Gordons Tagebuch als Geschichtsquelle.

Gordons Tagebuch als Geschichtsquelle ist bisher nicht hinreichend gewürdigt worden. Nur Ustrjalow hat bei Gelegenheit seiner „Geschichte Peters des Grofsen" dasselbe und zwar im Originalmanuskript gewissenhaft benutzt. Als E. Herrmann die betreffenden Partien seiner „Geschichte des russischen Staates" schrieb, war Posselts Edition noch nicht erschienen. Ssolowjew hat diese Quelle sehr wenig beachtet und indem er ganz Unwesentliches daraus entlehnte, da, wo Gordons Tagebuch Hauptquelle ist, z. B. bei Gelegenheit der Geschichte der Tschigirin-Feldzüge, dasselbe einfach ignoriert. In den Kreisen der russischen Historiker ist die Kenntnis fremder Sprachen nur wenig verbreitet. Schon der Umstand, dafs Gordons Tagebuch in dem gedruckten deutschen Auszuge gegen tausend Seiten umfafst, erschwert manchem die Benutzung dieser Quelle.

Allerdings übertrifft Gordons Tagebuch an Umfang alle Geschichtsquellen dieser Gattung. Gordon lebte 38 Jahre hindurch fast unausgesetzt in Rufsland. Seine Aufzeichnungen haben, indem sie fast die ganze zweite Hälfte des 17. Jahrhunderts umfassen, schon quantitativ einen ganz andern Wert als etwa das Tagebuch Korbs, welcher etwa ein Jahr in Moskau weilte, oder das Tagebuch Bergholz', welches die Jahre 1721—25 umfafste. Von allen Ausländern, aus deren Schriften wir über das Zeitalter

Peters Belehrung schöpften, wie etwa die Schriften Witsens, Neuvilles, Perrys, Webers, Strahlenbergs, Vockerrodts, gibt uns keine
einzige mit photographischer Treue die Einzelheiten der Ereignisse
wieder wie Gordons Tagebuch. Als leidenschaftlicher Augenzeuge
reproduziert er die Erlebnisse des Augenblicks. Von zusammen-
fassenden Urteilen, von einer Kritik oder Interpretation der Thatsachen sieht er ab; dagegen liefert er überreiches Material, welches
den Leser und Forscher instandsetzt, aus allen Einzelheiten
die Summe zu ziehen, die Bedeutung der Vorgänge, an denen
Gordon teilnahm oder welche er zu beobachten Gelegenheit hatte,
zu erkennen.

Es ist daher erfreulich, dafs, wenn auch Posselts Edition
nicht hinreichend verwertet und gewürdigt worden ist, bereits
viel früher Gordon und sein Tagebuch vielfach Gegenstand besonderer Aufmerksamkeit waren.

Aus den Papieren des Leiters der auswärtigen Politik in der
ersten Hälfte des 18. Jahrhunderts, des Grafen Ostermann, ist
zu ersehen, dafs er Gordons Tagebuch kannte und bereits im
Jahre 1724 Mafsregeln traf, dafs es ins Russische übertragen
werde. Diejenigen Partien des Tagebuchs, welche die Jahre 1684
und 1685 umfassen, wurden damals von Wolkow übersetzt. Man
darf annehmen, dafs sich die Originalhandschrift damals in Moskau
befunden habe.

Bei seinen Studien über die Geschichte der Feldzüge Golizyns,
(1687 und 1689) und die Geschichte Asows, welche in G. F.
Müllers „Sammlung russischer Geschichten“ (1737) erschienen,
benutzte Beyer, Mitglied der Petersburger Akademie, das Tagebuch
sehr fleifsig.

G. F. Müller veranlafste im Jahre 1759 den Grafen Stro-
ganow, einen beträchtlichen Teil der Handschrift der zeitweiligen Besitzerin derselben, der Witwe eines Enkels Gordons,
welcher als Translateur in der Admiralität zu Petersburg diente,
abzukaufen. Einen andern Teil der Handschrift entdeckte Müller
in dem Archiv des Kollegiums der auswärtigen Angelegenheiten
in Moskau. Ebendort, im Archiv, befindet sich eine Abhandlung

Müllers über Gordon, welche, 1766 geschrieben, im Jahre 1778 auszugsweise gedruckt wurde. Gleichzeitig war der Historiker Stritter mit der Anfertigung einer Übersetzung des Tagebuchs ins Deutsche beschäftigt. Gegen das Ende des 18. Jahrhunderts erschienen mehrere kurze Biographien Gordons in verschiedenen russischen Editionen, sowie einzelne Bruchstücke des Tagebuchs. Wie wenig Beachtung in den folgenden Jahrzehnten diesem Gegenstande geschenkt wurde, zeigt der Umstand, daſs in der sonst zum Teil vortrefflichen "Übersicht der Reisenden in Ruſsland" Adelungs nur kurze und zum Teil ungenaue Angaben über denselben sich finden, und daſs in Bantysch-Kamenskijs Schriften über die berühmten Generale aus der Zeit Peters des Groſsen Gordons mit keinem Worte erwähnt wird, obgleich der fleiſsige, aber unkritische Sammler Golikow denn doch im Jahre 1800 eine recht ausführliche Lebensbeschreibung Gordons veröffentlicht hatte.

Im Jahre 1849 erschien der erste Band von M. Posselts Edition des Tagebuchs, im Jahre 1851 der zweite, im Jahre 1852 der dritte. Als Herausgeber des ersten Bandes sind der Fürst Obolenskij und Posselt genannt; als Herausgeber der beiden letztern — nur Posselt. Die Einleitung, Vorreden und Noten sind ausschlieſslich Posselts Werk. Bei der Edition benutzte er die Strittersche Übersetzung, deren Handschrift sich zum Teil im Besitze Obolenskijs, zum Teil im Besitze Pogodins befand. Stritter hatte das Tagebuch vollständig übersetzt, aber man entdeckte den letzten Teil der Übersetzung, welcher den Zeitraum von 1691—98 umfaſste, erst nachdem dieser Abschnitt neu übersetzt war. Stritter hatte die Redaktion des Tagebuchs einigermaſsen geändert und Gordon immer von sich in der dritten Person reden lassen. Vom Jahre 1692 an spricht Gordon in der vorliegenden Edition in der ersten Person. Eine genaue Beschreibung der Originalhandschrift haben die Herausgeber leider unterlassen. Einiges hierauf Bezügliche findet sich bei Ustrjalow in der Einleitung zur "Geschichte Peters des Groſsen". Die sechs erhaltenen Bände Manuskript befanden sich zuerst im Archiv der auswärtigen Angelegenheiten zu Moskau und später im Kriegsministerium. Einer in der Eremitage befindlichen Abschrift erwähnt Adelung.

Die zahlreichen Lücken im Tagebuche erklären sich nicht blofs, wenn auch zum weitaus gröfsten Teile, durch das Verlorengehen einzelner Partien der Handschrift, sondern stellenweise auch dadurch, dafs Gordon nicht immer die Möglichkeit hatte, das Tagebuch stetig zu führen. Die gröfsten Lücken umfassen die Jahre 1667—77 und 1678—84. An mehreren Stellen der Edition haben Übersetzer und Herausgeber sehr bedeutende Kürzungen vorgenommen. Die Aufgabe derselben war sehr schwierig. An vielen Stellen war der Text unverständlich. Viele Namen sind verballhornt. Die Rechtschreibung Gordons ist inkorrekt, willkürlich und inkonsequent. Manche Namen sind im Text in einem Grade gekürzt wiedergegeben, dafs es schwierig ist, zu erraten, von wem die Rede ist.

Wertvolle Beilagen sind über hundert Briefe Gordons, allerlei auf seine Reisen und seinen Dienst bezügliche Aktenstücke, Bildnisse Gordons und seiner zweiten Gemahlin, Pläne der Festungen Tschigirin und Asow, ein Facsimile von Gordons Handschrift.

Ein eigentlicher Kommentar fehlt. Nur die ersten den schwedisch-polnischen Krieg betreffenden Abschnitte des Tagebuchs begleitet Posselt mit historischen, aus den Schriften Pufendorfs und Kochowskijs entlehnten Notizen. Einzelne der Noten am Schlusse der Bände enthalten sehr instruktive, zum Teil den Archiven entlehnte Angaben über die Zeitgeschichte.

Sehr dankenswert ist das alphabetische Register am Schlusse des dritten Bandes. Es erleichtert sehr wesentlich die Benutzung des Tagebuchs bei monographischen Forschungen.

Nicht alle Teile des Tagebuchs haben den Charakter eines solchen. Hier und da begegnen uns langatmige historische und politische Ausführungen, und zwar besonders in dem ersten Bande. Ferner gibt es Abschriften oder Exzerpte von Aktenstücken, Rechnungen, Tabellen über die Truppen und Vorräte u. s. w.

Die Ausführlichkeit des Tagebuchs ist sehr ungleich. So z. B. nimmt das Jahr 1695 etwa fünfmal soviel Raum ein als

das Jahr 1692. Gordon schrieb sein Tagebuch nicht eigentlich
für die Nachwelt, sondern mehr für sich und etwa seine Familie.
Über den Zweck und die Art dieser seiner Thätigkeit hat er
sich selbst, wie Posselt mitteilt (I. VII), folgendermafsen geäufsert: „Es ist mir nicht unbekannt, dafs man es für eine
schwere Sache hält, die Geschichte seines eigenen Lebens zu
schreiben oder eine Erzählung von denjenigen Thaten, an denen
man selbst teilgenommen hat, zu liefern, ebenso wie es einem
Künstler schwer wird, sein eigenes Porträt zu entwerfen. Da
ich mir aber vorgesetzt habe, in den Schranken eines Tagebuchs
zu bleiben, ohne das Vorgefallene zu beurteilen oder die Begebenheiten meines Lebens zu loben oder zu tadeln, indem ich hierin
dem Rate des weisen Cato folge, der da sagte: „Nec te laudaris,
nec te culpaveris ipse" — so ist meines Erachtens die Sache gar
nicht so schwer, insonderheit da ich nicht für die Öffentlichkeit
schreibe und gern andern (wenn niemand sich die Mühe nehmen
sollte, dies zu lesen) die Beurteilung alles dessen, was mir alles
begegnet ist, überlasse. Ich habe auch von Staatsgeschäften nicht
mehr erwähnt, als was mir zu meinen Ohren gekommen ist:
blofse Gerüchte habe ich für Gerüchte ausgegeben und Wahrheit
für Wahrheit. Einige öffentliche Geschäfte, aber vorzugsweise
nur solche, die das Kriegswesen betreffen (die Staatssachen, weil
sie aufser meiner Sphäre sind, berühre ich seltener), habe ich in
einem Zusammenhange vorgetragen, andere sind mit meinen eigenen
Begebenheiten durchflochten; alles zwar unvollständig, weil es an
öffentlichen Dokumenten fehlt, doch so, dafs ich bei den meisten
Begebenheiten gegenwärtig und ein Augenzeuge gewesen bin.
Kurz, ich kann keine bessere und gegründetere Ursache dieser
meiner Bemühungen angeben, als weil es mir so gefallen hat,
wobei ich mich um den Beifall anderer wenig bekümmere, weil
ich weifs, dafs allen zu gefallen jederzeit für unmöglich gehalten
worden ist."

Aus unserer biographischen Skizze, deren Material fast ausschliefslich dem Tagebuche entlehnt ist, ersieht man, wie viel Aufschlufs das letztere über die Ereignisse jener Zeit gibt.

Für die Geschichte aller Kriege von 1655—98, an denen Gordon teilnahm, ist sein Tagebuch Hauptquelle. Er teilt manche während des polnisch-schwedischen Krieges (1655—60) geschlossene Verträge vollständig oder auszugsweise mit. Manche Einzelheiten der militärischen Operationen, z. B. der Belagerung Rigas durch die Russen (1656), manche Schlachten in Kleinrufsland finden sich in keiner andern aus jener Zeit stammenden Quelle. Hier und da liefs er sich Genaueres über Vorgänge früherer Jahre erzählen und schrieb das Gehörte nieder; so mancherlei über die Ereignisse beim Ausbruche des Kampfes um Kleinrufsland. Sehr instruktiv ist seine Schilderung der Niederlagen, welche die Russen in Polen 1660 und 1661 erlitten, der Zustände und Sitten in Polen, der Verhältnisse der Kosaken in der Ukraine.

Aufserordentlich viel Material bietet Gordons Tagebuch für die Geschichte der Orientalischen Frage, insbesondere der Kriege Rufslands mit den Türken und Tataren. In Kleinrufsland lebend erfuhr er mancherlei über die Spannung der Nachbarstaaten und schrieb zeitungsartig allerlei Gerüchte in sein Tagebuch. Von allen Überfällen der Tataren an der Grenze berichtet er mehr oder minder ausführlich. Für die Geschichte des Kampfes um Tschigirin ist Gordons Tagebuch fast die einzige Quelle. Obgleich Hammer-Purgstall und Ssolowjew Gordons bei der Erzählung von der Belagerung Tschigirins 1678 nicht erwähnen, so wissen wir doch, welche bedeutende Rolle er dabei spielte. Ebenso dürfte für die Geschichte der Feldzüge Golizyns in der Krim und der Belagerung Asows durch Peter kaum eine Quelle an Umfang, Genauigkeit und Zuverlässigkeit mit Gordons Tagebuche zu vergleichen sein. Farblos und ungenau, stellenweise sogar vollständig irreführend erscheint daneben inbezug auf den Feldzug von 1689 die Erzählung Neuvilles in seiner „Relation curieuse", welcher die Berichte Spafaris wiedergibt, eines Mannes, der diesen Feldzug nicht mitmachte. Fragmentarisch erscheint daneben etwa die Reihe von Briefen Leforts an seine Verwandten oder die grofse Zahl von Relationen Pleyers an den Kaiser Leopold über die Ereignisse der neunziger Jahre.

Peters Privatleben bis zum Jahre 1697 lernen wir aus Gordons Tagebuche eingehender kennen als auf Grund irgendwelcher andern Quelle. Wir können an der Hand des Tagebuches jahrelang fast Tag für Tag den Beschäftigungen, Arbeiten, Lustbarkeiten und Ausflügen Peters folgen. — Für die Geschichte der Beziehungen Rufslands zu England, zu Österreich und zu andern Staaten finden sich im Tagebuch wertvolle Angaben. Über die Zustände und Verhältnisse Rufslands, der Verwaltung, der verschiedenen sozialen Kreise, des Wirtschaftslebens, der militärischen Organisation, der Ausländer in Rufsland finden sich gelegentlich ganz unersetzliche Angaben. An Personalnotizen gibt es einen schwer zu erschöpfenden Reichtum. · Das Privatleben insbesondere der ausländischen Kreise wird uns durch Gordons Tagebuch ein so vertrauter Stoff, dafs wir uns gewissermafsen in die Atmosphäre und die Stimmung der in Rufsland vor zwei Jahrhunderten lebenden Schotten, Engländer, Holländer, Deutschen u. s. w. versetzt fühlen. Für die historische Topographie sorgt Gordon durch grofse Genauigkeit bei· Beschreibung aller Reisen und Märsche. Es wäre lehrreich, eine genaue Karte Rufslands mit Angabe der Flüsse, Flecken u. s. w. zu entwerfen, welche in Gordons Tagebuch erwähnt sind, zur Vergleichung mit der Topographie der Gegenwart. Der Wirtschaftshistoriker erfährt aus Gordons Tagebuch sehr viel von den Handels-, Lohn- und Preisverhältnissen jener Zeit. Die Angaben über die Bewirtschaftung der in Gordons Besitz befindlichen Güter gewähren einen Einblick in die landwirtschaftlichen und bäuerlichen Verhältnisse jener Zeit. Wir sind mit Hilfe des Tagebuchs im stande, mancherlei Vergleiche anzustellen zwischen der ökonomischen Lage der Ausländer und derjenigen der Russen. Unzähligemal begegnen uns Angaben über die Geld- und Münzverhältnisse, den Zinsfufs, den Wechselkurs u. s. w.

So in kurzem die Bedeutung dieser bisher so wenig berücksichtigten, ja kaum bekannten Geschichtsquelle.

Otto Hauthal (G. Pätz'sche Buchdr.) Naumburg a/S.

EINSCHLÄGIGE WERKE

(ETHNOGRAPHIE U. REISEN, KULTURGESCHICHTLICHE U. LITTERARHISTORISCHE SCHRIFTEN, STATISTISCHES U. MILITARIA)

aus dem Verlag von **B. Elischer** in Leipzig.

Max Nordau's Schriften:

Vom Kreml zur Alhambra. Kulturstudien. Zweite, vermehrte und verbesserte Auflage. Zwei Bände. Preis geh. 12 Mk.; fein gebunden 15 Mk.

Paris unter der dritten Republik. Neue Bilder aus dem wahren Milliardenlande. Dritte Auflage. Preis geh. 6 Mk., fein gebunden 7½ Mk.

Die conventionellen Lügen der Kulturmenschheit. Zwölfte Auflage. Mit dem Porträt des Verfassers. Preis geh. 6 Mk.; fein gebunden 7½ Mk.

Paradoxe. Vierte Auflage. Preis geh. 6 Mk.; fein gebunden 7½ Mk.

L. Passarge.

Sommerfahrten in Norwegen. Reiseerinnerungen, Natur- und Kulturstudien. Zweite, umgearbeitete und vermehrte Auflage. Zwei Bände. Preis geh. 10 Mk.; fein gebunden 12 Mk. 80 Pf.

Aus dem heutigen Spanien und Portugal. Reisebriefe. Zwei Bände. Preis geh. 10 Mk.; fein gebunden 12 Mk. 80 Pf.

Ferdinand Lotheissen.

Zur Sittengeschichte Frankreichs. Bilder und Historien. Preis geh. 5 Mk.; fein gebunden 6½ Mk.

Josef Bayer.

Aus Italien. Kultur- und kunstgeschichtliche Studien und Bilder. Preis geh. 6 Mk.; fein gebunden 7½ Mk.

Wilhelm Scheffler.

Die französische Volksdichtung und Sage. Ein Beitrag zur Geistes- und Sittengeschichte Frankreichs. Lex. 8°. Zwei Bände. Preis geh. 18 Mk.

Robert Prölss.

Geschichte der dramatischen Literatur und Kunst in Deutschland. Zwei Bände. Lex. 8°. Preis geh. 22½ Mk.

Frederik Winkel Horn.

Geschichte der Literatur des skandinavischen Nordens. Von den ältesten Zeiten bis auf die Gegenwart dargestellt. Lex. 8°. Preis geh. 12 Mk.

Woldemar Kaden.

Neue Welschland-Bilder und Historien. Preis geh. 6 Mk.; fein
gebunden 7½ Mk.

Eduard Engel.

Geschichte der französischen Literatur. Von ihren Anfängen
bis auf die Gegenwart. Preis geh. 9 Mk.; fein gebunden 11½ Mk.
Geschichte der englischen Literatur. Von ihren Anfängen bis
auf die Gegenwart. Preis geh. 10 Mk.; fein gebunden 12½ Mk.

Eg. Kowalewski.

Der Krieg Russlands mit der Türkei in den Jahren 1853, 1854,
und der Bruch mit den Westmächten. Mit Benutzung der Aufzeichnungen des Fürsten Gorčakov. Mit 4 Plänen und einer Karte. Aus
dem Russischen übersetzt von Capitain Chr. v. Sarauw. Lex 8°. 9 Mk.

Alex. Petzholdt.

Turkestan auf Grundlage einer i. J. 1871 unternommenen Bereisung des
Landes. 4 Mk.

Sechzig Jahre

des Kaukasischen Krieges mit besonderer Berücksichtigung des Feldzuges im nördlichen Daghestan im Jahre 1839. Mit 2 Uebersichtskarten
und 5 Plänen. Nach russischen Originalen deutsch bearbeitet von
G. Baumgarten, Königl. sächs. Hauptmann. Lex. 8°. 9 Mk.

Christian von Sarauw's Schriften:

Das russische Reich in seiner financ. und öcon. Entwicklung seit dem
Krimkriege. Nach officiellen Quellen dargestellt. 11 Mk. 25 Pf.
Die russische Meeresmacht auf Grund officieller Quellen und eigner
Anschauung. gr. 8. 7 Mk.
Der russisch-türkische Krieg 1877/78. Auf Grundlage der officiellen
russischen Rapporte dargestellt. Mit 8 taktischen Plänen und Karten.
Zweite Auflage. Lex. 8°. 8 Mk.
Die Feldzüge Karl's XII. Ein quellenmässiger Beitrag zur Kriegs-
geschichte und Kabinetspolitik Europas im 18. Jahrhundert. Mit einer
Uebersichtskarte des nordischen Kriegstheaters und 6 lithogr. Tafeln.
Lex. 8°. Preis geh. 12 Mk.

Spiridion Gopćević.

Bulgarien und Ostrumelien. Mit besonderer Berücksichtigung des
Zeitraumes von 1878—1886, nebst militärischer Würdigung des serbo-
bulgarischen Krieges. Mit 6 chromolithographischen Schlachtplänen.
Preis geh. 13½ Mk.; fein geb. 15 Mk.

FSC
www.fsc.org

MIX

Papier aus ver-
antwortungsvollen
Quellen
Paper from
responsible sources

FSC® C141904

Druck:
Customized Business Services GmbH
im Auftrag der KNV-Gruppe
Ferdinand-Jühlke-Str. 7
99095 Erfurt